Roland Decriaud

Agrégé des Lettres
Professeur au Lycée de Vichy

Jacques et Martine Marsat

Professeurs certifiés aux Collèges
Bernard de Ventadour et Firmin-Roz de Limoges

Daniel Pinson

Professeur certifié
Responsable du département
audiovisuel au C.R.D.P. de Créteil

Michel Pougeoise

Professeur de Lettres au Collège
du Mesnil Saint-Denis

Dominique Rincé

Ancien élève de l'École Normale Supérieure
Agrégé des Lettres
Maître de conférences à l'École Polytechnique

Marie-France Sculfort

Professeur certifié au Collège
Philippe de Commynes de Tours

Avec la collaboration de
Jocelyne Collonge et Danièle Falcoz-Vigne

Espace -Livres

TEXTES FRANÇAIS ET DOCUMENTS

3e

Nouvelle collection Nathan

NATHAN

AVANT-PROPOS

Espace-livres... l'espace des livres... le livre-espace... Ce volume, qui termine la collection, a pour ambition d'offrir aux élèves, en 120 textes, l'image, réduite mais panoramique, de la littérature française, dans tout son espace, et dans toute son histoire. Former une sensibilité, un goût, une culture, c'est la mission primordiale du professeur de français, à ce niveau.

Le second objectif, non moins important que le premier, est d'entraîner les élèves, du début à la fin de la 3e, à **la lecture commentée des textes, à l'usage d'une parole ordonnée,** et à **l'exercice de la rédaction** sous toutes ses formes.

L'ouvrage s'efforce de ménager un équilibre entre les thèmes, les genres littéraires et les grandes périodes de l'histoire. Il respecte d'autre part une harmonie entre l'information sur les textes et leur exploitation pédagogique, et l'espace dévolu aux textes eux-mêmes. Une place importante est également consacrée à **l'image,** étudiée tantôt pour elle-même, tantôt pour son rapport au texte.

On trouvera ici 8 grands chapitres.

1. Variations sur le récit. — Récit initiatique, description dans le récit, récit fantastique, récit intime. Les textes vont de la Bible à Marguerite Yourcenar, et font place à plusieurs écrivains étrangers.

2. Sur les planches. — Tout d'abord, les métamorphoses d'un personnage tragique, Andromaque, depuis ses origines antiques jusqu'à Giraudoux ; puis, des extraits de comédies de Molière illustrant la conception de l'éducation des filles dans la perspective classique ; enfin, quelques pages empruntées au répertoire moderne, manifestant la diversité de tons et de genres que peut revêtir le théâtre contemporain.

3. Parcours poétique. — Du Moyen Âge à la poésie du xxe siècle, en passant par la Renaissance, le romantisme, Rimbaud et Verlaine.

4. Thèmes d'aujourd'hui et de toujours. — La mode, la « pub », l'amour... où Stendhal voisine avec Montesquieu, Zola, La Fontaine, Éluard... et Christiane Collange. Au travers de ces choix contrastés se dessine un jeu d'oppositions, mais aussi de convergences paradoxales entre l'éphémère et « l'éternel ».

5. Deux œuvres suivies. — *L'Homme qui rit,* de Victor Hugo, et *L'Homme au sable,* d'E.T. Hoffmann.

6. Littérature et histoire : le Moyen Âge et la Renaissance. — L'univers des croisades, des romans courtois et des grandes découvertes.

7. Littérature et histoire : le xxe siècle. — La « Belle époque », la Grande Guerre, la période 1920-1940, la débâcle et la Résistance, les années 50, la génération 68. Ici, les témoignages littéraires illustrent le programme d'histoire de la classe de 3e.

8. Cinéma, cinémas. — Une séquence explorant la diversité des genres cinématographiques avec des « plans » de Chaplin, Visconti, Truffaut, Woody Allen, etc., qui sont le support d'une initiation méthodique au langage du film.

Chaque chapitre s'achève par un « **entraînement** », soit à la lecture d'une œuvre intégrale, soit à la rédaction sous diverses formes : le récit, la composition française sur un sujet d'analyse littéraire, l'étude littéraire d'un poème, le développement argumenté, le commentaire composé, le résumé.

Les textes sont accompagnés d'un **guide de lecture,** d'exercices de vocabulaire, de suggestions de lectures et de recherches complémentaires, de sujets de rédaction. Nous avons multiplié les exercices de **préparation au Brevet des Collèges,** présentés dans des encadrés spéciaux, en relation avec le texte... Ceux-ci alternent avec des exercices de **préparation à l'entrée en seconde.**

Enfin, l'ouvrage s'achève par un tableau de l'histoire littéraire de la France et un glossaire des termes de l'analyse littéraire.

Les Auteurs

© Éditions Nathan, Paris 1989 ISBN 2.09.175449-2

Guide thématique d'Espace-Livres 3e

Si vous souhaitez respecter l'ordre du livre, voici l'itinéraire de base :
1. VARIATIONS SUR LE RÉCIT → 2. SUR LES PLANCHES → 3. PARCOURS POÉTIQUE → 4. THÈMES D'AUJOURD'HUI ET DE TOUJOURS → 5. DEUX œuvres suivies → 6. LE MOYEN ÂGE ET LA RENAISSANCE → 7. LE XXᵉ SIÈCLE.
Soit : les mythes, le fantastique, l'autobiographie, le théâtre, la poésie, la mode, la pub, l'amour, l'histoire...
Reportez-vous à la table des matières détaillée, à la fin de l'ouvrage.

Mais d'autres parcours thématiques sont possibles :

Enfance et adolescence

V. HUGO : Aux Feuillantines, 45. — CHATEAUBRIAND : Aventure de la pie, 46. — V. HUGO : Melancholia, 120. — C. COLLANGE : « Votre langage est un désastre », 149. — HOFFMANN : Une épouvantable légende, 187. — Le secret dévoilé ou la curiosité punie, 190. — *Ami et Amile,* L'honneur et la charité, 202. — RABELAIS : Un éveil permanent, 238. — MONTAIGNE : Pour une éducation équilibrée, 239. — COLETTE : *Gigi,* 247. — J. JOFFO : Des gamins sous l'occupation, 269. — A. BOUDARD : ... et pendant la Libération, 271. — F. TRUFFAUT : *L'Enfant sauvage,* 310.

Amour

VIRGILE : L'échec d'Orphée, 9. — CH. PERRAULT : Château de fées, 22. — RACINE : « Vos charmes tout-puissants », 70. — RONSARD : « Je vous envoie un bouquet... », 116. — G. APOLLINAIRE : Le Pont Mirabeau, 132. — P. ÉLUARD : Notre vie, 136. — MARIVAUX : Un beau parti, 161. — STENDHAL : Madame de Rênal et Julien Sorel, 169. — H. GOUGAUD : Adieu Lucy, 171. — J. CHARPENTREAU : La force de l'habitude, 174. — P. ÉLUARD : « La courbe de tes yeux... », 175. — J. PRÉVERT : Barbara, 176. — HOFFMANN : La mystérieuse Olympia ou le bal, 192. — Chansons de croisade : « Chanterai por mon corage », 209. — CHRÉTIEN DE TROYES : L'infamie de la charrette, 211. — Le « Pont de l'Épée », 213. — Le nom révélé, 215. — *Lai de Tristan et Iseut,* Le soleil luit clair et beau, 221. — Chanson de toile : « Ausi comme unicorne sui », 225. — RONDEAU : Le mal d'aimer, 226. — L. VISCONTI : *Senso,* 308.

Femme et condition féminine

HOMÈRE : Une épouse inquiète, 63. — MOLIÈRE : « Ce vulgaire dessein », 80. — « Une moitié qui tienne tout de moi », 82. — CHOW CHING LIE : Fiancée à treize ans, 163. — S. DE BEAUVOIR : La condition des femmes : une conciliation difficile, 168. — J. DE MEUNG : L'introuvable compagne, 219. — CHRISTINE DE PISAN : Peut-on instruire les femmes ?, 235.

Mariage

MOLIÈRE : « Ce vulgaire dessein », 80. — « Une moitié qui tienne tout de moi », 82. — « Scène de ménage », 84. — H. DE BALZAC : Une vieille tradition, 152. — MARIVAUX : Un beau parti, 161. — CHOW CHING LIE : Fiancée à treize ans, 163. LA FONTAINE : La Fille, 166. — S. DE BEAUVOIR : La Condition des femmes : une conciliation difficile, 168. — G. CHAUCER : Un Déluge... de naïveté !, 229.

Héros et anti-héros

Bible de Jérusalem : Jonas, 6. — VIRGILE : L'échec d'Orphée, 9. — V. HUGO : Combat contre le monstre, 11. — H. PRATT : Les magies de Stonehenge, 18. — CHATEAUBRIAND : Aventure de la pie, 46. — HOMÈRE : Une épouse inquiète, 63. — RACINE : « Vos charmes tout-puissants », 70. — R. DE OBALDIA : « Salut, Visages pâles ! », 96. — A. DE VIGNY : La mort du loup, 123. — V. HUGO : « Un misérable taillé dans l'étoffe des grands », 185. — *Ami et Amile :* L'honneur et la charité, 202. — CHRÉTIEN DE TROYES : L'infamie de la charrette, 211. — Le « Pont de l'Épée », 213. — Le nom révélé, 215. — ADAM DE LA HALLE : La loi du plus fort, 217. — *La Chanson des Nibelungen :* Une force invisible, 228. — J. ROMAINS : Assaut..., 252. — E. JÜNGER : ... et contre-attaque, 253. — J. GIRAUDOUX : « Dans la lumière de la guerre... », 265. — A. BOUDARD : *Les Combattants du petit bonheur,* 271. — N. RAY : *Johnny Guitar,* 300. — H. HAWKS : *Le Grand Sommeil,* 302.

Combats et guerres

V. HUGO : Combat contre le monstre, 11. — HOMÈRE : Une épouse inquiète, 63. — EURIPIDE : La condamnation d'Astyanax, 65. — J. GIRAUDOUX : Éviter la guerre à tout prix, 74. — « Dans la lumière de la guerre », 265. — A. RIMBAUD : Le dormeur du val, 130. — J. PRÉVERT : Barbara, 176. — CHRÉTIEN DE TROYES : Le nom révélé, 215. — *La Chanson des Nibelungen,* Une force invisible, 228. — La Grande Guerre (J. ROMAINS, E. JÜNGER, H. BARBUSSE, R. DORGELÈS, G. APOLLINAIRE, B. CENDRARS), 252-257. — 1939-1945 : débâcle et résistance (J. GRACQ, A. DE SAINT-EXUPÉRY, J. JOFFO, A. BOUDARD), 267-271.

Argent et classes sociales

STENDHAL : L'entrée des Français à Milan, 56. — RUTEBEUF : Pauvre Rutebeuf !, 106. — F. VILLON : « Si j'eusse étudié », 108. — H. DE BALZAC : Une vieille tradition, 152. — É. ZOLA : Un génie du commerce, 155. — V. HUGO : « Un misérable taillé dans l'étoffe des grands », 185. — M. PAGNOL : Voilà la forme moderne de la force !, 260. — F. MAURIAC : « Une aussi bonne chrétienne... », 260. — L.F. CÉLINE : « Ma nuit à moi », 262. — E. DABIT : « Canal Saint-Martin », 263. — C. ETCHERELLI : « D'inquiétantes espèces mal nourries », 283.

Révolte et contestation

Caricature et satire

Imaginaire et fantastique

Temps

CRÉDIT PHOTOGRAPHIQUE

4

1
Variations sur le récit

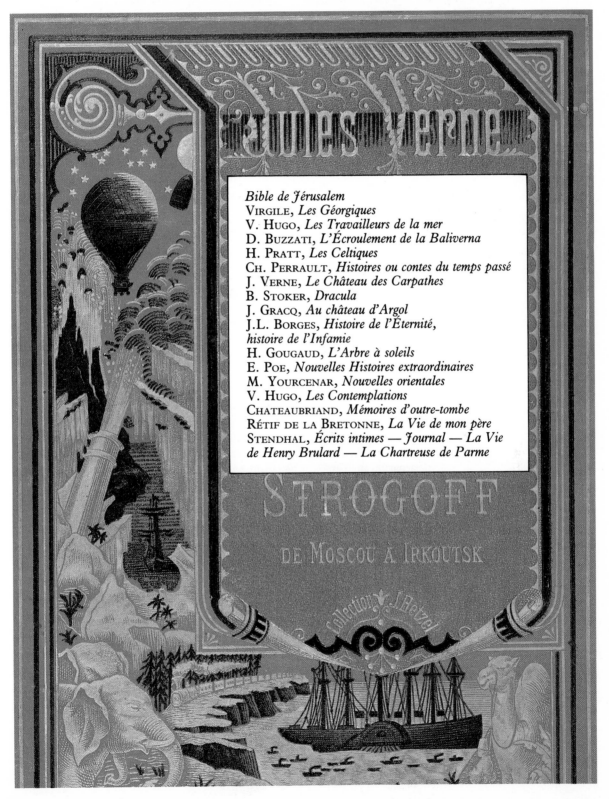

Bible de Jérusalem
Virgile, *Les Géorgiques*
V. Hugo, *Les Travailleurs de la mer*
D. Buzzati, *L'Écroulement de la Baliverna*
H. Pratt, *Les Celtiques*
Ch. Perrault, *Histoires ou contes du temps passé*
J. Verne, *Le Château des Carpathes*
B. Stoker, *Dracula*
J. Gracq, *Au château d'Argol*
J.L. Borges, *Histoire de l'Éternité,
histoire de l'Infamie*
H. Gougaud, *L'Arbre à soleils*
E. Poe, *Nouvelles Histoires extraordinaires*
M. Yourcenar, *Nouvelles orientales*
V. Hugo, *Les Contemplations*
Chateaubriand, *Mémoires d'outre-tombe*
Rétif de la Bretonne, *La Vie de mon père*
Stendhal, *Écrits intimes — Journal — La Vie
de Henry Brulard — La Chartreuse de Parme*

1. Le récit initiatique

On appelle généralement initiation un ensemble de rites et d'enseignements oraux qui a pour but la modification radicale du statut religieux et social de la personne initiée.

Bible de Jérusalem

(ve siècle av. J.-C. ?)

Jonas

Voici le plus ancien des récits initiatiques. Il est tiré de l'Ancien Testament, dont il constitue à lui seul un des « livres ».

Il va sans dire que ce récit n'a aucune prétention historique. Il se situe à une époque voisine des temps hellénistiques. La ville de Ninive, tombée aux mains de Babyloniens et des Mèdes en l'an 612-611 avant Jésus-Christ, n'apparaît ici que comme le symbole d'une capitale surpeuplée.

1. La parole de Yahvé fut adressée à Jonas, fils d'Amittaï : « Lève-toi lui dit-il, va à Ninive[1], la grande ville, et annonce-leur que leur malice[2] est montée jusqu'à moi. » Jonas se mit en route, mais pour fuir à Tarsis[3], loin de Yahvé. Il descendit à Joppé[4] et trouva un vaisseau à
5 destination de Tarsis, il paya son passage et s'embarqua pour se rendre avec eux à Tarsis, loin de Yahvé. Mais Yahvé lança sur la mer un vent violent, et il y eut grande tempête sur la mer ; au point que le vaisseau menaçait de se briser. Les matelots prirent peur, ils crièrent chacun vers son dieu, et, pour s'alléger, jetèrent à la mer la cargaison. Jonas cependant était descendu au
10 fond du bateau, il s'était couché et dormait profondément. Le chef de l'équipage s'approcha de lui et lui dit : « Qu'as-tu à dormir ? Lève-toi, crie vers ton Dieu ! Peut-être Dieu songera-t-il à nous et nous ne périrons pas. » Puis ils se dirent les uns aux autres : « Tirons donc au sort, pour savoir de qui nous vient ce mal. » Ils jetèrent les sorts et le sort tomba sur Jonas. Ils lui
15 dirent alors : « Dis-nous donc quelle est ton affaire, d'où tu viens, quel est ton pays et à quel peuple tu appartiens ? » Il leur répondit : « Je suis Hébreu, et c'est Yahvé que j'adore, le Dieu du ciel qui a fait la mer et la terre. » Les matelots furent saisis d'une grande crainte, et ils lui dirent : « Qu'as-tu fait là ! » Ils savaient en effet qu'il fuyait loin de Yahvé, car il le leur avait raconté.
20 Ils lui demandèrent : « Que te ferons-nous pour que la mer s'apaise pour nous ? » Car la mer se soulevait de plus en plus. Il leur répondit : « Prenez-moi et jetez-moi à la mer[5], et la mer s'apaisera pour vous. Car, je le sais, c'est à cause de moi que cette violente tempête vous assaille. » Les matelots ramèrent pour gagner le rivage, mais en vain, car la mer se soulevait de plus en plus
25 contre eux. Alors, ils implorèrent Yahvé et dirent : « Ah ! Yahvé, puissions-

---

1. Ninive : *capitale de l'Empire assyrien sur la rive gauche du Tigre, vis-à-vis de la ville actuelle de Mossoul.*

2. Malice : *aptitude à faire le mal.*

3. Tarsis : *la Tartessos grecque, colonie phénicienne, cité maritime sur la côte sud-ouest de l'Espagne, alors au-delà des Colonnes d'Hercule (détroit de Gibraltar). Pour les Méditerranéens de l'époque, c'était le bout du monde.*
On appelait vaisseau de Tarsis *un navire de haut bord capable de traverser la Méditerranée.*

4. Joppé : *la moderne Jaffa, le port le plus proche de Jérusalem.*

5. Jetez-moi à la mer : *c'était une croyance assez répandue dans l'Antiquité que la présence d'un criminel à bord d'un navire faisait courir un danger à l'équipage et aux passagers.*

nous ne pas périr à cause de la vie de cet homme, et puisses-tu ne pas nous charger d'un sang innocent, car c'est toi, Yahvé, qui as agi selon ton bon plaisir. Et, s'emparant de Jonas, ils le jetèrent à la mer, et la mer apaisa sa fureur. Les hommes furent saisis d'une grande crainte de Yahvé ; ils offrirent
30 un sacrifice à Yahvé et firent des vœux.

2. Yahvé fit qu'il y eut un grand poisson[6] pour engloutir Jonas. Jonas demeura dans les entrailles du poisson trois jours et trois nuits. Des entrailles du poisson, il pria Yahvé (...) (*Suit un psaume : Jonas prie Yahvé et lui dit qu'il est prêt à aller prêcher à Ninive.*)
35 Yahvé parla au poisson, qui vomit Jonas sur le rivage.

3. La parole de Yahvé fut adressée pour la seconde fois à Jonas : « Lève-toi, lui dit-il, va à Ninive, la grande ville, et annonce-leur ce que je te dirai. » Jonas se leva et alla à Ninive selon la parole de Yahvé. Or Ninive était une ville divinement grande : il fallait trois jours[7] pour la traverser. Jonas pénétra dans
40 la ville ; il y fit une journée de marche. Il prêcha en ces termes : « Encore quarante jours, et Ninive sera détruite. » Les gens de Ninive crurent en Dieu ; ils publièrent un jeûne et se revêtirent de sacs[8], depuis le plus grand jusqu'au plus petit. La nouvelle parvint au roi de Ninive ; il se leva de son trône, quitta son manteau, se couvrit d'un sac et s'assit sur la cendre[9]. Puis l'on cria dans
45 Ninive, et l'on fit, par décret du roi et de ses grands, cette proclamation : « Hommes et bêtes, gros et petit bétail ne goûteront rien, ne mangeront point et ne boiront pas d'eau. On se couvrira de sacs, on criera vers Dieu avec force, et chacun se détournera de sa mauvaise conduite et de l'iniquité que commettent ses mains. Qui sait si Dieu ne se ravisera pas et ne se repentira
50 pas, s'il ne reviendra pas de l'ardeur de sa colère en sorte que nous ne périssions point ? » Dieu vit ce qu'ils faisaient pour se détourner de leur conduite mauvaise. Aussi Dieu se repentit des prédictions de malheur qu'il leur avait faites, et il ne les réalisa pas.

4. Jonas en eut grand dépit, et il se fâcha. Il fit une prière à Yahvé « Ah !
55 Yahvé, dit-il, n'est-ce point là ce que je disais lorsque j'étais encore dans mon pays ? C'est pourquoi je m'étais d'abord enfui à Tarsis ; je savais en effet que tu es un Dieu de tendresse et de pitié, lent à la colère, riche en grâce et te repentant du mal. Maintenant, Yahvé, prends donc ma vie, car mieux vaut pour moi mourir que vivre. » Yahvé répondit : « As-tu raison de te fâcher ? »
60 Jonas sortit de la ville et s'assit à l'orient de la ville[10]. Il se fit là une hutte et s'assit dessous à l'ombre, pour voir ce qui arriverait dans la ville. Alors Yahvé Dieu fit qu'il y eut un ricin[11] qui grandit au-dessus de Jonas, afin de donner de l'ombre à sa tête et de le délivrer ainsi de son mal. Jonas fut très content du ricin. Mais, à la pointe de l'aube, le lendemain, Dieu fit qu'il y eut un ver
65 qui piqua le ricin ; celui-ci sécha. Puis quand le soleil se leva, Dieu fit qu'il y eut un vent d'est brûlant[12] ; le soleil darda ses rayons sur la tête de Jonas qui fut accablé. Il demanda la mort et dit : « Mieux vaut pour moi mourir que vivre. » Dieu dit à Jonas « As-tu raison de t'irriter pour ce ricin ? » Il répondit : « Oui, j'ai bien raison d'être fâché à mort. » Yahvé repartit : « Toi, tu as de
70 la peine pour ce ricin, qui ne t'a coûté aucun travail et que tu n'as pas fait grandir, qui a poussé en une nuit et en une nuit a péri. Et moi, je ne serais pas en peine pour Ninive, la grande ville, où il y a plus de cent vingt mille êtres humains qui ne distinguent pas leur droite de leur gauche[13], ainsi qu'une foule d'animaux »[14] !

Traduction *Bible de Jérusalem.*

6. Le grand poisson : *la tradition en fait une baleine...*

7. Trois jours : *chiffre symbolique pour qualifier une ville immense, déjà entrée dans la légende. La Jérusalem antique se traversait à pied en une demi-journée.*

8. Les sacs : *des fourreaux d'étoffe grossière qu'on passait autour des reins, pour cette pratique de pénitence.*

9. S'assit sur la cendre : *pratique de deuil.*

10. À l'orient de la ville : *une fois son message publié, Jonas se retire confortablement à quelque distance de la ville pour en contempler la destruction.*

11. Ricin : *plante à larges feuilles palmées, de croissance rapide, pouvant atteindre une hauteur de trois mètres.*

12. Vent d'est : *le sirocco, à la chaleur lourde et accablante, qui dessèche tout.*

13. *Qui ne distinguent pas leur droite de leur gauche : qui ne connaissent pas la différence entre le bien et le mal, le temps « où l'on sait repousser ce qui est mauvais et choisir ce qui est bon ».*

14. *Une foule d'animaux : ils ont participé à la pénitence, il est bien normal qu'ils participent au salut...*

*Lithographie du XIXᵉ siècle,
d'après une peinture de
Théodore Amst (XVIIᵉ siècle).*

Guide de lecture : une initiation qui transforme

Les deux missions de Jonas

1. Par qui, et en quels termes Jonas est-il envoyé en mission ?

2. Pour qu'un héros parte en mission, il doit posséder trois atouts indispensables :
— savoir pourquoi il part (objet de sa quête) ;
— pouvoir partir (aides : matérielle, morale ou magique) ;
— vouloir partir.
Jonas possède-t-il ces trois atouts pour sa première mission ? Pour la seconde ?

3. Placez chaque personnage de la première mission dans le schéma suivant :

a. D'après ce schéma, quelle remarque importante pouvez-vous faire sur le destinateur ?
b. Cela a-t-il une importance pour caractériser ce récit ?
c. Certains personnages ont-ils plusieurs rôles ? Que pouvez-vous en conclure ?

La transformation de Jonas : un récit initiatique

De façon très simplifiée, on peut dire que le déroulement d'un récit initiatique consiste en un scénario aux épisodes immuables compor-tant toujours trois étapes indispensables :
1. La préparation (rites préliminaires) ;
2. Le voyage dans l'Au-Delà (symbole de la mort initiatique) ;
3. La nouvelle naissance.

1. En ce qui concerne la première partie du récit, c'est-à-dire la première mission de Jonas, vous est-il possible de repérer :
a) La phase de préparation ?
b) Le symbole, dans ce récit, de la mort initiatique ?
c) En quoi consiste la « nouvelle naissance » de Jonas sur le plan concret ? Sur le plan symbolique ?

2. Quelles épreuves subit Jonas dans cette première partie ? Faites-en un relevé précis.

Recherche, Réflexion, Expression

De nombreux récits reprennent l'épisode initiatique du héros avalé par un monstre ou par un ogre. Parfois de manière réelle, dans le cas de Pinocchio, ou celui du Gargantua de Rabelais et autres géants avaleurs de la mythologie celtique. Parfois symbolique, comme dans l'épisode du cheval de Troie, ou le cas de Gavroche logeant dans l'éléphant de plâtre de la Bastille, dans *Les Misérables*.
Des peintres : Bruegel et J. Bosch, ont pris souvent cette image pour illustrer un proverbe flamand : « Les gros poissons mangent les petits. »
Connaissez-vous d'autres exemples, dans les récits que vous avez lus récemment ?

VIRGILE

Les Géorgiques (28 av. J.-C.)

Poète latin (v. 70-v. 19 av. J.-C.) d'origine provinciale et modeste, **Virgile** composa *Les Bucoliques*, et *Les Géorgiques*, poèmes célébrant la nature et les travaux des champs. Il entreprit ensuite une grande épopée nationale, *L'Énéide*, qu'il ne put terminer. Son influence fut immense sur les littératures latine et occidentale. Dans la *Divine Comédie* de Dante, c'est Virgile qui guide le poète dans l'Au-delà.

L'échec d'Orphée

Le voyage dans l'Au-Delà constitue l'étape la plus cruciale de l'initiation. Symbolisée parfois par l'engloutissement par un ogre ou un monstre, par une plongée dans les ténèbres, elle représente pour le héros une redoutable épreuve : avant de naître à une nouvelle vie, il doit triompher de la mort.

*Le mythe d'Orphée, mage, poète et musicien, présente un des exemples les plus poignants de la **descente aux enfers**.*

Orphée, fils d'un fleuve de Thrace, l'Œagre, et de la muse Calliope, venait d'épouser Eurydice lorsque celle-ci mourut, piquée par un serpent le jour de ses noces, en cherchant à fuir le berger Aristée, à qui est destiné le récit qui va suivre. Inconsolable, Orphée descendit aux Enfers, parvint à émouvoir de ses chants les dieux infernaux, et obtint d'eux de ramener son épouse sur la terre, à la condition de ne pas se retourner pour la regarder, avant d'être revenu à la lumière du jour.

Dans la 4ᵉ Géorgique, Virgile, le plus célèbre des poètes latins, déplore la mort d'Eurydice et l'échec d'Orphée dans un des plus beaux passages de la poésie universelle.

1. Les Euménides : *nom grec des Furies, ou Erinyes, cruelles déesses de la vengeance, chargées des châtiments des méchants.*

2. Cerbère : *énorme chien à trois têtes, veillant sans cesse et défendant l'entrée des Enfers.*

3. Ixion : *cruel et perfide roi des Lapithes, condamné par Zeus à tourner sans fin sur une roue où des serpents le ligotaient.*

4. Proserpine : *épouse de Pluton. Elle mit pour condition au retour d'Eurydice qu'Orphée la précéderait sans jamais se retourner sur elle. « Ne te retourne pas » est la grande interdiction initiatique.*

5. Le batelier : *Charon, batelier des Enfers, qui faisait franchir le Styx.*

6. Le Strymon : *fleuve des Balkans, appelé aujourd'hui la Strouma.*

7. Philomèle : *fille du roi d'Athènes Pandion, changée en rossignol après bien des malheurs. Sa sœur Procné avait été changée en hirondelle. Que désigne ici le nom propre ?*

Il frappa de stupeur les maisons mêmes de la mort,
Les serpents bleus rampant au front des Euménides[1] ;
Aux gueules de Cerbère[2], il désarma l'aboi
Et le vent s'arrêta de poursuivre Ixion[3].
5 Il revenait enfin, après bien des hasards ;
Prête aux souffles d'en-haut, Eurydice était là,
Derrière lui — c'était la loi de Proserpine[4] —
Quand un soudain délire égara son amour,
Bien digne de pardon, si les dieux pardonnaient.
10 Aux premières lueurs, il s'était arrêté ; vaincu,
Oubliant tout, hélas ! il regarda son Eurydice.
Là se perdit tout son effort ; le roi cruel
Rompit son pacte et le tonnerre emplit les profondeurs.
« Qui m'a perdue, infortunée, avec toi, mon Orphée ?
15 « Quelle affreuse folie... Et voici qu'à nouveau je pars.
« Destin cruel ! Une torpeur me gagne toute.
« Allons, adieu ! Je suis dans une immense nuit,
« Tendant vers toi ces mains, hélas ! qui ne sont plus à toi. »
Maintenant il la voit devant lui se défaire
20 Comme aux vents qui se jouent se mêle une fumée,
Il veut en vain saisir une ombre, il veut parler,
Il ne la verra plus ; le batelier[5] n'a pas permis
Qu'il repassât encor la barrière des eaux.
Que faire ? Où vivre désormais sans espoir et sans âme ?
25 Par quels pleurs émouvoir les Puissants et quels dieux toucher ?
Elle, déjà, voguait, glacée, aux eaux noires du Styx.
Sept mois entiers, sous une roche aérienne,
Près du Strymon[6] désert, il pleura. Ses malheurs,
Dans les antres glacés, il les faisait revivre
30 Aux chênes ébranlés, aux tigres attendris.
Telle, en son peuplier, Philomèle[7] éplorée
Lamente ses petits qu'un cruel laboureur
A retirés du nid, tout nus ; la nuit, dans l'arbre,
Elle pleure, et sans fin renaît sa plainte pitoyable.
35 L'appel de sa tristesse emplit au loin les bois.

8. L'Hyperborée : *montagnes situées par les Anciens au nord du monde connu.*

9. Des femmes en délire : *il s'agit des Bacchantes, prêtresses de Bacchus-Dionysos. Elles célèbrent un culte à mystères qui leur inspire un délire sacré.*

10. L'Hèbre Œagrien : *de Thrace. Œagre est le père d'Orphée.*

Ni l'hymen ni l'amour ne fléchirent son cœur.
Seul, dans l'Hyperborée[8], égaré, par les glaces,
En des pays couverts de blancheurs éternelles,
Il allait, rappelant Eurydice et les vaines faveurs
40 De ceux d'en bas. Il attira la haine et, une nuit,
Victime offerte aux dieux, des femmes en délire[9]
Déchirèrent son corps et le semèrent par les champs.
La tête, alors, à son col si pur arrachée,
Roulait aux tourbillons de l'Hèbre Œagrien[10] ;
45 Mais le nom d'Eurydice est encor sur ses lèvres,
L'âme s'en va dans une voix : « Hélas, mon Eurydice. »
Les rives, tout au long, redisaient « Eurydice ».

VIRGILE, *Les Géorgiques*, IV, 457-527, Traduction de Jacques Perret © éd. du Seuil.

Jean Delville, « Orphée » (1893).

Guide de lecture : la douleur d'Orphée

1. Quelle signification pouvez-vous donner à la faute d'Orphée ?

2. Les reproches d'Eurydice s'adressent-ils à Orphée ?

3. Comment Virgile suggère-t-il la disparition de la jeune nymphe ?

4. Quel décor le poète a-t-il donné à la douleur d'Orphée ?

5. À quoi la compare-t-il longuement ? Pourquoi ?

6. Pour quelle raison la douleur d'Orphée attire-t-elle la vengeance des dieux ?

7. Pourquoi Virgile insiste-t-il sur la plainte finale ?

Recherche, Réflexion, Expression

Un thème : partir

1. Voyage vers une île, une autre planète ; dans une grotte, une pyramide, un labyrinthe.

2. Aller dans un endroit dangereux, chercher une femme aimée, subir un interdit, réussir ou manquer l'épreuve : transposez le mythe d'Orphée dans d'autres lieux, d'autres temps, comme dans le film de Marcel Camus, *Orfeo Negro* (1959).

À écouter

Orphée, le musicien poète qui, grâce à la magie de ses chants, arrête les fleuves, charme les bêtes sauvages, met en mouvement arbres et rochers, a inspiré de nombreux poètes et de grands musiciens :

MONTEVERDI (1607) : *Orfeo,* à écouter par le Concertus Musicus de Vienne et N. Harnoncourt, EMI Telefunken.

RAMEAU (1728), Darius MILHAUD : *Les Malheurs d'Orphée,* opéra de 1926.

GLUCK : *Orfeo ed Eurydice* (1762). Écoutez l'air « J'ai perdu mon Eurydice » par Kathleen Ferrier et l'Orchestre de l'Opéra néerlandais (EMI-VSM), ou un enregistrement plus récent : René Jacobs et le Collegium Vocale de Gand, S. Kuijken, Accent.

À voir

Marcel CAMUS, *Orfeo Negro* (1959), et les deux films de Jean COCTEAU : *Orphée* et *Le Testament d'Orphée,* où l'entrée dans le royaume de la mort est symbolisée par un passage à travers le miroir, ainsi que *Parking,* de Jacques DEMY (1985).

La descente aux Enfers est vite devenue un motif épique, utilisé littérairement, et, dans les initiations héroïques, le héros trouve au fond du gouffre ou du labyrinthe un monstre qui symbolise la mort. C'est le cas de Thésée, de Gilgamesh, de Jason, d'Hercule ou de saint Georges.

Les grandes œuvres de la période romantique, et principalement les romans de Victor Hugo, retrouvent le sens du sacré et de l'initiation.

VICTOR HUGO

Les Travailleurs de la mer (1866)

Victor Hugo (1802-1885) écrit en 1820 son premier recueil de poèmes, *Odes et Ballades*, et son premier roman en 1826. Il triomphe également au théâtre dès 1827.
De 1830 à 1843, il connaît une période littéraire particulièrement féconde, en abordant tous les genres.
En 1843, sa fille Léopoldine meurt noyée, et, en 1851, Hugo, opposant au régime de Napoléon III, s'exile pour vingt ans dans les îles anglo-normandes. C'est au cours de cette période qu'il écrit le roman dont nous présentons ici un extrait : *Les Travailleurs de la mer* (1866).

Combat contre le monstre

Le vieil armateur Mess Lethierry possède un des premiers bateaux à vapeur qui assurent le service entre Saint-Malo et Guernesey. Son associé, un misérable, provoque le naufrage de La Durande. Il serait possible de renflouer le navire échoué, mais personne ne veut aider Lethierry, ruiné par ce malheur.

Celui-ci offre la main de sa nièce, la ravissante Déruchette, à celui qui sauvera les machines encore intactes.

Gilliatt, un pêcheur un peu mystérieux, mal vu des autres, amoureux fou de la jeune fille, tente l'aventure.

Seul dans une grotte marine, il risque mille fois sa vie pendant plusieurs mois, et se trouve aux prises avec une pieuvre géante.

T out à coup il se sentit saisir le bras.

Ce qu'il éprouva en ce moment, c'est l'horreur indescriptible.

Quelque chose qui était mince, âpre, plat, glacé, gluant et vivant venait de se tordre dans l'ombre autour de son bras nu. Cela lui montait vers la poitrine. C'était la pression d'une courroie et la poussée d'une vrille. En
5 moins d'une seconde, on ne sait quelle spirale lui avait envahi le poignet et le coude et touchait l'épaule. La pointe fouillait sous son aisselle.

Gilliatt se rejeta en arrière, mais put à peine remuer. Il était comme cloué. De sa main gauche restée libre il prit son couteau qu'il avait entre les
10 dents, et de cette main, tenant le couteau, s'arc-bouta au rocher, avec un effort désespéré pour retirer son bras. Il ne réussit qu'à inquiéter un peu la ligature, qui se resserra. Elle était souple comme le cuir, solide comme l'acier, froide comme la nuit.

Une deuxième lanière, étroite et aiguë, sortit de la crevasse du roc. C'était
15 comme une langue hors d'une gueule. Elle lécha épouvantablement le torse nu de Gilliatt, et tout à coup s'allongeant, démesurée et fine, elle s'appliqua sur sa peau et lui entoura tout le corps.

En même temps une souffrance inouïe, comparable à rien, soulevait les muscles crispés de Gilliatt. Il sentait dans sa peau des enfoncements ronds,
20 horribles. Il lui semblait que d'innombrables lèvres, collées à sa chair, cherchaient à lui boire le sang.

Une troisième lanière ondoya hors du rocher, tâta Gilliatt, et lui fouetta les côtes comme une corde. Elle s'y fixa.

L'angoisse, à son paroxysme, est muette. Gilliatt ne jetait pas un cri. Il
25 y avait assez de jour pour qu'il pût voir les repoussantes formes appliquées sur lui. Une quatrième ligature, celle-ci rapide comme une flèche, lui sauta autour du ventre et s'y enroula.

Impossible de couper ni d'arracher ces courroies visqueuses qui adhé-raient étroitement au corps de Gilliatt et par quantité de points. Chacun de
30 ces points était un foyer d'affreuse et bizarre douleur. C'était ce qu'on éprouverait si l'on se sentait avalé à la fois par une foule de bouches trop petites.

Un cinquième allongement jaillit du trou. Il se superposa aux autres et vint se replier sur le diaphragme de Gilliatt. La compression s'ajoutait à
35 l'anxiété ; Gilliatt pouvait à peine respirer.

Ces lanières, pointues à leur extrémité, allaient s'élargissant comme des lames d'épée vers la poignée. Toutes les cinq appartenaient évidemment au même centre. Elles marchaient et rampaient sur Gilliatt. Il sentait se déplacer ces pressions obscures qui lui semblaient être des bouches.
40 Brusquement une large viscosité ronde et plate sortit de dessous la crevasse. C'était le centre ; les cinq lanières s'y rattachaient comme des rayons à un moyeu ; on distinguait au côté opposé de ce disque immonde le commencement de trois autres tentacules, restés sous l'enfoncement du rocher. Au milieu de cette viscosité il y avait deux yeux qui regardaient.
45 Ces yeux voyaient Gilliatt.

Gilliatt reconnut la pieuvre.

VICTOR HUGO, *Les Travailleurs de la mer*, Livre 4 - chapitre 1, © éd. Gallimard, 1965.

Le roi des Auxcriniers. Dessin de Victor Hugo.

Guide de lecture : les yeux de la pieuvre

La narration

1. Relevez toutes les indications de temps dans le passage : sont-elles nombreuses ? Où sont-elles placées ? Combien de temps peut durer cette scène ?

2. Pourrait-on permuter les paragraphes de ce passage ? Pourquoi ?

3. Le personnage de Gilliatt et le lecteur : sont-ils également informés ? Également sous-informés ? Le lecteur est-il plus informé que le héros ? Le héros est-il plus informé que le lecteur ? Justifiez votre réponse.

La description

1. Comment se découvre progressivement le corps de la pieuvre ?

2. La description de la pieuvre contient-elle des termes spécifiques et scientifiques ? Si oui, quand apparaissent-ils ?

POUR LE BREVET DES COLLÈGES

Vocabulaire et grammaire

1. Relevez tous les termes du vocabulaire du toucher, en distinguant les noms, les adjectifs et les verbes.

2. L'extrême intensité du vocabulaire : relevez des exemples en les classant (noms, adjectifs, verbes).

3. Les temps verbaux.
a. Expliquez chaque apparition du passé simple.
b. Que produit le contraste entre le passé simple et l'imparfait dans les deux dernières phrases ?

4. Syntaxe.
a. Relevez des phrases qui ne contiennent pas de complément d'agent. Quel est l'effet produit ?
b. Un verbe est employé intransitivement : il y avait deux yeux qui regardaient. Pour quelle raison ? Construisez successivement avec ou sans complément les verbes : *boire - peser - tourner*. Quel changement de sens survient dans chaque cas ?

Les sept messagers

DINO BUZZATI

L'Écroulement de la Baliverna (1969)

Dino Buzzati (1906-1972) fut écrivain, journaliste et peintre. Il fut journaliste au *Corriere della Sera*, le plus grand quotidien de la péninsule italienne, intéressé par les reportages bizarres. Il écrivit de nombreux récits fantastiques, construisant un monde de mirages, de hauteurs, de longues attentes vaines et d'absence de communication. Son chef-d'œuvre, *Le Désert des Tartares* (1940), est une longue épopée de l'attente chimérique.

Nous n'avons pas fini de rêver sur les récits initiatiques : bien des œuvres modernes contiennent elles aussi des révélations symboliques plus ou moins nettes, et certaines d'entre elles, sous des formes diverses, retrouvent le déroulement immuable de l'initiation du héros, même si le sens du sacré et du secret n'est plus tout à fait le même...

Ces œuvres créent en nous de profonds échos, sans que nous sachions toujours très bien pourquoi notre imagination s'exalte. Ainsi en est-il de cette nouvelle de Dino Buzzati, dont nous publions le texte intégral.

Depuis que je suis parti explorer le royaume de mon père, je m'éloigne chaque jour davantage de la ville et les nouvelles qui me parviennent se font de plus en plus rares.

Quand j'ai entrepris ce voyage, j'avais à peine trente ans et plus de huit
5 ans se sont écoulés, exactement huit ans six mois et quinze jours d'une route ininterrompue. Au moment du départ, je croyais pouvoir aisément parvenir en quelques semaines aux frontières du royaume, mais je n'ai fait que rencontrer toujours de nouvelles gens et de nouveaux villages et de nouvelles provinces ; et partout des hommes parlant ma propre langue et se prétendant
10 mes vassaux.

Il m'arrive parfois de penser que la boussole de mon géographe s'est affolée et que, tout en croyant aller toujours vers le sud, nous ne faisons que tourner autour de nous-mêmes, sans jamais parvenir à nous éloigner davantage de la capitale ; cela pourrait peut-être expliquer que nous ne
15 pouvons atteindre les confins du royaume.

Mais je me sens plus souvent taraudé par l'idée que ces frontières n'existent pas, que le royaume s'étend sans aucune limite et que, malgré ce voyage incessant, jamais je n'en verrai la fin.

Je me suis mis en route à trente ans, trop tard peut-être. Mes amis, mes
20 proches même, raillaient mon projet qu'ils jugeaient une perte inutile des meilleures années de la vie. En vérité quelques rares fidèles seulement consentirent à m'accompagner.

Malgré mon insouciance — une insouciance que je ne connais plus ! — j'eus à cœur de prévoir le moyen de communiquer, pendant le voyage, avec ceux qui m'étaient chers et je choisis parmi les cavaliers de mon escorte les sept meilleurs, qui allaient devenir mes messagers.

Dans mon ignorance, je croyais qu'en choisissant sept messagers j'exagérais un peu. Mais je m'aperçus, à mesure que le temps passait, que ce nombre était tout au contraire ridiculement faible. Aucun d'eux pourtant n'est jamais tombé malade, ni ne s'est fait prendre par les brigands, aucun n'a crevé sa monture. Ils m'ont servi tous les sept avec une ténacité, un dévouement que je parviendrai difficilement à jamais récompenser.

Afin de plus facilement les reconnaître je leur imposai de nouveaux noms dans l'ordre alphabétique : Alexandre, Barthélemy, Caius, Dominique, Émile, Frédéric et Grégoire.

Comme j'étais peu habitué à m'éloigner de ma demeure, j'y envoyai le premier, Alexandre, dès le soir du second jour de voyage, après avoir parcouru déjà près de quatre-vingts lieues. Le lendemain soir, afin d'assurer la permanence des communications, je déléguai le second messager, puis le troisième, puis le quatrième, et ainsi de suite, jusqu'au huitième soir du voyage, celui où partit Grégoire. Le premier n'était pas encore de retour.

Il nous rejoignit le dixième jour, dans une vallée déserte où nous préparions le camp pour y passer la nuit. Alexandre m'apprit qu'il avait dû aller moins vite que nous n'avions prévu : j'avais pensé que, puisqu'il serait seul et montant un remarquable coursier, il pourrait aller deux fois plus vite que nous ; en fait, il n'avait pu franchir qu'une fois et demie la même distance — en une journée — tandis que nous faisions quarante lieues, il en dévorait soixante. Mais pas plus.

Il en fut de même pour les autres. Barthélemy, parti en direction de la ville le troisième soir de notre voyage, nous rejoignit au bout d'une quinzaine ; Caius, parti le quatrième jour, fut seulement de retour le vingtième. Je compris vite qu'il suffisait de multiplier par cinq les jours passés jusque-là pour connaître la date du retour de chaque messager.

Comme nous nous éloignions toujours davantage de la capitale, le trajet de mes envoyés devenait chaque fois plus long. Après cinquante jours de route, l'intervalle entre l'arrivée d'un messager et celle du suivant était devenu sensiblement plus grand : alors qu'au début tous les cinq jours l'un d'eux rejoignait le camp, il fallait désormais attendre vingt-cinq jours ; le bruit de ma ville s'affaiblissait de cette sorte toujours davantage ; des semaines entières passaient sans qu'aucune nouvelle me parvînt.

Quand j'en fus au sixième mois de mon voyage — nous avions déjà franchi les monts Fasani — l'intervalle entre l'arrivée de chacun de mes messagers s'accrut à quatre bons mois. Désormais, ils ne m'apportaient que des nouvelles lointaines, ils me tendaient des lettres toutes chiffonnées, roussies par les nuits humides que le messager devait passer en dormant à même les prairies.

Nous marchions toujours. Je tentais en vain de me persuader que les nuages qui roulaient au-dessus de ma tête étaient encore ceux-là mêmes de mon enfance, que le ciel de la ville lointaine ne différait en rien de la coupole bleue qui me surplombait, que l'air était semblable et semblable le souffle du vent, et semblable le chant des oiseaux. Les nuages, le ciel, l'air, les vents, les oiseaux m'apparaissaient en réalité comme des choses nouvelles ; et je me sentais un étranger.

En avant, en avant ! Des vagabonds rencontrés sur les plaines me disaient que les frontières n'étaient plus loin. J'incitais mes hommes à continuer la route sans répit, faisant mourir sur leurs lèvres les mots désabusés qu'ils s'apprêtaient à dire. Quatre ans avaient passé ; quelle longue fatigue ! La capitale, ma demeure, mon père, étaient curieusement éloignés, je n'y croyais même presque plus. Vingt bons mois de silence et de solitude séparaient

80 désormais les retours successifs des messagers. Ils m'apportaient de curieuses missives jaunies par le temps, dans lesquelles je découvrais des noms oubliés, des tournures de phrases insolites, des sentiments que je ne parvenais pas à comprendre. Et le lendemain matin, après une seule nuit de repos, tandis que nous reprenions notre route, le messager partait dans la direction opposée,

85 portant vers la ville une lettre préparée par moi depuis longtemps.

Mais huit ans et demi ont passé. Ce soir je soupais seul sous ma tente quand est entré Dominique, qui parvenait encore à me sourire malgré cette fatigue qui le terrassait. Je ne l'avais pas revu depuis près de sept ans. Et pendant ces sept ans-là, il n'avait fait que

90 courir, à travers les prairies, les forêts et les déserts, changeant Dieu sait combien de fois sa monture, pour m'apporter ce paquet d'enveloppes que je n'ai pas encore eu à cette heure l'envie d'ouvrir. Déjà il s'en est allé dormir, il repartira demain matin à l'aube.

Il repartira pour la dernière fois. J'ai calculé sur mon carnet

95 que, si tout va bien, si je continue ma route comme je l'ai fait jusqu'ici et lui la sienne, je ne pourrai revoir Dominique que dans trente-quatre ans. J'en aurai alors soixante-douze. Mais je commence à ressentir ma lassitude et la mort probablement m'aura cueilli avant. Ainsi donc je ne pourrai jamais plus le revoir.

100 Dans trente-quatre ans (même avant, bien avant) Dominique découvrira soudain les feux de mon campement, et il se demandera comment il est possible qu'en un si long temps je n'aie pu faire que si peu de chemin. Le brave messager entrera sous ma tente, comme ce soir, tenant les lettres jaunies par les années, emplies de nouvelles absurdes d'un temps déjà révolu ; mais

105 il s'arrêtera sur le seuil, en me voyant immobile, étendu sur ma couche, deux soldats à mes côtés portant des torches, mort.

Et pourtant va, Dominique, et ne m'accuse point de cruauté ! Porte mon dernier salut à cette ville où je suis né. Tu es le seul lien qui me reste avec un monde qui jadis était aussi le mien. Les plus récentes nouvelles m'ont appris

110 que bien des choses ont changé, que mon père est mort, que la couronne est allée sur la tête de mon frère aîné, que l'on me croit perdu, qu'on a construit de grands palais de pierre là où jadis se trouvaient les chênes sous lesquels j'aimais m'en aller jouer.

Mais c'est pourtant toujours mon antique patrie. Dominique, tu es mon

115 dernier lien avec eux. Le cinquième messager, Émile, qui me rejoindra si Dieu le veut dans un an et huit mois, ne pourra repartir : il n'aurait plus le temps de revenir. Après toi le silence, oh ! Dominique, à moins que je ne trouve enfin cette frontière tant attendue. Mais plus j'avance, plus je suis convaincu qu'il n'y a pas de frontière.

120 Je le soupçonne, il n'existe pas de frontière, du moins dans le sens que nous entendons habituellement. Il n'existe pas de murailles de séparation, ni de vallées profondes, ni de montagnes fermant la route. Je franchirai probablement les confins sans même m'en apercevoir, et continuerai dans mon ignorance à aller de l'avant.

125 Pour cela, j'entends que désormais Émile, et les autres après lui, quand ils me seront revenus, ne reprennent plus la route de ma capitale mais qu'ils partent de l'autre côté, qu'ils me précèdent afin que je puisse savoir à l'avance ce qui m'attend.

Un trouble inconnu s'empare de moi le soir depuis quelque temps déjà

130 et ce n'est plus le regret des joies que j'ai laissées, comme il advenait dans les

débuts de mon voyage ; c'est plutôt l'impatience de connaître les terres inconnues vers lequelles je me dirige.

Je remarque toujours davantage — et je ne l'ai confié à personne jusqu'ici — je remarque comment de jour en jour, à mesure que j'avance vers
135 l'improbable fin de ce voyage, une lueur insolite brille dans le ciel, une lueur que je n'ai jamais vue, pas même en rêve ; et comment les ombres et les montagnes, les fleuves que nous traversons semblent devenir d'une essence toute diverse ; et l'air est tout chargé de présages d'un je ne sais quoi.

Demain matin, une espérance nouvelle me portera encore plus avant,
140 vers ces montagnes inexplorées que les ombres de la nuit cachent encore.

Une fois encore je lèverai mon camp, tandis que Dominique disparaîtra de l'autre côté de l'horizon, pour transmettre à la trop lointaine cité mon message inutile.

DINO BUZZATI, *L'Écroulement de la Baliverna*, © éd. Robert Laffont, 1969.

Laurent Lalo.

Guide de lecture : un royaume sans limites

1. Pouvez-vous situer exactement, par des précisions données dans le texte, le cadre géographique de l'histoire et les lieux traversés par le héros de ce récit ?

2. Pouvez-vous également situer précisément l'époque historique du récit ?

3. Relevez tous les détails qui caractérisent le narrateur : sexe, âge, situation familiale et sociale, passé, description physique, caractère, habitudes, manies, goûts, particularités diverses. Ce personnage-narrateur est-il nettement caractérisé ?

4. À quel moment de l'histoire du héros se situe le présent du récit, le moment où le héros raconte son histoire ?

5. Ce récit suit-il l'ordre chronologique de l'histoire ? Si ce n'est pas le cas, rétablissez-le et repérez les moments où il s'en écarte.

6. Au moment de son départ, le héros est-il informé sur ce qu'il cherche ? Son but vous paraît-il vraisemblable ou chimérique ?

7. Le récit nous informe-t-il de la vie et du passé du personnage avant le début de sa quête ? Pourquoi ?

8. Le voyage comporte-t-il des événements extraordinaires ou surnaturels ?

9. Contre quel élément le héros de cette histoire lutte-t-il essentiellement ? Par quelle progression cette lutte nous est-elle montrée ? Faites un tableau de cette progression.

10. Durant sa quête, le héros connaît-il le doute, la peur et l'angoisse :
— durant son voyage ?
— au moment où il le raconte ?
À quels moments du récit nous informe-t-il sur ce qu'il ressent ?

11. À quoi le héros a-t-il renoncé ? Qu'a-t-il accepté ? La fin de l'histoire vous paraît-elle une réussite ou un échec ? (Héros-victime ou héros triomphant ?)

12. Sur le plan symbolique, quelle transformation le personnage a-t-il subie ? Qu'a-t-il appris ?

13. Si l'on tient compte de sa signification profonde, est-il possible d'imaginer une autre fin à ce récit ?

Recherche, Réflexion, Expression

Pour vous donner envie d'écrire des récits initiatiques, consultez le tableau récapitulatif suivant :

Le parcours initiatique		
Préparation	**Voyage dans l'Au-Delà**	**Renaissance**
• Lieu sacré : caverne, grotte, temple	• Présence d'un maître, d'un guide (garant du respect du secret)	• Sortie périlleuse hors du monstre ou du labyrinthe
• Purifications : baignades, jeûne, abstinences, enquête sur le postulant Série d'épreuves préliminaires	• Épreuves : *Mort symbolique* tabous alimentaires, jeûne, silence Longues veilles Peintures rituelles Épreuves physiques : feu, endurance	• Gestes de sortie État d'enfance : nudité, langage inarticulé
• Séparation — d'avec le monde maternel — d'avec le monde des profanes	*« Regressus ad uterum »* • Images de germination, d'embryon Voyages dans des grottes, des tombes Monstre qui avale le héros Héros enfoui sous une peau de bête	• Nouveau nom donné au héros Révélation du Nom Sacré Découverte du Salut, de la Vie éternelle
• Boisson de l'oubli Yeux bandés Interdiction : « Ne te retourne pas ! »	*Descente aux Enfers* • Voyage dans une île, à travers un miroir, aux Enfers Passage d'obstacles dangereux, de ponts Parcours d'un labyrinthe Combat contre un monstre *Montée au ciel* • Escalade d'arbres, de poteaux, de montagnes sacrées Voyage dans les airs	• Victoire contre la mort Ascèse, renoncement

Tableau comparatif et récapitulatif		
Roman d'éducation, ou d'apprentissage	**Roman d'aventures**	**Roman initiatique**
Quête de soi-même et d'une place dans la société	Quête d'un pays à découvrir, d'un exploit, d'une femme, d'un trésor, etc.	Quête du sens caché de la vie (recherche du château, du trésor, du sanctuaire, du secret)
Itinéraire jalonné d'épreuves, de déconvenues, de chagrins, de joies	Épreuves, souffrances, pérégrinations	Épreuves et souffrances, solitudes = « via dolorosa »
Simple passage de l'adolescence à l'âge d'homme	Utilisation de thèmes ou d'images initiatiques dont le sens s'est perdu (*cf.* le combat contre le monstre)	Combat contre le Mal
Amour = « éducation sentimentale »	Amour = accident de parcours (aide ou obstacle)	Conquête de son âme par l'Amour
Aucune révélation Aucun changement profond et total	Quelquefois, le héros change de classe sociale, ou se marie à la fin du récit	Présence d'un guide, d'un maître : enseignement reçu Quête de savoir
Le héros devient un homme But : la sagesse le bonheur la maturité	But : la gloire la conquête la richesse la mission accomplie	Volonté de se vaincre soi-même Acceptation de sa propre mort Modification radicale du héros (devient un sage, un prêtre) Mort = accès à une nouvelle vie But : le salut

À lire

Michel TOURNIER, *Vendredi ou les Limbes du Pacifique,* Gallimard, Folio.

René BARJAVEL, *La Nuit des temps,* Presses de la Cité (dans sa première partie essentiellement).

Jules VERNE, *Voyage au centre de la Terre* (premier degré de l'initiation), Le Livre de Poche.

— *Vingt Mille Lieues sous les mers* (initiation héroïque), Le Livre de Poche.

— *L'Île mystérieuse* (contient les trois degrés de l'initiation), Le Livre de Poche.

— *Le Château des Carpathes* (initiation manquée), Le Livre de Poche.

Une bande dessinée parmi tant d'autres :
DERIB, *L'Homme qui est né deux fois,* éd. Phylactère.

À voir

Stanley KUBRICK, *2001, l'Odyssée de l'espace.*

Concluons cette étude avec une aventure de Corto Maltese, le beau marin à la boucle d'oreille, inspiré du Lord Jim *de Joseph Conrad...*

HUGO PRATT

Les Celtiques (1980)

Né le 15 juin 1927 « sur une plage proche de Rimini », **Hugo Pratt** est un des très grands dessinateurs de bande dessinée. Il a créé les personnages de Sergent Kirk (1952), Ernie Pike (1957) et Ticonderoga (1957), mais son personnage le plus célèbre est le marin Corto Maltese, apparu en 1967 dans *La Ballade de la mer salée*. Depuis, le beau marin maltais à la boucle d'oreille est devenu un mythe et son histoire se confond avec celle des débuts du XXe siècle.

Les magies de Stonehenge

Dans l'album Les Celtiques *(1980), Corto Maltese débarque en 1917 en Irlande, où les nationalistes du Sinn Fein combattent les troupes britanniques, engagées par ailleurs contre l'Allemagne aux côtés des Alliés.*

Corto Maltese fait la connaissance d'une jeune militante, Banshee, dont le prénom est celui d'une sorcière qui porte malheur.

Dans un songe étrange, il est transporté au milieu du cercle des mégalithes de Stonehenge, dans la plaine de Salisbury, qui est un haut-lieu de la magie et de la légende, et se fait le défenseur des divinités celtiques menacées par les dieux germaniques.

Tel un féal chevalier du roi Arthur, il affronte les envahisseurs saxons.

Extrait du récit Les Celtiques, *par Hugo Pratt* © *éd. Casterman.*

...EN LAISSANT À LEURS ANCÊTRES SAXONS L'ESSEX, LE KENT, LE SUSSEX ET L'ÎLE DE WIGHT ...

MAIS CETTE FOIS-CI, NON...NOUS NE PERDRONS PAS LA BRITANNIA CELTIQUE. NOUS DEVONS TOUS NOUS RÉUNIR : BROWNIES, BOGIES, BOGGARTS, POOKAS D'IRLANDE, KORRIGANS DE BRETAGNE, LEPRECHAUNS DU PAYS DE GALLES ET TOUS LES ENCHANTEURS, LES FÉES ET LES SOR- CIÈRES D'ÉCOSSE, POUR CHASSER LES ENVAHISSEURS...

...CE NE SERA PAS SI FACILE, OBERON... PLUSIEURS D'ENTRE NOUS SONT ENDORMIS JUSQU'AU PRINTEMPS... MAIS QUELQU'UN VA NOUS AIDER.

ET QUI ?... DIS-LE-MOI !!!

LE SAGE MERLIN.

IL ÉTAIT LÀ QUAND LES PREMIERS SAXONS ONT DÉBARQUÉ EN ANGLETERRE ET LE ROI ARTHUR SUIVAIT SES CONSEILS PENDANT LA GUERRE. MAIS 15 SIÈCLES ONT PASSÉ ET...

...MERLIN DORT ENCORE DANS LA FORÊT DE BROCÉLIANDE DANS LE MORBIHAN, EN BRETAGNE, PAR UN ENCHANTEMENT DE VIVIANE, UNE DE MES ÉLÈVES ...

EH OUI...JE ME SOUVIENS DE SA FOLIE POUR VIVIANE ...MAIS MAINTENANT IL FAUT QUE JE L'APPELLE ...

MERLIN, MYRDDIN, MERLIN ... QUITTE TON LONG SOMMEIL !!!

QUI M'A DÉTOURNÉ DE MES SONGES... QUI A OSÉ ?

2. La description dans le récit : de château en château

Château de reines

Le château de Chenonceau fut donné au roi François Ier par le fils de Thomas Bohier, son premier constructeur, pour acquitter les dettes de son père.

Henri II le donna à Diane de Poitiers qui fit construire par Philibert Delorme les arches sur le Cher, mais fut contrainte, à la mort du roi, de le rendre à la reine régente Catherine de Médicis.

Celle-ci fit construire par Delorme une galerie sur le pont du Cher, puis de magnifiques écuries.

Au XVIIIe siècle, le château appartint à M. Dupin, fermier général, et l'écrivain Jean-Jacques Rousseau y séjourna.

Depuis 1913, il appartient à la famille des chocolatiers Menier.

Joyau de la Renaissance française, le château de Chenonceau fut construit en 1513 par Thomas Bohier, intendant des finances de François Ier.

L'architecte en fut selon toute vraisemblance un maître maçon nommé Pierre Nepveu, dit Trinqueau, originaire d'Amboise. Il bâtit le château de
5 Thomas Bohier sur les fondations d'un moulin fortifié dont il conserva le donjon. La tour des Marques que vous avez remarquée en arrivant au château porte encore de nos jours le nom de la famille qui possédait ce moulin depuis le XIIIe siècle.

En 1535, après la mort de Thomas Bohier, son fils Antoine dut céder le
10 château à la Couronne, en règlement des dettes contractées par son père.

Les tapisseries des Flandres, du XVIe siècle, représentent des scènes de vie de château. Les coffres sont gothique et Renaissance.

Selon l'usage, la Cour se déplaçait avec ses tapisseries et ses coffres d'argenterie. L'ameublement du château se trouvait donc réduit à ce qui était
15 strictement nécessaire.

En entrant dans la chapelle, veuillez remarquer la porte originale du XVIe siècle. Les vitraux sont modernes : les anciens ont été détruits par un bombardement en 1944. Dans la loggia à droite : un marbre de Carrare du XVIe siècle. Sur les murs, sous les plaques de verre, des inscriptions laissées
20 par des gardes écossais : les plus anciennes datent de 1543. Au-dessus de la porte : la tribune d'où les reines assistaient à la messe.

(extrait d'un dépliant touristique)

Guide de lecture : un dépliant touristique

La situation de communication

1. À qui est destiné ce texte ? Relevez les marques d'adresse au destinataire : forme, nombre, place.

2. Dans quel but ce texte a-t-il été écrit ?

3. Quelle utilisation en est faite ?

4. La présence de l'émetteur est-elle marquée ? Pourquoi ?

Le contenu

1. Quels types d'information ce texte contient-il ? Quelle est la part respective de chaque information ?

2. Ce texte contient-il beaucoup de termes techniques ?
Relevez le vocabulaire architectural et précisez son sens, au besoin par des croquis.

3. Pouvez-vous y relever beaucoup d'expressions et de comparaisons valorisantes ?

4. Ce texte vous paraît-il difficile à comprendre ? Est-il complet ? Utile ? Insuffisant ?

CHARLES
PERRAULT

*Histoires ou
contes du temps
passé* (1697)

Château de fées

Les Histoires ou contes du temps passé *(1697) sont des contes recueillis par Charles Perrault (1628-1703), désignés parfois sous le titre* Contes de ma mère l'Oye.
Vous connaissez naturellement le conte de « La Belle au bois dormant », dans lequel certains savants reconnaissent des traces de récit initiatique. Le sommeil de la belle pendant cent ans a probablement une signification symbolique, ainsi que la seconde partie du conte, que l'on oublie parfois.

Charles Perrault (1628-1703), écrivain français, protégé par Colbert, publie des œuvres galantes ou parodiques avant de prendre parti pour les Modernes contre les Anciens. Son recueil de contes lui assure la célébrité et inaugure le genre littéraire des contes de fées. Œuvres : *Le Siècle de Louis le Grand; Parallèles des Anciens et des Modernes; Histoires ou contes du temps passé.*

Illustration de Walter Crane pour « La Belle au bois dormant ».

1. Ouï : *entendu. Ne s'emploie guère qu'à l'infinitif et au passé composé. Du latin* audire, *entendre.*

2. Sabbat : *assemblée nocturne et bruyante de sorciers et de sorcières.*

3. Balancer : *avoir plusieurs partis et ne savoir que faire. Sens différent de* hésiter : *n'avoir qu'un parti à prendre et ne pas oser le prendre.* Balancer *marque l'incertitude et* hésiter *l'irrésolution.*

4. Ses gens : *sens vieilli, domestiques, serviteurs ; suite d'un grand seigneur.*

5. Ne pas laisser de : *sens vieilli, ne pas s'abstenir de, ne pas manquer de.*

Au bout de cent ans, le fils du roi qui régnait alors, et qui était d'une autre famille que la princesse endormie, étant allé à la chasse de ce côté-là, demanda ce que c'était que des tours qu'il voyait au-dessus d'un grand bois fort épais. Chacun lui répondit selon qu'il en avait ouï[1]
5 parler : les uns disaient que c'était un vieux château où il revenait des esprits ; les autres, que tous les sorciers de la contrée y faisaient leur sabbat[2]. La plus commune opinion était qu'un ogre y demeurait, et que là il emportait tous les enfants qu'il pouvait attraper, pour les pouvoir manger à son aise, et sans qu'on le pût suivre, ayant seul le pouvoir de se faire un passage au travers du
10 bois.
Le prince ne savait qu'en croire, lorsqu'un vieux paysan prit la parole et lui dit :
— Mon prince, il y a plus de cinquante ans que j'ai ouï dire à mon père qu'il y avait dans ce château une princesse, la plus belle qu'on eût su voir ;
15 qu'elle y devait dormir cent ans et qu'elle serait réveillée par le fils d'un roi, à qui elle était réservée.
Le jeune prince à ce discours se sentit tout de feu ; il crut sans balancer[3] qu'il mettrait fin à une si belle aventure ; et, poussé par l'amour et par la gloire, il résolut de voir sur-le-champ ce qui en était. À peine s'avança-t-il vers
20 le bois, que tous ces grands arbres, ces ronces et ces épines s'écartèrent d'eux-mêmes pour le laisser passer. Il marcha vers le château, qu'il voyait au bout d'une grande avenue où il entra ; et, ce qui le surprit un peu, il vit que personne de ses gens[4] ne l'avait pu suivre, parce que les arbres s'étaient rapprochés dès qu'il avait été passé. Il ne laissa pas de[5] continuer son chemin :
25 un prince jeune et amoureux est toujours vaillant. Il entra dans une grande avant-cour, où tout ce qu'il vit d'abord était capable de le glacer de crainte.

C'était un silence affreux : l'image de la mort s'y présentait partout : ce n'était que des corps étendus d'hommes et d'animaux qui paraissaient morts. Il reconnut pourtant bien, au nez bourgeonné et à la face vermeille[6] des suisses[7],

30 qu'ils n'étaient qu'endormis ; et leurs tasses, où il y avait encore quelques gouttes de vin, montraient assez qu'ils s'étaient endormis en buvant.

Il passe une grande cour pavée de marbre ; il monte l'escalier ; il entre dans la salle des gardes qui étaient rangés en haie, la carabine sur l'épaule, et ronflant de leur mieux. Il traverse plusieurs chambres, pleines de gentilshom-

35 mes et de dames, dormant tous, les uns debout, les autres assis. Il entra dans une chambre toute dorée, et il vit sur un lit, dont les rideaux étaient ouverts de tous côtés, le plus beau spectacle qu'il eût jamais vu : une princesse qui paraissait avoir quinze ou seize ans, et dont l'éclat resplendissant avait quelque chose de lumineux et de divin. Il s'approcha en tremblant et en

40 admirant et se mit à genoux auprès d'elle.

Alors, comme la fin de l'enchantement était venue, la princesse s'éveilla ; et le regardant avec des yeux plus tendres qu'une première vue ne semblait le permettre :

— Est-ce vous, mon prince ? lui dit-elle, vous vous êtes bien fait

45 attendre.

CHARLES PERRAULT, « La Belle au bois dormant », *Histoires ou contes du temps passé.*

Après un grand souper, ils furent mariés. Mais la mère du prince était une ogresse, et celui-ci cacha sa jeune épouse pendant deux ans. Il en eut deux enfants très beaux, Aurore et Jour. À la mort de son père, il alla les chercher en grande pompe pour les installer au château. Hélas, il dut partir pour la guerre. Pendant ce temps, l'ogresse commanda qu'on lui accommodât les deux enfants et leur mère à la sauce Robert.

Le cuisinier opéra une substitution, mais un jour la belle-mère s'aperçut de la supercherie. Furieuse, elle commanda qu'on prépare une grande fosse remplie de serpents pour y jeter sa bru, ses petits-enfants et tous ceux qui l'avaient trompée.

Mais le roi son fils survint à temps. De rage, elle se jeta elle-même dans la cuve, où elle mourut.

Guide de lecture : le château de la princesse

Le point de vue

1. Dans ce passage, par qui est vu le château ?

2. Le personnage qui voit est-il fixe ou en mouvement ?

3. Relevez les verbes de perception et les verbes de mouvement qui se rapportent au personnage. Lesquels sont les plus nombreux ?

4. À quelle logique obéit la description du château ?

5. Le personnage qui voit fait-il part d'impressions et de jugements personnels sur ce qu'il voit — adjectifs, comparaisons, réflexions ?

Le lieu de l'épreuve

1. Dans ce passage, le château est-il abondamment décrit (architecture, formes, matières, couleurs) ? Pourriez-vous en faire un dessin ou un plan ?

2. Les éléments évoqués vous paraissent-ils indispensables à l'action, ou destinés à produire un effet de réel ?

3. Quels sont les obstacles que le prince parvient à vaincre ?

4. Pourrait-on réécrire le texte en suivant un autre itinéraire ?

5. Le château évoqué dans ce passage vous paraît-il plutôt réel ou plutôt symbolique ?

6. Sa description vous paraît-elle interrompre le récit ou être totalement intégrée au déroulement de l'histoire ?

Recherche, Réflexion, Expression

Le château dans les contes

1. Les éléments décrits ont-ils tous un rôle dans le déroulement de l'histoire ? Donnez des exemples.

2. Si vous aviez à développer la description de ce château de conte de fées, ajouteriez-vous :
— des détails effrayants ?
— des impressions personnelles du prince ?
— des détails de luxe, d'opulence et de raffinement ?
— des réflexions humoristiques ?

JULES VERNE

*Le Château
des Carpathes*
(1892)

Jules Verne (né à Nantes en 1828, mort en 1906), fait une fugue à onze ans pour vivre de grandes aventures. Rattrapé par son père, il ne voyagera plus. C'est son frère cadet, Paul, qui sera marin et qui fera en partie les voyages que l'écrivain va décrire.
Après des études de droit, il se met à écrire des pièces de théâtre. Il s'installe à Amiens. Son premier grand roman, *Cinq Semaines en ballon* (1863), inaugure une longue série de *Voyages extraordinaires dans les mondes connus et inconnus*, édités par P.J. Hetzel.
Le Château des Carpathes paraît dans le *Magasin d'éducation et de récréation*, de janvier à décembre 1892.

Château d'aventures

Ce roman, insolite dans la production de Jules Verne, est peut-être un récit fantastique, un roman de science-fiction. C'est surtout un roman d'amour fou. Il est consacré à l'histoire tragique de la Stilla, et à l'amour que lui ont voué deux hommes, le baron de Gortz et le comte Franz de Télek.

La Stilla, cantatrice extraordinaire, est tellement vouée à son art qu'elle refuse tout rapport avec le monde. Avant même de disparaître, elle n'est pour les autres qu'une vision et une voix sublimes. Mais quand elle se décide à ne plus être une étoile inaccessible, elle est promise à la mort. Cependant, dans le château des Carpathes, perdu au milieu des montagnes de Transylvanie, sa silhouette apparaît sur une tour et sa voix erre dans le labyrinthe des couloirs et des souterrains.

Par la lunette d'approche qu'il a achetée à un colporteur, le berger sorcier Frik guette de mystérieux signes sur les tours du château des Carpathes, abandonné depuis de longues années.

Le château de Neuschwanstein, en Bavière.

I l en était ainsi du burg — autrement dit du château des Carpathes. En reconnaître les formes indécises sur ce plateau d'Orgall, qu'il couronne à la gauche du col de Vulkan, n'eût pas été possible. Il ne se détache point en relief de l'arrière-plan des montagnes. Ce que l'on est tenté
5   de prendre pour un donjon n'est peut-être qu'un morne pierreux[1]. Qui le regarde croit apercevoir les créneaux d'une courtine, où il n'y a peut-être qu'une crête rocheuse. Cet ensemble est vague, flottant, incertain. Aussi, à en croire divers touristes, le château des Carpathes n'existe-t-il que dans l'imagination de gens du comitat[2].
10 Évidemment, le moyen le plus simple de s'en assurer serait de faire prix avec un guide de Vulkan ou de Werst, de remonter le défilé, de gravir la croupe, de visiter l'ensemble de ces constructions. Seulement, un guide, c'est

1. Morne pierreux : *morne est un mot créole ; petite montagne isolée, de forme arrondie.*

2. Comitat : *subdivision territoriale des Carpathes.*

3. Lambrissée : *tapissée.*

4. Plantes lapidaires : *plantes poussant dans les pierres (sens inusité).*

5. Toise : *mesure de longueur valant près de deux mètres.*

6. Le fameux hêtre : *lieu d'apparitions inquiétantes et objet d'une prédiction.*

7. Campanile : *clocher à jour.*

8. En branle : *en mouvement.*

9. Maillées de plomb : *vitraux à barreaux entrecroisés, qui laissent des jours.*

10. Virolet : *girouette.*

11. Galerne : *vent de ouest-nord-ouest. Mot des parlers de l'Ouest.*

12. Sautereaux, bombardes, etc. : *anciennes pièces d'artillerie.*

encore moins commode à trouver que le chemin qui mène au burg. En ce pays des deux Sils, personne ne consentirait à conduire un voyageur, et pour n'importe quelle rémunération, au château des Carpathes.

Quoi qu'il en soit, voici ce qu'on aurait pu apercevoir de cette antique demeure dans le champ d'une lunette, plus puissante et mieux centrée que l'instrument de pacotille, acheté par le berger Frik pour le compte de maître Koltz :

À huit ou neuf cents pieds en arrière du col de Vulkan, une enceinte, couleur de grès, lambrissée[3] d'un fouillis de plantes lapidaires[4], et qui s'arrondit sur une périphérie de quatre à cinq cents toises[5], en épousant les dénivellations du plateau ; à chaque extrémité, deux bastions d'angle, dont celui de droite, sur lequel poussait le fameux hêtre[6], est encore surmonté d'une maigre échauguette ou guérite à toit pointu ; à gauche, quelques pans de murs étayés de contreforts ajourés, supportant le campanile[7] d'une chapelle, dont la cloche fêlée se met en branle[8] par les fortes bourrasques au grand effroi des gens de la contrée ; au milieu, enfin, couronné de sa plate-forme à créneaux, un lourd donjon, à trois rangs de fenêtres maillées de plomb[9], et dont le premier étage est entouré d'une terrasse circulaire ; sur la plate-forme, une longue tige métallique, agrémentée du virolet[10] féodal, sorte de girouette soudée par la rouille, et qu'un dernier coup de galerne[11] avait fixée au sud-est.

Quant à ce que renfermait cette enceinte, rompue en maint endroit, s'il existait quelque bâtiment habitable à l'intérieur, si un pont-levis et une poterne permettaient d'y pénétrer, on l'ignorait depuis nombre d'années. En réalité, bien que le château des Carpathes fût mieux conservé qu'il n'en avait l'air, une contagieuse épouvante, doublée de superstition, le protégeait non moins que l'avaient pu faire autrefois ses basilics, ses sautereaux, ses bombardes, ses couleuvrines, ses tonnoires[12] et autres engins d'artillerie des vieux siècles.

JULES VERNE, *Le Château des Carpathes*, 1892.

Guide de lecture : une forteresse inexpugnable

La composition

1. Par quels procédés le narrateur émet-il le doute sur l'existence du château : vocabulaire — formes et expressions verbales — dans le premier paragraphe ?

2. Quelle idée essentielle le narrateur veut-il mettre en valeur dans le deuxième paragraphe ? Par quels moyens ?

3. À quel endroit, dans la suite du passage, ces procédés sont-ils repris ? Pourquoi ?

4. Quel effet l'écrivain désire-t-il produire sur le lecteur ?

Une géométrie dans l'espace

1. Par quel artifice la description proprement dite est-elle introduite ?

2. La description est-elle prise en charge par un personnage qui voit ?

3. Le château est-il vu à partir d'un point fixe ou par quelqu'un qui se déplace ?

4. Cette description comporte-t-elle beaucoup de termes techniques ? Relevez-les soigneusement.

5. Cette description nous présente-t-elle :
— une vue globale et à plat de la forteresse ;
— une perspective en approche (au cinéma, zoom avant) ;
— des mouvements horizontaux et verticaux ;
— une perspective en recul (d'un détail pour aboutir à l'ensemble : zoom arrière) ?

Recherche, Réflexion, Expression

Vocabulaire

Avant de décrire vous-même un château, établissez le champ lexical du château :
— mots qui désignent le château, dont le sens est à préciser : burg, palais, manoir, gentilhommière, castel, résidence, forteresse, fort, etc.
— termes d'architecture d'après l'ouvrage de D. Macaulay, *Naissance d'un château fort* : courtine, mâchicoulis, échauguette, pont-levis, douves, créneaux, poternes, oubliettes, cachots ;
— parties annexes : cours, chapelle, communs, écuries, village, terres.
— lumières extérieures et intérieures, bruits dominants, odeurs, habitants.

Le château du vampire

BRAM STOKER

Dracula
(1897)

Le début du roman est constitué du journal de voyage de Jonathan Harker, qui se rend en Transylvanie pour affaires auprès du comte Dracula. Celui-ci a décidé de quitter son château des Carpathes pour acheter une résidence à Londres. En chemin, Jonathan reçoit plusieurs avertissements, dont le principal et le plus magistralement décrit est celui du cimetière et du loup-garou près de Munich, lors d'une nuit de sabbat.

Arrivé à destination, Jonathan doit se rendre à l'évidence : il est tombé dans un repaire de vampires.

Bram Stoker (1847-1912) est un écrivain irlandais. De 1878 à 1912 il publie une vingtaine de volumes divers : récits romanesques et fantastiques, récits pour la jeunesse, impressions de voyage. Ce n'est qu'en 1897 qu'il connaît la notoriété avec la publication de *Dracula*, qui demeure à ce jour le chef-d'œuvre de la littérature fantastique, et qui inspira de nombreux films, dont l'admirable *Nosferatu* de Murnau (1922).

15 mai — J'ai encore vu le comte qui sortait en rampant, à la manière d'un lézard. Il descendait le long du mur, légèrement de biais. Il a certainement parcouru cent pieds[1] en se dirigeant vers la gauche. Puis il a disparu dans un trou ou par une fenêtre. Quand sa tête ne fut plus visible, je me suis penché pour essayer de mieux comprendre ce que tout cela signifiait, mais sans y parvenir, cette fenêtre ou ce trou étant trop éloignés de moi. Cependant, j'étais certain qu'il avait quitté le château, et j'en profitai pour explorer celui-ci comme je n'avais pas encore osé le faire. Reculant de quelques pas, je me retrouvai au milieu de la chambre, pris une lampe, et essayai d'ouvrir toutes les portes l'une après l'autre ; toutes étaient fermées à clef, ainsi que je l'avais prévu, et les serrures, je m'en rendis compte, étaient assez neuves. Je redescendis l'escalier et pris le corridor par la porte duquel j'étais entré dans la maison, la nuit de mon arrivée. Je m'aperçus que je pouvais facilement ouvrir les verrous de la porte et en ôter les chaînes ; mais la porte elle-même était fermée à clef, et on avait enlevé la clef. Elle devait être dans la chambre du comte ; il me faudrait donc saisir l'instant où la porte de sa chambre ne serait pas fermée afin de pouvoir y pénétrer, m'emparer de la clef et m'évader. Je continuai à examiner en détail tous les couloirs et les différents escaliers, et à tenter d'ouvrir les portes que je rencontrais au passage. Celles d'une ou deux petites pièces donnant sur le corridor étaient ouvertes, mais il n'y avait rien là de bien intéressant — quelques vieux meubles couverts de poussière, quelques fauteuils aux étoffes mangées des mites. À la fin pourtant, j'arrivai, au haut de l'escalier, devant une porte qui, bien qu'elle semblât fermée à clef, céda un peu quand j'y appuyai la main. En appuyant davantage, je m'aperçus que, de fait, elle n'était pas fermée à clef mais qu'elle résistait simplement parce que les gonds en étaient légèrement descendus et que, par conséquent, elle reposait à même le plancher. C'était là une occasion qui, peut-être, ne se représenterait plus, aussi devais-je essayer d'en profiter. Après quelques efforts, j'ouvris la porte. J'étais dans une aile du château qui se trouvait plus à droite que les appartements que je connaissais déjà, et à un étage plus bas. En regardant par les fenêtres, je vis que ces appartements-ci s'étendaient le long du côté sud du château, les fenêtres de la dernière pièce donnant à la fois sur le sud et sur l'ouest. De part et d'autre, se creusait un grand précipice. Le château était bâti sur le coin d'un immense rocher, de sorte que sur trois côtés, il était inexpugnable[2] ; aussi bien les hautes fenêtres pratiquées dans ces murs — mais qu'il eût été impossible d'atteindre par aucun moyen — ni fronde, ni arc, ni arme à feu — ces fenêtres rendaient claire et agréable cette partie du château. Vers l'est, on voyait une vallée profonde et, s'élevant dans le lointain, de hautes montagnes, peut-être des repaires de brigands, et des pics abrupts.

Nul doute que ces appartements étaient jadis habités par les dames, car tous les meubles paraissaient plus confortables que ceux que j'avais vus

1. Cent pieds : *un peu plus de trente mètres.*

2. Inexpugnable : *qu'on ne peut prendre d'assaut, qui résiste aux attaques et aux sièges.*

45 jusqu'ici, dans les autres pièces. Il n'y avait pas de rideaux aux fenêtres, et le clair de lune, entrant par les vitres en forme de losange, permettait de distinguer les couleurs elles-mêmes tandis qu'il adoucissait en quelque sorte l'abondance de poussière qui recouvrait tout et atténuait un peu les ravages du temps et des mites. Ma lampe était sans doute assez inutile par ce brillant clair de lune ; pourtant, j'étais bien aise de l'avoir prise, car je me trouvais tout de même dans une solitude telle qu'elle me glaçait le cœur et me faisait
50 réellement trembler. Toutefois, cela valait mieux que d'être seul dans une des pièces que la présence du comte m'avait rendues odieuses. Aussi, après un petit effort de volonté, je sentis le calme revenir en moi...

BRAM STOKER, *Dracula*, © éd. Marabout, 1977.

Klaus Kinski,
dans Nosferatu *de* Werner Herzog.

Guide de lecture : une description itinérante

Qui regarde ?

1. Comment le narrateur est-il présent dans le texte ?

2. Quelle circonstance permet la description du château du vampire ?

3. À quel moment de la journée le héros explore-t-il les lieux ?

4. Le passage contient-il des indications de durée ?

5. Le héros fait-il part de ses impressions, sensations, sentiments ? Si oui, lesquels et de quelle manière ?

Comment ?

1. Dans quel ordre s'effectue la description du château ? Cet ordre est-il logique ?

2. Relevez précisément les étapes de l'itinéraire du héros. Un autre itinéraire aurait-il été possible ?

3. L'aspect intérieur :
a. À quels obstacles se heurte le héros ? Sont-ils nombreux ?
b. Dans quel état se trouve l'ameublement du château ?
c. Cet état vous paraît-il un effet de réel ou un indice pour la suite des événements ?

4. L'aspect extérieur :
a. Comment est introduite la description de l'extérieur du château ?
b. Précisez la situation géographique du château de Dracula.
c. Cette situation aura-t-elle une importance dans la suite du récit ?

5. Cette description, dans son ensemble, s'ordonne-t-elle du général au particulier, ou du détail à l'ensemble ?

Recherche, Réflexion, Expression

Rédiger
Brossez le cadre d'un récit fantastique.
— Une ville sans plaques ni numéros de rues ;
— Une autoroute qui ne mène nulle part ;
— Une gare désaffectée dans une contrée déserte ;
— Un village abandonné.

À lire

Histoires de vampires
Sheridan LE FANU, *Carmilla*, Denoël, Présence du Futur.
Théophile GAUTIER, *La Morte amoureuse*, Garnier-Flammarion.

La revanche du vampire
Richard MATHESON, *Je suis une légende*, Denoël, Présence du Futur.

Descriptions de châteaux maudits
Le château de Tiffauges, de Gilles de Rais :
J.K. HUYSMANS, *Là-bas*. — Michel TOURNIER, : *Gilles et Jeanne*.
Autres châteaux de terreur :
Maurice MAETERLINCK, *Ariane et Barbe-bleue*. — Horace WALPOLE, *Le Château d'Otrante*. — Jan POTOCKI, *Le Manuscrit trouvé à Saragosse*. — Edgar POE, *La Chute de la maison Usher*. — Jean RAY, *Le Livre des fantômes*.

À voir

Films de vampires
Nosferatu, de F.W. MURNAU, 1922.
Vampyr, de Carl Théodore DREYER, 1932.
La Marque du vampire, de Tod BROWNING, 1935.
Le Cauchemar de Dracula, de Terence FISHER, 1958.
Le Bal des vampires, de Roman POLANSKI (parodie), 1968.

Château sur la lande

Julien Gracq

Au château d'Argol (1938)

Louis Poirier dit **Julien Gracq**, né en 1910, mène une carrière de professeur d'histoire et de géographie en même temps que d'écrivain. Pour cet auteur, l'accumulation d'images et de symboles, décrits avec une apparente froideur, est prétexte à distiller une angoisse feutrée qui sert admirablement l'insolite de ses récits.
Œuvres principales : *Au château d'Argol* (1938) ; *Le Roi pêcheur* (1948) ; *Le Rivage des Syrtes* (1951) ; *Les Eaux étroites* (1976).

Un soir d'été, Albert arrive au château d'Argol, qu'il a acheté sans le voir, sur les recommandations insistantes d'un ami. L'édifice est très étrange : il a une façade moyenâgeuse, une façade italienne, et, bien que construit en Bretagne, un toit en terrasse. L'intérieur, plein de replis et de détours, semble un vrai dédale. Le mobilier, très raffiné, surprend par sa richesse.

Le manoir domine une profonde forêt et d'immenses landes. Au loin, on aperçoit la mer.

L'ami d'Albert, Herminien, arrive accompagné de la très belle Heide, qui tombe amoureuse de leur hôte.

Les saisons passent, tandis qu'entre les personnages monte une tension presque insoutenable, et l'atmosphère tourne au cauchemar pénétrant et morbide.

L e château se dressait à l'extrémité de l'éperon rocheux que venait de côtoyer Albert. Un sentier tortueux y conduisait — *impraticable à toute voiture* — et s'embranchait à gauche de la route. Il serpentait quelque temps dans une étroite prairie marécageuse, à travers laquelle Albert

5 entendit le plongeon précipité des grenouilles sur son passage. Puis le sentier abordait par une déclivité[1] rapide les flancs de la montagne. Le silence du paysage devint alors total. D'épaisses masses de fougères bordaient le sentier à hauteur d'homme, de chaque côté des ruisseaux d'une limpidité surprenante coulaient sans bruit sur un fond de galets, des bois touffus enserraient le

10 chemin dans ses détours les plus capricieux sur le flanc de la montagne. Pendant toute cette ascension, la plus haute tour du château, surplombant les précipices où le voyageur cheminait péniblement, offusquait l'œil de sa masse presque informe, faite de schistes[2] bruns et gris grossièrement cimentés et percée de rares ouvertures, et finissait par engendrer un sentiment de gêne

15 presque insupportable. Du haut de ce guetteur muet des solitudes sylvestres[3], l'œil d'un veilleur attaché aux pas du voyageur ne pouvait le perdre de vue un seul moment dans les arabesques les plus compliquées du sentier, et si la haine eût attendu embusquée dans cette tour un visiteur furtif, il eût couru le plus imminent des dangers ! Les merlons[4] de cette puissante tour ronde, faite de

20 dalles épaisses de granit, se profilaient *toujours juste au-dessus* de la tête du voyageur engagé dans sa route pénible, et rendaient plus frappante la vitesse des lourds nuages gris qui les débordaient à chaque seconde avec une rapidité sans cesse accrue.

À l'instant où Albert atteignit le sommet de ces pentes raides, la masse

25 entière du château sortit des derniers buissons qui la cachaient. Il fut alors visible que la façade barrait tout à fait l'étroite langue du plateau. Appuyée à gauche à la haute tour ronde, elle était uniquement constituée d'une épaisse muraille de grès bleus maçonnés à plat et enrobés dans un ciment grisâtre. Le caractère le plus imposant de l'édifice venait du toit, façonné en terrasse,

30 particularité très rare sous un climat toujours pluvieux : le sommet de cette haute façade appliquait contre le ciel une ligne horizontale et dure, comme les murs d'un palais détruit par l'incendie, et parce que, comme la tour, on ne pouvait le considérer que du pied seulement de la muraille, produisait une impression indéfinissable d'*altitude*.

35 La forme et la disposition des rares ouvertures n'était pas moins frappante. Toute notion *d'étage*, liée presque indissolublement à notre époque à celle d'une construction harmonieuse, semblait en avoir été bannie. De rares fenêtres s'ouvraient dans la muraille à des hauteurs presque toujours inégales, suggérant l'idée d'une distribution intérieure étonnante. Les fenêtres basses

1. Déclivité : *inclinaison, pente.*

2. Schistes : *roche sédimentaire qui présente une structure feuilletée ; ardoise.*

3. Sylvestres : *de la forêt.*

4. Merlons : *partie pleine d'un parapet entre deux embrasures, deux créneaux.*

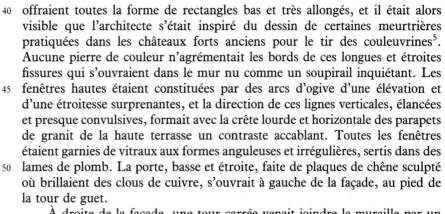

5. Couleuvrines : *ancien canon dont le tube était long et effilé.*

offraient toutes la forme de rectangles bas et très allongés, et il était alors
visible que l'architecte s'était inspiré du dessin de certaines meurtrières
pratiquées dans les châteaux forts anciens pour le tir des couleuvrines[5].
Aucune pierre de couleur n'agrémentait les bords de ces longues et étroites
fissures qui s'ouvraient dans le mur nu comme un soupirail inquiétant. Les
fenêtres hautes étaient constituées par des arcs d'ogive d'une élévation et
d'une étroitesse surprenantes, et la direction de ces lignes verticales, élancées
et presque convulsives, formait avec la crête lourde et horizontale des parapets
de granit de la haute terrasse un contraste accablant. Toutes les fenêtres
étaient garnies de vitraux aux formes anguleuses et irrégulières, sertis dans des
lames de plomb. La porte, basse et étroite, faite de plaques de chêne sculpté
où brillaient des clous de cuivre, s'ouvrait à gauche de la façade, au pied de
la tour de guet.

À droite de la façade, une tour carrée venait joindre la muraille par un
de ses angles. Moins élevée que la tour du guet, elle était couverte d'un toit
d'ardoise en forme de pyramide élancée. Elle était striée de longues nervures
verticales, faites de blocs de granit grossièrement ajustés, dans les interstices
desquels un grimpeur habile eût pu trouver une prise suffisante pour s'élever
jusqu'au toit. Au-delà de cette tour commençaient les pentes rapides du revers
de la montagne qui plongeait vers une seconde vallée, où l'on entendait
murmurer les eaux sous le moutonnement monotone des arbres. Derrière la
tour et parallèlement à la vallée, un second corps de bâtiment venait former
avec la façade une équerre régulière. Cette aile, bâtie dans le goût italien, à
la manière des palais dont Claude Gelée aime à semer ses paysages, faisait avec
la sombre façade un parfait contraste. Là se voyaient d'élégants frontons
triangulaires, des balustres de pierre blanche, de nobles fenêtres semblant
éclairer de riants appartements ; dans les parties pleines de la muraille un
enduit clair étincelait parmi les arbres, et à l'extrémité d'un haut mât qui
dominait les terrasses claquaient au vent deux pavillons de soie rouge et
violette.

L'étroite langue de plateau enserrée entre la masse du château et les
précipices où serpentait le sentier était partout couverte d'un gazon ras et
élastique, d'un vert brillant dont l'œil s'enchantait. Aucun sentier n'y
paraissait tracé : la porte du château s'ouvrait directement sur les moelleux
tapis de la pelouse, et cette particularité bizarre, mise en relation avec le dessin
archaïque et difficile du sentier du château, ne laissa pas de surprendre
fortement Albert.

Julien Gracq, Au château d'Argol, © éd. Librairie José Corti.

La Cascade, *de Joseph Vernet (1714-1789).*

Guide de lecture : le regard du voyageur

Sous forme de tableau, relevez les éléments décrits.

Éléments	Formes	Matières	Couleurs	Bruits	Détails significatifs
sentier					
prairie					
tour ronde					
première façade					
merlon					
tour carrée					
2e façade					

Le point de vue

1. À quelle personne grammaticale est écrit ce passage ?

2. Qui perçoit la réalité du paysage et du château ? Relevez tous les verbes de perception.

3. Le texte communique-t-il les impressions personnelles de celui qui voit ?

4. Selon quelles étapes s'effectue la découverte ?

La perspective

1. Précisez la situation géographique du château d'Argol : emplacement, accès, paysage environnant.

2. La description du château se fait-elle selon une perspective en approche ou selon une perspective en recul (zoom avant ou zoom arrière) ?

3. Les détails perçus sont-ils horizontaux ou verticaux (panoramiques ou travellings en hauteur) ?

4. D'après le texte, quels sont les détails architecturaux surprenants ? Relevez-les, sans oublier les manques, les contrastes.

5. Sur quel détail se clôt la description de chaque façade ? Ce détail est-il insignifiant ou symbolique ?

Les effets

1. D'après cette description, le château d'Argol vous paraît-il avoir une existence vraisemblable, ou une valeur symbolique ?

2. Ce cadre est-il accueillant ou menaçant ?

3. Cet extrait de roman vous paraît-il être une simple description qui arrête le récit, ou vous paraît-il, au contraire, faire partie du récit lui-même ?

Recherche, Réflexion, Expression

Vocabulaire

1. *Limpidité - déclivité - particularité* : justifiez l'orthographe finale de ces trois substantifs.

2. Classez en ensembles plus précis les termes architecturaux suivants :
tour - arabesque - merlon - dalle - muraille - édifice - façade - ouverture - étage - fenêtre - rectangle - meurtrière - château fort - couleuvrine - fissure - soupirail - arc d'ogive - vertical - horizontal - parapet - terrasse - vitrail - porte - tour de guet - pyramide - nervure - interstice - bâtiment - équerre - aile - palais - fronton - balustre - appartement.

Rédaction

1. Perspective
Choisissez une carte postale représentant un paysage avec différents plans, et décrivez-le, en deux paragraphes distincts, selon deux perspectives différentes :
a. du premier plan à l'arrière (perspective ou zoom en avant) ;
b. de l'arrière-plan vers l'avant (perspective ou zoom arrière).
Comparez les effets produits.

2. Point de vue
Un bateau décrit par :
— le propriétaire qui veut le vendre ;
— le capitaine qui le fait visiter à son nouvel équipier ;
— la fiancée du metteur en scène ;
— Christophe Colomb.

3. Thème et propos
Une forêt ou un parc, décrits avec le champ lexical de l'arbre, établi au préalable, et un catalogue d'horticulture.

Conseils récapitulatifs pour écrire une description

1. On ne voit pas la totalité de l'objet (monument, site, paysage, objet).

2. On ne peut pas décrire la totalité de ce que l'on voit.

3. On décrit en fonction de ses connaissances (vocabulaire, langue, appréhension du monde) et de celles de son lecteur.

4. La description dépend du type de texte dans lequel elle s'insère (publicité, recette, guide touristique, mode d'emploi, récit).

5. La description varie selon les genres, et évolue au cours des époques (conte, récit réaliste, récit fantastique, science-fiction).

6. Dans un récit, la description est fonction du rôle qu'elle joue dans l'ensemble de l'histoire racontée (état initial et cadre du récit, portrait d'un personnage, passages explicatifs, point de vue du héros).

7. La description obéit à sa propre logique (perspective, point de vue, narrateur informé ou non).

Ruines du château de Ventadour.

3. Le récit fantastique

Nous vous proposons ici d'étudier des récits dans lesquels l'imagination s'exerce en toute liberté, tant pour faire rêver que pour faire frémir.

Face à l'ordre de la raison, le surnaturel s'insinue dans l'univers quotidien, défie la logique dont il repousse les frontières, libère le rêve, le désir et la poésie.

Le merveilleux, le fantastique, la science-fiction sont essentiellement liés au récit. En ouverture, une situation stable, qu'un rien peut troubler; à la fin, une autre situation, fixe, différente de celle du départ. Entre ces deux équilibres, le surnaturel apparaît, avec, pour les trois genres, des ressemblances et des différences que nous allons examiner de plus près.

JORGE LUIS
BORGES

*Histoire
de l'Éternité,
histoire
de l'Infamie
(1953)*

Le miroir d'encre

Très connue, l'œuvre de Borges est multiple et déroutante. Poète, essayiste et conteur, il a renouvelé le genre fantastique en une série de contes très brefs, parfois abstraits, mais toujours fascinants.
Voici le texte intégral de l'un d'entre eux.

L'histoire sait que le plus cruel des gouverneurs du Soudan fut Yakoub le Dolent[1], qui livra son pays à l'injustice des collecteurs d'impôts égyptiens et qui mourut dans une chambre du palais le 14 de la lune de Barjamat en l'an 1848. Certains insinuent que le magicien Abderrahman
5 el Masmoudi (dont le nom peut se traduire le Serviteur du Miséricordieux) le tua par le fer ou le poison, mais une mort naturelle demeure plus vraisemblable, puisqu'on l'appelait le Dolent. Néanmoins, le capitaine Richard Francis Burton[2] conversa avec le magicien en 1853, qui lui relata ce qui suit :
10 « Il est vrai que j'ai souffert la captivité dans l'alcazar de Yakoub le Dolent, à la suite de la conspiration ourdie par mon frère Ibrahim avec le perfide et vain secours des chefs noirs du Cordofan, qui le dénoncèrent. Mon frère périt par l'épée, sur la peau de sang de la justice, mais moi je me jetai aux pieds détestés du Dolent, je lui dis que j'étais magicien et que, s'il me
15 faisait grâce, je lui ferais voir des formes et des apparences encore plus merveilleuses que celles du *Fanusi jiyal* (la lanterne magique). Le tyran exigea de moi une démonstration immédiate. Je demandai une plume en roseau, des ciseaux, une grande feuille de papier, une corne pleine d'encre, un brasero[3], des graines de coriandre[4] et une once de benjoin[5]. Je coupai la feuille en six
20 rubans, j'écrivis des talismans et des invocations sur les cinq premiers, et sur le dernier les mots suivants qui se trouvent dans le glorieux Coran : « Nous avons retiré ton voile et le regard de tes yeux est pénétrant. » Ensuite, je dessinai un carré magique dans la main droite de Yakoub, je le priai de la fermer à demi et versai en son milieu un cercle d'encre. Je lui demandai s'il
25 percevait nettement son reflet dans le cercle et il me répondit que oui. Je lui

Notes

1. **Le Dolent** : *du latin* dolere, souffrir. *Affecté par une souffrance physique, un mauvais état de santé.*

2. **Le capitaine Richard Francis Burton** : *voyageur et écrivain anglais (1821-1890) qui écrivit un commentaire des* Mille et Une Nuits.

3. **Brasero** : *bassin de cuivre à pieds, rempli de braises et de charbons ardents, destiné au chauffage en plein air.*

4. **Coriandre** : *plante aromatique dont le fruit séché est utilisé comme assaisonnement ou dans la préparation de liqueurs.*

5. **Benjoin** : *substance aromatique d'odeur forte, utilisée en parfumerie et en médecine.*

Jorge Luis Borges (1899-1986) est un écrivain argentin. Il fut directeur de la Bibliothèque nationale de Buenos Aires jusqu'à ce qu'une cécité totale l'oblige à abandonner ses fonctions. Il voyagea beaucoup et donna des conférences dans son pays, en Europe et aux États-Unis. Œuvres principales : *Fictions* (1941), *L'Aleph* (1949), *Le Rapport de Brodie* (1971).

6. **Peindre leurs abominables tableaux :** *la religion islamique condamne la peinture représentative.*

dis de ne pas lever les yeux. Je brûlai le benjoin et le coriandre, je consumai les invocations dans le brasero. Je priai Yakoub de nommer la figure qu'il désirait voir apparaître. Il réfléchit et se décida pour un cheval sauvage, le plus beau de ceux qui paissaient dans les prairies qui bordent le désert. Il regarda
30 et vit la campagne verte et tranquille. Puis un cheval s'approcha, agile comme un léopard, une étoile blanche sur le front. Il me demanda une troupe de chevaux aussi parfaits que le premier et il vit à l'horizon un grand nuage de poussière et bientôt, la troupe de chevaux. Je compris que ma vie était sauvée.

Dès l'aube, deux soldats entraient dans ma prison et me conduisaient
35 dans la chambre du Dolent, où déjà m'attendaient l'encens, le brasero et l'encre. De cette manière, il exigea et je lui montrai toutes les apparences du monde. Cet homme mort que je déteste eut dans la main tout ce que les hommes morts ont vu et tout ce que voient ceux qui vivent : les cités, les climats et les royaumes qui divisent la terre, les trésors cachés dans son centre,
40 les navires qui traversent les mers, les engins qui servent pour la guerre, la musique et la chirurgie, les femmes pleines de grâce, les étoiles fixes et les planètes, les couleurs employées par les Infidèles pour peindre leurs abominables tableaux[6], les minéraux et les plantes avec les vertus et secrets qu'ils renferment, les anges d'argent qui se nourrissent de louer et de justifier le
45 Seigneur, la distribution des prix dans les écoles, les statues d'oiseaux et de monarques qui sont au cœur des pyramides, l'ombre projetée par le taureau qui soutient la terre et par le poisson qui est sous le taureau, les déserts de Dieu le Miséricordieux. Il vit des choses impossibles à décrire, comme les rues éclairées au gaz et comme la baleine qui meurt quand elle entend le cri de
50 l'homme. Une fois, il m'ordonna de lui montrer la ville qu'on appelle l'Europe. Je lui montrai la principale de ses rues et je crois que c'est en cet immense fleuve d'hommes, tous habillés de noir et beaucoup avec des lunettes, qu'il vit pour la première fois l'Homme Masqué.

Ce personnage, vêtu parfois du costume soudanais, parfois en uniforme,
55 mais toujours avec un linge sur le visage, s'introduisait désormais dans les visions. Il était inévitable et nous ne pouvions conjecturer son identité.

D'ailleurs les reflets du miroir d'encre, éphémères ou immobiles au début, étaient maintenant plus complexes. Ils exécutaient mes ordres sur-le-champ et le tyran distinguait tout avec clarté. Certes, nous étions chaque fois
60 épuisés. Dans le caractère atroce de certaines scènes résidait une autre source de fatigue. Ce n'étaient que châtiments, potences, mutilations, réjouissances du bourreau et du cruel.

Nous parvînmes ainsi à l'aube du 14 de la lune de Barmajat. Le cercle d'encre était dans la main de Yakoub, le benjoin dans le brasero et les
65 invocations consumées. Nous étions seuls tous deux. Le Dolent m'intima de lui montrer un châtiment irrévocable et juste, parce que son cœur, ce jour-là, désirait voir une mort. Je lui montrai les soldats avec leurs tambours, la peau de veau étirée, l'assistance heureuse de regarder, le bourreau avec l'épée de justice. Il s'émerveilla de le reconnaître et me dit : « C'est Abou-Kir, celui qui
70 exécuta ton frère Ibrahim, celui qui fermera ton destin le jour où j'aurai acquis la science d'invoquer ces figures sans ton concours. » Il me demanda de faire apparaître le condamné. Quand on l'amena, il se tut, car c'était le personnage inexplicable au linge blanc. Il m'ordonna de faire qu'avant de le tuer, on lui enlève son masque. Je me jetai à ses pieds et je lui dis : « Oh ! roi du Temps,
75 substance et somme du siècle, cette figure n'est pas comme les autres, parce que nous ne savons pas son nom ni celui de ses ancêtres, ni celui de la ville qui est sa patrie, de sorte que je n'ose y toucher pour ne pas commettre une faute dont je devrais rendre compte un jour. » Le Dolent se mit à rire et jura qu'il prendrait sur lui la faute, si faute il y avait. Il le jura par son épée et par

La Mecque et la plaine Arafat (miniature coranique, XIXᵉ siècle).

80   le Coran. Alors, j'ordonnai qu'on dénude le condamné, qu'on l'attache sur la peau de veau étirée et qu'on lui arrache le masque. Ainsi fut fait. Les yeux épouvantés de Yakoub purent voir enfin ce visage — qui était le sien propre. Il fut la proie de la peur et de la démence. Je lui saisis la main droite qui tremblait avec la mienne qui ne tremblait pas et je lui ordonnai de continuer

85   à contempler la cérémonie de sa mort. Il était fasciné par le miroir. Il n'essaya même pas de lever les yeux ou de renverser l'encre. Quand, dans la vision, l'épée s'abattit sur la tête coupable, il gémit d'une voix qui ne me fit pas pitié et il roula sur le sol, mort.

   « La gloire soit avec Celui qui ne meurt pas et qui tient dans ses mains

90   les deux clefs du Pardon illimité et du Châtiment infini. »

JORGE LUIS BORGES, *Histoire de l'Éternité, histoire de l'Infamie*, © éd. Christian Bourgois.

Masque gabonais.

Guide de lecture : le reflet meurtrier

Le récit

1. Qui raconte cette histoire ? Dressez un tableau des différents narrateurs et des différents destinataires de cette histoire.
a. Sont-ils tous dignes de confiance ?
b. Les temps verbaux utilisés sont-ils les mêmes dans chaque narration ?

2. Le récit du magicien : résumez chaque paragraphe afin de mettre en valeur les différentes étapes du récit.

3. La mort de Yakoub :
a. Est-ce une mort naturelle ou un assassinat ?
b. Relevez sur deux colonnes les indices du texte qui peuvent d'une part faire croire à une mort par arrêt cardiaque, et d'autre part à une vengeance du magicien.
c. Dans le second cas, quel est l'instrument de vengeance utilisé par le magicien ?

Le fantastique

1. Quel est le fait fantastique de cette histoire ?

2. Dans le cas d'une explication merveilleuse de la mort de Yakoub, quelle est la cause exacte de sa mort ?

3. Peut-on, dans ce conte, trouver une explication rationnelle à la mort du tyran ? Pourquoi ?

4. Quelle formule peut donner une clef du récit ?

Les thèmes

1. Le miroir :
— Pourquoi le miroir est-il fait d'encre ?
— Quelle est sa forme ?
— Pourquoi est-il dans la main de Yakoub ?

2. L'exotisme :
Relevez les thèmes et les images qui donnent à ce récit l'apparence d'un conte oriental.

3. L'invasion de la réalité par le rêve :
— Les visions du miroir sont-elles purement fantaisistes ?
— Peut-on situer leurs époques respectives ?

4. Le double :
Quels éléments du récit fonctionnent par paires (personnages, événements...) ?

5. Le magicien :
Sur quoi est fondée sa magie ?

Recherche, Réflexion, Expression

Rédiger une histoire de magicien.
Vous avez deux possibilités :
1. le traiter en homme et raconter ses démêlés avec le monde surnaturel (thème de Faust ou de l'Apprenti sorcier) ;
2. le traiter en représentant du monde surnaturel et raconter ses démêlés avec les hommes.

À lire

R.L. STEVENSON, *L'Étrange Cas du Dr Jekyll et de Mister Hyde,* Marabout. *Le Maître de Ballantrae,* Gallimard.
CHAMISSO, *L'Extraordinaire Histoire de Peter Schemil.*
E.T.A. HOFFMANN, *Les Aventures de la nuit de la Saint-Sylvestre.*
A. BLACKWOOD, *L'Homme qui fut Milligan,* dans le volume *Histoire de doubles,* Anthologie du fantastique, Presses-Pocket.

HENRI GOUGAUD

L'Arbre à soleils (1979)

Henri Gougaud, né à Carcassonne en 1936, est l'auteur de différents ouvrages consacrés à la science-fiction et au récit fantastique comme *L'Arbre à soleils,* et *Départements et territoires d'outre-mort.*

Le magicien de Venise

Le texte que vous allez lire dans son intégralité a été raconté à la radio dans l'émission Le Grand Parler *et a été spécialement récrit pour le recueil* L'Arbre à soleils.

Tolède, vécut autrefois un jeune aristocrate sans fortune qui rêvait de puissance et de gloire. Sa bourse était plate, son cœur sec, son intelligence étroite mais il était habité par un désir violent : il voulait régner sur les hommes. Un jour, il
5   entendit parler d'un grand magicien qui vivait loin du fracas des foules et des palais, dans les caves d'une vieille maison de Venise. Il décida d'aller le consulter.

Le voilà donc parti, sur son cheval maigre, pour Venise. Il parvient après quatre semaines de voyage dans cette ville foisonnante de fleurs et de
10   musiques, de palais, de femmes vénéneuses[1], d'ors et de lumières. Le soir même de son arrivée, au crépuscule, il pousse la porte grinçante d'une petite maison grise au bord d'un canal désert. Une lanterne à la main, il descend les escaliers glissants qui conduisent aux caves. Au milieu d'une grande salle voûtée il trouve le magicien assis devant une vieille table, plongé dans un
15   grimoire[2] ouvert devant lui, entre deux chandelles allumées. Le jeune chevalier le salue avec beaucoup de déférence[3]. Le vieillard regarde son visiteur, la main enfouie dans sa longue barbe blanche, fronce les sourcils et dit :

— Tu viens de faire un long voyage. Pourquoi ?
20   Le jeune homme lui avoue humblement son désir, lui confie ses rêves de gloire et de puissance.

— Maître, dit-il, je sais que votre magie est infaillible. Je vous supplie de me vendre le pouvoir. Quel qu'en soit le prix, je paierai, foi de gentilhomme.
25   Le magicien médite un instant puis répond en souriant :

— Je te donnerai ce que tu me demandes, à une seule condition : en paiement de mes services, dans un an exactement, tu devras m'apporter toi-même, sur un plat de terre cuite, une dinde rôtie.

Le jeune homme accepte vivement, surpris de s'en sortir à si bon compte.
30   Alors le sage lui dit :

— Va !

Il fait un grand geste de la main qui éteint les deux chandelles sur la table.

Aussitôt, le jeune homme se retrouve dans sa maison délabrée à Tolède.
Les jours passent et la fortune lui sourit. On lui propose une charge d'évêque.
35   Il sait pourtant à peine écrire son nom. Il devient célèbre et fort estimé dans

---

1. Vénéneuses : *en botanique : qui contient un poison. Par métaphore, ici, qui est mauvais pour l'homme.*

2. Grimoire : *livre de magie à l'usage des sorciers.*

3. Déférence : *considération respectueuse que l'on témoigne à quelqu'un pour son âge, son mérite, sa dignité. Estime et respect.*

Venise vue par Hubert Robert (1733-1808).

sa ville. Avant six mois il est nommé cardinal. De mémoire de chrétien on n'a jamais vu ascension plus irrésistible. Huit jours plus tard, à Rome, le pape meurt. Le jeune chevalier de Tolède lui succède. Il est maintenant au sommet de la puissance. Il règne sur la chrétienté, sur les rois mêmes. Un an est passé.

40 Un matin, dans son palais, le nouveau pape se souvient brusquement qu'il doit payer le prix de sa gloire au vieux magicien de Venise. Il en est très agacé. Il doit recevoir, ce jour-là, quelques chefs d'État, il n'a pas le temps de se déplacer. Il appelle un serviteur, lui ordonne de rôtir une dinde et de la porter lui-même chez son bienfaiteur, le magicien de Venise.

45 À peine a-t-il ordonné cet ordre que son regard s'embrume. Il est pris d'une envie de dormir insurmontable. Le monde s'éteint autour de lui. Quand il se réveille, il est couché sur la terre battue, dans la cave du vieux sage, à Venise, simplement vêtu de ses habits de voyageur sans fortune. Il se frotte les yeux, regarde le magicien penché sur lui. Il entend ces paroles :

50 — Mon garçon, tu n'as dormi qu'une heure. Tu as rêvé ton destin et je sais maintenant que tu n'es pas digne de la puissance et de la gloire. Tu ne seras jamais évêque, ni cardinal, ni pape. Tu ne seras jamais qu'un pauvre homme gris dans la grisaille du monde. Et moi je ne connaîtrai jamais le goût de la dinde rôtie. Mais si tu veux bien partager mon repas, je t'offre la moitié
55 de mon plat de lentilles.

Ainsi parle le magicien. Il sourit tristement et frissonne. Par le soupirail entre la lueur de la lune à peine levée.

Henri Gougaud, *L'Arbre à soleils,* © éd. du Seuil, 1979.

Guide de lecture : rêver son destin

Le déroulement du récit

1. Quel est l'objet de la quête du jeune homme ?

2. À quelle condition le magicien lui fournira-t-il son aide ?
Que pensez-vous de cette condition (enjeu - valeur - logique - motivation) ?

3. Quelle épreuve subit le jeune homme, dans la première partie ?
Dans la seconde partie du récit ?
Ces épreuves sont-elles contradictoires ?

4. En fonction de la quête du jeune homme, quel rôle joue exactement le magicien ?

Le merveilleux

1. Qui raconte l'histoire ?
Avons-nous une raison de mettre en doute cette source ?

2. Pouvons-nous dater précisément l'époque où se situe le conte ?

3. À la lecture du conte, mettez-vous en doute le pouvoir du magicien d'accorder au jeune homme gloire et puissance ?

4. Quels sont les deux autres éléments de merveilleux dans ce récit ?

Recherche, Réflexion, Expression

Variations sur l'écriture du conte

1. Reconstituez oralement ce conte.

2. Discutez sur les diverses applications morales qui pourraient être faites de ce conte, puis récrivez-le sous la forme d'une fable, avec une moralité nettement exprimée.

3. Recherchez d'autres contes ou récits qui mettent en scène des personnages de magiciens bénéfiques ou maléfiques.

4. Transformez le récit en inventant une autre fin à partir de :
« Un matin, dans son palais, le nouveau pape se souvient brusquement... »

À lire

Des histoires de sorciers
Charles NODIER, *Smarra*, Gallimard, Folio.
Claude SEIGNOLLE, *La Malvenue ; Le Matagot*.
Jean RAY, *Le Carrousel des maléfices*.
Pierre VÉRY, *Goupi Mains Rouges*, Presses-Pocket.
Ira LEVIN, *Un bébé pour Rosemary*, J'ai Lu.
Robert BLOCH, *Un bonbon pour une bonne petite* (Anthologie fantastique, n° 1461).
Gérard DE NERVAL, *La Main enchantée*.

À écouter

Musiques sorcières
MOUSSORGSKY-RAVEL, *Tableaux d'une exposition* (« La cabane sur des pattes de poule) ; *Une nuit sur le mont Chauve*.
Paul DUKAS, *L'Apprenti sorcier*.
Manuel DE FALLA, *L'Amour sorcier*.

Hector BERLIOZ, *La Symphonie fantastique ; La Damnation de Faust*.
Arnold SCHÖNBERG, *La Nuit transfigurée*.
Richard WAGNER, *Le Vaisseau fantôme* (ouverture) ; *Tannhaüser* (bacchanale).
Edvard GRIEG, *Peer Gynt*.

Venise vue par un peintre vénitien, Carpaccio (1460-1525).

Le masque[1] de la Mort Rouge

TEXTE INTÉGRAL

EDGAR POE

*Nouvelles
Histoires
extraordinaires*
(trad. en 1855)

Edgar Allan Poe (1809-1849) est un poète et conteur américain dont on s'accorde à dire qu'il est le créateur du roman policier moderne.
Il est également connu pour de superbes récits fantastiques, souvent morbides ou cruels. Son œuvre a été traduite en français par le poète Charles Baudelaire.

1. **Masque :** *non un masque à se mettre sur le visage, mais ici bal masqué, divertissement de cour où s'unissaient la poésie, la musique, la danse et la splendeur du décor, comme plus tard dans l'opéra.*

2. **Avatar :** *changement, métamorphose, transformation.*

3. **Prospero :** *personnage du drame de Shakespeare* La Tempête *(1611), magicien qui règne en maître absolu sur une île symbolique.*

4. **Sagace :** *avisé, clairvoyant, perspicace, subtil.*

5. **Allègres :** *ici, pleins d'entrain et de vivacité.*

6. **Frénésies :** *égarement, exaltation violente, agitation fébrile, fièvre, folie.*

7. **Bouffons :** *personnages de théâtre dont le rôle est de faire rire.*

Comme dans « Le Miroir d'encre », voici une nouvelle dans laquelle un masque joue un rôle décisif.

La *Mort Rouge* avait pendant longtemps dépeuplé la contrée. Jamais peste ne fut si fatale, si horrible. Son avatar[2], c'était le sang, la rougeur et la hideur du sang. C'étaient des douleurs aiguës, un vertige soudain, et puis un suintement abondant par les pores, et la
5 dissolution de l'être. Des taches pourpres sur le corps, et spécialement sur le visage de la victime, la mettaient au ban de l'humanité et lui fermaient tout secours et toute sympathie. L'invasion, le progrès, le résultat de la maladie, tout cela était l'affaire d'une demi-heure.

Mais le prince Prospero[3] était heureux, et intrépide, et sagace[4]. Quand
10 ses domaines furent à moitié dépeuplés, il convoqua un millier d'amis vigoureux et allègres[5] de cœur, choisis parmi les chevaliers et les dames de sa cour, et se fit avec eux une retraite profonde dans une de ses abbayes fortifiées. C'était un vaste et magnifique bâtiment, une création du prince, d'un goût excentrique et cependant grandiose. Un mur épais et haut lui faisait une
15 ceinture. Ce mur avait des portes de fer. Les courtisans, une fois entrés, se servirent de fourneaux et de solides marteaux pour souder les verrous. Ils résolurent de se barricader contre les impulsions soudaines du désespoir extérieur et de fermer toute issue aux frénésies[6] du dedans. L'abbaye fut largement approvisionnée. Grâce à ces précautions, les courtisans pouvaient
20 jeter le défi à la contagion. Le monde extérieur s'arrangerait comme il pourrait. En attendant, c'était folie de s'affliger ou de penser. Le prince avait pourvu à tous les moyens de plaisir. Il y avait des bouffons[7], il y avait des improvisateurs, des danseurs, des musiciens, il y avait le beau sous toutes ses formes, il y avait le vin. En dedans, il y avait toutes ces belles choses et la
25 sécurité. Au dehors, la *Mort Rouge*.

Ce fut vers la fin du cinquième ou sixième mois de sa retraite, et pendant que le fléau sévissait au dehors avec le plus de rage, que le prince Prospero gratifia ses mille amis d'un bal masqué de la plus insolite magnificence.

Tableau voluptueux que cette mascarade ! Mais d'abord laissez-moi vous
30 décrire les salles où elle a eu lieu. Il y en avait sept — une enfilade impériale. Dans beaucoup de palais, ces séries de salons forment de longues perspectives en ligne droite, quand les battants des portes sont rabattus sur les murs de chaque côté, de sorte que le regard s'enfonce jusqu'au bout sans obstacle. Ici, le cas était fort différent, comme on pouvait s'y attendre de la part du duc et
35 de son goût très vif pour le bizarre. Les salles étaient si irrégulièrement disposées que l'œil n'en pouvait guère embrasser plus d'une à la fois. Au bout d'un espace de vingt à trente yards, il y avait un brusque détour, et à chaque coude un nouvel aspect. À droite et à gauche, au milieu de chaque mur, une haute et étroite fenêtre gothique donnait sur un corridor fermé qui suivait les
40 sinuosités de l'appartement. Chaque fenêtre était faite de verres coloriés en harmonie avec le ton dominant dans les décorations de la salle sur laquelle elle s'ouvrait. Celle qui occupait l'extrémité orientale, par exemple, était tendue de bleu — et les fenêtres étaient d'un bleu profond. La seconde pièce était ornée et tendue de pourpre, et les carreaux étaient pourpres. La troisième,
45 entièrement verte, et vertes les fenêtres. La quatrième, décorée d'orange, était

éclairée par une fenêtre orangée — la cinquième, blanche — la sixième, violette.

La septième salle était rigoureusement ensevelie de tentures de velours noir qui revêtaient tout le plafond et les murs, et retombaient en lourdes nappes sur un tapis de même étoffe et de même couleur. Mais, dans cette chambre seulement, la couleur des fenêtres ne correspondait pas à la décoration. Les carreaux étaient écarlates, d'une couleur intense de sang.

Or, dans aucune des sept salles, à travers les ornements d'or éparpillés à profusion çà et là ou suspendus aux lambris[8], on ne voyait de lampe ni de candélabre. Ni lampes, ni bougies ; aucune lumière de cette sorte dans cette longue suite de pièces. Mais, dans les corridors qui leur servaient de ceinture, juste en face de chaque fenêtre, se dressait un énorme trépied, avec un brasier éclatant, qui projetait ses rayons à travers les carreaux de couleur et illuminait la salle d'une manière éblouissante. Ainsi se produisaient une multitude d'aspects chatoyants et fantastiques. Mais, dans la chambre de l'ouest, la chambre noire, la lumière du brasier qui ruisselait sur les tentures noires à travers les carreaux sanglants était épouvantablement sinistre et donnait aux physionomies des imprudents qui y entraient un aspect tellement étrange que bien peu de danseurs se sentaient le courage de mettre les pieds dans son enceinte magique.

C'était aussi dans cette salle que s'élevait, contre le mur de l'ouest, une gigantesque horloge d'ébène. Son pendule se balançait avec un tic-tac sourd, lourd, monotone ; et, quand l'aiguille des minutes avait fait le circuit du cadran et que l'heure allait sonner, il s'élevait des poumons d'airain de la machine un son clair, éclatant, profond et excessivement musical, mais d'une note si particulière et d'une énergie telle que, d'heure en heure, les musiciens de l'orchestre étaient contraints d'interrompre un instant leurs accords pour écouter la musique de l'heure ; les valseurs alors cessaient forcément leurs évolutions ; un trouble momentané courait dans toute la joyeuse compagnie ; et, tant que vibrait le carillon, on remarquait que les plus fous devenaient pâles, et que les plus âgés et les plus rassis passaient leurs mains sur leurs fronts, comme dans une méditation ou une rêverie délirante. Mais quand l'écho s'était tout à fait évanoui, une légère hilarité[9] circulait par toute l'assemblée ; les musiciens s'entre-regardaient et souriaient de leurs nerfs et de leur folie, et se juraient tout bas, les uns aux autres, que la prochaine sonnerie ne produirait pas en eux la même émotion ; et puis, après la fuite des soixante minutes qui comprennent les trois mille six cents secondes de l'heure disparue, arrivait une nouvelle sonnerie de la fatale horloge, et c'était le même trouble, le même frisson, les mêmes rêveries.

Mais, en dépit de tout cela, c'était une joyeuse et magnifique orgie. Le goût du duc était tout particulier. Il avait un œil sûr à l'endroit des couleurs et des effets. Il méprisait le décorum de la mode. Ses plans étaient téméraires et sauvages[10], et ses conceptions brillaient d'une splendeur barbare. Il y a des gens qui l'auraient jugé fou. Ses courtisans sentaient bien qu'il ne l'était pas. Mais il fallait l'entendre, le voir, le toucher, pour être sûr qu'il ne l'était pas.

Il avait, à l'occasion de cette grande fête, présidé en grande partie à la décoration mobilière des sept salons, et c'était son goût personnel qui avait commandé le style des travestissements. À coup sûr, c'étaient des conceptions grotesques. C'était éblouissant, étincelant ; il y avait du piquant et du fantastique — beaucoup de ce qu'on a vu dans *Hernani*[11]. Il y avait des figures vraiment arabesques[12], absurdement équipées, incongrûment bâties ; des fantaisies monstrueuses comme la folie ; il y avait du beau, du licencieux, du bizarre en quantité, tant soi peu de terrible, et du dégoûtant à foison. Bref, c'était comme une multitude de rêves qui se pavanaient çà et là dans les sept

8. **Lambris** : *revêtement de marbre, de stuc ou de bois sur les murs d'une pièce.*

9. **Hilarité** : *brusque accès de gaieté, explosion de rires.*

10. **Sauvages** : *ici, plein d'ardeur et de feu.*

11. **Hernani** : *pièce de théâtre de Victor Hugo dans laquelle un personnage, Don Ruy Gomez, surgit masqué au milieu d'une noce pour apporter la mort.*

12. **Arabesques** : *ici, qui ne doit rien à la forme humaine.*

13. Mal contenue : *à demi étouffée.*

14. Hérode : *souverain de Palestine pendant l'occupation romaine, célèbre pour son faste et ses cruautés.*

15. Dépravés : *corrompus, vicieux, débauchés.*

16. Emphatique : *affecté, guindé, prétentieux.*

100 salons. Et ces rêves se contorsionnaient en tous sens, prenant la couleur des chambres ; et l'on eût dit qu'ils exécutaient la musique avec leurs pieds, et que les airs étranges de l'orchestre étaient l'écho de leurs pas.

Et de temps en temps, on entend sonner l'horloge d'ébène de la salle de velours. Et alors, pour un moment, tout s'arrête, tout se tait, excepté la voix
105 de l'horloge. Les rêves sont glacés, paralysés dans leurs postures. Mais les échos de la sonnerie s'évanouissent — ils n'ont duré qu'un instant — et à peine ont-ils fui, qu'une hilarité légère et mal contenue[13] circule partout. Et la musique s'enfle de nouveau, et les rêves revivent, et ils se tordent çà et là plus joyeusement que jamais, reflétant la couleur des fenêtres à travers
110 lesquelles ruisselle le rayonnement des trépieds. Mais, dans la chambre qui est là-bas tout à l'ouest, aucun masque n'ose maintenant s'aventurer ; car la nuit avance, et une lumière plus rouge afflue à travers les carreaux couleur de sang, et la noirceur des draperies funèbres est effrayante ; et à l'étourdi qui met le pied sur le tapis funèbre l'horloge d'ébène envoie un carillon plus sourd, plus
115 solennellement énergique que celui qui frappe les oreilles des masques tourbillonnant dans l'insouciance lointaine des autres salles.

Quant à ces pièces-là, elles fourmillaient de monde, et le cœur de la vie y battait fiévreusement. Et la fête tourbillonnait toujours lorsque s'éleva enfin le son de minuit de l'horloge. Alors, comme je l'ai dit, la musique s'arrêta ;
120 le tournoiement des valseurs fut suspendu ; il se fit partout, comme naguère, une anxieuse immobilité. Mais le timbre de l'horloge avait cette fois douze coups à sonner ; aussi, il se peut bien que plus de pensée se soit glissé dans les méditations de ceux qui pensaient parmi cette foule festoyante. Et ce fut peut-être aussi pour cela que plusieurs personnes parmi cette foule, avant que
125 les derniers échos du dernier coup fussent noyés dans le silence, avaient eu le temps de s'apercevoir de la présence d'un masque qui jusque-là n'avait aucunement attiré l'attention. Et, la nouvelle de cette intrusion s'étant répandue en un chuchotement à la ronde, il s'éleva de toute l'assemblée un bourdonnement, un murmure significatif d'étonnement et de désapprobation
130 — puis, finalement, de terreur, d'horreur et de dégoût.

Dans une réunion de fantômes telle que je l'ai décrite, il fallait sans doute une apparition bien extraordinaire pour causer une telle sensation. La licence carnavalesque de cette nuit était, il est vrai, à peu près illimitée ; mais le personnage en question avait dépassé l'extravagance d'un Hérode[14], et franchi
135 les bornes — cependant complaisantes — du décorum imposé par le prince. Il y a dans les cœurs des plus insouciants des cordes qui ne se laissent pas toucher sans émotion. Même chez les dépravés[15], chez ceux pour qui la vie et la mort sont également un jeu, il y a des choses avec lesquelles on ne peut pas jouer. Toute l'assemblée parut alors sentir profondément le mauvais goût
140 et l'inconvenance de la conduite et du costume de l'étranger. Le personnage était grand et décharné, et enveloppé d'un suaire de la tête aux pieds. Le masque qui cachait le visage représentait si bien la physionomie d'un cadavre raidi, que l'analyse la plus minutieuse aurait difficilement découvert l'artifice. Et cependant, tous ces fous joyeux auraient peut-être supporté, sinon
145 approuvé, cette laide plaisanterie. Mais le masque avait été jusqu'à adopter le *type* de la *Mort Rouge*. Son vêtement était barbouillé de sang — et son large front, ainsi que tous les traits de sa face, étaient aspergés de l'épouvantable écarlate.

Quand les yeux du prince Prospero tombèrent sur cette figure de spectre
150 — qui, d'un mouvement lent, solennel, emphatique[16], comme pour mieux soutenir son rôle, se promenait çà et là à travers les danseurs —, on le vit d'abord convulsé par un violent frisson de terreur ou de dégoût ; mais, une seconde après, son front s'empourpra de rage.

17. **Enrouée** : *voix altérée, éraillée, rauque.*

18. **Blasphématoire** : *impie, sacrilège.*

— Qui ose, demanda-t-il, d'une voix enrouée[17], aux courtisans debout
155 près de lui, — qui ose nous insulter par cette ironie blasphématoire[18] ?
Emparez-vous de lui, et démasquez-le, que nous sachions qui nous aurons à
pendre aux créneaux, au lever du soleil !

C'était dans la chambre de l'est, ou chambre bleue, que se trouvait le
prince Prospero quand il prononça ces paroles. Elles retentirent fortement et
160 clairement à travers les sept salons — car le prince était un homme impérieux
et robuste, et la musique s'était tue à un signe de sa main.

C'était dans la chambre bleue que se tenait le prince, avec un groupe de
pâles courtisans à ses côtés. D'abord, pendant qu'il parlait, il y eut parmi le
groupe un léger mouvement en avant dans la direction de l'intrus, qui fut un
165 instant presque à leur portée et qui maintenant, d'un pas délibéré et
majestueux, se rapprochait de plus en plus du prince. Mais par suite d'une
certaine terreur indéfinissable que l'audace insensée du masque avait inspirée
à toute la société, il ne se trouva personne pour lui mettre la main dessus ; si
bien que, ne trouvant aucun obstacle, il passa à deux pas de la personne du
170 prince ; et pendant que l'immense assemblée, comme obéissant à un seul
mouvement, reculait du centre de la salle vers les murs, il continua sa route
sans interruption, de ce même pas solennel et mesuré qui l'avait tout d'abord
caractérisé, de la chambre bleue à la chambre pourpre, — de la chambre
pourpre à la chambre verte, — de la verte à l'orange, — de celle-ci à la
175 blanche, — et de celle-là à la violette, avant qu'on eût fait un mouvement
décisif pour l'arrêter.

Ce fut alors, toutefois, que le prince Prospero, exaspéré par la rage et la
honte de sa lâcheté d'une minute, s'élança précipitamment à travers les six
chambres, où nul ne le suivit ; car une terreur mortelle s'était emparée de tout
180 le monde. Il brandissait un poignard nu, et s'était approché impétueusement
à une distance de trois ou quatre pieds du fantôme qui battait en retraite,

*« La mort destructrice »,
gravure de Retmer (Musée des
Arts de Philadelphie).*

quand ce dernier, arrivé à l'extrémité de la salle de velours, se retourna brusquement et fit face à celui qui le poursuivait. Un cri aigu partit — et le poignard glissa avec un éclair sur le tapis funèbre où le prince Prospero
185 tombait mort une seconde après.

Alors, invoquant le courage violent du désespoir, une foule de masques se précipita à la fois dans la chambre noire ; et, saisissant l'inconnu qui se tenait, comme une grande statue, droit et immobile dans l'ombre de l'horloge d'ébène, ils se sentirent suffoqués par une terreur sans nom, en voyant que
190 sous le linceul et le masque cadavéreux, qu'ils avaient empoignés avec une si violente énergie, ne logeait aucune forme palpable.

On reconnut alors la présence de la *Mort Rouge*. Elle était venue comme un voleur de nuit. Et tous les convives tombèrent un à un dans les salles de l'orgie inondées d'une rosée sanglante, et chacun mourut dans la posture
195 désespérée de sa chute.

Et la vie de l'horloge d'ébène disparut avec celle du dernier de ces êtres joyeux. Et les flammes des trépieds expirèrent. Et les Ténèbres, et la Ruine, et la *Mort Rouge* établirent sur toutes choses leur empire illimité.

EDGAR POE, *Nouvelles Histoires extraordinaires*, Traduction de Charles Baudelaire.

Guide de lecture : braver la peste

La structure de la nouvelle

1. La situation initiale :

a. En quoi consiste-t-elle dans le premier paragraphe ?

b. Présente-t-elle des indications précises de date et de lieu ?

c. Présente-t-elle immédiatement les personnages ?

2. La première transgression du prince :

a. Si la peste est un fléau de punition, en quoi consiste la première transgression du prince ?

b. Quels sont les traits principaux de son caractère ?

c. Quel contraste est établi ici ? Par quels moyens ?

3. La deuxième transgression du prince :

a. En quoi consiste-t-elle cette fois ?

b. Appréciez son degré de gravité en regard de la première.

c. Quels avertissements l'assemblée reçoit-elle successivement ?

4. La malédiction et le châtiment :

a. À quel moment, et après quels avertissements, apparaît le masque ?

b. Étudiez l'aspect, l'allure, le comportement du masque.

c. Quelle méprise sa présence provoque-t-elle ?

d. Relevez les réactions successives du prince. Justifiez-les.

e. Le châtiment est-il attendu par les personnages ? Par le lecteur ?

f. Commentez la dernière phrase.

Recherche, Réflexion, Expression

Vocabulaire

1. Cherchez des expressions qui contiennent le mot *masque* et donnez-en le sens.

2. Parmi ces êtres surnaturels, quels sont ceux qui sont bénéfiques ? ceux qui sont maléfiques ?

vampire - revenant - elfe - lutin - gnome - djinn - démon - spectre - strige - goule - loup-garou - korrigan - kobold - feu follet - lémure - larve - ombre - diablotin - séraphin.

Enquête

La superstition aujourd'hui. Essayez d'en retrouver les principales formes : mauvais présages - horoscopes - porte-bonheur - mauvais œil - mauvais sort - chaînes de prière et de bonheur.

Dans les journaux : bracelets et petites croix magiques, annonces de voyance, astrologie, remèdes miracles.

À lire

Petite bibliothèque de grands romans fantastiques

Edgar POE, *Les Aventures d'Arthur Gordon Pym*, 1837, U.S.A., Folio.

Un extraordinaire voyage dans un pôle Sud fantastique, dont la fin ouverte a inspiré Jules Verne et Lovecraft, qui en ont écrit chacun une suite.

Arthur MACHEN, *Le Grand Dieu Pan*, 1894, Angleterre, Le Livre de Poche.

Ce court roman, imprégné de mythologie, d'occultisme et de satanisme, est une variation éblouissante sur la véritable nature de la réalité.

Bram STOKER, *Dracula*, 1897, Irlande, Marabout Fantastique.

Le roman qui a transformé le vampirisme en mythe moderne.

G. MEYRINCK, *Le Golem*, 1916, Autriche, Marabout.

Roman fondé sur un thème du folklore juif : celui d'un être d'argile créé de toutes pièces à partir de la Kabbale.

J.D. CARR, *La Chambre ardente*, 1937, U.S.A., Néo Oswald.

Un parfait exemple de roman policier à résonance fantastique.

Jean RAY, *Malpertuis*, 1943, Belgique, J'ai Lu.

Un roman fascinant, où les dieux de l'Olympe sont enfermés dans une petite ville flamande, par l'action d'un fou.

Richard MATHESON, *Je suis une légende*, 1954, U.S.A., Denoël, Présence du Futur.

Une extraordinaire et terrifiante variation sur le vampirisme.

Ira LEVIN, *Un bébé pour Rosemary*, 1967, U.S.A., J'ai Lu.

Ou comment le fils de Satan naît à l'époque contemporaine dans un appartement de New York.

Comment Wang-Fô fut sauvé

MARGUERITE YOURCENAR

Nouvelles orientales
(1938)

Marguerite de Crayencour, dite **Yourcenar** (1903-1987) est un écrivain français surtout connu pour son œuvre romanesque. Née à Bruxelles dans une famille de petite noblesse, elle passe sa jeunesse en France. Elle s'installe en 1942 aux États-Unis, dans l'île des Monts-Déserts, près de la frontière canadienne. En 1980, elle est la première femme à être reçue à l'Académie française. Œuvres principales : *Mémoires d'Hadrien* (1951), *L'Œuvre au noir* (1968), *La Couronne et la Lyre* (1979).

Le vieux peintre Wang-Fô et son disciple Ling sont amenés par des soldats auprès de l'empereur du royaume de Han.

Celui-ci a vécu toute sa jeunesse reclus, au milieu des peintures du maître, et quand il a un jour découvert le monde, celui-ci lui a paru moins beau que les tableaux du vieillard.

L'empereur a décidé de faire crever les yeux et couper les mains du peintre qui l'a trompé sur la réalité du monde. Il commence par faire couper la tête de Ling, mais avant de supplicier Wang-Fô, il lui ordonne d'achever un tableau, sous peine de faire brûler toutes ses œuvres.

S ur un signe du petit doigt de l'Empereur, deux eunuques[1] apportèrent respectueusement la peinture inachevée où Wang-Fô avait tracé l'image de la mer et du ciel. Wang-Fô sécha ses larmes et sourit, car cette petite esquisse lui rappelait sa jeunesse. Tout y attestait une fraîcheur
5 d'âme à laquelle Wang-Fô ne pouvait plus prétendre, mais il y manquait cependant quelque chose, car à l'époque où Wang l'avait peinte, il n'avait pas encore assez contemplé de montagnes, ni de rochers baignant dans la mer leurs flancs nus, et ne s'était pas assez pénétré de la tristesse du crépuscule. Wang-Fô choisit un des pinceaux que lui présentait un esclave et se mit à
10 étendre sur la mer inachevée de larges coulées bleues. Un eunuque accroupi à ses pieds broyait les couleurs ; il s'acquittait assez mal de cette besogne, et plus que jamais Wang-Fô regretta son disciple Ling.

Wang commença par teinter de rose le bout de l'aile d'un nuage posé sur une montagne. Puis il ajouta à la surface de la mer de petites rides qui ne
15 faisaient que rendre plus profond le sentiment de sa sérénité. Le pavement de jade devenait singulièrement humide, mais Wang-Fô, absorbé dans sa peinture, ne s'apercevait pas qu'il travaillait assis dans l'eau.

Le frêle canot grossi sous les coups de pinceau du peintre occupait maintenant tout le premier plan du rouleau de soie. Le bruit cadencé des
20 rames s'éleva soudain dans la distance, rapide et vif comme un battement d'aile. Le bruit se rapprocha, emplit doucement toute la salle, puis cessa, et des gouttes tremblaient, immobiles, suspendues aux avirons du batelier. Depuis longtemps, le fer rouge destiné aux yeux de Wang s'était éteint sur le brasier du bourreau[2]. Dans l'eau jusqu'aux épaules, les courtisans, immobili-
25 sés par l'étiquette[3], se soulevaient sur la pointe des pieds. L'eau atteignit enfin au niveau du cœur impérial. Le silence était si profond qu'on eût entendu tomber des larmes.

C'était bien Ling. Il avait sa vieille robe de tous les jours, et sa manche droite portait encore les traces d'un accroc qu'il n'avait pas eu le temps de
30 réparer, le matin, avant l'arrivée des soldats. Mais il avait autour du cou une étrange écharpe rouge.

Wang-Fô lui dit doucement en continuant à peindre :

— Je te croyais mort.

— Vous vivant, dit respectueusement Ling, comment aurais-je pu
35 mourir ?

Et il aida le maître à monter en barque. Le plafond de jade[4] se reflétait sur l'eau, de sorte que Ling paraissait naviguer à l'intérieur d'une grotte. Les tresses des courtisans submergés ondulaient à la surface comme des serpents, et la tête pâle de l'Empereur flottait comme un lotus.

1. Eunuques : *hommes qui ont été soumis à la castration et qui sont employés comme esclaves au service de l'empereur.*

2. Bourreau : *sur ordre de l'empereur, Wang-Fô sera aveuglé dès qu'il aura achevé le tableau.*

3. Étiquette : *cérémonial en usage dans une cour, auprès d'un chef d'État, d'un grand personnage.*

4. Jade : *pierre semi-précieuse dont la couleur varie du blanc olivâtre au vert sombre.*

40   — Regarde, mon disciple, dit mélancoliquement Wang-Fô. Ces malheureux vont périr, si ce n'est déjà fait. Je ne me doutais pas qu'il y avait assez d'eau dans la mer pour noyer un Empereur⁵. Que faire ?

    — Ne crains rien, Maître, murmura le disciple. Bientôt, ils se trouveront à sec et ne se souviendront même pas que leur manche ait jamais été mouillée.
45 Seul, l'Empereur gardera au cœur un peu d'amertume marine. Ces gens ne sont pas faits pour se perdre à l'intérieur d'une peinture.

    Et il ajouta :

    — La mer est belle, le vent bon, les oiseaux marins font leur nid. Partons, mon Maître, pour le pays au-delà des flots.

50   — Partons, dit le vieux peintre.

    Wang-Fô se saisit du gouvernail, et Ling se pencha sur les rames. La cadence des avirons emplit de nouveau toute la salle, ferme et régulière comme le bruit d'un cœur. Le niveau de l'eau diminuait insensiblement autour des grands rochers verticaux qui redevenaient des colonnes. Bientôt,
55 quelques rares flaques brillèrent seules dans les dépressions du pavement de jade. Les robes des courtisans étaient sèches, mais l'Empereur gardait quelques flocons d'écume dans la frange de son manteau.

    Le rouleau achevé par Wang-Fô restait posé sur la table basse. Une barque en occupait tout le premier plan. Elle s'éloignait peu à peu, laissant
60 derrière elle un mince sillage qui se refermait sur la mer immobile. Déjà, on ne distinguait plus le visage des deux hommes assis dans le canot. Mais on apercevait encore l'écharpe rouge de Ling, et la barbe de Wang-Fô flottait au vent.

    La pulsation des rames s'affaiblit, puis cessa, oblitérée⁶ par la distance.
65 L'Empereur, penché en avant, la main sur les yeux, regardait s'éloigner la barque de Wang qui n'était déjà plus qu'une tache imperceptible dans la pâleur du crépuscule. Une buée d'or s'éleva et se déploya sur la mer. Enfin, la barque vira autour d'un rocher qui fermait l'entrée du large ; l'ombre d'une falaise tomba sur elle ; le sillage s'effaça de la surface déserte, et le peintre
70 Wang-Fô et son disciple Ling disparurent à jamais sur cette mer de jade bleu que Wang-Fô venait d'inventer.

Marguerite Yourcenar, *Nouvelles orientales*, © éd. Gallimard, 1985.

5. Noyer un empereur : *quel sentiment traduit cette remarque du peintre ?*

6. Oblitérée : *terme peu usité et vieilli ; disparue progressivement, mais de manière à laisser quelques traces.*

Guide de lecture : le mystère de la création

Premier paragraphe

1. Dans ce premier paragraphe, puis dans la suite du texte, relevez tous les traits d'exotisme oriental.

2. Pouvez-vous définir ce qui manque à la peinture de jeunesse de Wang-Fô ?

Deuxième paragraphe

1. Par quels détails se marque l'irruption du surnaturel ?

2. Les personnages s'en aperçoivent-ils ? Sont-ils apeurés ?

Troisième paragraphe

Relevez tous les détails qui peignent l'apparition du mystère : mouvements, bruits, détails significatifs.

Quatrième paragraphe

1. Sommes-nous étonnés de l'apparition de Ling ?

2. Cette apparition est-elle effrayante ?

3. Par quels détails se marque la montée de l'eau ?

4. Existe-t-il un désir de vengeance chez Wang-Fô ?

5. Comment comprenez-vous la phrase : « Ces gens-là ne sont pas faits pour se perdre à l'intérieur d'une peinture. » ?

Cinquième paragraphe

Comment se marque progressivement la diminution du niveau d'eau ?

Sixième paragraphe

Au cinéma, comment appellerait-on ce mouvement et ce changement de plan, si bien rendus par l'écrivain ?

Septième paragraphe

Dans ce paragraphe particulièrement, et dans l'ensemble du passage, étudiez les mouvements, les bruits, les couleurs, les lumières.

4. Le récit intime : mémoires, autobiographie, journal

Qui suis-je ? Qu'ai-je fait de ma vie ? Ma vie a-t-elle un sens ? Ces questions sont à l'origine de tous les récits intimes, qui peuvent avoir des formes différentes. Parfois, il s'agit d'une narration qui part du présent pour remonter le cours du temps. Ce sont les mémoires, l'autobiographie. *Parfois, c'est une confidence écrite au jour le jour :* le journal intime. *Enfin, il peut s'agir d'un récit où l'auteur emprunte le masque d'un personnage de fiction :* c'est le roman autobiographique.

Le point commun de tous ces récits, que nous allons étudier, est d'être fondé sur le Moi et de prétendre à la sincérité.

Fantin-Latour, La Liseuse.

Aux Feuillantines

VICTOR HUGO

Les Contemplations (1856)

Mes deux frères et moi, nous étions tout enfants.
Notre mère disait : Jouez, mais je défends
Qu'on marche dans les fleurs et qu'on monte aux échelles.

Abel était l'aîné, j'étais le plus petit.
5 Nous mangions notre pain de si bon appétit,
Que les femmes riaient quand nous passions près d'elles.

Nous montions pour jouer au grenier du couvent.
Et là, tout en jouant, nous regardions souvent
Sur le haut d'une armoire un livre inaccessible.

10 Nous grimpâmes un jour jusqu'à ce livre noir ;
Je ne sais pas comment nous fîmes pour l'avoir,
Mais je me souviens bien que c'était une Bible.

Ce vieux livre sentait une odeur d'encensoir.
Nous allâmes ravis dans un coin nous asseoir.
15 Des estampes partout ! quel bonheur ! quel délire !

Nous l'ouvrîmes alors tout grand sur nos genoux,
Et dès le premier mot il nous parut si doux
Qu'oubliant de jouer, nous nous mîmes à lire.

Nous lûmes tous les trois ainsi, tout le matin,
20 Joseph[1], Ruth et Booz[2], le bon Samaritain[3],
Et, toujours plus charmés, le soir nous le relûmes.

Tels des enfants, s'ils ont pris un oiseau des cieux,
S'appellent en riant et s'étonnent, joyeux,
De sentir dans leur main la douceur de ses plumes.

VICTOR HUGO, *Les Contemplations*, V, X.

1. Joseph : *Fils de Jacob et de Rachel, Joseph fut vendu comme esclave au pharaon d'Égypte par ses frères, et il leur pardonna.*

2. Ruth et Booz : *personnages bibliques du Livre de Ruth (Ancien Testament). Booz, riche propriétaire terrien, épouse la glaneuse Ruth et le récit de leur amour est d'une grande beauté poétique. De leur union descendront David et Jésus.*

3. Le bon Samaritain : *dans le Nouveau Testament, cette parabole du Christ célèbre l'étranger, un habitant de Samarie, qui seul prit soin d'un homme gravement blessé par des brigands.*

Guide de lecture : souvenirs d'enfance

Victor Hugo évoque ici un de ses souvenirs d'enfance, alors qu'il habitait avec sa mère et ses deux frères, Abel et Eugène, dans un couvent désaffecté, aujourd'hui disparu, de la rue des Feuillantines, à Paris, près du Val-de-Grâce.

Le poème

1. Quelle est la longueur des vers de ce poème ? le nombre de vers de chaque strophe ?

2. Étudiez la disposition des rimes : quel groupement de strophe imposent-elles ?

La découverte

1. D'après les deux premières strophes, que peut-on deviner des habitudes et du comportement des enfants ?

2. Pour quelle raison les enfants sont-ils d'abord attirés par le livre (vers 9) ?

3. Quelles sont les causes successives de l'enthousiasme des enfants ?

4. Relevez tous les mots qui expriment le plaisir des enfants. Sont-ils nombreux ? Classez-les par ordre croissant.

5. Selon Hugo, quel adjectif qualifie l'impression faite par la Bible sur les enfants ?

6. Quelle différence le poète fait-il entre jouer et lire (vers 18) ?

Le regard de l'adulte sur le souvenir

1. Repérez les deux commentaires de l'adulte dans ce récit d'enfance : quel temps verbal est employé ?

2. Que souligne le premier commentaire ? Pour quelle raison le titre du livre est-il donné par l'adulte, et non par l'enfant ?

3. Que signifie, d'après vous, la comparaison de la Bible avec l'oiseau des cieux (vers 22) ?

4. Quel est le sens du second commentaire de l'adulte ?

Aventure de la pie

CHATEAUBRIAND

*Mémoires
d'outre-tombe*
(1768-1848)

Né à Saint-Malo en 1768, **François-René de Chateaubriand** fut à dix ans pensionnaire au collège de Dol, en Bretagne. La discipline y était très sévère. Chateaubriand renonça à être officier de marine, fit en 1791 un voyage en Amérique pour fuir la Révolution. Il s'exila à Londres, puis fut nommé par Bonaparte secrétaire d'ambassade à Rome. C'est sous la Restauration que son rôle politique fut le plus important.

1. Congrégation : *cette congrégation formait des missionnaires.*

2. Préfet de semaine : *maître chargé de la discipline.*

3. Le régent : *le professeur.*

4. Crue : *(du verbe croître) croissance, développement. Quel est le sens usuel de ce mot ?*

5. Le limbe : *partie supérieure, proche du bord.*

6. Pied : *le pied (0,324 m) était divisé en douze pouces.*

7. Incontinent : *immédiatement.*

À la fin de sa vie, Chateaubriand rédigea les Mémoires d'outre-tombe, *œuvre immense qui constitue actuellement la partie la mieux connue de son œuvre. Sa tombe solitaire se dresse, près de Saint-Malo, à la pointe du Grand Bé, face à la mer.*

Lorsque le temps était beau, les pensionnaires du collège sortaient le jeudi et le dimanche. On nous menait souvent au Mont-Dol, au sommet duquel se trouvaient quelques ruines gallo-romaines : du haut de ce tertre isolé, l'œil plane sur la mer et sur des marais où voltigent
5 pendant la nuit des feux follets, lumière des sorciers qui brûle aujourd'hui dans nos lampes. Un autre but de nos promenades était les prés qui environnaient un séminaire d'*Eudistes*, d'Eudes, frère de l'historien Mézeray, fondateur de leur congrégation[1].

Un jour du mois de mai, l'abbé Egault, préfet de semaine[2], nous avait
10 conduits à ce séminaire : on nous laissait une grande liberté de jeux, mais il était expressément défendu de monter sur les arbres. Le régent[3], après nous avoir établis dans un chemin herbu, s'éloigna pour dire son bréviaire.

Des ormes bordaient le chemin : tout à la cime du plus grand, brillait un nid de pie : nous voilà en admiration, nous montrant mutuellement la mère
15 assise sur ses œufs, et pressés du plus vif désir de saisir cette superbe proie. Mais qui oserait tenter l'aventure ? L'ordre était sévère, le régent si près, l'arbre si haut ! Toutes les espérances se tournent vers moi ; je grimpais comme un chat. J'hésite, puis la gloire l'emporte : je me dépouille de mon habit, j'embrasse l'orme et je commence à monter. Le tronc était sans
20 branches, excepté aux deux tiers de sa crue[4], où se formait une fourche dont une des pointes portait le nid.

Mes camarades, assemblés sous l'arbre, applaudissent à mes efforts, me regardant, regardant l'endroit d'où pouvait venir le préfet, trépignant de joie dans l'espoir des œufs, mourant de peur dans l'attente du châtiment. J'aborde
25 au nid ; la pie s'envole ; je ravis les œufs, je les mets dans ma chemise et redescends. Malheureusement, je me laisse glisser entre les tiges jumelles et j'y reste à califourchon. L'arbre étant élagué, je ne pouvais appuyer mes pieds ni à droite ni à gauche pour me soulever et reprendre le limbe[5] extérieur : je demeure suspendu en l'air à cinquante pieds[6].

30 Tout à coup un cri : « Voici le préfet ! » et je me vois incontinent[7] abandonné de mes amis, comme c'est l'usage. Un seul, appelé Le Gobbien, essaya de me porter secours, et fut tôt obligé de renoncer à sa généreuse entreprise. Il n'y avait qu'un moyen de sortir de ma fâcheuse position, c'était de me suspendre en dehors par les mains à l'une des deux dents de la fourche,
35 et de tâcher de saisir avec mes pieds le tronc de l'arbre au-dessous de sa bifurcation. J'exécutai cette manœuvre au péril de ma vie. Au milieu de mes tribulations, je n'avais pas lâché mon trésor ; j'aurais pourtant mieux fait de le jeter, comme depuis j'en ai jeté tant d'autres. En dévalant le tronc, je m'écorchai les mains, je m'éraillai les jambes et la poitrine, et j'écrasai les
40 œufs : ce fut ce qui me perdit. Le préfet ne m'avait point vu sur l'orme ; je lui cachai assez bien mon sang, mais il n'y eut pas moyen de lui dérober l'éclatante couleur d'or dont j'étais barbouillé. « Allons, me dit-il, monsieur, vous aurez le fouet. »

Si cet homme m'eût annoncé qu'il commuait cette peine dans celle de
45 mort, j'aurais éprouvé un mouvement de joie. L'idée de la honte n'avait point approché de mon éducation sauvage : à tous les âges de ma vie, il n'y a point

de supplice que je n'eusse préféré à l'horreur d'avoir à rougir devant une créature vivante. L'indignation s'éleva dans mon cœur ; je répondis à l'abbé Egault, avec l'accent non d'un enfant, mais d'un homme, que jamais ni lui ni
50 personne ne lèverait la main sur moi. Cette réponse l'anima[8], il m'appela rebelle et promit de faire un exemple. « Nous verrons », répliquai-je, et je me mis à jouer à la balle avec un sang-froid qui le confondit.

Nous retournâmes au collège ; le régent me fit entrer chez lui et m'ordonna de me soumettre. Mes sentiments exaltés firent place à des torrents
55 de larmes. Je représentai[9] à l'abbé Egault qu'il m'avait appris le latin ; que j'étais son écolier, son disciple, son enfant ; qu'il ne voudrait pas déshonorer son élève, et me rendre la vue de mes compagnons insupportables ; qu'il pouvait me mettre en prison, au pain et à l'eau, me priver de mes récréations, me charger de *pensums* ; que je lui saurais gré de cette clémence et l'en aimerais
60 davantage. Je tombai à ses genoux, je joignis les mains, je le suppliai par Jésus-Christ de m'épargner : il demeura sourd à mes prières. Je me levai plein de rage, et lui lançai dans les jambes un coup de pied si rude qu'il en poussa un cri. Il court en clochant à la porte de sa chambre, la ferme à double tour et revient sur moi. Je me retranche derrière son lit ; il m'allonge à travers le
65 lit des coups de férule[10]. Je m'entortille dans la couverture, et, m'animant au combat, je m'écrie :

Macte animo, generose puer[11] !

Cette érudition de grimaud[12] fit rire malgré lui mon ennemi ; il parla d'armistice : nous conclûmes un traité ; je convins de m'en rapporter à
70 l'arbitrage du Principal[13]. Sans me donner gain de cause, le Principal me voulut bien soustraire à la punition que j'avais repoussée. Quand l'excellent prêtre prononça mon acquittement, je baisai la manche de sa robe avec une telle effusion de cœur et de reconnaissance, qu'il ne se put empêcher de me donner sa bénédiction. Ainsi se termina le premier combat que me fit rendre
75 cet honneur devenu l'idole de ma vie, et auquel j'ai tant de fois sacrifié repos, plaisir et fortune.

CHATEAUBRIAND, *Mémoires d'outre-tombe*, Première partie, livre deuxième, 6.

8. Anima : *exciter, faire sortir de ses gonds.*

9. Représenter : *ici, faire observer.*

10. Férule : *petite palette de bois ou de cuir avec laquelle on frappait la main des écoliers en faute.*

11. « Courage, noble enfant... » : *début d'un vers de Virgile,* L'Énéide.

12. Grimaud : *ici, élève des petites classes.*

13. Principal : *directeur du collège.*

Guide de lecture : « Courage, noble enfant !... »

L'aventure (lignes 1 à 43)

1. Quel est l'intérêt du premier paragraphe ? Que précise-t-il ?

2. Le contenu du deuxième paragraphe prépare et explique l'aventure : précisez de quelle manière.

3. Quels mots peignent particulièrement la tentation des enfants ?

4. À quel moment et pour quelle raison, selon vous, Chateaubriand raconte-t-il son aventure au présent de l'indicatif ?

5. Par quel procédé grammatical le narrateur décrit-il l'attitude de ses camarades ? Quel est l'effet produit ?

6. La fin de la péripétie met en valeur le caractère de l'enfant : comment pouvez-vous le définir ?

La révolte (lignes 44 à 76)

1. Comment Chateaubriand définit-il le sentiment de la honte ?

2. De quelle manière progresse la rébellion de l'enfant ?

3. Comment plaide-t-il sa cause auprès de l'abbé Egault ?

4. Quel incident déclenche l'armistice ?

5. Pour quelles raisons, à votre avis, le principal acquitte-t-il le coupable ?

La distance au passé

1. L'auteur-narrateur évoque-t-il ce souvenir d'enfance :
— par attendrissement ?
— par nostalgie ?
— pour prouver quelque chose à son lecteur ?

2. Quels traits du caractère de l'enfant l'adulte veut-il souligner ?

3. Chateaubriand âgé veut-il nous montrer :
— qu'il a beaucoup changé depuis son enfance ?
— que son caractère est resté le même ?

4. Chateaubriand éprouve-t-il de la sympathie pour l'enfant qu'il fut ? Donnez des exemples.

5. Le ton dominant du récit est-il l'amertume ? l'attendrissement ? l'humour ? la fierté ?

6. Ce récit vous paraît-il entièrement sincère, ou un peu enjolivé ? Justifiez votre réponse.

Un homme plein de vertus

RÉTIF DE LA BRETONNE

La Vie de mon père (1779)

Le chef-d'œuvre de Rétif de la Bretonne est peut-être La Vie de mon père (*1779*), *ouvrage biographique quelque peu romancé. L'auteur relate la vie de son père, Edmond Rétif, laboureur et homme de bien, maître de la métairie de la Bretonne, avec pour toile de fond les dernières années de l'Ancien Régime.*

La Ferme, *de Jean-Baptiste Oudry (1750).*

Écrivain français né à Sacy, en Bourgogne, en 1734, mort à Paris en 1806, **Nicolas Edme Rétif de la Bretonne** est le fils d'un laboureur aisé, né dans une famille nombreuse. Il est envoyé en apprentissage à Auxerre chez un imprimeur. Il se rend ensuite à Paris et il se met à écrire, imprimant parfois directement ses ouvrages. Son œuvre, très abondante, est inégale. Il écrivit son autobiographie romancée : *Monsieur Nicolas ou le Cœur humain dévoilé* (1794-1797). Ce fut l'un des esprits les plus originaux de son temps, qui nous laissa un tableau précieux des dernières années de la monarchie française et des débuts de la Révolution.

Mon père excellait dans tous les détails de l'économie rustique[1], surtout dans le soin des bestiaux. Il abandonnait aux femmes et aux domestiques le menu bétail, se contentant d'y donner un coup d'œil journalier ; mais il s'était réservé à lui seul le gouvernement des chevaux. J'ai
5 dit qu'il aimait ce noble animal ; mais ce goût était subordonné à l'utilité, à la raison et à sa fortune. Un tact particulier lui avait donné une connaissance parfaite du cheval ; il aurait été un excellent maquignon, s'il avait entrepris ce commerce en grand ; mais il vénérait trop l'agriculture pour l'abandonner. Tous les chevaux qu'il achetait changeaient à vue d'œil entre ses mains.
10 Ordinairement il les prenait jeunes et maigres ; il s'en servait deux ans, et les revendait ensuite un prix proportionné à leur valeur. Il était si juste, si bon connaisseur, qu'on le laissait maître de fixer le prix. On l'a vu plusieurs fois rabattre de la somme que l'acheteur avait d'abord offerte à la première inspection. Ce fut cette probité exacte, et d'autres vertus dont je parlerai
15 bientôt, qui lui méritèrent le surnom de l'*Honnête homme* dont il fut honoré par tout son canton, et qui retentit encore aux oreilles de ses enfants, lorsqu'ils retournent dans le pays.

J'ai donné un exemple de l'affection dont le cheval payait les soins d'un si bon maître : j'aurais mille exemples à citer de cette nature.
20 Un jour qu'il était à la charrue, une compagnie de recrues[2] qui traversait le royaume pour aller à sa destination vint lui demander ses chevaux, pour les monter l'espace de trois lieues. Edme R. y consentit ; mais il les avertit qu'ils ne pouvaient souffrir d'être maniés[3] que par lui, tant ils étaient féroces et sauvages. Les fanfarons lui rirent au nez : ils montèrent deux sur chaque
25 cheval. Tant qu'Edme les tint par la bride, ces fougueux animaux obéirent ; ils obéirent même encore, tant qu'il les encouragea de la voix ; mais lorsqu'ils furent à quelque distance, l'un d'eux se retourna, malgré les efforts des deux soldats, et voyant son maître qui s'en allait, il fit deux ruades qui étendirent les cavaliers sur le pré, et courut après son maître en hennissant. Les trois
30 autres chevaux, entendant hennir leur camarade et le voyant fuir, en firent autant, et galopèrent après leur maître. Un autre qu'Edme aurait été charmé

1. **Économie rustique :** *gestion agricole.*

2. **Recrues :** *jeunes soldats.*

3. **Maniés :** *conduits à la main.*

4. Licol : *ou licou. Lien de corde passé autour du cou du cheval pour le maintenir à la main. La bride est une partie du harnais fixée au mors.*

5. Noyers : *chef-lieu de canton, non loin d'Auxerre.*

6. Chichée : *village situé au sud de Chablis, dans la vallée du Serein.*

7. Interdit : *si étonné et si troublé qu'il n'a plus la faculté de parler et d'agir.*

8. En leur donnant... : *si je leur donne la bourse ou si je la leur refuse.*

9. Piquer des deux : *donner deux coups d'éperon pour emporter le cheval au galop.*

de cette aventure. Il aurait envoyé un domestique à la suite de ses chevaux ; il y alla lui-même ; il fit remonter les soldats, tint le cheval le plus fougueux par le licol[4], et marcha ainsi trois lieues à pied par la plus forte chaleur,
35 n'exigeant autre chose sinon qu'on traitât doucement ses chevaux : ce que les soldats furent contraints de faire, pour leur propre intérêt.

Arrivé à Noyers[5], le maire-de-ville, M. Miré, son parent, fut très scandalisé de le voir arriver de la sorte, et voulait envoyer les soldats coucher en prison ; mais Edme R. intercéda pour eux et reçut leurs excuses.
40 « Nous vous avons pris pour un simple paysan, lui dit l'officier.

— Vous ne vous êtes pas trompé, monsieur : mais ce que vous ignorez, c'est que j'en fais gloire. »

L'autre trait est plus important, puisque le cheval sauva la vie à mon père. C'était en revenant de Tonnerre : il fut attaqué à l'entrée d'un bois, aux
45 environs de Chichée[6], par quatre voleurs ; l'un prit la bride de son cheval ; l'autre présenta le pistolet, tandis que les deux autres fouillaient dans les poches et dans les sacoches en ordonnant au cavalier de descendre. Mon père d'abord effrayé demeura interdit[7]. Mais une réflexion lui rendit une sorte de témérité : « Ces messieurs me tueront en leur donnant[8] la bourse tout comme
50 en la leur refusant, si leur sûreté l'exige (pensa-t-il) : essayons de m'échapper ; il en arrivera ce qui pourra. » En achevant ce petit monologue, qui ne fut qu'une idée rapide, Edme R. dit à son cheval le mot d'encouragement, qu'il ne prononçait jamais que lorsque l'animal était arrêté par quelque grand obstacle : *Allons, garçon !* En même temps il piqua des deux[9] : chose
55 extraordinaire, car jamais l'éperon ne lui servait. À ce mot, l'animal part, quoique le voleur ne lâchât pas la bride ; il l'entraîne ainsi vingt pas en galopant de toutes ses forces, aux cris répétés de son maître, et s'en débarrasse enfin, en le foulant aux pieds. Sans l'extrême affection qu'avait le cheval pour son maître et l'habitude où il était d'obéir à ce mot en dépit de tous les
60 obstacles, Edme R. était massacré.

NICOLAS EDME RÉTIF DE LA BRETONNE, *La Vie de mon père*, Livre second.

Guide de lecture : le paysan et son cheval

Le portrait du père (premier paragraphe)

1. Relevez tous les termes mélioratifs du premier paragraphe.

2. Quelles qualités d'Edme Rétif sont soulignées ici ?

La première aventure

1. En quoi un autre aurait-il été « charmé de cette aventure » ?

2. Pourquoi Edme fait-il trois lieues à pied par la plus forte chaleur ?

3. Appréciez l'excuse de l'officier et la réponse d'Edme.

4. Quel trait du caractère d'Edme nous est révélé par cette anecdote ?

La seconde aventure

1. Comment est rapporté ici le monologue intérieur d'Edme ? Exprimez-le différemment.

2. Quel autre trait de caractère du personnage est mis en valeur dans ce monologue intérieur ?

3. Pour quelle raison, dans le second récit, le présent de l'indicatif fait-il irruption dans le récit au passé ?

La conclusion

En quoi le paragraphe de conclusion de ce passage renforce-t-il le paragraphe d'introduction :
— quelle idée rappelle-t-il ?
— quel élément nouveau apporte-t-il ?

Une biographie

1. À quelle personne est écrit ce passage ? L'auteur, le narrateur et le personnage principal sont-ils la même personne ?

2. L'auteur de la biographie a-t-il été témoin des faits qu'il rapporte ? Ces faits sont-ils extérieurs à lui ?

3. Ce passage vous paraît-il plutôt rapporter des faits, ou plutôt illustrer une idée ?

4. L'auteur vous paraît-il rapporter exactement les faits ou enjoliver la réalité ?
Justifiez votre réponse en classant preuves et arguments.

5. Documentez-vous auprès de votre professeur d'histoire : Rétif fait-il un tableau exact de la condition paysanne sous Louis XV ?

En 1800, le jeune Beyle quitte Paris pour l'Italie, pour rejoindre l'armée de Bonaparte ; il sera nommé sous-lieutenant de cavalerie. Il commence à écrire son journal intime, qui débute quelques mois après son arrivée en Italie, au pays de son âme.

Plus tard, de 1835 à 1836, Stendhal, devenu consul de France à Civita-Vecchia, écrit son autobiographie, sous le titre La Vie de Henry Brulard, *et il s'arrête sur le récit de son arrivée en Italie et ses premières impressions de Milan.*

Au souvenir du bonheur exaltant qu'il y a vécu, il éprouve une émotion telle qu'il est obligé de s'interrompre quelques jours. Il ne reprendra jamais cet ouvrage, qui n'a pas été publié de son vivant.

En 1838-1839, Stendhal écrit un roman, La Chartreuse de Parme, *chef-d'œuvre qu'il dicta en cinquante-deux jours, et dans lequel il fait tenir les souvenirs les plus extraordinaires de sa chère Italie. Le roman s'ouvre sur un tableau de Milan en 1796, qui transpose dans le domaine de la fiction un des moments les plus heureux de la jeunesse de Stendhal.*

Nous vous présentons ici les trois extraits qui correspondent à ce souvenir, et nous vous proposons de les comparer.

Stendhal à Milan

STENDHAL

Écrits intimes, Journal (1801-1817)

Stendhal est le pseudonyme de Henri Beyle, né à Grenoble en 1783, mort à Paris en 1842. Orphelin à l'âge de sept ans, il subit une éducation rigoureuse contre laquelle il se révolte.
De son enfance solitaire et studieuse, il gardera cependant le souvenir d'un grand-père qui l'a initié à l'esprit de « liberté » hérité des philosophes. En 1800, il s'engage dans l'armée d'Italie et, parvenu à Milan à la suite du Premier Consul, il découvre avec ravissement l'Italie, la musique, et l'amour, qui restent pour lui les composantes indissociables du bonheur.

1. 18 avril 1801 : *Stendhal a dix-huit ans.*

2. Houzard : *ou hussard, soldat de la cavalerie légère.*

3. Gibory : *aide de camp du général Michaud.*

4. Ferdinand : *Ferdinand Joinville était commissaire de guerre.*

Milan, le 28 germinal an IX [18 avril 1801][1].

J'entreprends d'écrire l'histoire de ma vie jour par jour. Je ne sais si j'aurai la force de remplir ce projet, déjà commencé à Paris. Voilà déjà une faute de français ; il y en aura beaucoup, parce que je prends pour principe de ne me pas gêner et de n'effacer jamais. Si j'en ai le courage, je reprendrai au 2 ventôse, jour de mon départ de Milan, pour aller rejoindre le lieutenant général Michaud à Vérone.

28 germinal. — J'ai vu manœuvrer sur le glacis du château la cavalerie et l'artillerie à cheval de la deuxième légion polonaise, venant de l'armée du Rhin pour aller, à ce qu'on dit, s'établir à Florence, à la solde du nouveau grand-duc, une trentaine des meilleurs officiers ont quitté à cause de cela. La cavalerie, en veste bleue, passepoil cramoisi, armée de sabres d'houzards[2] et de lances avec des petits drapeaux tricolores, a tourné très adroitement et à plusieurs reprises sur elle-même. Les généraux Moncey, Davout et Milhaud s'y sont rendus en grande tenue.

29 germinal [19 avril].

Le ministre Petiet a reçu un courrier extraordinaire de Paris, qui lui a annoncé que Paul Ier a été trouvé mort dans son lit le 20 mars. On prévoit que cette mort entraînera de grands changements. Je viens du bal de chez Angélique. Gibory[3] a dit à Ferdinand[4] qu'il avait chassé Mme Martin[5]. Je crois y avoir vu monter cette dernière en descendant.

10 floréal [30 avril].

Je suis toujours à Milan. Le 6e dragon a passé pour se rendre en Piémont, où le lieutenant-général Delmas commande le militaire sous les ordres du général Jourdan, qui a les pouvoirs d'un vice-roi. Il y a eu aujourd'hui, sur

5. **Mme Martin** : *maîtresse de Gibory à Milan.*

6. **Au grand théâtre** : *la Scala.*

7. **Martial** : *le baron Martial Daru, frère de Pierre, cousin de Henri Beyle.*

8. **Félix Faure** *(1780-1859) : grand ami de jeunesse de Stendhal.*

9. **M. Daru** : *le comte Pierre Daru, cousin de H. Beyle.*

10. **La Harpe** *(1739-1803) : célèbre critique littéraire.*

11 et 12 : Selmours *et les* Quiproquos : *deux pièces de théâtre écrites par Henri Beyle.*

13. **Vetturino** : *le cocher.*

la place du château, une grande fête pour la paix. On a posé la première pierre du *foro Bonaparte*. Le soir, feu d'artifice mesquin. Scène lyrique assez
25 ennuyeuse au grand théâtre[6] et bal où les femmes honnêtes ont dansé.

11 floréal [1er mai].

Je pars demain pour Bergame. Martial[7] va, par ordre de Félix[8], à Florence ; Marignier, à Bologne. M. Daru[9] a fait un projet d'arrêté très volumineux sur l'organisation de l'armée en temps de paix. Le Premier consul en a été content et l'a invité à venir le discuter à Malmaison. On parle
30 beaucoup de guerre. Moreau a reçu l'ordre de rester à son armée, et Augereau de se rendre sur-le-champ à la sienne. L'adjudant-commandant Mathys, qui était venu le 9 de Bergame pour la fête, y est retourné cet après-midi. Depuis que j'ai cessé de penser à la charmante Mme Martin, actuellement Saladini, j'ai beaucoup lu La Harpe[10]. J'ai lu les tomes, I, II, III, IV, V, VI, VII, VIII
35 de son *Lycée*. J'ai réfléchi profondément sur l'art dramatique, en relisant les vers de *Selmours*[11], ils m'ont paru moins mauvais qu'en les faisant. Je veux apprendre à les faire, car il vaudrait bien mieux que les *Quiproquos*[12] fussent en vers. Je donne dix-huit l[ires] de Milan au vetturino[13] qui me conduit à Bergame. Je vais de ce pas au petit théâtre, où l'on donne deux pièces
40 traduites du français.

STENDHAL, *Écrits intimes*, *Journal*, Gallimard, collection de la Pléiade.

Guide de lecture : les Français en Italie

1. Quelle période évoque ce texte ?

2. Qui est l'auteur ? le narrateur ? le personnage principal ?

3. Les notations du jeune Beyle sont-elles journalières ?

4. Existe-t-il un enchaînement, une progression, d'une notation à l'autre ?

5. Existe-t-il un écart de temps important entre les événements évoqués et leur notation ?

6. Qu'est-ce qui fait l'unité de ces textes ?

7. Quelle affirmation importante est contenue dans les premières lignes du journal du jeune Beyle ? Pour quelle raison a-t-il besoin d'émettre cette affirmation ?

8. Le jeune Beyle vous semble-t-il dire la vérité de sa vie quotidienne en 1801 ?

9. Quelles sont ses pensées, ses préoccupations au jour le jour ?

10. Quelles vous paraissent être les motivations qui poussent le jeune Beyle à écrire son journal intime : désir de se connaître ; compensation ; mise en mémoire de sa vie ; épanchement ; complaisance à soi ; goût de l'écriture ?

Enquête

Pour quelles raisons écrire un journal intime :
— pour se sentir moins seul ?
— pour surmonter une crise ?
— pour former son caractère, se corriger ?
— pour aider sa mémoire ?
— pour guider sa vie ?
— pour écrire, jouer avec les mots et les émotions ?
— pour s'étudier, se délivrer, se juger ?

Lecture : le *Journal* d'Anne FRANCK (le Livre de Poche).

STENDHAL

La Vie de Henry Brulard
(1834-1836)

Trente ans plus tard...

Milan

Un matin en entrant à Milan par une charmante matinée de printemps, et quel printemps ! et dans quel pays du monde ! je vis Martial[1] à trois pas de moi, sur la gauche de mon cheval. Il me semble le voir encore, c'était *Corsia del Giardino*, peu après la rue des Bigli, au commencement de
5 la Corsia di Porta Nova.

Il était en redingote bleue avec un chapeau bordé d'adjudant général. Il fut fort aise de me voir.

« On vous croyait perdu, me dit-il.

— Le cheval a été malade à Genève, répondis-je, je ne suis parti que le...

10 — Je vais vous montrer la maison, ce n'est qu'à deux pas. »

Je saluai le cap[itai]ne Burelviller[2], je ne l'ai jamais revu.

Martial revint sur ses pas et me conduisit à la Casa d'Adda en D.

La façade de la Casa d'Adda n'était point finie, la plus grande partie était alors en briques grossières comme San Lorenzo à Florence[3]. J'entrai dans une
15 cour magnifique. Je descendis de cheval fort étonné et admirant tout. Je montai par un escalier superbe. Les domestiques de Martial détachèrent mon portemanteau[4], et emmenèrent mon cheval.

Je montai avec lui et bientôt me trouvai dans un superbe salon donnant sur la Corsia. J'étais ravi, c'était pour la première fois que l'architecture
20 produisait son effet sur moi. Bientôt on apporta d'excellentes côtelettes pannées. Pendant plusieurs années ce plat m'a rappelé Milan.

Cette ville devint pour moi le plus beau lieu de la terre. Je ne sens pas du tout le charme de ma patrie, j'ai pour le lieu où je suis né une répugnance qui va jusqu'au dégoût physique (le mal de mer). Milan a été pour moi de
25 1800 à 1821 le lieu où j'ai constamment désiré d'habiter.

[...]

Comment raconter raisonnablement ces temps-là ? J'aime mieux renvoyer à un autre jour.

En me réduisant aux formes raisonnables je ferais trop d'injustice à ce que je veux raconter.

30 Je ne veux pas dire ce qu'étaient les choses, ce que je découvre pour la première fois à peu près en 1836, ce qu'elles étaient ; mais, d'un autre côté je ne puis écrire ce qu'elles étaient pour moi en 1800, le lecteur jetterait le livre.

Quel parti prendre ? Comment peindre le bonheur fou ?

Le lecteur a-t-il jamais été amoureux fou ? A-t-il jamais eu la fortune de
35 passer une nuit avec cette maîtresse qu'il a le plus aimée en sa vie ?

Ma foi je ne puis continuer, le sujet surpasse le disant.

Je sens bien que je suis ridicule ou plutôt incroyable. Ma main ne peut plus écrire, je renvoie à demain.

Peut-être il serait mieux de passer net ces six mois-là.

40 Comment peindre l'excessif bonheur que tout me donnait ? C'est impossible pour moi.

Il ne me reste qu'à tracer un sommaire pour ne pas interrompre tout à fait le récit.

Je suis comme un peintre qui n'a plus le courage de peindre un coin de
45 son tableau. Pour ne pas gâter le reste il ébauche *alla meglio*[5] ce qu'il ne peut pas peindre.

1. **Martial** : *le baron Martial Daru, cousin de Henri Beyle.*

2. **Le capitaine Burelviller** : *officier qui fut chargé d'accompagner le jeune Beyle, mauvais cavalier, de Paris à Milan, spécialement pendant le difficile passage du Saint-Bernard.*

3. **San Lorenzo à Florence** : *c'est une église du XVᵉ siècle.*

4. **Mon portemanteau** : *enveloppe cylindrique qui porte les vêtements du cavalier, et qui est attachée à la selle.*

5. **Alla meglio** : *tant bien que mal.*

Ô lecteur froid, excusez ma mémoire, ou plutôt sautez cinquante pages.

Voici le sommaire de ce que, à trente-six ans d'intervalle, je ne puis raconter sans le gâter horriblement.

50 Je passerais dans d'horribles douleurs, les cinq, dix, vingt ou trente ans qui me restent à vivre qu'en mourant je ne dirais pas : Je ne veux pas recommencer.

D'abord ce bonheur d'avoir pu faire à ma tête. Un homme médiocre, au-dessous du médiocre si vous voulez mais bon et gai, ou plutôt heureux lui-même alors, avec lequel je vécus.

55 Tout ceci ce sont des découvertes que je fais en écrivant. Ne sachant comment peindre, je fais l'analyse de ce que je sentis alors.

Je suis très froid aujourd'hui, le temps est gris, je souffre un peu.

Rien ne peut empêcher ma folie.

60 En honnête homme qui abhorre d'exagérer, je ne sais comment faire.

J'écris ceci et j'ai toujours tout écrit comme Rossini écrit sa musique, j'y pense, écrivant chaque matin ce qui se trouve devant moi dans le libretto[6].

6. **Libretto :** *livret, texte de l'opéra.*

STENDHAL, *La Vie de Henry Brulard, Écrits intimes*, Gallimard, coll. de la Pléiade.

Détail d'un autoportrait d'Andrea del Sarto.

Guide de lecture : « Comment peindre le bonheur fou ? »

Le texte

1. Le manuscrit n'a pas été revu et corrigé pour l'édition. Remarquez-vous des traces de la hâte, de l'improvisation ?

2. D'après vous, Stendhal aurait-il modifié son texte en vue de l'édition ?

3. Que préférez-vous lire :
un texte écrit du premier jet ? ou un texte longuement travaillé, comme celui de Chateaubriand ?

4. Relevez des phrases où se manifeste le présent de l'écriture, c'est-à-dire Stendhal écrivant en 1836, en regard du jeune Henri Beyle de 1801.

Le narrateur

1. Cherchez la présence du narrateur dans son texte : pronoms, verbes performatifs, modalisateurs. Les modalisateurs sont-ils fréquents ?

2. Le passage contient-il des moments de monologue intérieur ?

3. Le narrateur peut-il toujours garantir la véracité de son récit ?

4. À quel problème est-il confronté, qui n'existe pas quand on écrit un roman ?

5. Quel facteur intervient dans son récit, indépendamment de sa volonté ?

6. Le recours à la troisième personne permettrait-il au récit d'avancer ?

7. Le narrateur s'adresse souvent au lecteur : pourquoi ? quel effet produit ce dialogue ?

Recherche, Réflexion, Expression

1. Si vous deviez écrire votre propre autobiographie, de quelle manière aborderiez-vous le récit de votre naissance ?
Commenceriez-vous par :
— consulter les documents d'état civil ?
— solliciter les témoignages de votre famille ?
— interroger le zodiaque pour connaître votre horoscope ?

2. Petite enquête

Le rôle de l'audiovisuel dans l'autobiographie : récits de chanteurs, de présentateurs de télévision. La mode des livres interviews.
Cherchez des exemples, groupez-les et présentez votre opinion personnelle dans une intervention orale de dix minutes, sans lire vos notes.

STENDHAL

La Chartreuse de Parme (1839)

L'entrée des Français à Milan en 1796

Ces soldats français riaient et chantaient toute la journée ; ils avaient moins de vingt-cinq ans, et leur général en chef, qui en avait vingt-sept, passait pour l'homme le plus âgé de son armée. Cette gaieté, cette jeunesse, cette insouciance, répondaient d'une façon plaisante aux prédications furibondes des moines qui, depuis six mois, annonçaient du haut de la chaire sacrée que les Français étaient des monstres, obligés, sous peine de mort, à tout brûler et à couper la tête à tout le monde. À cet effet, chaque régiment marchait avec la guillotine en tête[1].

Dans les campagnes l'on voyait sur la porte des chaumières le soldat français occupé à bercer le petit enfant de la maîtresse du logis, et presque chaque soir quelque tambour, jouant du violon, improvisait un bal. Les contredanses se trouvant beaucoup trop savantes et compliquées pour que les soldats, qui d'ailleurs ne les savaient guère, pussent les apprendre aux femmes du pays, c'étaient celles-ci qui montraient aux jeunes Français *la Monférine*, *la Sauteuse* et autres danses italiennes.

Les officiers avaient été logés, autant que possible, chez les gens riches ; ils avaient bon besoin de se refaire. Par exemple, un lieutenant, nommé Robert, eut un billet de logement pour le palais de la marquise del Dongo. Cet officier, jeune réquisitionnaire[2] assez leste[3], possédait pour tout bien, en entrant dans ce palais, un écu de six francs qu'il venait de recevoir à Plaisance[4]. Après le passage du pont de Lodi[5], il prit à un bel officier autrichien tué par un boulet un magnifique pantalon de nankin[6] tout neuf, et jamais vêtement ne vint plus à propos. Ses épaulettes d'officier étaient en laine[7], et le drap de son habit était cousu à la doublure des manches pour que les morceaux tinssent ensemble ; mais il y avait une circonstance plus triste ; les semelles de ses souliers étaient en morceaux de chapeau également pris sur le champ de bataille, au-delà du pont de Lodi. Ces semelles improvisées tenaient au-dessus des souliers par des ficelles fort visibles, de façon que lorsque le majordome[8] de la maison se présenta dans la chambre du lieutenant Robert pour l'inviter à dîner avec madame la marquise, celui-ci fut plongé dans un mortel embarras. Son voltigeur[9] et lui passèrent les deux heures qui les séparaient de ce fatal dîner à tâcher de recoudre un peu l'habit et à teindre en noir avec de l'encre les malheureuses ficelles des souliers. Enfin le moment terrible arriva. « De la vie je ne fus plus mal à mon aise, me disait le lieutenant Robert ; ces dames pensaient que j'allais leur faire peur, et moi j'étais plus tremblant qu'elles. Je regardais mes souliers et ne savais comment marcher avec grâce. La marquise del Dongo, ajoutait-il, était alors dans tout l'éclat de sa beauté : vous l'avez connue avec ses yeux si beaux et d'une douceur angélique, et ses jolis cheveux d'un blond foncé qui dessinaient si bien l'ovale de cette figure charmante. J'avais dans ma chambre une Hérodiade[10] de Léonard de Vinci, qui semblait son portrait. Dieu voulut que je fusse tellement saisi de cette beauté surnaturelle que j'en oubliai mon costume. Depuis deux ans je ne voyais que des choses laides et misérables dans les montagnes du pays de Gênes : j'osai lui adresser quelques mots sur mon ravissement.

« Mais j'avais trop de sens[11] pour m'arrêter longtemps dans le genre complimenteur. Tout en tournant mes phrases, je voyais, dans une salle à manger toute de marbre, douze laquais et des valets de chambre vêtus avec

1. *Il s'agit d'un récit mensonger, de propagande.*

2. **Réquisitionnaire :** *mobilisé à la suite de la « réquisition », levée en masse décrétée par la Convention de 1793.*

3. **Leste :** *élégant et vif dans ses gestes et ses allures.*

4. **Plaisance :** *ville de la région du Pô.*

5. **Lodi :** *ville de Lombardie où Napoléon battit les Autrichiens (1796).*

6. **Nankin :** *tissu de coton de couleur beige.*

7. **Laine :** *ce qui n'est pas normal, pour un officier…*

8. **Majordome :** *maître d'hôtel de grande maison.*

9. **Voltigeur :** *ordonnance.*

10. **Hérodiade :** *mère de Salomé et femme d'Hérode Antipas, roi de Palestine sous l'occupation romaine. Elle est souvent représentée tenant la tête de Jean le Baptiste dont elle avait obtenu la décollation.*

11. **Sens :** *intelligence.*

Entrée des Français à Milan le 14 mai 1796 — d'après Carle Vernet.

ce qui me semblait alors le comble de la magnificence. Figurez-vous que ces
50 coquins-là avaient non seulement de bons souliers, mais encore des boucles
d'argent. Je voyais du coin de l'œil tous ces regards stupides fixés sur mon
habit, et peut-être aussi sur mes souliers, ce qui me perçait le cœur. J'aurais
pu d'un mot faire peur à tous ces gens ; mais comment les mettre à leur place
sans courir le risque d'effaroucher les dames ? car la marquise pour se donner
55 un peu de courage, comme elle me l'a dit cent fois depuis, avait envoyé
prendre au couvent où elle était pensionnaire en ce temps-là, Gina del Dongo,
sœur de son mari, qui fut depuis cette charmante comtesse Pietranera[12].
Personne dans la prospérité ne la surpassa par la gaieté et l'esprit aimable,
comme personne ne la surpassa par le courage et la sérénité d'âme dans la
60 fortune contraire.

« Gina, qui pouvait avoir alors treize ans, mais qui en paraissait dix-huit,
vive et franche, comme vous savez, avait tant de peur d'éclater de rire en
présence de mon costume, qu'elle n'osait pas manger ; la marquise, au
contraire, m'accablait de politesses contraintes ; elle voyait fort bien dans mes
65 yeux des mouvements d'impatience. En un mot, je faisais une sotte figure, je

**12. La comtesse
Pietranera :** *ce beau
personnage de femme jouera
un rôle essentiel dans le
roman.*

13. **Mâchais le mépris :** *J'endurais mon humiliation avec impatience.*

14. **Imbéciles :** *comparés au jeune général Bonaparte, âgé de 27 ans.*

15. **Assignats :** *monnaie de papier de la Révolution, dont le cours baissa très rapidement.*

16. **Trois onces :** *environ cent grammes.*

mâchais le mépris[13], chose qu'on dit impossible à un Français. Enfin une idée descendue du ciel vint m'illuminer ; je me mis à raconter à ces dames ma misère, et ce que nous avions souffert depuis deux ans dans les montagnes du pays de Gênes où nous retenaient de vieux généraux imbéciles[14]. Là, disais-je,
70 on nous donnait des assignats[15] qui n'avaient pas cours dans le pays, et trois onces de pain par jour[16]. Je n'avais pas parlé deux minutes, que la bonne marquise avait les larmes aux yeux, et la Gina était devenue sérieuse.

— Quoi, monsieur le lieutenant, me disait celle-ci, trois onces de pain !

— Oui, mademoiselle ; mais en revanche la distribution manquait trois
75 fois la semaine, et comme les paysans chez lesquels nous logions étaient encore plus misérables que nous, nous leur donnions un peu de notre pain.

« En sortant de table, j'offris mon bras à la marquise jusqu'à la porte du salon, puis, revenant rapidement sur mes pas, je donnai au domestique qui m'avait servi à table cet unique écu de six francs sur l'emploi duquel j'avais
80 fait tant de châteaux en Espagne.

STENDHAL, *La Chartreuse de Parme.*

Guide de lecture : un pourboire de gentilhomme

La situation romanesque

1. Par quels détails sont décrits la jeunesse et l'extrême pauvreté du lieutenant Robert ?

2. Pour quelles raisons le narrateur donne-t-il la parole au lieutenant Robert à partir de la ligne 34 ? Tentez de classer ces raisons par ordre d'importance.

3. Par quels sentiments passe le lieutenant Robert :
— face à ses hôtesses, la marquise del Dongo puis Gina ?
— face aux domestiques ?

4. Quelles attitudes aurait-il pu prendre ?

5. Quel trait de caractère révèle le geste final ?

Du journal intime au roman

Complétez le tableau ci-dessous :

De l'autobiographie au roman

1. Le narrateur est-il présent dans le roman ?

2. Le présent de l'écriture apparaît-il d'une manière ou d'une autre ?

3. Le narrateur du roman s'adresse-t-il directement au lecteur ?

4. Dans le texte du roman, trouvez-vous des moments de distance, d'humour du narrateur sur son personnage principal ? Si oui, relevez-les.

5. Le roman contient-il des passages de description ?

6. Comparez le jeune Beyle de dix-huit ans (dans « Le Journal et l'autobiographie ») et le lieutenant Robert du roman : âge, sexe, situation sociale et financière, grade dans l'armée, portrait physique, caractère, succès dans le monde et auprès des dames, gestes et attitudes, occupations.
Qu'en concluez-vous sur l'écriture du journal, de l'autobiographie, du roman ?

7. Pourquoi, d'après vous, le récit impossible dans l'autobiographie est-il possible dans le roman ?

	Qui est le narrateur ?	Qui est l'auteur ?	Qui est le personnage principal	Récit chronologique ou rétrospectif ou au jour le jour ?	Sujet traité	Distance nulle ou importante (humour-jugement)	Prose ou poésie
Journal intime							
Autobiographie							
Poème autobiographique							
Biographie							
Roman							

INVENTER UN RÉCIT FANTASTIQUE

Un récit fantastique est particulièrement difficile à écrire, mais passionnant à inventer.

Dans un monde qui est bien le nôtre, celui que nous connaissons, se produit un événement inexplicable. Celui qui assiste à cet événement doit opter pour l'une ou l'autre solution possible :

— ou bien il s'agit d'une illusion, d'un produit de l'imagination, et les lois du monde restent alors ce qu'elles sont (explication rationnelle).

— ou bien l'événement a réellement eu lieu, mais alors sa réalité est réglée par des lois inconnues de nous (explication surnaturelle).

Il ne faut pas confondre fantastique, merveilleux et science-fiction. *Le merveilleux* implique un monde féerique qui s'oppose au monde réel sans en détruire la cohérence. Le lecteur ne s'interroge jamais sur l'existence possible des événements surnaturels évoqués, car il sait très bien qu'il ne doit pas les prendre au sérieux (contes). *La science-fiction* est un type de récit très particulier : le lecteur ne doit *jamais douter* des faits qu'on lui présente. Il doit éviter de critiquer : plus il croira, plus il aura de plaisir à la lecture.

L'attitude du lecteur est tout à fait opposée dans un récit fantastique : il doit douter perpétuellement des faits qu'il perçoit.

I. LES MOTIFS FANTASTIQUES

Le plaisir de lire un récit fantastique, c'est le plaisir de se faire peur. L'auteur, lui, présente les événements sans y croire lui-même, bien entendu !

« Je ne crois pas aux fantômes, mais j'en ai peur » : tout le fantastique sort de là !

Quels sont les moyens de faire peur ?

1. Les personnages
Spectres, morts-vivants, fantômes, vampires, loups-garous, doubles, Diable, monstres, possédés, automates animés, poupées vivantes...

2. Les lieux
Souterrains, labyrinthes, tombeaux, châteaux hantés, échafaud, montagnes perdues, cimetières, ruelles ténébreuses, chambres secrètes...

3. L'époque
La nuit, l'aube, le crépuscule, le brouillard : toutes les heures troubles où la vision est perturbée.

4. Les thèmes
Cauchemars, délires, sortilèges, rêves, pactes avec le démon, vengeances de défunts...

II. QUI RACONTE LE RÉCIT ?

Un récit fantastique est presque toujours écrit à la première personne du singulier, ce qui permet une identification du lecteur au narrateur, gage de plus grande efficacité pour créer la peur !

Vous pouvez choisir de faire raconter votre récit :

1. Par un témoin objectif
C'est quelqu'un d'autre que le héros, qui en sait autant que lui, mais qui parle à sa place, soit quand celui-ci n'a pas le temps de le faire, soit que l'aventure l'ait conduit à la mort ou à la folie (exemple : *La Vénus d'Ille,* de Mérimée).

Ce témoin observe, note, explique à la première personne. Il souligne la disproportion, le décalage entre l'événement fantastique et le monde réel.

C'est fréquemment un savant, un professeur, un médecin, un détective. Mais, bien souvent, il cède la place au héros grâce à un artifice, comme la découverte de documents personnels : notes, journal intime.

2. Par le héros lui-même
a. Celui-ci peut raconter l'histoire beaucoup plus tard, une fois le calme, l'apaisement venus. Dans ce cas, le fantastique peut être légèrement teinté d'humour. Il est beaucoup moins ténébreux et effrayant (exemple : *Le Pied de momie,* de Gautier).

b. Le héros peut, au contraire, écrire la suite des événements au fur et à mesure qu'ils se produisent, dans un journal intime, par exemple. On peut alors constater l'accroissement du trouble, de la folie, jusqu'à la catastrophe finale, ce qui est tout à fait effrayant (exemple : *Le Horla,* de Maupassant). Dans ce cas, pour que l'identification au lecteur soit plus intense et plus facile, le héros est faiblement caractérisé et peu décrit.

III. CARACTÈRES PARTICULIERS DU RÉCIT FANTASTIQUE

1. Le point de vue est totalement *subjectif :* nous venons de voir que le récit fantastique est écrit à la première personne, sur le mode du « je », pour que nous participions à l'aventure avec un maximum d'intensité.

C'est « je » qui voit, qui sent, qui interprète.

2. La fin, comme l'ensemble du récit, doit être *ambiguë :* le doute, l'hésitation, doivent se prolonger jusqu'à la fin du récit, qui ne peut pas se clore. Sinon, le récit deviendrait un récit policier (exemple : *Le Chien des Baskerville,* de Conan Doyle).

Tout le récit doit se terminer par un point d'interrogation. Comme le héros, le lecteur doute jusqu'à la fin. Les récits fantastiques se terminent généralement fort mal : pas de retour rassurant au monde réel. La fin est « ouverte ».

IV. LA REPRÉSENTATION DU MONDE

Dans la science-fiction, le décor est souvent largement aussi important que l'intrigue : tout doit donner l'illusion de la réalité.

Dans un récit fantastique, au contraire, tout doit jouer sur le doute. Le réel intervient très fortement au point de départ, afin d'accentuer le décalage.

Le réel intervient aussi par la description d'objets, de circonstances, de détails de comportement, mais *ce réel est truqué,* on assiste au retour obsédant de certains éléments : vision imprécise, bruits inquiétants, rythmes sourds, frôlements suspects, courants d'air, odeurs bizarres.

Mais tout est déformé, oblique : on peut interpréter tous les phénomènes dans les deux sens.

Le moyen le plus efficace pour inquiéter, suggérer l'étrange, c'est de *décrire sans montrer :* le phénomène monstrueux n'est jamais vu en pleine lumière ni sous tous ses angles : la nuit, l'ombre souterraine, la pluie, la brume masquent tout en montrant. Pensez-y !

Autre moyen : en général, le héros est si épouvanté qu'il ne peut pas voir jusqu'au bout. Il raconte en faisant un grand usage de comparaisons, imprécises, de temps verbaux irréels, de verbes suggestifs : « c'était comme si... cela ressemblait... On aurait dit une espèce de... »

Dans un récit fantastique, ce qui importe plus que les thèmes évoqués, c'est le style utilisé : dire sans dire, rendre l'absence présente. Un vrai travail de prestidigitateur !

CONSTRUIRE UN RÉCIT DE SCIENCE-FICTION

Le récit de science-fiction traite d'une situation qui pourrait se présenter dans le monde où nous vivons, mais dont l'existence se fonde sur l'hypothèse d'une innovation quelconque, d'origine humaine ou extraterrestre, dans le domaine de la science et de la technologie.

Lisez d'abord les auteurs « classiques » du genre : Wells, Asimov, Heinlein, Van Vogt, Simak, Sturgeon, Williamson, Spitz, Barjavel.

Choisissez plutôt des nouvelles : le passage à la rédaction sera plus facile.

I. LE HÉROS DE SCIENCE-FICTION

De tous âges et de toutes conditions sociales, les héros sont cependant très typés et l'on peut les classer en quatre catégories :

1. Le surhomme

Très rare en science-fiction, car il est trop parfait pour être sympathique. Ce peut être un mutant. Mais pas assez humain, il devient ennemi, destructeur.

2. L'homme du destin

Son apparence est plutôt insignifiante. Mais il a des qualités de clairvoyance et de lucidité que n'ont pas les autres. Seul contre tous, c'est un héros providentiel, irremplaçable dans sa mission de sauvetage.

3. L'homme de la rue

Ce peut être vous ! Fort embarrassé de devenir un héros... Au départ, il est tout à fait insignifiant ; brutalement, un événement soudain le change et le pousse à l'action. Très touchant, il lutte avec courage contre sa peur, ses faiblesses. Ses petits défauts, ses maladies très banales peuvent donner un ton humoristique au récit.

4. Le témoin

C'est l'éternel journaliste. Mal à l'aise dans l'action, il tient bon par honneur professionnel et pour rapporter un « papier » sensationnel.

Comme la bande dessinée, la science-fiction est généralement un monde d'hommes, mais rien ne vous empêche de manquer à la tradition !

II. LA CARRIÈRE DU HÉROS

1. Le héros et la société

Dans les sociétés de l'avenir, hypermécanisées, l'homme n'est qu'un objet, un rouage. Les sociétés idéales ont un défaut : leur perfection même. La vie n'a plus de sens dans un monde sans dangers, sans difficultés, sans imagination, sans fantaisie.

Le héros, souvent seul contre tous, se révolte.

2. Le héros et les ennemis

Généralement le héros est entièrement seul : tous les autres sont ses ennemis. Parfois même, le héros doit lutter contre l'hostilité de sa propre famille, de sa femme, de ses enfants. C'est ce qui fait sa grandeur et son tragique.

Pourtant, il cherche l'amitié. Il la trouve parfois, mais c'est rare.

Autres adversaires : les extraterrestres, pas toujours irréductibles, d'ailleurs. Parfois, ceux-ci ont des qualités précieuses, une sagesse que les hommes ont oubliées.

Les plus dangereux sont les « envahisseurs », à cause de leur esprit de conquête.

3. Le héros et les machines

Les machines sont un des éléments les plus importants des récits de science-fiction. Quand elles manquent, l'homme est perdu, démuni.

Parfois, les robots ont une âme, des sentiments ; ils se révoltent contre les hommes. Il existe aussi des hommes-machines : des cerveaux humains branchés sur des machines, qui gardent leurs désirs et leurs sensations humaines (*Déjà demain*, de Kuttner et Moore par exemple).

En général, les héros manifestent le danger du pouvoir des machines, de leur autonomie.

4. L'enjeu

Il est immense : l'homme tient entre ses mains le sort du monde.

III. TECHNIQUES D'ÉCRITURE

1. Types de narration et procédés d'écriture

Tous les types de narration (première, troisième personne) sont possibles. L'important est de savoir que la *description domine la narration. Tout* doit donner l'impression du réel, du vrai.

Apprenez à ordonner, à développer, à composer. Il faut que le récit se développe comme les séquences d'un film (les grands moments, les péripéties). Transformez souvent un moment du « film » en « diapositive » : arrêtez le mouvement, cadrez (plan général, gros plan...), décrivez avec précision.

2. Le langage

Essayez de créer un langage nouveau pour vos extraterrestres ou vos sociétés futures (néologismes, mots-valises, mots déformés). Inventez des mots en jouant sur les sonorités pour produire certains effets (beauté, peur, mystère). Trouvez parfois des messages codés ou des anagrammes.

3. Modes de narration

La science-fiction peut être parfois humoristique et satirique (Fredric Brown). Pensez-y en utilisant la méthode du détournement : prêtez des sentiments à la tondeuse à gazon, à la perceuse électrique ; faites décrire un défilé de majorettes par un extraterrestre...

IV. THÈMES ET PROPOSITIONS D'ÉCRITURE

Vous pouvez travailler par groupes de 3. Bâtissez un scénario en cherchant des thèmes dans quelques revues scientifiques : *Le Monde des sciences et techniques ; Science et vie ; Science et avenir.*

Autres suggestions

— Vous explorez une planète lointaine où tout est différent de ce qui existe sur Terre (inventez une flore, une faune...).

— En 2500, les robots n'obéissent plus aux hommes.

— Les extraterrestres sont dans votre ville...

— Des savants révèlent que le Soleil s'éteint lentement. La vie terrestre est menacée.

Récits à partir d'une modification historique, géographique ou scientifique

— César vaincu à Alésia.

— Les plantes émigrent à cause de la pollution.

— Aventures dans un univers à quatre dimensions.

Tableau comparatif			
	Merveilleux	Science-fiction	Fantastique
Point de vue (Qui raconte ?)	on	il	moi
Ordre de la narration	linéaire et chronologique	tous types possibles	narration alternée (retours en arrière, contrepoint, récits rapportés, sujets à caution)
Précisions de lieu et de temps	absence de précision	nombreuses précisions	point de départ réaliste, puis irruption du surnaturel
Héros principal	triomphe à la fin du récit	tous types possibles triomphe généralement à la fin	héros victime
Représentation	pas ou peu de descriptions : tout est symbolique	la description domine la narration	descriptions truquées
Procédés d'écriture	pas d'effet de réel	*tout* doit être effet de réel	Coexistence d'effets de réel et d'apparitions du surnaturel

Entraînement

Jeu littéraire : trouvez l'auteur de ces débuts d'autobiographie

1. Je suis né dans la ville d'Aubagne, sous le Garlaban couronné de chèvres, au temps des derniers chevriers.

Garlaban, c'est une énorme tour de roches bleues, plantées au bord du Plan de l'Aigle, cet immense plateau rocheux qui domine la verte vallée de l'Huveaune.

La tour est un peu plus large que haute : mais comme elle sort du rocher à six cents mètres d'altitude, elle monte très haut dans le ciel de Provence, et parfois un nuage blanc du mois de juillet vient s'y reposer un moment.

2. J'étais presque mort quand je vins au jour. Le mugissement des vagues, soulevées par une bourrasque annonçant l'équinoxe d'automne, empêchait d'entendre mes cris : on m'a souvent conté ces détails ; leur tristesse ne s'est jamais effacée de ma mémoire. Il n'y a pas de jour où, rêvant à ce que j'ai été, je ne revoie en pensée le rocher sur lequel je suis né, la chambre où ma mère m'infligea la vie, la tempête dont le bruit berça mon premier sommeil, le frère infortuné qui me donna un nom que j'ai presque toujours traîné dans le malheur. Le Ciel sembla réunir ces diverses circonstances pour placer dans mon berceau une image de mes destinées.

3. Je suis jeune et riche et cultivé ; et je suis malheureux, névrosé et seul. Je descends d'une des meilleures familles de la rive droite du lac de Zurich, qu'on appelle aussi la Rive dorée. J'ai eu une éducation bourgeoise et j'ai été sage toute ma vie. Ma famille est passablement dégénérée, c'est pourquoi j'ai sans doute une lourde hérédité et je suis abîmé par mon milieu. Naturellement, j'ai aussi le cancer, ce qui va de soi si l'on en juge d'après ce que je viens de dire.

4. Né au centre de Paris, il a immédiatement compris qu'il s'agissait de la ville la plus inhospitalière du monde, en particulier à l'égard des jeunes. Aussi habita-t-il toute sa vie le presbytère d'un petit village de la vallée de Chevreuse [...]. Ses cendres sont déposées dans son jardin à l'intérieur d'un tombeau sculpté représentant un gisant au visage masqué par un livre, porté par six écoliers, qui évoquent par leurs chagrins divers une version enfantine des *Bourgeois de Calais* de Rodin.

5. Je suis née le 23 décembre 1891. Ma mère m'a dit que ce soir-là, une brise aigre et glaciale balayait notre coron, charriant des nuages de poudre blanche qui collait aux murs de briques et s'engouffrait sous les portes... Depuis une heure, elle s'était couchée, ma maman, dès les premières douleurs. Elle n'allait plus se lever neuf jours durant...

Papa avait préparé le lit avec des draps réservés aux naissances, plus fins, moins rudes que ceux qui d'ordinaire garnissaient leur couche [...].

6. C'est un gosse qui parle. Il a entre six et seize ans, ça dépend des fois. Pas moins de six, pas plus de seize. Des fois il parle au présent, et des fois au passé. Des fois il commence au présent et il finit au passé, et des fois l'inverse. C'est comme ça, la mémoire, ça va ça vient. Ça rend pas la chose plus compliquée à lire, pas du tout, mais j'ai pensé qu'il valait mieux vous dire avant.

C'est rien que du vrai. Je veux dire, il n'y a rien d'inventé.

7. L'être que j'appelle moi vint au monde un certain lundi 8 juin 1903, vers les huit heures du matin, à Bruxelles, et naissait d'un Français appartenant à une vieille famille du Nord, et d'une Belge dont les ascendants avaient été durant quelques siècles établis à Liège, puis s'étaient fixés dans le Hainaut. La maison où se passait cet événement, puisque toute naissance en est pour le père et la mère et quelques personnes qui leur tiennent de près, se trouvait située au numéro 193 de l'avenue Louise, et a disparu il y a une quinzaine d'années, dévorée par un building.

8. Je n'ai pas gardé un souvenir absolument net de ma première sortie, du chaud et froid de naître, ni de l'entrée inaugurale de l'air dans mon sac à souffler. La seule chose dont je suis sûr, c'est qu'avant j'étais bien, et après, étonné. L'étonnement ne m'a pas quitté. L'être bien, le sac tiède, et liquide, et salé, la bonne poche cousue qui ne laisse aucune place à la pesanteur, aux besoins, aux questions, aux déclarations d'impôts, ni à rien, le bien-être, je reconnais leur goût sans erreur. Je n'ai jamais su que répondre à la dernière question des fiches de police qu'on nous donne à remplir à l'hôtel. *Motif du voyage ? Affaires* ou *tourisme ?*

Auteurs :

A. Claude Roy.	E. Marcel Pagnol.
B. Chateaubriand.	F. Fritz Zorn.
C. Marguerite Yourcenar.	G. Mémé Santerre.
D. Cavanna.	H. Michel Tournier.

2
Sur les planches

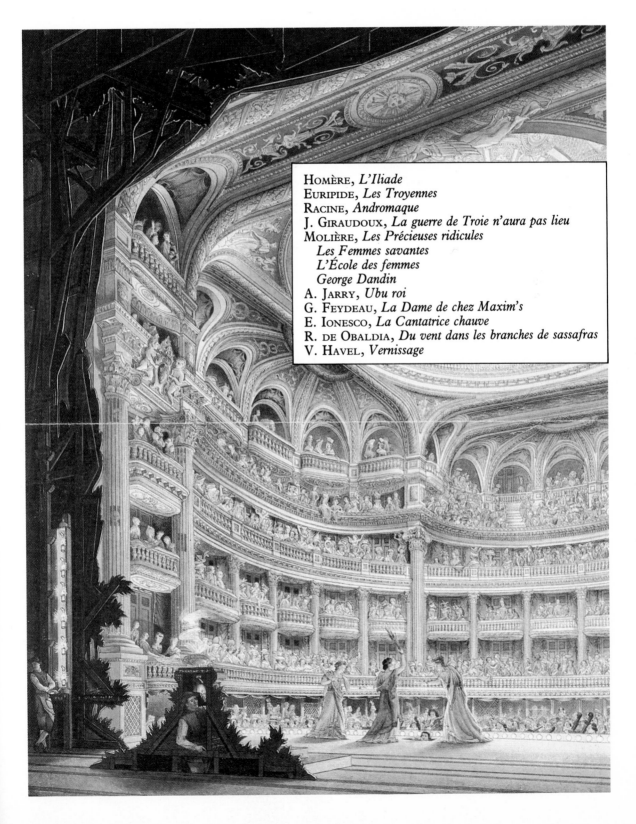

HOMÈRE, *L'Iliade*
EURIPIDE, *Les Troyennes*
RACINE, *Andromaque*
J. GIRAUDOUX, *La guerre de Troie n'aura pas lieu*
MOLIÈRE, *Les Précieuses ridicules*
    Les Femmes savantes
    L'École des femmes
    George Dandin
A. JARRY, *Ubu roi*
G. FEYDEAU, *La Dame de chez Maxim's*
E. IONESCO, *La Cantatrice chauve*
R. DE OBALDIA, *Du vent dans les branches de sassafras*
V. HAVEL, *Vernissage*

1. Un personnage tragique : Andromaque, de *L'Iliade* au XXᵉ siècle

Mise en scène de Michel Cacoyannis pour Les Troyennes d'Euripide (T.N.P., 1965).

Antigone, Électre, Andromaque... Bien vivantes encore dans la littérature du XXᵉ siècle, ces héroïnes de la mythologie grecque ont traversé les siècles au gré des auteurs, qui les ont adaptées au goût et à la sensibilité de leur temps.

*Issue de L'Iliade, Andromaque est l'épouse d'Hector, fils du roi de Troie, Priam. Ils ont un jeune fils, Astyanax. C'est sous les traits d'**une épouse inquiète et émouvante** qu'Homère la représente au chant VI de L'Iliade, avant le combat où Hector trouvera la mort, tué par Achille.*

*Après la destruction de la ville de Troie, Andromaque, selon la coutume, est attribuée comme esclave, en butin de guerre, à l'un des chefs grecs : Pyrrhus (ou Néoptolème), roi d'Épire, le propre fils d'Achille. Mais, avant de partir avec lui pour l'Épire, Andromaque connaîtra un malheur plus grand encore : son fils Astyanax, condamné par les Grecs, sera précipité du haut des remparts. Cet épisode inspire la tragédie d'Euripide, Les Troyennes, dans laquelle Andromaque est avant tout **une mère**, déchirée par la mort de son fils.*

*En Épire, la préférence manifeste de Pyrrhus pour son esclave suscite la jalousie de son épouse, Hermione, qui le fait assassiner par Oreste. Dans la tragédie de Racine, Andromaque sera placée au centre de ce drame passionnel, qui fait d'elle une **rivale involontaire**.*

Personnage d'épopée et de tragédie, Andromaque est aussi vivante dans la poésie de Baudelaire (Le Cygne) pour qui, « Auprès d'un tombeau vide en extase courbée », elle incarne le symbole de tous les exils et de toutes les défaites. Plus proche de nous, l'héroïne de Giraudoux, affirmant avec optimisme que « la guerre de Troie n'aura pas lieu », est douloureusement démentie par la réalité des faits. Dans cette tragédie contemporaine, c'est la guerre qui prend le visage du Destin.

LES ORIGINES LÉGENDAIRES

HOMÈRE

L'Iliade

Poète épique grec, **Homère** est considéré comme l'auteur de *L'Iliade* et de *L'Odyssée*. Son existence, aujourd'hui mise en cause, a toujours été entourée de légendes. D'après la tradition, transmise par l'historien grec Hérodote, il serait né en Asie mineure, près de Smyrne, vers 850 av. J.-C. De nos jours, l'existence d'un poète unique pour ces deux épopées n'est plus admise : les hypothèses les plus fréquentes sont, d'une part, l'existence d'un poète très ancien dont les aèdes auraient, au cours des siècles, développé et enrichi l'œuvre primitive, ou, inversement, celle d'un poète qui aurait tardivement transcrit et harmonisé les apports d'une tradition disparate.

1. Achéens : *l'ensemble des Grecs.*

2. Thèbe : *Thèbe de Mysie, en Cilicie, dont Éétion, père d'Andromaque, était le roi, fut ravagée par Achille.*

3. *Inversion du sujet, fréquente en poésie.*

4. Hadès : *dieu des morts qui règne aux Enfers.*

5. Artémis : *déesse de la chasse, identifiée, à Rome, avec Diane.*

6. Ajax : *fils d'Oïlé, et le « grand Ajax », fils de Télamon, le héros le plus fort et le plus vaillant des Achéens après Achille.*

7. Idoménée *est le roi de Crète. Les* **Atrides** *sont les fils d'Atrée : Agamemnon et Ménélas. Le* **fils de Tydée** *est Diomède, compagnon d'Ulysse.*

8. Ilion : *autre nom de Troie.*

9. Priam : *roi de Troie, époux d'Hécube, est le père d'Hector.*

10. Messéis, Hypérie : *provinces de Grèce.*

Une épouse inquiète

Au Chant VI de L'Iliade, *Homère raconte avec talent l'entrevue émouvante d'Hector et d'Andromaque avant le combat, devant la porte Scée. L'épouse d'Hector essaie de retenir son mari, de l'attendrir, mais le fils de Priam ne peut pas se dérober à son devoir.*

« **D**émon, ton ardeur te perdra ! Tu n'as pitié ni de ton jeune enfant, ni de moi, infortunée, qui bientôt serai veuve de toi. Car bientôt ils te tueront, les Achéens[1], en se jetant tous contre toi. Pour moi, mieux vaudrait, si je te perds, m'enfoncer sous la terre ; car je n'aurai plus de

5 joie, quand tu auras atteint ton destin, rien que des douleurs.

Je n'ai plus ni père, ni mère vénérable. Mon père, le divin Achille l'a tué ; il a saccagé la ville bien située des Ciliciens, Thèbe[2] aux portes hautes ; il tua Éétion, mais ne le dépouilla pas : un scrupule le retint. Il brûla donc son corps avec ses belles armes, et éleva sur lui un tertre ; tout autour ont planté des

10 ormeaux les nymphes des montagnes[3], filles de Zeus porte-égide. J'avais sept frères dans le palais ; tous, en un seul jour, sont allés chez Hadès[4] ; tous, en effet, le divin Achille aux pieds rapides les a tués, près de leurs bœufs aux jambes tordues et de leurs brebis blanches. Ma mère, qui régnait au pied du Placos boisé, il l'amena ici avec le reste du butin, puis il la délivra contre une

15 rançon immense ; et, dans le palais de son père, Artémis[5], qui répand les flèches, l'a frappée. Hector, tu es pour moi un père, une mère vénérable, un frère, tu es pour moi un mari florissant. Eh bien, maintenant, aie pitié ; reste ici, sur le rempart, de peur de rendre ton enfant orphelin et ta femme veuve. Place tes troupes près du figuier, là où surtout la ville est accessible, et où le

20 mur peut être escaladé. Trois fois déjà, sur ce point, les plus braves sont venus tenter l'assaut — ceux qui entourent les deux Ajax[6] et l'illustre Idoménée, les Atrides et le valeureux fils de Tydée[7] —, soit instruits par un devin clairvoyant, soit poussés, excités par leur propre courage. »

Le grand Hector au casque scintillant lui répondit :

25 « Moi aussi, femme, tout cela m'inquiète ; mais affreusement je redoute les Troyens et les Troyennes aux voiles traînants, si, comme un lâche, je fuis le combat. Mon cœur, d'ailleurs, ne m'y pousse pas, car j'ai appris à être brave, toujours, et à combattre au premier rang des Troyens, pour soutenir la grande gloire de mon père et la mienne. Je le sais bien, moi-même, en mon

30 âme et en mon cœur : un jour viendra où périront Ilion[8] la sainte, et Priam[9], et le peuple de Priam à la forte lance. Mais je m'inquiète moins, pour l'avenir, de la douleur des Troyens, et d'Hécube[9] même, ou du roi Priam, ou de mes frères qui, nombreux et braves, tomberaient dans la poussière sous les coups des guerriers ennemis, que de ta douleur, à toi, quand un Achéen vêtu de

35 bronze t'emmènera, toute en pleurs, mettant fin pour toi aux jours de liberté. En Argolide, sous les ordres d'une autre, tu tisseras la toile, tu porteras l'eau de Messéis[10] ou d'Hypérie[10], bien à contrecœur, accablée par la rude nécessité. Et l'on dira, en voyant couler tes larmes : "Voilà la femme d'Hector, qui excellait au combat parmi les Troyens dompteurs de chevaux,

40 quand on se battait autour d'Ilion." Ainsi l'on dira, et ta douleur sera

11. **Son enfant** : *Astyanax.*

12. *Racine, qui avait lu et annoté les auteurs antiques, écrit en marge des vers 466-470 de L'Iliade : « Tableau divin. - Artifice admirable d'Homère d'avoir mêlé le rire, les larmes, la gravité, la tendresse, le courage, la crainte et tout ce qui peut toucher. »*

renouvelée de manquer d'un homme comme moi pour écarter de toi le jour du servage. Mais que je sois mort, et qu'un monceau de terre me recouvre, plutôt que d'entendre tes cris et de te voir entraîner ! »

45 À ces mots vers son enfant[11] se pencha l'illustre Hector ; mais l'enfant, contre le sein de sa nourrice à la belle ceinture, se rejeta en criant, épouvanté à la vue de son père, effrayé par le bronze et le panache en crins de cheval que, terrible, au sommet du casque, il voyait s'agiter. Son père rit, ainsi que sa mère vénérable[12]. Aussitôt l'illustre Hector ôta le casque de sa tête, et le posa à terre, resplendissant. Il embrassa son fils, le berça dans ses bras, puis adressa

50 cette prière à Zeus et aux autres dieux :

« Zeus et autres dieux, accordez-moi que cet enfant, mon fils, devienne, comme moi, illustre parmi les Troyens, ainsi que moi plein de force, et règne avec autorité sur Ilion. Qu'on dise un jour : Il est bien supérieur à son père ! — quand il reviendra du combat. Qu'il rapporte les dépouilles sanglantes de

55 l'ennemi tué par lui, et réjouisse l'âme de sa mère. »

À ces mots, il remit aux mains de sa femme l'enfant. Elle le prit contre son sein parfumé, en souriant sous ses larmes. Son mari en fut touché, le remarquant. Il la caressa de la main, et dit :

« Malheureuse, ne te désole pas pour moi. Jamais malgré le destin aucun

60 homme ne me jettera chez Hadès ; mais au sort aucun homme, je te le dis, n'échappe, ni le lâche, ni le brave, du moment qu'il est né. Va donc à la maison, occupe-toi de tes propres travaux, la toile, la quenouille, et à tes servantes ordonne de se mettre au travail. La guerre, les hommes s'en inquiéteront, tous ceux (et moi surtout) qui sont nés à Ilion. »

65 Ayant dit, l'illustre Hector prit son casque à crinière, et sa femme s'en alla chez elle, en retournant la tête et versant de grosses larmes.

HOMÈRE, *L'Iliade*, chant VI, traduction de E. Lasserre, © éd. Garnier-Flammarion.

xxᵉ siècle : des enfants grecs jouent à la guerre de Troie.

Guide de lecture : une requête inutile

1. Faites le plan du texte en donnant un titre à chaque partie.

2. Quels malheurs Andromaque a-t-elle déjà connus ?

3. Que redoute-t-elle maintenant ?

4. Hector peut-il donner satisfaction à la requête d'Andromaque ? Pour quelles raisons ?

5. Quel sort attend Andromaque si les Troyens perdent la guerre ? Hector en est-il conscient ?

6. Quel incident introduit le rire dans cette scène tragique ?

7. Qu'est-ce qui rend la prière d'Hector à Zeus particulièrement émouvante ?

8. Les Anciens croyaient en l'existence, pour chaque homme, d'un destin tout tracé auquel nul n'échappe. Quelle réflexion d'Hector le montre ?

Recherche

L'Iliade est une **épopée**. Donnez une définition claire de ce mot. Quel adjectif dérive de ce nom ? Pouvez-vous citer d'autres épopées ?

LA TRAGÉDIE ANTIQUE

EURIPIDE

Les Troyennes
(415 av. J.-C.)

Poète tragique grec, **Euripide** (480-406 av. J.-C.) introduit de nombreuses innovations dans la conception de la tragédie, notamment le souci de la mise en scène, et le goût de la psychologie. Ami de Socrate, il aime porter sur la scène les débats d'idées philosophiques qui agitent sa génération, et manifeste même un certain scepticisme à l'égard des Dieux et des grands mythes de la Grèce. À l'inverse d'Eschyle et de Sophocle, qui célébraient la grandeur tragique des héros légendaires, Euripide s'attache plutôt à décrire les passions humaines dans leur vérité et leur dépouillement.
Œuvres principales : *Médée* (– 431); *Hécube* (– 425); *Électre* (– 413); *Iphigénie à Aulis; Les Bacchantes* (– 405).

La condamnation d'Astyanax

L'Iliade s'achève avec la mort d'Hector. Dans sa tragédie Les Troyennes, *jouée en 415 avant Jésus-Christ, Euripide évoque le sort des femmes que les chefs grecs, après le pillage de Troie et le massacre des hommes, se partagent comme butin de guerre. Hécube, épouse de Priam, est adjugée à Ulysse, tandis que ses filles, Cassandre et Polyxène, reviennent respectivement à Agamemnon et Achille. Quant à Andromaque, c'est Pyrrhus (encore appelé Néoptolème), le fils d'Achille, qu'elle devra servir. Mais il lui reste un malheur encore plus grand à affronter : les Grecs ont décidé la mort du fils d'Hector et d'Andromaque, Astyanax.*

Le héraut Talthybios a ici la délicate mission de lui annoncer cette nouvelle.

TALTHYBIOS

Veuve d'Hector, qui fut le plus brave des Phrygiens,
ne me maudis pas. C'est malgré moi que je viens annoncer
la décision des Atrides[1] et de toute l'armée.

ANDROMAQUE

Prélude de mauvais augure ! Qu'y a-t-il ?

TALTHYBIOS

5 On a décidé pour ton fils... Comment dire le reste ?

ANDROMAQUE

Non pas de lui donner un maître différent du mien ?

TALTHYBIOS

Aucun des Grecs jamais ne deviendra son maître.

ANDROMAQUE

Alors on laisse ici ce reste des Troyens ?

TALTHYBIOS

Comment te rendre supportable ce que j'ai à te dire ?

ANDROMAQUE

10 Je louerai ton scrupule, pourvu que tu n'aies pas de malheur à m'apprendre.

TALTHYBIOS

Tu vas entendre le plus grand : ils vont tuer ton fils.

ANDROMAQUE

Ô douleur ! coup plus affreux que le joug de l'hymen[2] !

TALTHYBIOS

Ulysse à l'assemblée l'emporta en disant...

ANDROMAQUE

Hélas, encore hélas ! Mon infortune est sans mesure !

TALTHYBIOS

15 ... qu'il ne fallait pas laisser vivre le fils d'un tel héros.

ANDROMAQUE

Prévale ce même principe quand ses enfants seront en cause[3] !

TALTHYBIOS

Mais le jeter du haut des murs de Troie.

(Andromaque pousse un cri et saisit l'enfant dans ses bras.)

1. Atrides : *Agamemnon et Ménélas, les fils d'Atrée.*

2. Hymen : *le mariage. Andromaque deviendra la femme de Pyrrhus.*

3. *Télémaque, le fils d'Ulysse et de Pénélope ne connut pas la destinée tragique d'Astyanax.*

Mise en scène de Michel Cacoyannis, T.N.P., 1965.

Il n'en sera pas autrement, et tu prendras le parti le plus sage.
Ne le serre pas contre toi. Dans ta douleur sois grande.
20 Tu es sans force ; ne t'imagine pas pouvoir nous résister.
Nulle part tu n'as un appui, songes-y bien.
Ta ville est détruite, ton mari est mort, tu es prisonnière.
Pour nous, une femme qui lutte seule
ce n'est rien. Dès lors, renonce à te débattre,
25 à rien faire d'indigne ou qu'on puisse blâmer.
Et même, je t'en prie, ne maudis pas les Grecs !
Que tu dises un seul mot dont s'irrite l'armée,
elle pourrait priver ton fils de sépulture et de plaintes funèbres.
Si tu te tais, si tu te soumets à ton sort,
30 tu ne laisseras pas à l'abandon le corps de ton enfant,
et les Grecs en auront pour toi plus de clémence.

ANDROMAQUE

Ô mon enfant, mon unique trésor,
tu vas mourir de la main de nos ennemis,
abandonnant ta mère infortunée.
35 Ce qui te fait périr, c'est l'héroïsme de ton père
qui fut le salut de tant d'autres, non le tien !
Infortuné, l'hymen qui me fit entrer au palais d'Hector !
Était-ce pour fournir une victime aux Grecs
que je souhaitais mettre au monde un fils ?
40 C'était pour qu'il régnât sur l'Asie et ses belles moissons.
Tu pleures, mon enfant ? Comprends-tu ton malheur ?
À quoi bon m'enserrer de tes bras, te suspendre à ma robe ?
comme un oiseau te blottir sous mes ailes ?

4. **Phrygiens** : *la Phrygie est la province d'Asie mineure où se trouvait Troie.*

5. *Les Grecs considéraient, au contraire, que la cruauté des supplices était une caractéristique des Barbares.*

6. *Selon la légende homérique, Tyndare était le père humain d'Hélène, mais son père véritable était Zeus.*

7. **Coryphée** : *chef du chœur. Le chœur, dans la tragédie antique, commente les actes des héros.*

8. *Hélène, femme de Ménélas, enlevée par Pâris.*

Hector ne viendra pas avec sa glorieuse lance,
45   ressuscitant du sol pour te sauver,
pas plus que ceux de ton lignage, ou la puissance des Phrygiens[4].
Lancé d'en haut, impitoyablement, pour une chute affreuse
qui brisera ta nuque, tu rendras le dernier soupir.
Ô corps de mon enfant, si doux à étreindre,
50   ô suave odeur de ta peau ! c'est donc en vain
que mon sein t'a nourri lorsque tu étais dans tes langes !
En vain je me suis épuisée de peine et de tourment.
Donne ce baiser à ta mère ; ce sera le dernier.
Contre elle serre-toi, passe tes bras
55   autour de mon cou, pose ta bouche sur ma bouche.
C'est vous, les Grecs, qui inventez des supplices barbares[5] !
De quel droit tuez-vous cet enfant innocent ?
Hélène, la Tyndaride[6], ce n'est pas de Zeus que tu es la fille,
nombreux sont tes parents : Fléau, Haine, Meurtre, Mort,
60   et tous les monstres issus de la terre.
Non, je n'oserais te donner Zeus pour père,
à toi, mauvais génie pour tant de Grecs et de Barbares !
Sois maudite ! Les champs fameux de la Phrygie,
tes beaux yeux en ont fait une hideuse solitude !
65   Voilà mon fils, vous pouvez l'emmener, l'emporter,
le précipiter, si tel est votre bon plaisir
ou faire repas de sa chair. Les dieux ont voulu notre perte.
Comment pourrai-je empêcher mon fils de mourir ?

(Talthybios prend Astyanax ; le chariot se remet en marche. Andromaque se laisse tomber parmi les armes.)

Recouvrez mon malheureux corps et jetez-le dans le bateau.
70   Bel hymen où je vais, après avoir dû livrer mon enfant !

LE CORYPHÉE[7]

Ô Troie infortunée, que de victimes,
pour une seule femme[8] et son coupable amour.

EURIPIDE, *Les Troyennes*, traduction de Marie Delcourt-Curvers, © éd. Gallimard.

Guide de lecture : la douleur d'une mère

1. Que vient faire le héraut Talthybios ? Montrez qu'il est très embarrassé par sa mission délicate.

2. Lequel des Grecs est la cause de ce malheur ?

3. Quel argument a décidé de la mort d'Astyanax ?

4. Comment doit mourir Astyanax ?

5. Quelle conduite Talthybios conseille-t-il à Andromaque ?

6. Que risque Andromaque en se rebellant ?

7. À qui s'en prend-elle à la fin de sa tirade ? Pourquoi ?

8. Il peut sembler à un lecteur moderne qu'Andromaque cède bien vite à la requête de Talthybios. Quelles raisons peuvent expliquer, néanmoins, une telle obéissance ?

Vocabulaire

Héraut et *héros* sont deux homophones. Précisez la signification de chacun de ces deux mots, et employez-les dans une phrase.

Pour jouer la scène

1. Talthybios n'est pas fier de sa mission, mais il doit l'accomplir : dans le ton de ses propos faites apparaître à la fois son embarras et sa fermeté.

2. Andromaque est d'abord inquiète, puis elle se lamente avant de céder au destin, tout en se révoltant contre Hélène, cause de la guerre. Essayez de donner un ton pathétique à sa dernière tirade.

3. Astyanax ne parle pas, mais il est présent sur la scène. Lisez attentivement les indications scéniques qui permettent d'imaginer ses mouvements. Que se passe-t-il à la fin de la scène ?

L'*Andromaque* de Racine

L'AUTEUR

Né en 1639, Racine fut orphelin très jeune. Recueilli par sa grand-mère paternelle, il fut l'élève des jansénistes de Port-Royal, qui lui enseignèrent le grec, grâce auquel il put lire dans le texte et annoter les auteurs antiques qui nourrirent son inspiration.

Après quelques poèmes qui lui valurent une gratification de Louis XIV, il fit jouer en 1664 *La Thébaïde ou les Frères ennemis,* et, en 1665, *Alexandre.* Les grandes tragédies ne viennent qu'ensuite : *Andromaque* (1667), *Britannicus* (1669), *Bérénice* (1670), *Bajazet* (1672), *Mithridate* (1673), *Iphigénie* (1674), *Phèdre* (1677). En 1668, il écrivit son unique comédie : *Les Plaideurs.* Devenu historiographe du roi, il abandonna le théâtre après *Phèdre,* partageant son temps entre la Cour et l'éducation de ses enfants. Toutefois, il écrira encore deux pièces à la demande de Madame de Maintenon, pour l'éducation des jeunes filles de Saint-Cyr : *Esther* (1689), et *Athalie* (1691). Racine mourut en 1699.

LES SOURCES

Racine a indiqué lui-même dans sa préface les auteurs dont il s'est inspiré : Homère, Euripide (*Les Troyennes* et *Andromaque*), Virgile (l'*Énéide*) et Sénèque pour quelques traits de détail.

LA « QUERELLE » D'*ANDROMAQUE*

Le grand succès d'*Andromaque* suscita des jalousies. Des auteurs médiocres comme Thomas Corneille, Le Clerc, Quinault, Pradon, se lancèrent dans de violentes critiques, attribuant le succès de la pièce au seul talent des acteurs, notamment de Mlle du Parc, tragédienne remarquable qui avait quitté la troupe de Molière après la brouille de ce dernier avec Racine. Les amis du « vieux Corneille », qui voyaient d'un mauvais œil l'ascension de Racine, se joignirent aux détracteurs : les épigrammes et les pamphlets se mirent à pleuvoir ! Un certain Subligny écrivit même une parodie, *La Folle Querelle,* que Molière joua en 1668.

Comme celle du *Cid* trente ans auparavant, la « querelle » d'Andromaque s'éteignit bientôt devant

Andromaque (Miou-Miou)
dans la mise en scène de Roger Planchon (1989).

la beauté de ce chef-d'œuvre unanimement admiré, au cours des siècles. *Andromaque* figure aujourd'hui régulièrement au répertoire de la Comédie-Française.

LA REPRÉSENTATION

Donnée le 17 novembre 1667 par les comédiens de l'Hôtel de Bourgogne devant le roi et la cour, dans l'appartement de la reine d'abord, puis devant le grand public le lendemain, la pièce connut immédiatement un grand succès. Elle reflète naturellement les mœurs de la cour du Roi Soleil, tout en illustrant parfaitement le classicisme littéraire, et la conception racinienne du tragique.

L'INTRIGUE

Elle obéit parfaitement à la règle dite « des trois unités » : temps, lieu, action ainsi codifiée par Boileau :

« Qu'en un jour, en un lieu, un seul fait accompli
Tienne jusqu'à la fin le théâtre rempli. »

Oreste annonce au début de la pièce sa détermination de ne pas repartir sans Hermione, qu'il emmènera de gré ou de force, sinon il se tuera (vers 99-100).

Après l'échec de son ambassade, il croit qu'elle le suivra, mais un coup de théâtre modifie ses projets : Pyrrhus a changé d'avis. Il veut épouser Hermione et livrer Astyanax (acte II, vers 4). Au début de l'acte III, Oreste est donc déterminé à enlever Hermione.

Nouveau coup de théâtre à l'acte IV : Andromaque accepte d'épouser Pyrrhus pour sauver la vie d'Astyanax (elle confie à sa suivante qu'elle se donnera ensuite la mort, mais Pyrrhus, bien évidemment, l'ignore). Folle de rage, Hermione déclare alors à Oreste qu'elle le suivra dès qu'il aura assassiné Pyrrhus. Mais à peine a-t-il obéi qu'Hermione l'accable d'injures et se tue sur le corps de Pyrrhus.

Oreste sombre alors dans la folie.

LES PERSONNAGES

Oreste : *un ambassadeur très particulier.* Curieux ambassadeur, en effet, animé par des motifs purement personnels, dont le plus cher désir est l'échec de sa mission, et qui finit par assassiner le roi auprès duquel il est envoyé ! Sa raison, déjà ébranlée par des malheurs antérieurs (le meurtre de Clytemnestre, sa mère) et sa passion malheureuse pour Hermione, l'abandonne définitivement à la fin de la pièce.

Pylade, *son ami tout dévoué,* aide et protège Oreste que son égarement conduit trop souvent à l'imprudence.

Pyrrhus, *victime et bourreau à la fois,* dédaigne Hermione qu'il fait souffrir, mais souffre de l'indifférence d'Andromaque, envers qui il exerce un chantage que seul l'égarement de la passion peut justifier.

Andromaque, *la veuve d'Hector,* a subi trop de malheurs pour connaître encore les tourments de la passion. Son seul désir est de se consacrer entièrement à la mémoire d'Hector et à son fils Astyanax.

Hermione, *l'amante trahie et délaissée,* est une jeune fille passionnée, une princesse habituée à se faire obéir, humiliée et meurtrie par le dédain de Pyrrhus au point de le faire tuer et de se donner la mort ensuite.

LES RESSORTS DU TRAGIQUE

Contrairement aux personnages de Corneille, qui parviennent à dominer leurs passions, les personnages raciniens s'abandonnent à des sentiments tellement violents qu'il est vain d'essayer de les combattre. C'est le cas d'Oreste, qui n'a pu oublier Hermione et revient pour l'emmener, de gré ou de force. C'est le cas de Pyrrhus, prêt à faire la guerre à ses alliés pour protéger Astyanax et épouser Andromaque. C'est aussi celui d'Hermione, que sa passion conduit au meurtre et au suicide.

Autre différence avec les personnages cornéliens : *la passion racinienne est rarement réciproque.* Ainsi, en désignant par une flèche l'amour d'un personnage pour un autre, obtient-on un schéma à sens unique :

Oreste → Hermione → Pyrrhus → Andromaque → la mémoire d'Hector

L'absence totale de réciprocité, avec les souffrances qu'elle entraîne, fournit à Racine le ressort essentiel de sa tragédie, dont l'intrigue se déroule aisément et se coule sans peine dans le moule — pourtant astreignant — des trois unités.

LA GUERRE DE TROIE

Situez sur la carte l'Épire et Buthrote, la Phrygie et Troie, la ville de Sparte.

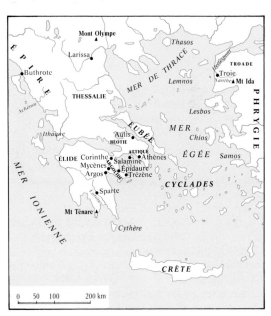

Documentez-vous sur
— les causes de la guerre ;
— ses grands héros, dans chaque camp ;
— ses principales péripéties ;
— le sort d'Ulysse et d'Agamemnon à leur retour.

LA TRAGÉDIE CLASSIQUE

RACINE

Andromaque
(1667)

« Vos charmes tout-puissants »

À Buthrote, en Épire, Pyrrhus dédaigne Hermione, la fille d'Hélène et de Ménélas, venue de Sparte pour l'épouser. Il n'a d'yeux que pour son esclave Andromaque, mais cette dernière reste fidèle à la mémoire d'Hector et se consacre entièrement à son fils Astyanax. Celui-ci, en effet, n'a pas été tué par les Grecs comme on le croyait : au dernier moment, un autre enfant lui a été substitué.

Au premier acte, Oreste, ambassadeur des Grecs, vient d'accomplir la mission dont il est chargé : sommer Pyrrhus d'épouser Hermione et de livrer Astyanax. Mais le fils d'Achille n'est pas homme à se laisser fléchir par des menaces. Tout à sa passion pour Andromaque, il est prêt à combattre pour elle ses anciens alliés. Andromaque, quant à elle, n'en demande pas tant.

PYRRHUS
Me cherchiez-vous, Madame ?
Un espoir si charmant me serait-il permis ?

ANDROMAQUE
Je passais jusqu'aux lieux où l'on garde mon fils.
Puisqu'une fois le jour vous souffrez que je voie
5 Le seul bien qui me reste et d'Hector et de Troie,
J'allais, Seigneur, pleurer un moment avec lui :
Je ne l'ai point encore embrassé d'aujourd'hui.

PYRRHUS
Ah ! Madame, les Grecs, si j'en crois leurs alarmes,
Vous donneront bientôt d'autres sujets de larmes.

ANDROMAQUE
10 Et quelle est cette peur dont leur cœur est frappé,
Seigneur ? Quelque Troyen vous est-il échappé ?

PYRRHUS
Leur haine pour Hector n'est pas encore éteinte.
Ils redoutent son fils.

ANDROMAQUE
Digne objet de leur crainte !
Un enfant malheureux, qui ne sait pas encor
15 Que Pyrrhus est son maître, et qu'il est fils d'Hector.

PYRRHUS
Tel qu'il est, tous les Grecs demandent qu'il périsse.
Le fils d'Agamemnon[1] vient hâter son supplice.

ANDROMAQUE
Et vous prononcerez un arrêt si cruel ?
Est-ce mon intérêt qui le rend criminel ?
20 Hélas ! on ne craint point qu'il venge un jour son père ;
On craint qu'il n'essuyât les larmes de sa mère.
Il m'aurait tenu lieu d'un père et d'un époux[2].
Mais il me faut tout perdre, et toujours par vos coups.

1. **Fils d'Agamemnon :**
Oreste.

2. *Le père d'Andromaque, Éétion, a été tué par Achille ainsi qu'Hector, son époux.*

PYRRHUS

Madame, mes refus ont prévenu[3] vos larmes.
25 Tous les Grecs m'ont déjà menacé de leurs armes ;
Mais dussent-ils encore, en repassant les eaux,
Demander votre fils avec mille vaisseaux ;
Coûtât-il tout le sang qu'Hélène a fait répandre ;
Dussé-je après dix ans voir mon palais en cendre[4],
30 Je ne balance[5] point, je vole à son secours :
Je défendrai sa vie aux dépens de mes jours.
Mais parmi ces périls où je cours pour vous plaire,
Me refuserez-vous un regard moins sévère ?
Haï de tous les Grecs, pressé[6] de tous côtés,
35 Me faudra-t-il combattre encor vos cruautés ?
Je vous offre mon bras. Puis-je espérer encore
Que vous accepterez un cœur qui vous adore ?
En combattant pour vous, me sera-t-il permis
De ne vous point compter parmi mes ennemis ?

ANDROMAQUE

40 Seigneur, que faites-vous, et que dira la Grèce ?
Faut-il qu'un si grand cœur montre tant de faiblesse ?
Voulez-vous qu'un dessein si beau, si généreux,
Passe pour le transport d'un esprit amoureux ?
Captive, toujours triste, importune à moi-même,
45 Pouvez-vous souhaiter qu'Andromaque vous aime ?
Quels charmes ont pour vous des yeux infortunés
Qu'à des pleurs éternels vous avez condamnés ?
Non, non, d'un ennemi respecter la misère,
Sauver des malheureux, rendre un fils à sa mère,
50 De cent peuples pour lui combattre la rigueur,
Sans me faire payer son salut de mon cœur,
Malgré moi, s'il le faut, lui donner un asile :
Seigneur, voilà des soins[7] dignes du fils d'Achille.

PYRRHUS

Hé quoi ? votre courroux n'a-t-il pas eu son cours ?
55 Peut-on haïr sans cesse ? et punit-on toujours ?
J'ai fait des malheureux, sans doute ; et la Phrygie
Cent fois de votre sang a vu ma main rougie.
Mais que vos yeux sur moi se sont bien exercés[8] !
Qu'ils m'ont vendu bien cher les pleurs qu'ils ont versés !
60 De combien de remords m'ont-ils rendu la proie !
Je souffre tous les maux que j'ai faits devant Troie.
Vaincu, chargé de fers, de regrets consumé,
Brûlé de plus de feux que je n'en allumai,
Tant de soins[9], tant de pleurs, tant d'ardeurs inquiètes...
65 Hélas ! fus-je jamais si cruel que vous l'êtes ?
Mais enfin, tour à tour, c'est assez nous punir :
Nos ennemis communs devraient nous réunir.
Madame, dites-moi seulement que j'espère,
Je vous rends votre fils, et je lui sers de père ;
70 Je l'instruirai moi-même à venger les Troyens ;
J'irai punir les Grecs de vos maux et des miens.
Animé d'un regard, je puis tout entreprendre :
Votre Ilion encor peut sortir de sa cendre ;

3. **Ont prévenu** : *ont devancé.*

4. *Comme ce fut le cas pour la guerre de Troie, qui dura dix ans.*

5. **Balance** : *je n'hésite pas.*

6. **Pressé** : *assailli, menacé.*

7. **Soins** : *ici, hommages.*

8. *Ont bien exercé leur colère.*

9. **Tant de soins** : *tant de tourments.*

Pyrrhus (Richard Berry) et Andromaque (Miou-Miou), mise en scène de Roger Planchon (1989).

Je puis, en moins de temps que les Grecs ne l'ont pris,
75 Dans ses murs relevés couronner votre fils.

ANDROMAQUE

Seigneur, tant de grandeurs ne nous touchent plus guère :
Je les lui promettais tant qu'a vécu son père,
Non, vous n'espérez plus de nous revoir encor,
Sacrés murs, que n'a pu conserver mon Hector.
80 À de moindres faveurs des malheureux prétendent,
Seigneur : c'est un exil que mes pleurs vous demandent.
Souffrez que loin des Grecs, et même loin de vous,
J'aille cacher mon fils, et pleurer mon époux.
Votre amour contre nous allume trop de haine :
85 Retournez, retournez à la fille d'Hélène[10].

PYRRHUS

Et le puis-je, Madame ? Ah ! que vous me gênez[11] !
Comment lui rendre un cœur que vous me retenez ?
Je sais que de mes vœux on lui promit l'empire ;
Je sais que pour régner elle vint dans l'Épire ;
90 Le sort vous y voulut l'une et l'autre amener :
Vous, pour porter des fers ; elle, pour en donner.
Cependant ai-je pris quelque soin de lui plaire ?
Et ne dirait-on pas, en voyant au contraire
Vos charmes tout-puissants, et les siens dédaignés,
95 Qu'elle est ici captive, et que vous y régnez ?
Ah ! qu'un seul des soupirs que mon cœur vous envoie,
S'il s'échappait vers elle, y porterait de joie !

RACINE, *Andromaque*, Acte I, scène 4, vers 258 à 354.

10. *Hermione.*
11. *Que vous me torturez (sens fort).*

Guide de lecture : un chantage à l'amour ?

1. Quelles préoccupations et quels sentiments respectifs des personnages reflètent les deux premières répliques (v. 1 à 9) ?

2. Andromaque s'attendait-elle à la nouvelle que lui annonce Pyrrhus ? Étudiez l'évolution du ton dans ces trois répliques successives (v. 10-11, v. 13-15 et 18-23).

3. Que demande Pyrrhus à Andromaque en échange de son appui (v. 24-35) ?

4. Par quels arguments Andromaque repousse-t-elle l'amour de Pyrrhus (v. 40-53).

5. Quels reproches Pyrrhus adresse-t-il ensuite à Andromaque (v. 54-65) ? Ces reproches vous paraissent-ils justifiés ?

6. Montrez, dans les vers 66-75 et 76-85, le contraste entre les propositions de Pyrrhus et les souhaits d'Andromaque.

7. Que demande, pour finir, Andromaque à Pyrrhus ? Le peut-il ? Pourquoi ?

Vocabulaire

La langue de Racine porte des marques de **préciosité,** ce mouvement qui s'est caractérisé, dans la première moitié du XVIIe siècle, par un raffinement — parfois outré jusqu'au ridicule — des mœurs et du vocabulaire.
Étudiez, en particulier, les métaphores contenues dans les expressions : « chargé de fers, de regrets consumé, Brûlé de plus de feux que je n'en allumai » (v. 63-64), et dans le vers 92 : « Vous, pour porter des fers ; elle, pour en donner. »

Recherche, Réflexion, Expression

1. Pensez-vous que l'on puisse, dès maintenant, parler de chantage de la part de Pyrrhus ?

2. La **passion racinienne** est un sentiment violent, involontaire, incontrôlable, si fort qu'il conduit ceux qui l'éprouvent à négliger leur devoir. Relevez des vers qui le montrent.

3. La tragédie repose sur le fait que la passion n'est pas réciproque. Que laissent entendre les deux derniers vers ?

Une supplique émouvante

Le refus de Pyrrhus comble en fait les désirs d'Oreste : amoureux d'Hermione, il compte ainsi la ramener avec lui et l'épouser. Mais Pyrrhus, irrité et dépité par l'attitude d'Andromaque qui ne l'aime pas, change d'avis : il livrera Astyanax et épousera Hermione (acte II). Au comble de la fureur, Oreste décide d'enlever Hermione, qui ne se doute de rien et triomphe à l'idée d'épouser enfin Pyrrhus. Andromaque tente alors une démarche humiliante et désespérée auprès d'Hermione pour sauver la vie d'Astyanax.

ANDROMAQUE

Où fuyez-vous, Madame ?
N'est-ce point à vos yeux un spectacle assez doux
Que la veuve d'Hector pleurante à vos genoux[1] ?
Je ne viens point ici, par de jalouses larmes,
5   Vous envier un cœur qui se rend à vos charmes.
Par une main cruelle, hélas ! j'ai vu percer
Le seul où[2] mes regards prétendaient s'adresser.
Ma flamme par Hector fut jadis allumée ;
Avec lui dans la tombe elle s'est enfermée ;
10   Mais il me reste un fils. Vous saurez quelque jour,
Madame, pour un fils, jusqu'où va notre amour ;
Mais vous ne saurez pas, du moins, je le souhaite,
En quel trouble mortel son intérêt[3] nous jette,
Lorsque de tant de biens qui pouvaient nous flatter,
15   C'est le seul qui nous reste, et qu'on veut nous l'ôter.
Hélas ! lorsque lassés de dix ans de misère,
Les Troyens en courroux menaçaient votre mère,
J'ai su de mon Hector lui procurer l'appui[4].
Vous pouvez sur Pyrrhus ce que j'ai pu sur lui.
20   Que craint-on d'un enfant qui survit à sa perte[5] ?
Laissez-moi le cacher en quelque île déserte.
Sur les soins de sa mère on peut s'en assurer,
Et mon fils avec moi n'apprendra qu'à pleurer.

HERMIONE

Je conçois vos douleurs. Mais un devoir austère,
25   Quand mon père a parlé, m'ordonne de me taire.
C'est lui qui de Pyrrhus fait agir le courroux.
S'il faut fléchir Pyrrhus, qui le peut mieux que vous ?
Vos yeux assez longtemps ont régné sur son âme.
Faites-le prononcer[6] : j'y[7] souscrirai, Madame.

RACINE, *Andromaque*, Acte III, scène 4, vers 858 à 886.

1. *Andromaque adopte ici l'attitude des suppliantes antiques.*

2. **Où** : *auquel.*

3. *L'intérêt que nous lui portons.*

4. *Au chant XXIV de* L'Iliade *(vers 768-772), Hélène pleure en effet la mort d'Hector et reconnaît que celui-ci l'a toujours bien traitée.*

5. *La mort d'Hector.*

6. **Prononcer** : *décider.*

7. *À sa décision.*

Guide de lecture : deux rivales

1. Expliquez le 1er vers : que suppose-t-il ?

2. Andromaque se réjouit du retour de Pyrrhus vers Hermione. Quels vers le montrent ?

3. Pourquoi Andromaque ne peut-elle aimer Pyrrhus ?

4. À quoi ressent-on la différence d'âge entre les deux femmes ?

5. Quel souvenir précis de la guerre de Troie Andromaque rappelle-t-elle à Hermione (v. 16 à 18) ? Pourquoi ?

6. À quoi Andromaque s'engage-t-elle au nom de son fils ?

7. Comment Hermione justifie-t-elle son refus ? Est-elle sincère ?

8. Pourquoi la réponse d'Hermione est-elle beaucoup plus courte que la tirade d'Andromaque ?

LA TRAGÉDIE CONTEMPORAINE

JEAN
GIRAUDOUX

*La guerre
de Troie
n'aura pas lieu*
(1935)

Jean Giraudoux est né à Bellac (Haute-Vienne), le 29-10-1882, et mort à Paris le 31-1-1944. Il mène de front une brillante carrière d'écrivain et de diplomate. Son œuvre, extrêmement diverse, de romancier et de dramaturge, laisse percer, sous l'humour, le jeu et l'apparente légèreté du ton, l'angoisse d'un homme qui fut le témoin lucide des incertitudes et des désenchantements de son époque.
Œuvres principales : *Siegfried et le Limousin* (1922); *Intermezzo* (1933); *La guerre de Troie n'aura pas lieu* (1935); *Ondine* (1939); *La Folle de Chaillot* (1945).

1. **Pâris** : *Le fils de Priam, a enlevé Hélène, épouse de Ménélas.*

Créée en 1935, quatre ans avant la Deuxième Guerre mondiale, La guerre de Troie n'aura pas lieu *est une réflexion sur les causes, multiples, complexes de toute guerre. Diplomate, Jean Giraudoux pense qu'une guerre éclate quand elle est « mûre », comme un fruit, et que rien ne peut plus alors l'empêcher. Les efforts des hommes de bonne volonté des deux camps qui s'acharnent à négocier n'ont aucune chance de contrebalancer les provocations des bellicistes imbéciles : une étincelle suffit à mettre le feu aux poudres.*

Pour éviter la guerre de Troie, il suffirait que les Troyens rendent à Ménélas sa femme Hélène, enlevée par Pâris. L'irréparable n'a pas été commis. Hector, qui rentre las et écœuré d'une autre guerre (le spectateur de 1935 songeait, naturellement, à la guerre de 14-18), s'attache donc à convaincre Pâris de laisser repartir Hélène...

À l'optimisme d'Andromaque, qui affirme, à peine le rideau levé : « La guerre de Troie n'aura pas lieu », s'oppose le pessimisme de Cassandre, dotée du pouvoir de pressentir l'avenir : l'enchaînement des événements historiques échappe aux hommes, et tous les efforts d'Hector sont, d'avance, voués à l'échec...

Éviter la guerre à tout prix

À l'acte II, Hector a besoin de tout son sang-froid et du soutien d'Andromaque pour ne pas céder aux provocations d'Oiax, un soldat grec ivrogne et bagarreur, et empêcher le poète Demokos, belliciste convaincu, de s'emparer du prétexte qu'il attend...

SCÈNE IX. — HÉLÈNE, ANDROMAQUE, OIAX, puis HECTOR.

OIAX. — Où est-il ? Où se cache-t-il ? Un lâche ! Un Troyen !

HECTOR. — Qui cherchez-vous ?

OIAX. — Je cherche Pâris[1]...

HECTOR. — Je suis son frère.

5 OIAX. — Belle famille ! Je suis Oiax ! Qui es-tu ?

HECTOR. — On m'appelle Hector.

OIAX. — Moi je t'appelle beau-frère de pute !

HECTOR. — Je vois que la Grèce nous a envoyé des négociateurs. Que voulez-vous ?

10 OIAX. — La guerre !

HECTOR. — Rien à espérer. Vous la voulez pourquoi ?

OIAX. — Ton frère a enlevé Hélène.

HECTOR. — Elle était consentante, à ce que l'on m'a dit.

OIAX. — Une Grecque fait ce qu'elle veut. Elle n'a pas à te demander la
15 permission. C'est un cas de guerre.

HECTOR. — Nous pouvons vous offrir des excuses.

OIAX. — Les Troyens n'offrent pas d'excuses. Nous ne partirons d'ici qu'avec votre déclaration de guerre.

HECTOR. — Déclarez-la vous-mêmes.

20 OIAX. — Parfaitement, nous la déclarerons, et dès ce soir.

HECTOR. — Vous mentez. Vous ne là déclarerez pas. Aucune île de l'archipel ne vous suivra si nous ne sommes pas les responsables... Nous ne le serons pas.

OIAX. — Tu ne la déclareras pas, toi, personnellement, si je te déclare que tu
25   es un lâche ?

HECTOR. — C'est un genre de déclaration que j'accepte.

OIAX. — Je n'ai jamais vu manquer à ce point de réflexe militaire !... Si je te
dis ce que la Grèce entière pense de Troie, que Troie est le vice, la
bêtise ?...

30   HECTOR. — Troie est l'entêtement. Vous n'aurez pas la guerre.

OIAX. — Si je crache sur elle ?

HECTOR. — Crachez.

OIAX. — Si je te frappe, toi son prince ?

HECTOR. — Essayez.

35   OIAX. — Si je frappe en plein visage le symbole de sa vanité et de son faux
honneur ?

HECTOR. — Frappez...

OIAX, *le giflant.* — Voilà... Si Madame est ta femme, Madame peut être fière.

HECTOR. — Je la connais... Elle est fière.

SCÈNE X. — LES MÊMES, DEMOKOS[2].

40   DEMOKOS. — Quel est ce vacarme ! Que veut cet ivrogne, Hector ?

HECTOR. — Il ne veut rien. Il a ce qu'il veut.

DEMOKOS. — Que se passe-t-il, Andromaque ?

ANDROMAQUE. — Rien.

OIAX. — Deux fois rien. Un Grec gifle Hector, et Hector encaisse.

45   DEMOKOS. — C'est vrai, Hector ?

HECTOR. — Complètement faux, n'est-ce pas, Hélène ?

HÉLÈNE. — Les Grecs sont très menteurs. Les hommes grecs[3].

OIAX. — C'est de nature qu'il a une joue plus rouge que l'autre ?

HECTOR. — Oui. Je me porte bien de ce côté-là.

50   DEMOKOS. — Dis la vérité, Hector. Il a osé porter la main sur toi ?

HECTOR. — C'est mon affaire.

DEMOKOS. — C'est affaire de guerre. Tu es la statue même de Troie.

HECTOR. — Justement. On ne gifle pas les statues.

DEMOKOS. — Qui es-tu, brute ! Moi, je suis Demokos, second fils d'Achi-
55   chaos !

OIAX. — Second fils d'Achichaos ? Enchanté. Dis-moi, cela est-il aussi grave
de gifler un second fils d'Achichaos que de gifler Hector ?

DEMOKOS. — Tout aussi grave, ivrogne. Je suis chef du sénat. Si tu veux la
guerre, la guerre jusqu'à la mort, tu n'as qu'à essayer.

60   OIAX. — Voilà... J'essaye.

Il gifle Demokos.

DEMOKOS. — Troyens ! Soldats ! Au secours !

HECTOR. — Tais-toi, Demokos !

DEMOKOS. — Aux armes ! On insulte Troie ! Vengeance !

HECTOR. — Je te dis de te taire.

65   DEMOKOS. — Je crierai !... J'ameuterai la ville !

HECTOR. — Tais-toi !... Ou je te gifle !

DEMOKOS. — Priam ! Anchise[4] ! Venez voir la honte de Troie. Elle a Hector
pour visage.

HECTOR. — Tiens !

Hector a giflé Demokos. Oiax s'esclaffe.

2. Demokos : *poète troyen, qui veut la guerre à tout prix. À travers lui, Giraudoux critique les écrivains nationalistes qui ont poussé la France au combat en 1914.*

3. *Hélène soutient Hector pour éviter la guerre.*

4. Anchise : *le père d'Énée. Quand Troie fut prise, Énée arracha son père à l'incendie et au massacre et fit de lui le compagnon de ses voyages. Les aventures d'Énée sont racontées par le poète latin Virgile dans une épopée en 12 chants : L'Énéide (29 à 19 av. J.-C.).*

Les héros grecs de la guerre de Troie. Tapisserie flamande, xve siècle (musée de Zamora, Espagne).

SCÈNE XI. — LES MÊMES.

Pendant la scène, Priam et les notables viennent se grouper en face du passage par où doit entrer Ulysse.

70 PRIAM. — Pourquoi ces cris, Demokos ?

DEMOKOS. — On m'a giflé.

OIAX. — Va te plaindre à Achichaos !

PRIAM. — Qui t'a giflé ?

DEMOKOS. — Hector ! Oiax ! Hector ! Oiax !

75 PÂRIS. — Qu'est-ce qu'il raconte ? Il est fou !

HECTOR. — On ne l'a pas giflé du tout, n'est-ce pas, Hélène ?

HÉLÈNE. — Je regardais pourtant bien, je n'ai rien vu.

OIAX. — Ses deux joues sont de la même couleur.

PÂRIS. — Les poètes s'agitent souvent sans raison. C'est ce qu'ils appellent

80 leurs transes. Il va nous en sortir notre chant national.

DEMOKOS. — Tu me le paieras, Hector...

DES VOIX. — Ulysse. Voici Ulysse…

Oiax s'est avancé tout cordial vers Hector.

OIAX. — Bravo ! Du cran. Noble adversaire. Belle gifle…

HECTOR. — J'ai fait de mon mieux.

85 OIAX. — Excellente méthode aussi. Coude fixe. Poignet biaisé. Grande sécurité pour carpe et métacarpe. Ta gifle doit être plus forte que la mienne.

HECTOR. — J'en doute.

OIAX. — Tu dois admirablement lancer le javelot avec ce radius en fer et ce cubitus à pivot.

90

HECTOR. — Soixante-dix mètres.

OIAX. — Révérence ! Mon cher Hector, excuse-moi. Je retire mes menaces. Je retire ma gifle. Nous avons des ennemis communs, ce sont les fils d'Achichaos. Je ne me bats pas contre ceux qui ont avec moi pour ennemis les fils d'Achichaos. Ne parlons plus de guerre. Je ne sais ce qu'Ulysse rumine, mais compte sur moi pour arranger l'histoire…

95

Il va au-devant d'Ulysse avec lequel il rentrera.

ANDROMAQUE. — Je t'aime, Hector.

100 HECTOR *montrant sa joue.* — Oui. Mais ne m'embrasse pas encore tout de suite, veux-tu ?

ANDROMAQUE. — Tu as gagné encore ce combat. Aie confiance.

HECTOR. — Je gagne chaque combat. Mais de chaque victoire l'enjeu s'envole.

JEAN GIRAUDOUX, *La guerre de Troie n'aura pas lieu*,
Acte II, scènes 9 et 10, 1935, © éd. Grasset.

Pour cette fois, Hector a évité l'incident. La négociation avec Ulysse, l'ambassadeur grec, peut donc avoir lieu. Ce dernier a la certitude que la guerre, voulue par le destin, est inévitable. « L'univers le sait, nous allons nous battre », dit-il. Pourtant, il affirme à Hector que ses propres intentions sont pacifiques et, à l'issue de leur entrevue, la paix semble acquise. Un simple malentendu suffit, peu après, à renverser la situation. Hector tue Demokos qui excite les Troyens au combat par un chant de guerre. Avant de mourir, Demokos a le temps d'accuser Oiax de l'avoir assassiné. Les Troyens se jettent sur Oiax et le massacrent. La guerre de Troie aura lieu.

Guide de lecture : des gifles pour une guerre

1. Dans la scène 9, que recherche Oiax ? Comment s'y prend-il ?

2. Comment réagit Hector ?

3. Quelle raison Andromaque peut-elle avoir, à la fin de la scène 9, d'être fière d'Hector ?

4. Dans la scène 10, comparez l'attitude de Demokos :
— à celle d'Oiax ;
— à celle d'Hector.

5. Pourquoi, à la scène 11, Oiax accorde-t-il son estime à Hector ? Quelle décision prend-il finalement ?

6. Hector vient de remporter une victoire. Que laisse entendre, néanmoins, sa dernière réplique ?

Recherche, Réflexion, Expression

1. Précisez ce que symbolisent les personnages d'Hector, d'Oiax et de Demokos.

2. Relevez des exemples de comique :
— de mots ;
— de gestes ;
— de situation.

2. Molière et l'éducation des filles

SAVANTES ET RIDICULES

MOLIÈRE

Les Précieuses ridicules
(1659)

Jean-Baptiste Poquelin, dit **Molière** (1622-1673), était le fils d'un marchand tapissier. Il fit des études poussées au collège de Clermont, puis à l'université. Cependant, il préféra monter sur les planches plutôt que de succéder à son père et devenir tapissier du Roi.

En 1643, il fonde avec Madeleine Béjart l'Illustre Théâtre. À la suite de déboires financiers, il devient comédien ambulant durant une douzaine d'années, puis regagne Paris. Sa troupe ayant plu au roi, celui-ci lui accorde sa protection. Molière écrit une trentaine de pièces qui appartiennent à toutes les variétés de comédies, depuis la farce jusqu'à la comédie de mœurs et de caractères, en passant par la comédie-ballet, et mène une triple carrière d'acteur, de metteur en scène et d'auteur. Il meurt sur scène en interprétant *Le Malade imaginaire*.

Virginie Pradal
et Catherine Salviat
dans une mise en scène
de Jean-Louis Thamin
(Comédie Française, 1971).

Deux filles à marier

Dans Les Précieuses ridicules, *Molière s'en prend à une mode de son temps, la « préciosité », qui se manifeste par un raffinement excessif des mœurs et du langage : or, comme tous les classiques, Molière cherche au contraire à promouvoir « le naturel ». Mais la préciosité est aussi une réaction des femmes contre une certaine grossièreté des hommes, auxquelles elles entendent imposer le respect : ainsi, au lieu d'accepter d'être mariées d'autorité, par leur père, à un homme qu'elles n'ont pas choisi, les Précieuses exigent de leurs soupirants une cour assidue... qu'elles peuvent faire durer parfois très longtemps. Tout excès engendre le ridicule : c'est ce qu'a voulu montrer Molière à travers les personnages de Cathos et Magdelon, deux jeunes filles à marier à qui deux jeunes hommes, La Grange et du Croisy, ont eu l'audace de demander tout simplement leur main, sans avoir préalablement suivi le parcours tortueux de la « carte du Tendre ». Éconduits sans ménagements, La Grange et du Croisy décident de se venger : ils envoient chez les deux précieuses leurs valets, qui se font respectivement passer pour le marquis de Mascarille et le vicomte de Jodelet, « beaux esprits » parisiens. Mascarille arrive le premier...*

1. Terme de cuisine désignant les abats de l'oie, utilisés comme garniture de l'oie rôtie. Mascarille parle ici des parties accessoires de son costume : ruban, dentelles, plumes, etc.

2. Bien adaptée à... (mot pédant).

3. Le plus grand mercier de Paris.

MASCARILLE. — Que vous semble de ma petite-oie[1] ? La trouvez-vous congruente[2] à l'habit ?

CATHOS. — Tout à fait.

MASCARILLE. — Le ruban est bien choisi.

5 MAGDELON. — Furieusement bien. C'est Perdrigeon tout pur[3].

4. *Rubans attachés à hauteur du genou.*

5. *Soit 30 cm (le quart d'une aune).*

6. *L'endroit où montent les odeurs, c'est-à-dire le cerveau.*

MASCARILLE. — Que dites-vous de mes canons[4] ?

MAGDELON. — Ils ont tout à fait bon air.

MASCARILLE. — Je puis me vanter au moins qu'ils ont un grand quartier[5] plus que tous ceux qu'on fait.

10 MAGDELON. — Il faut avouer que je n'ai jamais pu porter si haut l'élégance de l'ajustement.

MASCARILLE. — Attachez un peu sur ces gants la réflexion de votre odorat.

MAGDELON. — Ils sentent terriblement bon.

CATHOS. — Je n'ai jamais respiré une odeur mieux conditionnée.

15 MASCARILLE. — Et celle-là ?

Il donne à sentir les cheveux poudrés de sa perruque.

MAGDELON. — Elle est tout à fait de qualité ; le sublime[6] en est touché délicieusement.

MASCARILLE. — Vous ne me dites rien de mes plumes ! Comment les trouvez-vous ?

20 CATHOS. — Effroyablement belles.

MASCARILLE. — Savez-vous que le brin me coûte un louis d'or ? Pour moi, j'ai cette manie de vouloir donner généralement sur tout ce qu'il y a de plus beau.

MAGDELON. — Je vous assure que nous sympathisons vous et moi. J'ai une
25 délicatesse furieuse pour tout ce que je porte ; et jusqu'à mes chaussettes, je ne puis rien souffrir qui ne soit de la bonne ouvrière.

MASCARILLE, *s'écriant brusquement.* — Ahi ! ahi ! ahi ! doucement. Dieu me damne, mesdames, c'est fort mal en user ; j'ai à me plaindre de votre procédé ; cela n'est pas honnête.

30 CATHOS. — Qu'est-ce donc ? qu'avez-vous ?

MASCARILLE. — Quoi ! toutes deux contre mon cœur en même temps ! M'attaquer à droite et à gauche ! Ah ! c'est contre le droit des gens : la partie n'est pas égale ; et je m'en vais crier au meurtre.

CATHOS. — Il faut avouer qu'il dit les choses d'une manière particulière.

35 MAGDELON. — Il a un tour admirable dans l'esprit.

CATHOS. — Vous avez plus de peur que de mal, et votre cœur crie avant qu'on l'écorche.

MASCARILLE. — Comment, diable ! il est écorché depuis la tête jusqu'aux pieds.

MOLIÈRE, *Les Précieuses ridicules* (scène 9).

Guide de lecture : un raffinement douteux

1. La conduite de Mascarille est-elle celle d'un véritable « homme du monde » ? Pourquoi ?

2. Relevez les fautes de goût qui trahissent son manque d'éducation.

3. Que pensez-vous de son langage ? Commentez quelques expressions qui vous paraissent, à cet égard, significatives.

4. Molière se moque-t-il ici seulement de Mascarille ? Que traduit l'attitude de Cathos et de Magdelon ?

Vocabulaire

Le langage précieux se caractérise — entre autres — par une grande abondance d'adverbes de manière en *-ment*. Relevez tous ceux qui figurent dans ce passage et précisez, à chaque fois, l'adjectif à partir duquel ils sont formés.

Réflexion, Recherche, Expression

1. Lisez la suite et le dénouement de cette courte pièce amusante et satirique à la fois, la première véritable comédie de Molière, et faites-en un résumé clair et concis.

2. Imaginez un dialogue entre un jeune snob et une « précieuse » de notre époque.

3. Préciosité et féminisme
Renseignez-vous sur les Précieuses du XVIIe siècle, et comparez leurs idées dans divers domaines (éducation, mariage, égalité des sexes) à celles des féministes contemporaines. Quelles parentés et quelles différences vous apparaissent ?

LE MARIAGE EN QUESTION

MOLIÈRE

Les Femmes savantes
(1672)

« Ce vulgaire dessein »

Philaminte, grande bourgeoise parisienne du XVIIᵉ siècle, règne en souveraine dans sa maison, qu'elle prétend convertir à sa manie : l'étude des lettres, des sciences, de la philosophie. Sans tenir compte de son époux, Chrysale, brave mais trop faible de caractère, elle veut marier sa plus jeune fille, Henriette, à un poète ridicule. Henriette, jeune fille sage, gracieuse et simple, refuse ce mariage. En revanche, Armande, l'aînée, a hérité du pédantisme de sa mère, et comme sa tante, Bélise, se flatte d'être savante. La scène suivante illustre bien la divergence de leurs opinions sur le mariage.

ARMANDE

Quoi ! le beau nom de fille[1] est un titre, ma sœur,
Dont vous voulez quitter la charmante douceur,
Et de vous marier vous osez faire fête ?
Ce vulgaire dessein vous peut monter en tête ?

HENRIETTE

5   Oui, ma sœur.

ARMANDE

                Ah ! ce oui se peut-il supporter ?
Et sans un mal de cœur saurait-on l'écouter ?

HENRIETTE

Qu'a donc le mariage en soi qui vous oblige,
Ma sœur...

ARMANDE

            Ah ! mon Dieu, fi !

HENRIETTE

                    Comment ?

ARMANDE

                            Ah ! fi ! vous dis-je,
Ne concevez-vous point ce que, dès qu'on l'entend,
10 Un tel mot à l'esprit offre de dégoûtant,
De quelle étrange image on est par lui blessée,
Sur quelle sale vue il traîne la pensée ?
N'en frissonnez-vous point ? et pouvez-vous, ma sœur,
Aux suites[2] de ce mot résoudre votre cœur ?

HENRIETTE

15 Les suites de ce mot, quand je les envisage,
Me font voir un mari, des enfants, un ménage ;
Et je ne vois rien là, si j'en puis raisonner,
Qui blesse la pensée et fasse frissonner.

ARMANDE

De tels attachements, ô ciel ! sont pour[3] vous plaire !

HENRIETTE

20 Et qu'est-ce qu'à mon âge on a de mieux à faire,
Que d'attacher à soi, par le titre d'époux,
Un homme qui vous aime et soit aimé de vous,
Et de cette union, de tendresse suivie,
Se faire les douceurs d'une innocente vie ?
25 Ce nœud bien assorti[4] n'a-t-il pas des appas[5] ?

Julie d'Angennes.

1. *Jeune fille. Les romans précieux avaient mis à la mode la répugnance pour le mariage.*

2. *Aux conséquences.*

3. *« Pour » marque ici la conséquence (tournure familière) : sont capables de...*

4. *« Nœud » désigne, métaphoriquement, le mariage qui lie deux personnes qui se conviennent (bien assorti).*

5. *Agréments.*

6. *À goûter un peu aux...*

7. *Avec mépris.*

8. *Les autres femmes de la maison : Armande elle-même, Philaminte, Bélise sa belle-sœur, et même la pauvre servante Martine, à qui on impose des leçons de grammaire.*

9. *Connaissances.*

10. *Tout ce qui est lié aux sens et aux instincts.*

11. *Les soucis, les occupations ménagères et conjugales.*

12. *Auxquels.*

13. *Attribut de l'objet : auxquels je vois tant de femmes prendre de l'intérêt.*

14. *À mes yeux.*

ARMANDE

Mon Dieu, que votre esprit est d'un étage bas !
Que vous jouez au monde un petit personnage,
De vous claquemurer aux choses du ménage,
Et de n'entrevoir point de plaisirs plus touchants
30 Qu'un idole d'époux et des marmots d'enfants !
Laissez aux gens grossiers, aux personnes vulgaires,
Les bas amusements de ces sortes d'affaires.
À de plus hauts objets élevez vos désirs,
Songez à prendre un goût[6] des plus nobles plaisirs,
35 Et, traitant de mépris[7] les sens et la matière,
À l'esprit, comme nous[8], donnez-vous tout entière :
Vous avez notre mère en exemple à vos yeux,
Que du nom de savante on honore en tous lieux ;
Tâchez, ainsi que moi, de vous montrer sa fille,
40 Aspirez aux clartés[9] qui sont dans la famille,
Et vous rendez sensible aux charmantes douceurs
Que l'amour de l'étude épanche dans les cœurs.
Loin d'être aux lois d'un homme en esclave asservie,
Mariez-vous, ma sœur, à la philosophie,
45 Qui nous monte au-dessus de tout le genre humain
Et donne à la raison l'empire souverain,
Soumettant à ses lois la partie animale[10],
Dont l'appétit grossier aux bêtes nous ravale.
Ce sont là les beaux feux, les doux attachements,
50 Qui doivent de la vie occuper les moments ;
Et les soins[11] où[12] je vois tant de femmes sensibles[13]
Me paraissent aux yeux[14] des pauvretés horribles.

MOLIÈRE, *Les Femmes savantes*, Acte I, scène 1.

LES FEMMES SCAVANTES

Guide de lecture : deux sœurs fort différentes

Armande

1. Sur quel ton Armande fait-elle la critique du mariage ? Relevez les expressions qui marquent son mépris et son dégoût.

2. En quels termes parle-t-elle de l'étude ? Relevez dans son discours des traces de préciosité (antithèses, images, exagérations, etc.).

3. Comment interprétez-vous l'admiration qu'Armande voue à sa mère (v. 37-38) ? Et son mépris pour l' « animalité » (v. 47-48) ? Quel aspect du personnage nous révèlent-ils ?

Henriette

1. Montrez comment la franchise et le naturel d'Henriette s'opposent à la « pudeur » d'Armande.

2. Quel est, pour Henriette, le fondement du mariage ? sa finalité ? Relevez les vers qui vous semblent illustrer le mieux sa conception du mariage.

3. Peut-on dire — à cette date et dans ce milieu social (grande bourgeoisie) — que ses opinions sont conventionnelles ou conformistes ?

Un débat scénique

1. Le début de la scène suppose une discussion préalable entre les deux sœurs : montrez-le. Pourquoi Molière ne nous y a-t-il pas fait assister ?

2. Quelles sont les sources du comique dans cette scène ? Des deux sœurs, quel est le personnage bouffon, pourquoi ?

3. En fait, Armande et Henriette sont toutes deux amoureuses d'un jeune homme, Clitandre, qui s'apprête à demander officiellement Henriette en mariage. Reprenez chacun des propos d'Armande, et montrez comment se devinent la déception et la rancœur de la jeune fille.

Réflexion, Recherche, Expression

● Imaginez les gestes, les attitudes et les mimiques d'Henriette pendant la tirade de sa sœur.

● À travers différentes comédies de Molière, essayez de définir sa position sur le mariage (ex. : *L'École des femmes, Tartuffe, Le Malade imaginaire, Le Bourgeois gentilhomme*).

STUPIDE ET DOCILE

MOLIÈRE

*L'École
des femmes*
(1662)

« Une moitié qui tienne tout de moi »

Si Molière refuse la préciosité, ce n'est pas seulement pour des raisons esthétiques, mais aussi pour des raisons morales : en condamnant le mariage, en idéalisant et en sublimant l'amour (comme le fait Armande dans Les Femmes savantes*), elle n'offre aux femmes qu'une issue illusoire. Molière croit au mariage. Cependant, il voit également ce qu'a d'imparfait et d'odieux cette institution, telle qu'elle est pratiquée à son époque. Dans* L'École des femmes, *il remet en cause cette éducation traditionnelle, qui ne vise qu'à soumettre la femme, par avance, à la tyrannie de son futur mari. Pour déconsidérer ce point de vue, il le fait défendre par un personnage ridicule et outrancier, Arnolphe, qui, étant le tuteur d'Agnès, veut aussi l'épouser. Dans la scène suivante, qui est la première de la pièce, Arnolphe expose son projet à un ami, Chrysalde.*

Madeleine Ozeray, interprète d'Agnès dans la mise en scène de Louis Jouvet.

ARNOLPHE

Moi, j'irai me charger d'une spirituelle
Qui ne parlerait rien que cercle et que ruelle[1],
Qui de prose et de vers ferait de doux écrits,
Et que visiteraient marquis et beaux esprits,
5 Tandis que, sous le nom du mari de madame,
Je serais comme un saint que pas un ne réclame !
Non, non, je ne veux point d'un esprit qui soit haut ;
Et femme qui compose en sait plus qu'il ne faut.
Je prétends que la mienne, en clartés peu sublime,
10 Même ne sache pas ce que c'est qu'une rime ;
Et, s'il faut qu'avec elle on joue au corbillon[2]
Et qu'on vienne à lui dire à son tour : Qu'y met-on ?
Je veux qu'elle réponde : Une tarte à la crème ;
En un mot, qu'elle soit d'une ignorance extrême :
15 Et c'est assez pour elle, à vous en bien parler,
De savoir prier Dieu, m'aimer, coudre, et filer.

CHRYSALDE

Une femme stupide est donc votre marotte ?

ARNOLPHE

Tant, que j'aimerais mieux une laide bien sotte,
Qu'une femme fort belle avec beaucoup d'esprit.

CHRYSALDE

20 L'esprit et la beauté...

ARNOLPHE

L'honnêteté suffit.

CHRYSALDE

Mais comment voulez-vous, après tout, qu'une bête
Puisse jamais savoir ce que c'est qu'être honnête ?
Outre qu'il est assez ennuyeux, que je crois,
D'avoir toute sa vie une bête avec soi,
25 Pensez-vous le bien prendre, et que sur votre idée
La sûreté d'un front puisse être bien fondée ?
Une femme d'esprit peut trahir son devoir ;
Mais il faut, pour le moins, qu'elle ose le vouloir.
Et la stupide au sien peut manquer d'ordinaire,
30 Sans en avoir l'envie et sans penser le faire.

1. *Alcôve, espace entre le lit et le mur, où les femmes du monde recevaient leurs visiteurs et tenaient salon.*

2. *Jeu de société où il fallait répondre, par une rime en -on, à la question : « Que met-on dans mon corbillon ? »*

3. *Ma manière.*

4. *Fréquentation.*

5. *Qui ne connaît pas le mal.*

ARNOLPHE

À ce bel argument, à ce discours profond,
Ce que Pantagruel à Panurge répond :
Pressez-moi de me joindre à femme autre que sotte,
Prêchez, patrocinez jusqu'à la Pentecôte ;
35   Vous serez ébahi, quand vous serez au bout,
Que vous ne m'aurez rien persuadé du tout.

CHRYSALDE

Je ne vous dis plus mot.

ARNOLPHE

        Chacun a sa méthode.
En femme, comme en tout, je veux suivre ma mode[3] :
Je me vois riche assez pour pouvoir, que je crois,
40   Choisir une moitié qui tienne tout de moi,
Et de qui la soumise et pleine dépendance
N'ait à me reprocher aucun bien ni naissance.
Un air doux et posé, parmi d'autres enfants,
M'inspira de l'amour pour elle dès quatre ans
45   Sa mère se trouvant de pauvreté pressée,
De la lui demander il me vint en pensée ;
Et la bonne paysanne, apprenant mon désir,
À s'ôter cette charge eut beaucoup de plaisir.
Dans un petit couvent, loin de toute pratique[4],
50   Je la fis élever selon ma politique ;
C'est-à-dire ordonnant quels soins on emploierait
Pour la rendre idiote autant qu'il se pourrait.
Dieu merci, le succès a suivi mon attente ;
Et grande, je l'ai vue à tel point innocente[5],
55   Que j'ai béni le ciel d'avoir trouvé mon fait,
Pour me faire une femme au gré de mon souhait.
Je l'ai donc retirée ; et, comme ma demeure
À cent sortes de monde est ouverte à toute heure,
Je l'ai mise à l'écart, comme il faut tout prévoir,
60   Dans cette autre maison où nul ne me vient voir ;
Et, pour ne point gâter sa bonté naturelle,
Je n'y tiens que des gens tout aussi simples qu'elle.

MOLIÈRE, *L'École des femmes*, Acte I, scène 1, v. 86-148.

Louis Jouvet dans le rôle d'Arnolphe (Théâtre de l'Athénée).

Guide de lecture : une éducation très spéciale

1. À quels détails voit-on qu'il s'agit d'une scène d'exposition, destinée à informer le spectateur sur la situation des personnages, leurs caractères et leurs projets ?

2. En quoi les paroles d'Arnolphe sont-elles à la fois absurdes et odieuses ?

3. Relevez les vers qui illustrent d'une part, son étroitesse d'esprit, et d'autre part, son égoïsme monstrueux.

4. Pourquoi, au fond, Arnolphe redoute-t-il tellement l'intelligence et l'instruction chez une femme ?

5. Quel rôle joue le personnage de Chrysalde ?

Vocabulaire

« Une tarte à la crème » : renseignez-vous sur les origines et la postérité de cette expression.

Réflexion, Recherche, Expression

1. Relisez les vers 45 à 48 : quel éclairage donnent-ils à cette scène ? Que vous apprennent-ils sur la société de cette époque ?

2. Lisez la suite de la pièce. Les précautions d'Arnolphe se révèlent-elles suffisantes pour lui assurer la possession d'Agnès ?

3 Comparez les propos d'Arnolphe à ceux de Chrysale, dans *L'École des femmes* (Acte II, sc. 7), et à ceux de Clitandre, dans *Les Femmes savantes* (Acte I, sc. 3, vers 218 et suivants).

UNE FEMME LIBRE

MOLIÈRE

George Dandin
(1668)

Scène de ménage

Le riche paysan George Dandin a épousé une « demoiselle », c'est-à-dire une fille noble, Angélique de Sottenville. Comme son prénom ne l'indique pas, elle trompe allégrement son mari. Tandis qu'elle-même et son galant, Clitandre, communiquent par signes derrière le dos du mari bafoué, celui-ci réprimande sa femme, qui lui répond par une véritable déclaration d'indépendance.

GEORGE DANDIN. — Le voilà qui vient rôder autour de vous.

ANGÉLIQUE. — Hé bien, est-ce ma faute ? Que voulez-vous que j'y fasse ?

GEORGE DANDIN. — Je veux que vous y fassiez ce que fait une femme qui ne veut plaire qu'à son mari. Quoi qu'on en puisse dire, les galants n'obsèdent jamais que quand on le veut bien. Il y a un certain air doucereux qui les attire, ainsi que le miel fait les mouches ; et les honnêtes femmes ont des manières qui les savent chasser d'abord.

ANGÉLIQUE. — Moi, les chasser ? et par quelle raison ? Je ne me scandalise point qu'on me trouve bien faite, et cela me fait du plaisir.

10 GEORGE DANDIN. — Oui. Mais quel personnage voulez-vous que joue un mari pendant cette galanterie ?

ANGÉLIQUE. — Le personnage d'un honnête homme qui est bien aise de voir sa femme considérée.

GEORGE DANDIN. — Je suis votre valet. Ce n'est pas là mon compte, et les Dandins ne sont point accoutumés à cette mode-là.

15 ANGÉLIQUE. — Oh ! les Dandins s'y accoutumeront s'ils veulent. Car, pour moi, je vous déclare que mon dessein n'est pas de renoncer au monde et de m'enterrer toute vive dans un mari. Comment ! parce qu'un homme s'avise de nous épouser, il faut d'abord que toutes choses soient finies pour nous, et que nous rompions tout commerce avec les vivants ? C'est

20 une chose merveilleuse que cette tyrannie de Messieurs les maris, et je les trouve bons de vouloir qu'on soit morte à tous les divertissements, et qu'on ne vive que pour eux. Je me moque de cela, et ne veux point mourir si jeune.

25 GEORGE DANDIN. — C'est ainsi que vous satisfaites aux engagements de la foi que vous m'avez donnée publiquement ?

ANGÉLIQUE. — Moi ? Je ne vous l'ai point donnée de bon cœur, et vous me l'avez arrachée. M'avez-vous, avant le mariage, demandé mon consentement et si je voulais bien de vous ? Vous n'avez consulté, pour cela, que

30 mon père et ma mère ; ce sont eux proprement qui vous ont épousé, et c'est pourquoi vous ferez bien de vous plaindre toujours à eux des torts que l'on pourra vous faire. Pour moi, qui ne vous ai point dit de vous marier avec moi et que vous avez prise sans consulter mes sentiments, je prétends n'être point obligée à me soumettre en esclave à vos volontés ;

35 et je veux jouir, s'il vous plaît, de quelque nombre de beaux jours que m'offre la jeunesse, prendre les douces libertés que l'âge me permet, voir un peu de beau monde, et goûter le plaisir de m'ouïr dire des douceurs. Préparez-vous-y, pour votre punition, et rendez grâces au Ciel de ce que je ne suis pas capable de quelque chose de pis.

40 GEORGE DANDIN. — Oui ! c'est ainsi que vous le prenez. Je suis votre mari, et je vous dis que je n'entends pas cela.

ANGÉLIQUE. — Moi, je suis votre femme, et je vous dis que je l'entends.

GEORGE DANDIN, *à part.* — Il me prend des tentations d'accommoder tout son visage à la compote, et le mettre en état de ne plaire de sa vie aux diseurs
45 de fleurettes. Ah ! allons, George Dandin ; je ne pourrais me retenir, et il vaut mieux quitter la place.

MOLIÈRE, *George Dandin*, Acte II, scène 4.

Angélique (Zabou) et George Dandin (Claude Brasseur) dans la mise en scène de Roger Planchon (T.N.P., 1987).

Guide de lecture : une forte tête

1. Comparez le début et la fin de la scène : quel est, d'Angélique ou de George Dandin, le personnage dominant ?

2. À quel moment s'effectue le renversement de situation ?

3. Quelle conception du mariage George Dandin défend-il ? Sur quelles valeurs repose-t-elle ?

4. Quel point de vue Angélique lui oppose-t-elle avec force ?

5. Quelle impression Angélique vous donne-t-elle ? Vous semble-t-elle plutôt frivole, « forte femme », ou révoltée ?

6. Appréciez le ton de cette scène et relevez les éléments de comique.

Recherche, Réflexion, Expression

Molière et les femmes

1. Lisez d'autres comédies de Molière (notamment *Tartuffe, Le Misanthrope, Dom Juan*). Les femmes vous semblent-elles plus maltraitées que les hommes ? Y a-t-il chez Molière des défauts spécifiquement féminins ? Ou bien sont-ils également représentés chez les deux sexes ?

2. À travers *Les Femmes savantes, Les Précieuses ridicules* et *L'École des femmes*, essayez de définir la position de Molière sur le problème de l'éducation féminine.

3. Recherchez, dans d'autres comédies de Molière, des portraits de femmes sympathiques et attachantes (ex. : Elmire et Dorine, dans *Tartuffe* ; Éliante, dans *Le Misanthrope* ; Dona Elvire dans *Dom Juan*). Quelles qualités Molière met-il surtout en valeur chez elles ?

3. La scène moderne

LE COMIQUE « UBUESQUE »

ALFRED JARRY

Ubu roi
(1896)

Alfred Jarry (1873-1907) est avant tout l'inventeur d'un personnage : le père Ubu, qui est au centre d'une œuvre théâtrale à la fois virulente et cocasse. La dramaturgie de Jarry se caractérise par la schématisation des caractères, des actions, du décor et par le refus du réalisme et de la psychologie. Autant de procédés qui produisent un effet de « distanciation » avant la lettre, et annoncent les tendances majeures du théâtre au XXᵉ siècle.
Œuvres principales : *Ubu roi* (1896); *Ubu enchaîné* (1900); *Ubu sur la butte* (réduction d'*Ubu roi* en deux actes pour marionnettes, 1901); les deux *Almanachs du père Ubu* (1899 et 1901).

1. **Estafier** : *anciennement « laquais », puis garde du corps (péjoratif).*

« Si j'étais roi... »

L'idée d'Ubu est née à la fin du siècle dernier de l'imagination collective des élèves du lycée de Rennes, qui ont voulu à travers lui ridiculiser l'un de leurs professeurs. On peut y voir aussi une parodie de Macbeth, le héros de Shakespeare, qui, à l'instigation de son épouse, assassine le roi d'Écosse, son hôte, afin de s'emparer du pouvoir : en effet, après avoir renversé son bienfaiteur, le roi de Pologne, Ubu, personnage lâche et grotesque, fait massacrer la famille royale. Il devient ensuite un despote sanglant, gouvernant en dépit du bon sens et exterminant ceux qui le contredisent ou le gênent. Caricature du despote avide et imbécile, bardé de titres ronflants et dérisoires, Ubu n'est pas seulement une satire de la bourgeoisie mais bien plutôt, selon les termes de Jarry, le « double ignoble » dans lequel le public répugne à se reconnaître.

Dans la scène suivante, qui est la première de la pièce, il n'est cependant encore qu'un « monstre naissant ».

PÈRE UBU. — Merdre !

MÈRE UBU. — Oh ! Voilà du joli, Père Ubu, vous êtes un fort-grand voyou.

PÈRE UBU. — Que ne vous assom'je, Mère Ubu !

MÈRE UBU. — Ce n'est pas moi, Père Ubu, c'est un autre qu'il faudrait
5   assassiner.

PÈRE UBU. — De par ma chandelle verte, je ne comprends pas.

MÈRE UBU. — Comment, Père Ubu, vous êtes content de votre sort ?

PÈRE UBU. — De par ma chandelle verte, merdre, madame, certes oui, je suis
    content. On le serait à moins : capitaine de dragons, officier de confiance
10   du roi Venceslas, décoré de l'ordre de l'Aigle Rouge de Pologne et ancien
    roi d'Aragon, que voulez-vous de mieux ?

MÈRE UBU. — Comment ! Après avoir été roi d'Aragon vous vous contentez
    de mener aux revues une cinquantaine d'estafiers¹ armés de coupe-choux,
    quand vous pourriez faire succéder sur votre fiole la couronne de Pologne
15   à celle d'Aragon ?

PÈRE UBU. — Ah ! Mère Ubu, je ne comprends rien de ce que tu dis.

MÈRE UBU. — Tu es si bête !

PÈRE UBU. — De par ma chandelle verte, le roi Venceslas est encore bien
    vivant ; et même en admettant qu'il meure, n'a-t-il pas des légions
20   d'enfants ?

MÈRE UBU. — Qui t'empêche de massacrer toute la famille et de te mettre à
    leur place ?

PÈRE UBU. — Ah ! Mère Ubu, vous me faites injure et vous allez passer tout
    à l'heure à la casserole.

25 MÈRE UBU. — Eh ! pauvre malheureux, si je passais par la casserole, qui te
    raccommoderait tes fonds de culotte ?

PÈRE UBU. — Eh vraiment ! et puis après ? N'ai-je pas un cul comme les
    autres ?

MÈRE UBU. — À ta place, ce cul, je voudrais l'installer sur un trône. Tu
pourrais augmenter indéfiniment tes richesses, manger fort souvent de
l'andouille et rouler carrosse par les rues.

PÈRE UBU. — Si j'étais roi, je me ferais construire une grande capeline comme
celle que j'avais en Aragon et que ces gredins d'Espagnols m'ont
impudemment volée.

MÈRE UBU. — Tu pourrais aussi te procurer un parapluie et un grand caban
qui te tomberait sur les talons.

PÈRE UBU. — Ah ! je cède à la tentation. Bougre de merdre, merdre de bougre,
si jamais je le rencontre au coin d'un bois, il passera un mauvais quart
d'heure.

MÈRE UBU. — Ah ! Bien, Père Ubu, te voilà devenu un véritable homme.

PÈRE UBU. — Oh non ! moi, capitaine de dragons, massacrer le roi de Pologne !
plutôt mourir !

MÈRE UBU, *à part.* — Oh ! merdre ! (haut) Ainsi, tu vas rester gueux comme
un rat, Père Ubu ?

PÈRE UBU. — Ventrebleu, de par ma chandelle verte, j'aime mieux être gueux
comme un maigre et brave rat que riche comme un méchant et gras chat.

MÈRE UBU. — Et la capeline ? et le parapluie ? et le grand caban ?

PÈRE UBU. — Eh bien, après, Mère Ubu ?

Il s'en va en claquant la porte.

MÈRE UBU, *seule.* — Vrout, merdre, il a été dur à la détente, mais vrout,
merdre, je crois pourtant l'avoir ébranlé. Grâce à Dieu et à moi-même,
peut-être dans huit jours serai-je reine de Pologne.

ALFRED JARRY, *Ubu roi*, Acte I, sc. 1.

Guide de lecture : un comique « hénaurme »

1. Les personnages
- Quels sont les traits de caractère dominants du père Ubu ? de la mère Ubu ? Qui mène le jeu ? Lequel des deux vous semble le plus odieux ?
- D'après cette scène, peut-on dire que Jarry élimine toute psychologie ?

2. Satire et parodie
- Dans quelle mesure la mère Ubu peut-elle apparaître comme une réplique parodique de Lady Macbeth ?
- En quoi les ambitions et les appétits de ce couple reflètent-ils un esprit « petit bourgeois » ?

3. Les sources du comique
- Différents procédés comiques sont mis en œuvre pour donner une tonalité grotesque à cette scène. Relevez-les, puis classez-les selon leur nature : — comique de situation ; — comique de caractères (humour noir, cynisme, naïveté, vanité...) ; — comique du langage (langage trivial, injures, mots déformés, boursouflure...).
- L'adjectif « ubuesque » est passé dans le langage courant : quelle définition en donneriez-vous après avoir étudié cette scène ?

Recherche, Réflexion, Expression

Comparez cette scène d'introduction et d'« exposition » à celles des pièces classiques que vous connaissez. Quelles différences profondes constatez-vous ? Dans quelle mesure Jarry respecte-t-il néanmoins les lois du genre ?

Max Ernst. Ubu imperator *(1923).*

LE VAUDEVILLE

GEORGES
FEYDEAU

*La Dame de
chez Maxim's*
(1899)

Georges Feydeau (1862-1921)
est l'observateur, témoin et
complice de cette société « fin
de siècle » qui devait s'éteindre
en 1914. Il porte à son point de
perfection le genre du vaudeville : situations cocasses, péripéties tumultueuses et absurdes,
sens de l'inattendu et vivacité du
mouvement caractérisent son
théâtre, à mi-chemin entre farce
et comédie. Quant à ses personnages, ils sont à la fois dénués de
réalité et étrangement conformes, dans leur inconséquence,
aux modèles que propose la vie.
Œuvres principales : *Un fil à la
patte* (1894), *La Dame de chez
Maxim's* (1899), *Occupe-toi
d'Amélie* (1908), *Mais n'te promène donc pas toute nue* (1912).

« C'est le dernier genre à Paris »

*Le docteur Petypon, un médecin sérieux et compétent, s'est laissé un soir entraîner
chez Maxim's par son confrère le docteur Mongicourt et, n'ayant pas l'habitude de
boire, il s'est enivré au point de ne plus savoir ce qu'il faisait. Le lendemain matin, en
se réveillant avec un fort mal de tête, il découvre avec stupeur qu'il a entraîné chez lui
une fille de petite vertu, « la Môme Crevette ». Il s'apprête à la chasser avant que
madame Petypon ne découvre sa présence, lorsque le général Petypon du Grêlé, oncle
du docteur, fait son entrée. Apercevant « la Môme » en compagnie de son neveu, il en
déduit qu'il est en présence de la femme de ce dernier, qu'il ne connaissait pas encore.
Plutôt que de se lancer dans de délicates explications, le docteur préfère laisser son oncle
dans l'erreur. Or, le général vient inviter Petypon et sa femme au mariage de sa nièce
Clémentine, dans son château de Touraine. Pris au piège de son mensonge, le docteur
annonce à sa femme qu'on l'appelle pour une opération urgente et se rend en Touraine
en compagnie de « la Môme », très inquiet néanmoins quant à l'effet que les manières
et le langage vulgaires de celle-ci risquent de produire dans la bonne société provinciale
conviée par le général...*

LE SOUS-PRÉFET, *arrivant à la suite de Petypon, par la porte de gauche.* — Tous
   mes remerciements, cher monsieur !
PETYPON, *distrait, tout à la préoccupation de retrouver la Môme*[1]. — Certainement, monsieur ! certainement. (*Bondissant en apercevant la Môme assise
5   sur sa chaise, le corps en avant, les bras sur les genoux et la croupe saillante,
   causant avec la duchesse.*) Nom d'un chien ! La Môme avec la duchesse !

Il court à elle et, du revers de la main, lui envoie une claque cinglante sur la croupe.

LA MÔME, *se redressant sous la douleur.* — Chameau !
LA DUCHESSE, *étonnée.* — Comment ?
LA MÔME, *très femme du monde.* — Non, je cause avec mon mari !... (*Se levant.*)
10   Pardon ! Vous permettez ?
LA DUCHESSE. — Je vous en prie !
LA MÔME, *allant retrouver Petypon qui s'est aussitôt écarté au milieu de la scène.*
   — Quoi ? qu'est-ce qu'il y a ?
PETYPON, *à mi-voix à la Môme.* — Tu es folle de te lancer avec la duchesse !
LA MÔME. — Ah ! non ! Tu vas pas recommencer, hein ?
15 PETYPON, *tenace.* — Qu'est-ce que tu lui as dit ?... De quoi as-tu parlé ?
LA MÔME. — J'y ai parlé de ce qui m'a plu ! Et puis, si tu n'es pas content,
   zut ! (*Enjambant la chaise du milieu qui est entre elle et Petypon.*) Eh ! allez
   donc, c'est pas mon père[2] !

Elle gagne l'extrême droite.

PETYPON, *comme s'il avait reçu un coup de pied dans les reins.* — Oh !
20 TOUT LE MONDE, *stupéfait.* — Ah !

*Les assis se sont levés. Mesdames Virette, la baronne, Ponant, Hautignol,
descendent devant la queue du piano. La duchesse, par la suite accompagnée de
madame Vidauban et de Vidauban, ira rejoindre madame Claux au buffet.*

LA MÔME, *ayant subitement conscience de son étourderie et toute confuse.* — Oh !
PETYPON, *désespéré.* — V'lan ! Ça devait arriver !

1. *Petypon, redoutant les
vulgarités qui peuvent
échapper à « la Môme », la
surveille constamment, et
s'efforce de ne jamais la
quitter.*

2. *Cette réplique, d'une
élégance douteuse, est l'une
des favorites de « la Môme ».
C'est sur celle-ci, du reste, que
s'achèvera la pièce.*

Mise en scène de Jean-Paul Roussillon pour la Comédie Française (1981).

25 LE GÉNÉRAL, *qui était au-dessus du piano, descendant par l'extrême gauche jusque devant le piano et d'un ton ravi*[3]. — Ah ! ah ! elle est très amusante avec son tic : (*L'imitant.*) « Eh ! allez donc, c'est pas mon père ! »

En ce disant il remonte par le milieu de la scène et va retrouver la duchesse au buffet.

PETYPON, *saisissant la balle au bond et tout en passant d'une invitée à l'autre en commençant par la gauche.* — Oui !... Oui ! C'est le dernier genre à
30   Paris !... Toutes ces dames du faubourg Saint-Germain[4] font ce petit !...

Il simule le geste.

LA MÔME, *de son coin à droite, corroborant*[5]. — Oui !... oui !

TOUT LE MONDE, *étonné.* — Ah ?... Ah ?

PETYPON. — C'est une mode qui a été lancée par la princesse de Waterloo et la baronne Sussemann !... Et, comme elles donnent le ton, à Paris,
35   alors !...

LA MÔME. — Oui ! Oui !

Murmures confus : « Ah ! que c'est drôle !... Ah ! que c'est curieux ! Drôle de mode ! Où va-t-on chercher ces choses-là ! etc. »

PETYPON, *en appelant à madame Vidauban qui, du buffet, s'est détachée, suivie
40   de Vidauban, pour se rapprocher du groupe du milieu.* — N'est-ce pas, madame Vidauban ?

MADAME VIDAUBAN, *à gauche de Petypon, avec assurance.* — Oui ! Oui !

3. *Depuis le début de la pièce, en effet, le général se déclare ravi de la vivacité et du naturel de sa « nièce ».*

4. *Quartier « chic » de Paris, où réside l'aristocratie.*

5. *confirmant ses propos.*

PETYPON, *enchanté de cet appui inespéré.* — Là ! Vous voyez : madame Vidauban, qui est au courant des choses de Paris, vous dit aussi !...

Étonnement général.

45 MADAME HAUTIGNOL, *à madame Vidauban.* — Comment, vous le saviez ?

MADAME VIDAUBAN, *avec un aplomb imperturbable.* — Mais, évidemment, je le savais !

MADAME PONANT, *même jeu.* — C'est drôle ! nous ne vous l'avons jamais vu faire !

50 MADAME VIDAUBAN. — À moi ? Ah ! bien, elle est bonne ! Mais toujours ! Mais tout le temps ! N'est-ce pas, Roy ?

VIDAUBAN, *de confiance.* — Oui, ma bonne amie !

MADAME VIDAUBAN. — Ça c'est fort !... Vous ne me l'avez jamais vu faire ? Ah ! ben... ! (*Enjambant la chaise du milieu à l'instar de la Môme.*) Eh ! 55 allez donc ! c'est pas mon père !

TOUT LE MONDE, *étonné.* — Ah !

PETYPON. — Ouf !

LA MÔME, *en délire, traversant la scène en applaudissant des mains et en gambadant comme une gosse.* — Elle l'a fait !... elle l'a fait !... elle l'a fait !

60 PETYPON, *la rattrapant par la queue de sa robe au moment où elle passe devant lui et courant à sa suite.* — Allons, voyons !... Allons, voyons !

Arrivée au piano, par un crochet en demi-cercle, toujours en gambadant, la Môme remonte au buffet, avec Petypon toujours à ses trousses.

LE SOUS-PRÉFET, *qui est à l'extrême gauche du piano, à sa femme qui est près de lui*[6]. — Eh bien, tu vois, ma chère amie, ce sont ces petites choses-là qu'il faut connaître ! ce sont des riens !... mais c'est à ces riens-là qu'on 65 reconnaît la Parisienne. Étudie, ma chère amie ! étudie !

Il remonte par l'extrême gauche.

MADAME SAUVAREL. — Oui ! oui !

Immédiatement elle prend la première chaise qui est devant le piano, l'apporte à l'extrême gauche presque contre le mur, puis, avec acharnement, s'applique maladroitement à l'enjamber à plusieurs reprises, en répétant chaque fois à voix basse : « Eh ! allez donc, c'est pas mon père ! »

GEORGES FEYDEAU, *La Dame de chez Maxim's*, Acte II, scène 4.

6. *M. Sauvarel, le sous-préfet a déjà fait ses recommandations à son épouse : « Je t'ai dit de bien observer comment toutes ces dames parlent... agissent... se tiennent... afin de prendre modèle ! Ça peut me servir pour ma carrière. »*

Guide de lecture : « Eh ! allez donc... »

Comment lancer une mode

1. Pourquoi Petypon veut-il empêcher « la Môme » de bavarder avec la duchesse ?

2. Comment « la Môme » réagit-elle ?

3. Quelle est la première réaction des invités ?

4. De quelle façon le général sauve-t-il, inconsciemment, la situation ?

5. Comment Petypon saisit-il « la balle au bond » ?

6. Comment expliquez-vous la réaction de madame Vidauban ? Et celle des autres invités, à sa suite ?

7. Distinguez les grandes parties de la scène.

Les personnages

D'après les répliques et les indications scéniques, précisez comment se manifestent :
— le malaise permanent de Petypon,
— la vulgarité de « la Môme »,
— le snobisme de la « bonne société » provinciale.

Une scène animée

Relisez attentivement les indications scéniques nombreuses et très précises données par l'auteur, et montrez l'importance des gestes et du mouvement des acteurs sur la scène.

Expression

Madame Petypon — la vraie — ne va pas tarder à arriver car elle a reçu, juste après le départ de son mari, l'invitation écrite envoyée par le général. Imaginez la scène...

L'ABSURDE

EUGÈNE
IONESCO

*La Cantatrice
chauve*
(1950)

Dans l'œuvre d'**Eugène Ionesco**, dramaturge d'origine roumaine (né en 1912), le comique, fondé sur le sentiment de l'absurde, voisine avec le désespoir. Les thèmes de l'ennui et de l'enlisement, de l'impuissance devant la mort, la hantise du fanatisme idéologique sont omniprésents dans ses pièces : *La Cantatrice chauve* (1950), *Les Chaises* (1952), *Amédée ou Comment s'en débarrasser* (1954), *Rhinocéros* (1959), *Le roi se meurt* (1962). Dans son *Journal en miettes* (1967-1968), Ionesco donne les clés de son univers intérieur et de ses obsessions.

« Comme c'est curieux »

Le nom d'Eugène Ionesco est associé à la révolution théâtrale qui, dans les années 1950, a bouleversé la conception traditionnelle de l'intrigue, de la logique et du langage dramatiques. Sa première pièce, La Cantatrice chauve, *considérée aujourd'hui comme le classique du théâtre comique moderne, a été rédigée en marge d'un manuel de la méthode « Assimil » auquel de nombreuses répliques ont été empruntées. En démontant et en déréglant les mécanismes d'un langage banal et stéréotypé, Ionesco parvient à dénoncer le caractère factice des habitudes sociales et l'absurdité du monde.*

À la scène 4, deux personnages, un homme et une femme, face à face, attendent d'être reçus par leurs hôtes...

Mme et M. Martin s'assoient l'un en face de l'autre, sans se parler. Ils se sourient, avec timidité.

M. MARTIN. *Le dialogue qui suit doit être dit d'une voix traînante, monotone, un peu chantante, nullement nuancée.* — Mes excuses, madame, mais il me semble, si je ne me trompe, que je vous ai déjà rencontrée quelque part.

MME MARTIN. — À moi aussi, monsieur, il me semble que je vous ai déjà
5   rencontré quelque part.

M. MARTIN. — Ne vous aurais-je pas déjà aperçue, madame, à Manchester, par hasard ?

MME MARTIN. — C'est très possible. Moi, je suis originaire de la ville de Manchester ! Mais je ne me souviens pas très bien, monsieur, je ne
10   pourrais pas dire si je vous y ai aperçu, ou non !

M. MARTIN. — Mon Dieu, comme c'est curieux ! Moi aussi je suis originaire de la ville de Manchester, madame !

MME MARTIN. — Comme c'est curieux !

M. MARTIN. — Comme c'est curieux !... Seulement, moi madame, j'ai quitté
15   la ville de Manchester, il y a cinq semaines, environ.

MME MARTIN. — Comme c'est curieux !... quelle bizarre coïncidence ! Moi aussi, monsieur, j'ai quitté la ville de Manchester, il y a cinq semaines, environ.

M. MARTIN. — J'ai pris le train d'une demie après huit le matin, qui arrive à
20   Londres à un quart avant cinq, madame.

MME MARTIN. — Comme c'est curieux ! comme c'est bizarre ! et quelle coïncidence ! J'ai pris le même train, monsieur, moi aussi !

M. MARTIN. — Mon Dieu, comme c'est curieux ! peut-être bien alors, madame, que je vous ai vue dans le train ?

25 MME MARTIN. — C'est bien possible, ce n'est pas exclu, c'est plausible et, après tout, pourquoi pas !... Mais je n'en ai aucun souvenir, monsieur !

M. MARTIN. — Je voyageais en deuxième classe, madame. Il n'y a pas de deuxième classe en Angleterre, mais je voyage quand même en deuxième classe.

30 MME MARTIN. — Comme c'est bizarre, que c'est curieux, et quelle coïncidence ! moi aussi, monsieur, je voyageais en deuxième classe !

M. MARTIN. — Comme c'est curieux ! Nous nous sommes peut-être bien rencontrés en deuxième classe, chère madame !

MME MARTIN. — La chose est bien possible et ce n'est pas du tout exclu. Mais
35   je ne m'en souviens pas très bien, cher monsieur !

René Magritte, Golconde.

M. MARTIN. — Ma place était dans le wagon n° 8, sixième compartiment, madame !

MME MARTIN. — Comme c'est curieux ! ma place aussi était dans lé wagon n° 8, sixième compartiment, cher monsieur !

40 M. MARTIN. — Comme c'est curieux et quelle coïncidence bizarre ! Peut-être nous sommes-nous rencontrés dans le sixième compartiment, chère madame ?

MME MARTIN. — C'est bien possible, après tout ! Mais je ne m'en souviens pas, cher monsieur !

45 M. MARTIN. — À vrai dire, chère madame, moi non plus je ne m'en souviens pas, mais il est possible que nous nous soyons aperçus là, et, si j'y pense bien, la chose me semble même très possible !

MME MARTIN. — Oh ! vraiment, bien sûr, vraiment, monsieur !

M. MARTIN. — Comme c'est curieux !... J'avais la place n° 3, près de la fenêtre,
50 chère madame.

MME MARTIN. — Oh, mon Dieu, comme c'est curieux et comme c'est bizarre, j'avais la place n° 6, près de la fenêtre, en face de vous, cher monsieur.

M. MARTIN. — Oh, mon Dieu, comme c'est curieux et quelle coïncidence !... Nous étions donc vis-à-vis, chère madame ! C'est là que nous avons dû
55 nous voir !

MME MARTIN. — Comme c'est curieux ! C'est possible mais je ne m'en souviens pas, monsieur !

M. MARTIN. — À vrai dire, chère madame, moi non plus je ne m'en souviens pas. Cependant, il est très possible que nous nous soyons vus à cette
60 occasion.

MME MARTIN. — C'est vrai, mais je n'en suis pas sûre du tout, monsieur.

M. MARTIN. — Ce n'était pas vous, chère madame, la dame qui m'avait prié de mettre sa valise dans le filet et qui ensuite m'a remercié et m'a permis de fumer ?

65 MME MARTIN. — Mais si, ça devait être moi, monsieur ! Comme c'est curieux, comme c'est curieux, et quelle coïncidence !

M. MARTIN. — Comme c'est curieux, comme c'est bizarre, quelle coïncidence ! Eh bien alors, alors nous nous sommes peut-être connus à ce moment-là, madame ?

70 MME MARTIN. — Comme c'est curieux et quelle coïncidence ! c'est bien possible, cher monsieur ! Cependant, je ne crois pas m'en souvenir.

M. MARTIN. — Moi non plus, madame.

Un moment de silence. La pendule sonne 2-1.

M. MARTIN. — Depuis que je suis arrivé à Londres, j'habite rue Bromfield, chère madame.

75 MME MARTIN. — Comme c'est curieux, comme c'est bizarre ! moi aussi, depuis mon arrivée à Londres j'habite rue Bromfield, cher monsieur.

M. MARTIN. — Comme c'est curieux, mais alors, mais alors, nous nous sommes peut-être rencontrés rue Bromfield, chère madame.

MME MARTIN. — Comme c'est curieux ; comme c'est bizarre ! c'est bien
80 possible, après tout ! Mais je ne m'en souviens pas, cher monsieur.

M. MARTIN. — Je demeure au n° 19, chère madame.

MME MARTIN. — Comme c'est curieux, moi aussi j'habite au 19, cher monsieur.

M. MARTIN. — Mais alors, mais alors, mais alors, mais alors, mais alors, nous
85 nous sommes peut-être vus dans cette maison, chère madame ?

MME MARTIN. — C'est bien possible, mais je ne m'en souviens pas, cher monsieur.

M. MARTIN. — Mon appartement est au cinquième étage, c'est le n° 8, chère madame.

90 MME MARTIN. — Comme c'est curieux, mon Dieu, comme c'est bizarre, et quelle coïncidence ! moi aussi j'habite au cinquième étage, dans l'appartement n° 8, cher monsieur !

M. MARTIN, *songeur*. — Comme c'est curieux, comme c'est curieux, comme c'est curieux et quelle coïncidence ! vous savez, dans ma chambre à
95 coucher j'ai un lit. Mon lit est couvert d'un édredon vert. Cette chambre, avec ce lit et son édredon vert, se trouve au fond du corridor, entre les waters et la bibliothèque, chère madame !

MME MARTIN. — Quelle coïncidence, ah mon Dieu, quelle coïncidence ! Ma chambre à coucher a, elle aussi, un lit avec édredon vert et se trouve au
100 fond du corridor, entre les waters, cher monsieur, et la bibliothèque !

M. MARTIN. — Comme c'est bizarre, curieux, étrange ! alors, madame, nous habitons dans la même chambre et nous dormons dans le même lit, chère madame. C'est peut-être là que nous nous sommes rencontrés !

MME MARTIN. — Comme c'est curieux et quelle coïncidence ! C'est bien
105 possible que nous nous y soyons rencontrés, et peut-être même la nuit dernière. Mais je ne m'en souviens pas, cher monsieur !

M. MARTIN. — J'ai une petite fille, ma petite fille, elle habite avec moi, chère madame. Elle a deux ans, elle est blonde, elle a un œil blanc et un œil rouge, elle est très jolie, elle s'appelle Alice, chère madame.

110 MME MARTIN. — Quelle bizarre coïncidence ! moi aussi j'ai une petite fille, elle a deux ans, un œil blanc et un œil rouge, elle est très jolie et s'appelle aussi Alice, cher monsieur !

M. MARTIN, *même voix traînante, monotone.* — Comme c'est curieux et quelle coïncidence ! et bizarre ! c'est peut-être la même, chère madame !

115 MME MARTIN. — Comme c'est curieux ! c'est bien possible, cher monsieur.

Un assez long moment de silence... La pendule sonne vingt-neuf fois.

M. MARTIN, *après avoir longuement réfléchi, se lève lentement et, sans se presser, se dirige vers Mme Martin qui, surprise par l'air solennel de M. Martin, s'est levée, elle aussi, tout doucement ; M. Martin a la même voix rare, monotone, vaguement chantante.* — Alors, chère madame, je crois qu'il n'y a pas de

120 doute, nous nous sommes déjà vus et vous êtes ma propre épouse... Élisabeth, je t'ai retrouvée !

MME MARTIN, *s'approche de M. Martin sans se presser. Ils s'embrassent sans expression. La pendule sonne une fois, très fort. Le coup de la pendule doit être si fort qu'il doit faire sursauter les spectateurs. Les époux Martin ne l'entendent*

125 *pas.*

MME MARTIN. — Donald, c'est toi, darling !

Ils s'assoient dans le même fauteuil, se tiennent embrassés et s'endorment. La pendule sonne encore plusieurs fois.

EUGÈNE IONESCO, *La Cantatrice chauve*, scène 4

Mise en scène de Nicolas Bataille au Théâtre de La Huchette (1979).

Guide de lecture : d'étranges retrouvailles

Époux et étrangers

1. Relevez les différentes « découvertes » qui conduisent à la reconnaissance finale des deux époux.

2. En quoi la situation et le comportement des personnages peuvent-ils être qualifiés d'absurdes ? Sur quel paradoxe l'effet de comique repose-t-il ?

3. Comparez le début et la fin de la scène : dans quelle mesure peut-on dire que l'action a évolué ?

4. Interrogez-vous sur le nom des personnages : est-il en accord avec le contexte ? A-t-il une valeur symbolique ?

Lieux et temps

1. Comment imaginez-vous le décor de cette scène ? A-t-il ou non une importance ?

2. Relevez les éléments insolites ou bizarres qui interviennent dans le décor ou les lieux évoqués.

3. Quel rôle la pendule joue-t-elle dans cette scène ?

Le langage : une mécanique en folie

1. Les répétitions : quel effet produisent-elles ?
En quoi contribuent-elles à « déréaliser » le dialogue ?

2. Étudiez le mélange de banalités, de clichés et de fantaisie saugrenue dans le langage. Demandez-vous notamment quelles expressions ont pu être empruntées à un manuel d'apprentissage des langues vivantes.

Pour la mise en scène

1. Quel décor et quels costumes choisiriez-vous ?

2. Quelle tonalité souhaiteriez-vous donner à la scène ?

LE « WESTERN DE CHAMBRE »

RENÉ DE
OBALDIA

*Du vent
dans les branches
de sassafras*
(1965)

« Salut, Visages pâles ! »

La scène se déroule chez les Rockefeller, colons misérables du Kentucky : John-Emery, le type même du vieil homme robuste et « dur à cuire » et sa (forte) femme, Caroline, qui possède des dons de voyante extralucide. Leur ami William Butler, médecin, est très souvent en état d'ébriété avancée.

Caroline vient de lire dans sa boule de cristal qu'Œil-de-Perdrix et sa bande approchent de leur maison. Elle est encore plongée dans sa « lecture » lorsqu'Œil-de-Perdrix fait irruption dans la pièce...

Dramaturge et romancier français, **René de Obaldia** (né à Hong Kong en 1918) retient l'attention par son talent d'invention verbale et par son ironie irrévérencieuse. Ses romans : *Fugue à Waterloo* (1956), *Tamerlan des Cœurs* (1964) dénoncent les atrocités de l'Histoire dans un style néanmoins savoureux. L'écrivain se livre à la même entreprise de démolition dans ses nombreuses pièces, comme *Génousie*, parodie des colloques savants, *Le Satyre de la Villette* (1963), qui raille les modes de la télévision et de la sexualité, et *Du vent dans les branches de sassafras* (1965), qui parodie allégrement le western.

CAROLINE. — Ah ! Un Indien... Tout seul... Couvert de plumes sur un cheval au galop..., au triple galop... Il fonce vers notre maison... Évohé ! Évohé ! La terre résonne sous les sabots puissants du fougueux quadrupède... *(Bruits d'un cheval lancé au galop, les deux hommes*
5   *appliquant presque l'oreille sur la boule.)* ... Sa crinière flotte comme un drapeau... Le plumitif irrite le flanc de sa monture : plus vite, il va encore plus vite !... *(Les bruits du galop se rapprochent.)* ... Ses yeux flamboient..., son haleine brûle... Tel un éclair, il file... Il balaie l'espace et hop ! une haie... et hop ! un enclos, il bouscule la cascade, il vole, il...

Caroline se lève, toute droite. Hennissements tout proches d'un cheval. Puis la porte qui s'ouvre sous la poussée d'un violent coup de pied : un superbe Indien fait irruption chez les Rockefeller.

10 JOHN-EMERY. — Œil-de-Perdrix !

ŒIL-DE-PERDRIX. — Salut, Visages pâles !

JOHN-EMERY, *bas à William Butler qui vient de braquer sur l'Indien un revolver insoupçonné.* — Rengaine ton joujou, toubib... *(Haut.)* Œil-de-Perdrix ami. Triple ami...

. . . .

15 *(Présentant William Butler à Œil-de-Perdrix qui regarde le docteur avec méfiance — d'un mauvais œil.)* Docteur Butler, sorcier..., grand sorcier.

ŒIL-DE-PERDRIX, *à l'adresse dudit.* — Salut, Visage blême !

WILLIAM BUTLER, *très mal à l'aise.* — Salut, Visage écarlate !

JOHN-EMERY, *bas.* — Attention à ce que tu dis, ils sont très susceptibles...
20   *(Désignant Caroline à peine revenue à elle.)* Tu connais ma femme ? C'est toujours la même.

CAROLINE. — Monsieur...

Le Peau-Rouge ne bronche pas.

JOHN-EMERY, *sur un ton faussement jovial.* — Avance, Œil-de-Perdrix ; ne reste pas là, debout, drapé dans tes plumes... Sois le bienvenu sous notre toit.
25 ŒIL-DE-PERDRIX, *avançant de deux pas.* — Salut, mon colon !

JOHN-EMERY. — Salut, toi-même !

ŒIL-DE-PERDRIX. — Salut, Potakiki !

JOHN-EMERY. — Salut à toi, Sacré Mangeur de Caribou, Pourvoyeur de Foudre et de Cacao !

30 ŒIL-DE-PERDRIX. — Fécondes soient tes paroles blanches !

Mise en scène de Jacques Rosny, en 1981, avec Jean Marais.

JOHN-EMERY. — Que fécond soit ton verbe coloré... Daigneras-tu te plier sur ce tabouret ? (*Il lui avance le siège, Œil-de-Perdrix s'assied avec une écrasante dignité, John-Emery, bas à Caroline.*) Toi, reste pas là. Les Indiens n'aiment pas que les femmes s'introduisent dans les conversa-
35   tions. Occupe-toi. Tricote. Fais semblant d'être ailleurs.

Caroline retourne à ses casseroles.

. . . .

JOHN-EMERY, *à notre rouge héros.* — Et maintenant, parle, Œil-de-Perdrix. Tu peux parler... Les murs n'ont pas d'oreilles. (*Silence d'Œil-de-Perdrix.*) Les poules n'ont pas de dents.
OEIL-DE-PERDRIX. — La queue du renard balaie araignée.
40   JOHN-EMERY. — L'araignée ne mange pas ses pattes.
OEIL-DE-PERDRIX. — Œuf d'autruche fait pas le printemps.
WILLIAM BUTLER. — Et le printemps ne fait pas le moine.
Un temps.
OEIL-DE-PERDRIX. — Quand rivière gelée, poisson vole.
45   JOHN-EMERY. — Amène-moi ta p'tite sœur, j' te dirai qui tu es.
WILLIAM BUTLER, *bas.* — Ça peut durer longtemps !
OEIL-DE-PERDRIX. — Quand cheval s'endort, moustique grossit.
JOHN-EMERY. — Il est plus facile de paraître digne des emplois que l'on n'a pas que de ceux que l'on exerce. La Bruyère.
50   WILLIAM BUTLER, *entre ses dents.* — Si c'est pas malheureux ! Pendant ce temps-là, Œil-de-Lynx...

Au nom d'Œil-de-Lynx, Œil-de-Perdrix, dont on appréciera l'oreille aiguisée, se dresse comme un ressort. Ses yeux fulminent. D'affreux rictus parcourent son noble visage.

OEIL-DE-PERDRIX, *à William Butler.* — Œil-de-Lynx ! Si ! Œil-de-Lynx !... Toi, sorcier !... Œil-de-Lynx ! Puah !... (*Trépignant sur place.*) Coca ! Coca ! Dakota !... Coca !
55   JOHN-EMERY, *l'imitant.* — Dakota ! Coca !... (*Bas à William.*) Il peut pas blairer son confrère. Plus de cent ans que tous les deux ils cherchent à se scalper mutuellement.

ŒIL-DE-PERDRIX. — Œil-de-Lynx. (*Montrant William Butler.*) Lui, sorcier !

JOHN-EMERY. — J' te l'avais dit, Œil-de-Perdrix, lui, Grand Sorcier.

60 ŒIL-DE-PERDRIX, *toujours dans une agitation extrême.* — Œil-de-Lynx... (*Il fait le geste de déterrer une hache.*)

JOHN-EMERY. — Œil-de-Lynx a déterré la hache de guerre ?

ŒIL-DE-PERDRIX. — Oye ! Oye !

JOHN-EMERY. — La boule, mes agneaux, la boule ! Et preuve qu'il faisait le
65 mort pour mieux nous sauter sur le poil, le fumier !... Dis-moi, mon brave, à combien tu évalues les forces de l'adversaire ?

ŒIL-DE-PERDRIX. — Œil-de-Lynx, Pied-de-Poule, Renard-Subtil...

JOHN-EMERY. — Renard-Subtil aussi ! Il a réussi à entraîner Renard-Subtil avec lui ?

70 ŒIL-DE-PERDRIX. — Oye ! Renard-Subtil, Œil-de-Faucon, Pied-de-Poule, Rat-Musqué, Cheval-Dingue, Bœuf-Congelé, Nuage-Rouge, Bison-Ardent...

JOHN-EMERY. — Cristi ! Toutes les tribus ! C'est un soulèvement général !

WILLIAM BUTLER, *de plus en plus chiffe molle.* — La fin des haricots.

75 ŒIL-DE-PERDRIX. — Oye ! Oye ! (*Il trace le signe + dans l'air.*)

. . . .

JOHN-EMERY. — Quoi ? Qu'est-ce que tu dis ? Encore plus. Y'en a encore plus ?

ŒIL-DE-PERDRIX. — Oye ! Visages-Pâles-Panpan-Diligence. Visages-Pâles-Panpan-Diligence.

80 JOHN-EMERY. — La bande à Calder !

ŒIL-DE-PERDRIX. — Oye !

WILLIAM BUTLER. — La fin des fins des haricots !

RENÉ DE OBALDIA, *Du vent dans les branches de sassafras* (scène 4) © éd. Grasset.

Guide de lecture : un western parodique

Un coup de théâtre

1. Sur quel ton Caroline s'exprime-t-elle lorsqu'elle lit dans sa boule de cristal ?

2. Lisez attentivement les trois premières didascalies. Quel effet produisent-elles ?

3. Dans quelle mesure la boule de cristal permet-elle de prévoir la suite des événements ?

4. Pourquoi Caroline n'intervient-elle plus par la suite ?

Visages pâles, langage coloré

1. Quelle stratégie John-Emery adopte-t-il à l'égard d'Œil-de-Perdrix ? Étudiez dans son langage le mélange de fausse solennité et de familiarité.

2. Les salutations rituelles : quel rôle jouent-elles dans le dialogue ? En quoi sont-elles comiques ?

3. L'échange de proverbes : lesquels reconnaissez-vous au passage ? Lesquels sont de pure fantaisie ? Appartiennent-ils tous au même niveau de langage ?

4. Quel rôle William Butler joue-t-il dans la scène ? En quoi peut-il être qualifié de « sorcier » ?

5. Parmi les noms d'Indiens cités, lesquels pourraient figurer dans un western classique ? Lesquels sont parodiques ?

6. Trouvez dans cette scène d'autres sources de comique ou de fantaisie.

Recherche, Réflexion, Expression

1. Qu'est-ce qu'un « plumitif » ? En quoi ce terme est-il amusant dans le contexte ? Retrouvez dans le texte d'autres allusions aux plumes de l'Indien.

2. Dans ses textes, Obaldia prend souvent un mot au pied de la lettre, puis le fait glisser au sens figuré. Étudiez ce procédé dans cette scène et chez d'autres auteurs contemporains (Boris Vian, Raymond Devos).

3. Pastiches de proverbes : cherchez-en d'autres exemples (Pierre Dac, Pierre Desproges) et inventez-en vous-mêmes.

LE THÉÂTRE POLITIQUE

VACLAV HAVEL

Vernissage (1979)

Vaclav Havel, né en 1936, est l'un des écrivains tchèques les plus connus et les plus traduits à l'étranger. Ses pièces ont eu un vif succès dans son pays jusqu'en 1968; cependant, en raison de ses prises de position politiques, il s'est vu interdire de publication en Tchécoslovaquie. Après avoir été emprisonné, il est aujourd'hui assigné à résidence.
Parmi ses pièces les plus jouées en France : *Vernissage* (1979), *Comme la nuit sur le jour* (1982), *L'Enfer du décor* (1984).

« Un bonheur égal au nôtre... »

Trois personnages : Michael, Ferdinand et Véra ont combattu ensemble la montée du totalitarisme dans leur pays. On les retrouve dix ans après. Le pays est occupé, et ils ont suivi des voies différentes : Véra et Michael se sont mariés et jouent le jeu du pouvoir ; Ferdinand, lui, continue la lutte.

Le couple a invité Ferdinand pour pendre la crémaillère dans leur nouvel appartement : c'est leur petit « vernissage ». Entre petits fours, scotch, discours sur l'art, le bien-être... se glisse lentement la tragédie de ceux qui n'ont plus leur conscience pour eux. C'est pourquoi ils ont besoin de l'approbation et du regard de cet ami dont la vie, délabrée entre le bistrot et la politique, ne leur paraît pas enrichissante, mais qui a gardé sa conscience.

Dans toute la pièce, la force de Havel est de jongler constamment entre une apparence de comique et un arrière-plan profondément tragique. Dans la dernière scène, la tension s'est exacerbée : loin de répondre aux propositions et aux pressions du couple Véra-Michael, Ferdinand s'apprête à partir...

VÉRA. — Tu es intelligent au fond, tu es travailleur — et, qui plus est, tu as du talent. Tes écrits l'ont prouvé. D'où te vient cette panique soudaine qui t'empêche de lutter ?

MICHAEL. — La vie est dure, et le monde est coupé en deux. Ce pays est tombé
5   aux oubliettes de l'Histoire et le monde s'en fiche pas mal. Plus ça va, plus notre destin est pourri, et tu n'y peux rien. Alors à quoi bon se cogner la tête contre les murs ? À quoi bon se jeter au-devant des baïonnettes ?

VÉRA. — Ne sois donc pas un imbécile, trouve ton chemin à toi !

10 MICHAEL. — Personne ne prétend qu'il soit facile de briser ce cercle infernal, mais c'est ton unique chance et tu dois la jouer. De nos jours, c'est chacun pour soi, tu le sais très bien, et je suis persuadé que tu as les reins assez costauds pour affronter cette solitude.

VÉRA. — Prends exemple sur nous, voilà tout. Un bonheur égal au nôtre est
15   à ta portée.

MICHAEL. — Et un appartement qui ait une âme.

VÉRA. — Plein à ras bord de belles choses, et d'harmonie familiale.

MICHAEL. — Un travail digne de tes qualités.

VÉRA. — De l'argent.

20 MICHAEL. — De temps à autre, tu inviteras des amis à la maison.

VÉRA. — Tu seras fier de leur montrer ton chez toi.

MICHAEL. — Et ton enfant.

VÉRA. — Tu leur feras écouter des disques.

MICHAEL. — Tu leur feras savourer des clams.

25 VÉRA. — En un mot, mon cher Ferdinand, tu vivras comme un être humain.

Ferdinand s'est levé doucement et, l'air embarrassé, à reculons, s'est rapproché de la porte. Lorsque Véra et Michael s'en aperçoivent, ils se lèvent à leur tour, en proie à la stupéfaction.

MICHAEL. — Ferdinand !

FERDINAND. — Mm ?

MICHAEL. — Que se passe-t-il ?

FERDINAND. — Que veux-tu qu'il se passe ?

30 VÉRA. — Où vas-tu ?

FERDINAND. — Je dois partir.

MICHAEL. — Mais où donc ?

FERDINAND. — Chez moi.

MICHAEL. — Chez toi ? Comment, mais pourquoi ?

35 FERDINAND. — Il se fait tard. Je me lève de bonne heure.

MICHAEL. — Mais tu ne peux pas nous faire ça !

FERDINAND. — Il le faut.

VÉRA. — Ça me dépasse. On t'a bien dit que c'était notre petit vernissage !

MICHAEL. — Tu n'as pas vu tout l'appartement !

40 VÉRA. — On ne t'a pas montré toutes nos belles choses !

MICHAEL. — Tu n'as pas fait honneur au scotch !

VÉRA. — Tu n'as pas apprécié les clams !

MICHAEL. — Tu n'as pas vu petit Pierre.

VÉRA. — Michael voulait te faire écouter ses nouveaux 33 tours.

45 MICHAEL. — Véra voulait faire une flambée dans la cheminée.

VÉRA. — Nous avions le désir de te changer les idées.

MICHAEL. — Nous avions la prétention de t'élever au-dessus de ce marasme dans lequel tu t'abîmes.

VÉRA. — On veut t'aider à retomber sur tes pieds.

50 MICHAEL. — On veut aiguillonner ton psychisme, pour que tu voies la lumière au bout du tunnel.

VÉRA. — On veut te faire voir le bonheur.

MICHAEL. — Une vie pleine de signification.

VÉRA. — Tu ne peux pas ignorer que nous te voulons du bien.

55 MICHAEL. — Que nous t'aimons bien.

VÉRA. — Que tu es notre plus grand ami.

MICHAEL. — Tu ne peux pas être ingrat à ce point ?

VÉRA. — Après tout ce que nous avons fait pour toi, nous n'avons pas mérité ça.

60 MICHAEL. — Pour qui crois-tu que Véra a gratiné des clams tout l'après-midi ?

VÉRA. — Pour qui crois-tu que Michael a acheté le scotch ?

MICHAEL. — Qui, crois-tu, devait avoir la primeur de nos disques nouveaux ? À qui crois-tu que j'ai pensé quand j'ai foutu en l'air des devises pour les acheter et quand je les ai trimbalés ensuite à travers la moitié de
65 l'Europe ?

VÉRA. — Pourquoi penses-tu que je me suis faite belle ? Que je me suis maquillée, parfumée, coiffée ?

MICHAEL. — Enfin est-ce que tu crois vraiment que c'est rien que pour nous-mêmes que nous avons arrangé cet appartement ?

Ferdinand est maintenant arrivé à la porte.

70 FERDINAND. — Ne vous énervez pas, je m'en vais.

VÉRA. — Ferdinand, tu ne vas pas nous lâcher ! Tu ne peux pas nous faire ça, tu ne peux pas nous laisser seuls — on a encore tant de choses à se dire ! Que veux-tu qu'on fasse ici, seuls, sans toi — mais enfin tu ne comprends donc rien ? Reste. Je t'en supplie, reste avec nous !

75 MICHAEL. — Le décortiqueur électrique, tu ne l'as même pas vu !

FERDINAND. — Salut, et merci bien pour les clams.

Ferdinand sort, mais, avant qu'il ait pu refermer la porte derrière lui, Véra éclate en sanglots hystériques. Ferdinand sursaute et, perplexe, la dévisage.

VÉRA. — Tu n'es qu'un égoïste, un monstre, un monstre d'égoïsme, insensible et inhumain ! Tu es un ingrat, et un plouc. Tu nous as trahis, et je te hais, je te hais tellement que je ne sais... Va-t'en ! Va-t'en, fous

80 le camps !

Véra prend le bouquet que Ferdinand lui avait offert, et, avec rage, le jette vers Ferdinand, se décoiffe.

MICHAEL. — Bravo, bravo Ferdinand, tu vois où ça mène ta façon d'agir ? Tu n'as pas honte ?

Ferdinand hésite un moment, puis ramasse les fleurs, et va, non sans hésitation, les replacer dans leur vase ; il regagne lentement son fauteuil et, toujours hésitant, s'y rassoit. Tendus l'un et l'autre à l'extrême, Véra et Michael n'ont pas cessé d'observer ses gestes. À peine ont-ils constaté qu'il a réoccupé son siège, qu'ils reprennent instantanément une mine tout à fait normale et, souriants, se rassoient eux aussi. Un temps.

VÉRA. — Michael, un peu de musique pour Ferdinand, qu'en dis-tu ?

MICHAEL. — Pourquoi pas ?

VACLAV HAVEL, *Vernissage*, © éd. Gallimard.

Guide de lecture : futilité et désespoir

Une crise, un dénouement

1. Dégagez les trois phases de cette scène et caractérisez le ton de chacune d'elles.

2. Relevez les mots et les expressions qui marquent la progression du malaise, jusqu'à l'explosion de la crise.

3. Dans quelle mesure peut-on parler de « dénouement » ? Y a-t-il eu évolution des personnages ?

Le masque du bonheur

1. Pourquoi Véra et Michael souhaitent-ils à tout prix retenir Ferdinand ? Que représente-t-il pour eux ? Quels sentiments contradictoires éprouvent-ils à son égard ?

2. Quelle image du bonheur le couple propose-t-il ? Quelles en sont les composantes ? Sont-elles absolument identiques pour Véra et pour Michael ?

3. Pourquoi Ferdinand reste-t-il insensible à leurs tentatives de séduction ? Caractérisez son attitude.

4. Véra et Michael sont-ils, à votre avis, heureux ? À quels indices peut-on pressentir la faillite de leur couple ? Pourquoi leurs propos s'adressent-ils tous sans exception à Ferdinand ?

Entre comédie et tragédie

1. Comment se dessine, dans cette scène, l'arrière-plan social et politique ?

2. Caractérisez le ton de Vaclav Havel. Comment le couple Véra-Michael, a priori ridicule de sottise, prend-il une dimension tragique ?

Entraînement

VERS LA CLASSE DE SECONDE : LA COMPOSITION FRANÇAISE

1. LES OBJECTIFS

Réfléchissez d'abord à ce que l'on attend de vous.

On veut « tester » votre **culture personnelle.** C'est pourquoi la lecture d'œuvres complètes de bonne qualité littéraire est indispensable.

Prenez des notes sur des fiches que vous classerez. Apprenez des citations qui vous seront toujours très utiles lors des examens. Consultez également des ouvrages de littérature générale afin de connaître l'évolution des idées au cours des siècles, les grands mouvements littéraires, les écoles, les écrivains et leurs œuvres majeures, les différents genres et leurs règles (roman, poésie, théâtre), l'histoire de la critique littéraire. Apprenez ensuite à **utiliser au mieux vos données.** Grâce à vos fiches, vous pourrez effectuer des rapprochements qui révéleront des ressemblances frappantes ou au contraire des différences toujours intéressantes.

Entraînez-vous à **exercer votre jugement critique** pour évaluer et apprécier, pour réfléchir à la vérité ou à la beauté de certains textes et pour vous habituer à émettre **une opinion personnelle que vous saurez expliquer et justifier.**

2. LA MÉTHODE

1. Analyse et illustration des idées (C'est la « thèse »)

Il faut d'abord bien comprendre le sujet, le point de vue exposé ou le problème posé. Pour ce faire, vous devez, après vous être documenté, exposer et mettre en relief l'opinion (citation ou idées).

S'il s'agit d'une position de principe (une affirmation), essayez toujours, avant de la réfuter, de la « comprendre ». Pour cela, vous devez connaître les circonstances de son énonciation (contexte historique et psychologique — personnalité de ceux qui l'ont émise — en réaction contre qui ou quoi ?...).

Plusieurs paragraphes seront nécessaires. Énoncez une seule idée par paragraphe et développez-la sans oublier de faire référence à vos connaissances.

2. Discussion et contestation (C'est « l'antithèse »)

Aucun jugement ne peut prétendre à la vérité absolue. Il y a toujours une « faille », une possibilité de « remise en question » qui peut être un point de vue directement opposé (contestation) ou bien des réserves nombreuses et fondées.

Appuyez votre discussion sur des exemples connus et dignes de foi empruntés aux grands auteurs (citations) ou à la littérature. C'est le moment de faire appel aux textes et aux œuvres que vous connaissez. Votre culture personnelle n'exclut pas la connaissance du monde actuel. Toute argumentation solide s'appuie sur des faits précis.

Organisez vos paragraphes de manière à faire apparaître une progression logique. Luttez contre le désordre, les idées vagues et l'absence de liaisons.

3. Jugement personnel (C'est la « synthèse »)

Connaissant à propos d'une idée ou d'un problème « le pour » et « le contre » de façon aussi objective et impartiale que possible, vous pouvez alors faire part de votre point de vue personnel. Interrogez-vous honnêtement et sincèrement. Votre jugement ne sera acceptable que s'il s'appuie encore sur des exemples ou des illustrations tirés de vos connaissances. Généralement ce jugement doit être « nuancé » (mais pas obligatoirement) et il doit emprunter les meilleurs arguments des deux étapes précédentes (thèse/antithèse).

Il n'existe pas de plan parfait et idéal pour tous les sujets. Nous vous avons conseillé le plan le plus classique, appelé plan dialectique, mais vous pouvez également choisir :

— un plan comparatif (si le sujet l'exige),
— un plan progressif,
— un plan par points de vue (exposés successivement).

N'oubliez jamais les règles déjà connues :

— **L'introduction** : elle met en relief le problème posé et les idées exposées dans le sujet. Elle annonce souvent le plan du développement.

— **La conclusion** : elle dresse un bilan et résume les aspects du sujet traité. Elle peut élargir le problème et ouvrir sur un plus vaste débat.

Rappelez-vous bien ce que disent les Instructions Officielles : la composition française sur un sujet littéraire « n'appelle en aucune manière une réponse unique et prédéterminée à la question posée ». On vous jugera sur :

— la qualité et la richesse de votre **culture personnelle,**

— la **qualité de l'expression** et l'efficacité du **raisonnement,**

— la pertinence et la justesse de la **réflexion.**

3. UN SUJET : COMMENT L'ABORDER ?

Voici un sujet-type :

Vous vous efforcerez de dégager le rôle et l'intérêt du « récit » dans la tragédie classique en empruntant vos exemples à Andromaque *de Racine (pièce inscrite à votre programme).*

On vous demande d'effectuer un travail de synthèse à partir d'une œuvre complète.

Attention : la question posée est précise. Il faut observer l'œuvre sous un certain angle (le rôle des « récits » dans la tragédie).

Sachez vous limiter à ce point précis.

Comment procéder ?

1. Bien lire (et relire) le sujet

Il s'agit d'éviter les contre-sens et de ne pas effectuer un devoir « hors-sujet ». Posez-vous des questions.

Dans notre exemple, il faudra définir préalablement un certain nombre de mots :

— le *récit* au théâtre (qu'entend-on par là ? Sous quelle forme se présente-t-il ? Où le trouve-t-on plus spécialement dans une pièce dramatique ? Quelle est la différence entre *récit* et *discours* ? *récit* et *action* ?

— Définir également des mots comme *intrigue, exposition, dénouement, monologue, tirade...*

2. Relire attentivement l'œuvre

Faites porter votre attention sur ce qui doit faire l'objet de votre recherche.

Pour notre sujet : relisez *Andromaque* crayon en main et soulignez en marge tous les « récits ». Sur une feuille (ou fiche), notez l'emplacement précis de chacun d'eux (Acte, scène, vers) et donnez-leur des titres pour les reconnaître. Ex. : Acte III, scène 8 : récits d'Andromaque : « le sac de Troie » (vers 992 à 1006) ou « Les adieux d'Hector » (vers 1017 à 1026).

3. Analyse

Essayez de classer vos observations afin de les regrouper en « ensembles » logiques selon les grandes idées directrices répondant au sujet.

Par exemple : récits à tendance psychologique, historique, poétique... ou intérêt dramatique...

4. Recherches personnelles et documentation

Vous ne pouvez bien traiter un tel sujet par vos seuls moyens. Il vous faut un apport de connaissances que vous allez acquérir en faisant appel à une documentation qui donnera lieu à des recherches et des lectures personnelles sur le sujet. Prenez des notes sur des fiches.

Exemple, pour notre sujet : lisez d'abord l'introduction de votre « petit classique » qui est généralement fort bien faite. Puis lisez les notes annexes (thématiques, jugements critiques, etc.).

5. Synthèse

À l'aide de vos recherches (sur fiches) et de l'analyse orientée de l'œuvre, vous êtes maintenant en mesure de constituer le « **plan détaillé** » de votre composition. Vos idées s'appuieront sur des citations et exemples situés avec précision dans l'œuvre ou faisant référence à vos lectures. Attention, c'est la partie de votre travail qui exigera sans doute le plus de concentration et de réflexion. Composer, c'est **ordonner les idées** selon une disposition calculée et en vue d'un **sens global.**

4. PLAN DÉTAILLÉ

Introduction

Comment définir « le récit » dans une pièce de théâtre ?

— Quelle est l'importance et quel est le rôle de ces « récits » qui ont fait l'objet de critiques (abus, artifice) ?

I. L'intérêt dramatique du récit

Il est double :

1. En raison des impératifs des règles classiques (unité de temps et de lieu), le récit présente les actions « extérieures » en « raccourci » sous forme de sommaires, de résumés.

D'où sa place :

a. *dans l'exposition* (rôle informatif essentiellement mais pas uniquement),

b. *dans le cours de l'action* (place plus ponctuelle mais moins artificielle). Exemples.

2. Il permet de respecter la loi « des bienséances ».

Explication.

c. D'où son importance *au dénouement.* Exemples.

II. Son intérêt psychologique

— Ses formes : pas nécessairement un « morceau de bravoure » mais souvent brèves répliques pertinentes et multipliées.

— Mais aussi : longues tirades (Hermione ; Acte II, sc. 1) ou monologues (Oreste ; Acte II, sc. 3).

— Ses fonctions : il ne se contente pas d'informer, il exprime aussi directement des confidences, des « emportements » (Oreste, Hermione), des résolutions (Andromaque ; Acte IV, sc. 1).

— Le héros racinien vit dans le désir et le refus de son sort. D'où ces nombreux « récits » qui traduisent la violence des passions.

III. Son intérêt historique

— *Question :* le récit sert-il simplement à ajouter de la « couleur locale » pour agrémenter l'action trop dépouillée ?

Réponse : Racine connaît bien l'histoire mais il semble qu'il ne l'utilise que pour enrichir la psychologie de ses personnages.

— *Exemples* (illustration) dans *Andromaque :* importance du « traumatisme » de la guerre de Troie pour les principaux héros.

Les regrets de Pyrrhus. Les souvenirs d'Andromaque.

IV. Son intérêt poétique

1. *Poésie descriptive* qui évoque tantôt Tintoret, tantôt Rembrandt : les récits sont de grands « tableaux ».

— Modulations : souffle épique, ou intimisme émouvant, ou encore l'art pour l'art (imiter le peintre).

2. *Poésie élégiaque*

— Définition et exemples.

Conclusion

La tragédie, vue comme un immense poème élégiaque, permet la méditation sur les grands problèmes humains par le recours à l'archétype et à la mythologie (thèmes éternels de *l'Iliade*).

Fonction de la tragédie ainsi conçue : elle purifie, ou sublime les passions. L'importance capitale du récit dans ce psychodrame ou « jeu » psychodramatique.

Rembrandt, Pallas Athénée (Musée Gulbenkian, Lisbonne).

3
Parcours poétique

Velléda, J.-B.-C. Corot.

1. Le Moyen Âge

Nous ne considérons plus aujourd'hui le Moyen Âge comme une époque obscure et barbare. Les travaux réalisés depuis la fin du XIXe siècle par les linguistes et les historiens nous permettent, au contraire, de percevoir toute la richesse littéraire de cette longue période au cours de laquelle s'est façonnée la langue française. Les thèmes poétiques n'étaient, du reste, pas différents de ceux que nous rencontrons aux siècles suivants...

Rutebeuf, comme Villon, connut la souffrance et la misère (ci-dessous). Tandis que le premier déplore, dans un poème riche en images concrètes, la fuite des prétendus amis au moment où l'on aurait besoin d'eux, François Villon regrette amèrement de n'avoir pas étudié davantage quand il le pouvait et d'être devenu l'un de ces mauvais garçons qui finissent, un jour, au bout d'une corde... (p. 110).

Pauvre Rutebeuf !

RUTEBEUF

La Complainte Rutebeuf (1261-1262 ?)

Écrivain d'humble origine, **Rutebeuf** (c'était un surnom) écrivit entre 1248 et 1272. Dépendant de la générosité de patrons, l'auteur travaille souvent sur commande. Sa vie se déroule entre une relative aisance et parfois une franche pauvreté. Son œuvre est constituée d'ouvrages satiriques, de biographies de saints et de récits sur le thème de la pauvreté et du malheur.

Rutebeuf, poète du XIIIe siècle, connut la misère et s'aperçut, à ses dépens, que les vrais amis sont bien rares...

Que sont mes amis devenus
Que j'avais de si près tenus
   Et tant aimés ?

Ils ont été trop clairsemés
5 Je crois le vent les a ôtés[1]
   L'amour est morte.

Ce sont amis que vent emporte
Et il ventait devant ma porte
   Les emporta.

10 Avec le temps qu'arbre défeuille
Quand il ne reste en branche feuille
   Qui n'aille à terre,

Avec pauvreté qui m'atterre
Qui de partout me fait la guerre
15   L'amour est morte.

Ne convient pas que vous raconte
Comment je me suis mis à honte
   En quelle manière.

1. *Je crois [que] le vent [me] les a ôtés.*

106

Que sont mes amis devenus
20 Que j'avais de si près tenus
Et tant aimés ?

Ils ont été trop clairsemés
Je crois le vent les a ôtés
L'amour est morte.

25 Le mal ne sait pas seul venir
Tout ce qui m'était à venir
M'est advenu.

Pauvre sens et pauvre mémoire
M'a Dieu donné le roi de gloire
30 Et pauvre rente,

Et droit sur moi quand bise vente
Le vent me vient le vent m'évente
L'amour est morte.

Ce sont amis que vent emporte
35 Et il ventait devant ma porte
Les emporta.

La Complainte Rutebeuf (1260-1262 ?).

Guide de lecture : les amis perdus

1. Quelle question Rutebeuf se pose-t-il dans la première strophe ? Quelle réponse lui apporte-t-il dans la deuxième strophe ?

2. Expliquez l'image : « Ce sont amis que vent emporte. » Comment est-elle reprise et développée dans la suite du texte ?

3. Relevez les vers qui évoquent la misère de Rutebeuf.

4. Quels sentiments animent ce poème ?

La versification

1. De quel genre de strophe est composé ce poème ?

2. Combien de syllabes comptez-vous dans chaque vers ?

3. Quelles strophes sont répétées ? Quel est l'effet produit ?

Recherche, Réflexion, Expression

1. Les proverbes
« Le mal ne sait pas seul venir » : ce vers fait référence à un proverbe. Pouvez-vous dire lequel ? Citez-en d'autres, en précisant brièvement leur signification.

2. Rédactions
a. Un proverbe dit : « C'est dans le malheur qu'on reconnaît ses vrais amis. »

Illustrez-le à l'aide d'une ou deux anecdotes tirées de votre expérience personnelle, de celle de vos parents, amis, etc., ou encore de vos lectures...

b. Une déception : l'attitude d'une personne sur qui vous pensiez pouvoir compter vous a déçu. Dans quelles circonstances ? Racontez...

POUR LE BREVET DES COLLÈGES

1. Ce poème est traduit de l'*ancien français*, une langue qui ressemblait déjà à la nôtre, tout en présentant néanmoins de nombreuses différences avec elle. Observez les strophes suivantes :

Li mal ne sevent seul venir
Tout ce qui m'estoit à avenir
S'est avenu

Que sont mi ami devenu
Que j'avoie si près tenu
Et tant amé ?

Pouvez-vous retrouver leur traduction ? Quels mots ressemblent au français moderne ? Quelles différences notez-vous ?

2. Quel genre Rutebeuf attribue-t-il au mot *amour* (« amor ») ? Quand ce mot est-il employé aujourd'hui :
— au masculin ?
— au féminin ?
Citez deux autres mots qui suivent la même règle.

FRANÇOIS VILLON

Poésies diverses

« Si j'eusse étudié »

S'amuser sans penser au lendemain, quand on est jeune, n'est pas un bon moyen de s'assurer une vie d'adulte heureuse et confortable : François Villon, poète du XVe siècle, en a fait la triste expérience...

On ne sait que peu de choses sur la vie de **François Villon.** Né aux alentours de 1431, il a été probablement bachelier en 1449. Dans les quinze années qui suivent, il participe à toutes les bagarres estudiantines qui agitent l'Université de Paris. Ses deux œuvres principales sont le *Lais* et le *Testament.* La célèbre *Ballade des pendus* aurait été écrite alors que le poète avait été condamné à mort. Elle est une sorte d'appel à la grâce. Celle-ci fut d'ailleurs obtenue. Après 1463, on perd toutes traces de François Villon.

Je plains le temps de ma jeunesse,
Auquel j'ai plus qu'autre galé[1]
Jusqu'à l'entrée de vieillesse,
Qui son partement m'a celé[2].
5 Il ne s'en est à pied allé
N'[3]a cheval : hélas ! comment donc ?
Soudainement s'en est volé
Et ne m'a laissé quelque[4] don.

Allé s'en est, et je demeure
10 Pauvre de sens et de savoir,
Triste, failli, plus noir que meure[5],
Qui n'ai ne cens, rente, n'avoir ;
Des miens le moindre, je dis voir[6],
De me désavouer s'avance,
15 Oubliant naturel devoir
Par faute d'un peu de chevance[7].

Hé ! Dieu, si j'eusse étudié
Au temps de ma jeunesse folle,
Et à bonnes mœurs dédié[8],
20 J'eusse maison et couche molle,
Mais quoi ! Je fuyoie[9] l'école
Comme fait le mauvais enfant ;
En écrivant cette parole
À peu que le cœur ne me fend[10].

25 Où sont les gracieux galants
Que je suivais au temps jadis,
Si bien chantants, si bien parlants,
Si plaisants en faits et en dits ?
Les aucuns[11] sont morts et roidis,
30 D'eux n'est-il plus rien maintenant :
Repos aient en paradis
Et Dieu sauve le demeurant !

Et les autres sont devenus,
Dieu merci ! grands seigneurs et maîtres ;
35 Les autres mendient tout nus
Et pain ne voient qu'aux fenêtres ;
Les autres sont entrés en cloîtres
De Célestins et de Chartreux,
Bottés, housés[12] com' pêcheurs d'oîtres :
40 Voyez l'état divers d'entre eux !

FRANÇOIS VILLON, *Poésies diverses.*

1. **Galer :** *s'amuser.*

2. *(ma jeunesse) qui m'a caché son départ.*

3. **N' :** *ni.*

4. **Quelque :** *aucun.*

5. **Meure :** *une mûre.*

6. *Je dis la vérité.*

7. **Chevance :** *d'un peu d'argent.*

8. *Si je m'étais consacré aux bonnes mœurs.*

9. **Je fuyoie :** *je fuyais, 3 syllabes.*

10. *Peu s'en faut que mon cœur ne se brise.*

11. **Les aucuns :** *les uns.*

12. **Housés :** *portant des guêtres, comme les pêcheurs d'huîtres.*

Enluminure du Livre de propriétés des choses, *XVe siècle (Musée Condé, Chantilly).*

Guide de lecture : Le temps des regrets

1. Quels regrets Villon formule-t-il dans les trois premières strophes ?

2. Quelle question se pose-t-il à la quatrième strophe ?

3. Dans quelle situation se trouve Villon quand il écrit ce poème ?

4. Que sont devenus les amis de jeunesse de François Villon ?

5. Montrez, en vous appuyant sur des passages précis, que ce poème est une méditation :
— sur la fuite du temps ;
— sur la diversité des fortunes humaines.

Vocabulaire

1. Que signifie *je plains,* au vers 1 ? Justifiez le sens de ce verbe par son étymologie.

2. Le vieux verbe *galer* signifiait « s'amuser ». Quand dit-on aujourd'hui d'un homme qu'il est « galant » ? Employez cet adjectif dans une phrase.

3. Quel est le radical du mot *partement ?* Citez d'autres mots de la même famille.
Cherchez l'étymologie du verbe *partir* et précisez l'évolution de ce mot.

Que signifie l'expression « avoir maille à partir avec quelqu'un » ?

4. « (Moi) qui n'ai ne *cens,* rente, n'avoir ». Qu'était *le cens,* au Moyen Âge ?
Qu'appelle-t-on, en matière d'élections, *un suffrage censitaire ?*

Versification

1. Combien y a-t-il de vers dans chaque strophe ?

2. Quel est le mètre employé ?
Attention : étudi̇lé, vers 17, dédi̇lé, vers 19 (diérèses) ; *ai-ent,* vers 31 : 2 syllabes ; *mendi-ent,* vers 35 : 3 syllabes, etc.

Recherche, Réflexion, Expression

1. Comparez ce poème avec celui de Rutebeuf. Précisez les points communs et les différences en ce qui concerne :
— la situation des deux poètes ;
— les sentiments exprimés ;
— leurs réflexions et les conclusions qu'ils en tirent.

2. Rédaction

Au détour d'une rue, François Villon rencontre l'un de ses anciens amis. Imaginez la scène.

Ballade des Pendus

FRANÇOIS
VILLON

Poésies diverses

À plusieurs reprises, François Villon, poète et mauvais garçon, eut des démêlés avec la justice, et fit plusieurs séjours en prison, tant à Paris qu'en province. En 1463, à la suite d'une rixe, Villon est arrêté et condamné à être « pendu et étranglé ». Finalement, il sera exilé de Paris pour dix ans, et l'on perdra définitivement sa trace. Mais, auparavant, l'ombre de la mort lui a inspiré l'un de ses plus beaux poèmes.

Frères humains qui après nous vivez,
N'ayez les cœurs contre nous endurcis,
Car si pitié de nous pauvres avez,
Dieu en aura plus tôt de vous merci.
5 Vous nous voyez-ci attachés cinq, six :
Quant de[1] la chair, que trop avons nourrie,
Elle est piéça[2], dévorée et pourrie,
Et nous les os, devenons cendre et poudre.
De notre mal, personne ne s'en rie[3] ;
10 Mais priez Dieu que tous nous veuille absoudre !

Si Frères vous clamons[4], pas n'en devez
Avoir dédain, quoique fûmes occis
Par justice. Toutefois, vous savez
Que tous hommes n'ont pas bon sens rassis[5],
15 Excusez-nous puisque sommes transis[6],
Envers le fils de la Vierge Marie,
Que sa grâce ne soit pour nous tarie,
Nous préservant de l'infernale foudre.
Nous sommes morts, âme ne nous harie[7],
20 Mais priez Dieu que tous nous veuille absoudre !

1. **Quant de** : *quant à.*

2. **Piéça** : *depuis longtemps.*

3. **Rie** : *subjonctif de souhait.*

4. *Si nous vous appelons « frères ».*

5. *Tous les hommes ne font pas preuve de bon sens.*

6. **Transis** : *morts.*

7. *Que personne ne nous tourmente.*

8. **Débués** : *lessivés.*

9. *Nous ont creusé les yeux.*

10. *Qualité de maître.*

11. *N'ayons rien à faire avec l'Enfer et rien à lui payer.*

12. **N'a** : *il n'y a.*

La pluie nous a débués[8] et lavés,
Et le soleil desséchés et noircis ;
Pies, corbeaux nous ont les yeux cavés[9],
Et arraché la barbe et les sourcils.
25 Jamais nul temps nous ne sommes assis ;
Puis çà, puis là, comme le vent varie,
À son plaisir, sans cesser nous charrie,
Plus becquetés d'oiseaux que dés à coudre.
Ne soyez donc de notre confrérie ;
30 Mais priez Dieu que tous nous veuille absoudre !

Prince Jésus qui sur tous as maistrie[10],
Garde qu'Enfer n'ait de nous seigneurie ;
À lui n'ayons que faire ne que soudre[11].
Hommes, ici n'a[12] point de moquerie ;
35 Mais priez Dieu que tous nous veuille absoudre !

FRANÇOIS VILLON, *Poésies diverses.*

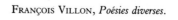

Deux Grotesques, *gravure d'après Pieter Bruegel.*

Guide de lecture : soyez miséricordieux

1. À qui Villon donne-t-il ici la parole ? Quel est l'effet ainsi obtenu ?

2. À quel sentiment les pendus font-ils appel chez les vivants ?

3. Dégagez le raisonnement contenu dans les vers 11 à 14.

4. Les gens du Moyen Âge étaient profondément croyants : montrez-le à partir du texte.

Vocabulaire

1. Que signifiait, au Moyen Âge, l'expression *avoir merci* (de quelqu'un) ? Et l'expression *implorer merci* ?
● Quel est, aujourd'hui, le sens de l'expression *être à la merci* (de quelqu'un) ? Employez-la dans une phrase.
● Complétez les phrases suivantes par un mot de la famille de *merci* (attention à l'orthographe !).
Vous m'avez rendu service, je vous en...
Je vous prie de bien vouloir agréer, Monsieur, l'expression de ma gratitude ainsi que mes... les plus sincères.

2. Qu'est-ce qu'*une épitaphe ?*
Les mots suivants commencent tous par le préfixe grec *épi-* = sur.
Cherchez leur signification : *l'épiderme - l'épicentre - une épidémie - un épilogue - une épigramme - une épitoge - une épizootie.*

3. « (Nous) sommes *transis* » (vers 15), du latin *transire :* « passer par », signifie ; « nous sommes passés de la vie à la mort » ou encore « trépassés ».
Quand dit-on, aujourd'hui, d'un voyageur ou d'un bagage, qu'il est en *transit ?*
Connaissez-vous le sens de la phrase latine : *Sic transit gloria mundi ?*

Versification

La ballade est un poème à forme fixe comportant trois strophes et une demi-strophe appelée « envoi ».
Chaque strophe comporte 8 vers si le mètre employé est l'octosyllabe, ou 10 vers si le mètre employé est le décasyllabe. Selon la longueur des strophes, l'envoi comporte donc 4 ou 5 vers.
À la fin de chaque strophe, le même vers revient en refrain.
L'envoi commence, traditionnellement, par le mot « Prince ».

Dans cette ballade de François Villon :
— Combien chaque strophe comporte-t-elle de vers ? Pourquoi ?
— Comment sont disposées les rimes ?
— Quel est le refrain ? Quel effet produit-il ?

À lire

Dans son livre *Je suis François Villon*, l'écrivain Marcel JULLIAN donne la parole au poète, qui nous raconte lui-même sa vie mouvementée.

Une effroyable justice

*Du plus profond du Moyen Âge, Marcel Jullian restitue dans cette page la
fascinante figure de François Villon, poète mais aussi mauvais garçon, compagnon des
ribauds et des truands. À leurs côtés, celui-ci mène une vie déréglée qui le conduit très
souvent à l'ombre des cachots, comme ici, à la prison de Mehung où il va subir la
« question de l'eau » et faire connaissance avec le bourreau, effroyable image des
méthodes de la justice à cette époque.*

a plus dure prison du royaume et, sans doute, de l'univers entier, est
celle de Mehung. J'en fis, naguère, la fort cruelle expérience et
l'occasion m'y fut donnée d'interroger ceux qui, à la différence de
moi, en avaient connu beaucoup d'autres. À Mehung, sitôt enfermé, on m'a
5 obligeamment gavé d'eau froide et pisseuse à pleins entonnoirs. Que voulait-
on me faire avouer ? Si, d'aventure, je l'ai su, tant de méchants tourments
endurés m'en ont depuis ôté la souvenance. Je ne retiens que la malfaisance.
Satan ! Satan ! Es-tu en serre ? s'interrogeait Rutebeuf, le franc garçon. Le
diable n'était point présent à Mehung mais il y avait envoyé ses meilleurs
10 geôliers : sales, chassieux, puant du bec et lourds à n'y pas croire. On sait que
le gardien de prison ne se définit pas par sa légèreté. Ceux de Mehung traînent
les pieds comme s'ils portaient le poids entier du malheur des serrés[1] sur leurs
épaules. Il laissent derrière eux des traces comme les ours bruns. Ils font des
fautes de prose rien qu'en mettant un pied devant l'autre. Dans nulle autre
15 géhenne de France vous ne trouverez leurs pareils.
Encore, et bien que piquants comme porcs d'épine, sont-ce des anges du ciel
de Jésus, si on les compare à l'amboureux[2] et à ses aides. Je ferme les yeux
et je crois revoir leur chef. Le torse hideux et poilu, moulé dans son surcot
de cuir rouge, il semblait tout entier, de main et de cœur, fait de chair bouillie.
20 Sans doute, à la manière des boulangers trop souvent devant le four et qui ont
la tête cuite, s'était-il trop attardé devant les braises ardentes et les tenailles
où il tenait forge à suppliciés. Je n'ai jamais su son nom. On le désignait par
le seul grognement qu'il pouvait proférer. C'était *hon*. Hon m'avait, dès le
premier jour, accordé de l'intérêt. D'abord, il m'avait flairé. De son grouin,
25 comme le fait l'hyène devant charogne. Je voyais briller les boutons rosâtres
qui lui servaient de prunelles et, la nuit, on m'enferma, à part, dans un cachot
humide où l'on ne pouvait se tenir qu'assis ou allongé. J'y passais des heures
noires. À l'aube, il était là, pressé, attentionné, crissant des crocs d'impatience. Je compris qu'en son art il me tenait comme un morceau de choix dont
30 le corps réagirait bien à la torture. Hon se voulait le tourmenteur le plus habile
du Val-de-Loire. Avec le pauvre Villon, il préparait son chef-d'œuvre.
Hé ! D'en parler suffit pour que l'horreur me reprenne ! Mes muscles se
souviennent, mes nerfs en craquent et ma moelle se croit tirée comme celle
du roseau dont on veut faire un pipeau. Je me sens assis, ficelé, chaussé
35 d'éclisses de bois et je vois le maillet de M. Hon.
Hon ! Il avait poussé son cri en l'abattant sur le premier coin de bois. Les
planches, le long de mes jambes, se resserraient. Au troisième coup, je hurlai.
Il me semblait que je ne pourrais jamais plus arrêter ce cri, pas plus que je ne
parviendrais à faire cesser l'intolérable tourment. Mon cri se vrillait en moi-
40 même, m'habitait, me pénétrait, me poignardait, mais quelque chose me
disait que c'était bon, que c'était ainsi qu'il fallait être lorsqu'on vous rompt
les membres. Hon était content. Décidément, j'étais bonne viande pour
maltraiteur. Il ne cessait de grogner, par petits jappements, comme s'il

1. **Serrés** : *prisonniers.*
2. **Amboureux** : *bourreau.*

112

Gravure allemande - vers 1540.

m'aidait dans ma façon de réagir à la souffrance. Nulle pitié, mais comme
145 l'amitié de deux bœufs qui sont — qu'ils le veuillent ou non — attelés au
même ouvrage. Il avait écarté ses aides. Il me voulait pour lui seul. Il devait
estimer que nous nous méritions l'un l'autre.

Au quatrième coin, j'eus le tort de regarder. Les veinules du bois fraîchement
coupées s'étaient irriguées de rouge. Je mesurai que c'était mon sang, celui de
150 mes membres qu'on est allé pomper au plus loin du corps, le sang de
l'intérieur de mes os, déjà presque viande, et qui fait le plus défaut quand on
vous l'a tiré. Et l'épouvante me prit :

— Demain, sur quoi marcherai-je ?

Hon pensa sûrement que j'étais sur le point de manquer le parcours
155 irréprochable. Il se hâta d'enfoncer le premier coin de la seconde jambe et,
presque aussitôt, avec un grand élan, le deuxième. Ce fut comme s'il explosait
en moi et le monde — le céleste et le terrestre, le firmament des séraphins et
les infernaux paluds[3] — bascula. J'eus la sensation que le sol me manquait.
C'était atroce douleur, et, cette fois, nul son ne pouvait sortir de ma gorge.
160 Je sus que j'étais comme enivré de tant souffrir. Je ne pouvais plus rien
toucher avec mon corps. L'aurait-on effleuré, l'aurait-on enduit d'un baume,
surtout là où il était encore intact, que c'eût été inexprimable souffrance.
Non. On ne pouvait qu'enfoncer, faire éclater, tirer le jus de moi-même. Les
troisième et quatrième coins de la seconde jambe, je crois bien que je les
165 attendais, que je les espérais. Ils me délivraient de moi-même. Et je perdis
connaissance.

3. **Paluds** : *marais.*

MARCEL JULLIAN, *Je suis François Villon*, © Éd. Denoël, 1987.

2. La Renaissance

Jusqu'au XVIe siècle, la langue noble, que pratiquaient tous les gens instruits, était le latin. C'est à la Renaissance que la langue française s'impose comme une langue à part entière. Par l'édit de Villers-Cotterêts, en 1539, François 1er impose l'usage de la langue française dans les actes officiels. Les poètes de la Pléiade, quant à eux, vont s'efforcer de prouver la richesse de notre langue.

Joachim du Bellay (1522-1560) expose dans la Défense et Illustration de la langue française, *en 1549, les moyens par lesquels un artiste peut, selon lui, enrichir cette langue. Il s'y emploiera lui-même, en imitant notamment Pétrarque, poète italien du XIVe siècle. Mais l'expérience de l'exil et de la maladie lui fera bientôt trouver des accents personnels, dans un recueil de 191 sonnets, intitulé* Les Regrets *(p. 115).*

Pierre de Ronsard (1524-1585), dans une œuvre poétique abondante, a chanté ses amours successives pour Cassandre, pour Marie (p. 116) puis pour Hélène. Après avoir imité les poètes antiques grecs et latins, il donnera bientôt toute la mesure de son talent, qui lui vaudra le titre de « prince des poètes ».

Détail de La Dame à l'orgue, *tapisserie angevine.*

JOACHIM DU BELLAY

Les Regrets
(1558)

« Vu le soin ménager... »

Joachim du Bellay (1522-1560) envisage tout d'abord une carrière diplomatique ou militaire, mais il doit renoncer à ses projets et entreprendre des études de droit. Sa rencontre avec Ronsard, en 1546, l'amène à suivre les leçons de l'humaniste Jean Dorat, au collège de Coqueret. Il sera l'un des principaux fondateurs du groupe de la Pléiade. Œuvres principales : *L'Olive* (1549), *Les Regrets* et *Les Antiquités de Rome* (1558).

En accompagnant son oncle, le cardinal Jean du Bellay, à Rome, Joachim du Bellay croyait faire un beau voyage qui lui laisserait le temps de rêver, de méditer parmi les vestiges de l'Antiquité romaine, et d'écrire des poèmes. Mais la réalité est tout autre : le poète se voit chargé de l'intendance (« le ménage »), tâche absorbante et lourde qui ne lui laisse pas une minute de liberté...

Vu le soin ménager[1] dont travaillé je suis,
Vu l'importun souci qui sans fin me tourmente,
Et vu tant de regrets desquels je me lamente,
Tu t'ébahis souvent comment chanter je puis.

5 Je ne chante, Magny[2], je pleure mes ennuis,
Ou, pour le dire mieux, en pleurant je les chante,
Si bien qu'en les chantant, souvent je les enchante :
Voilà pourquoi, Magny, je chante jours et nuits.

Ainsi chante l'ouvrier[3] en faisant son ouvrage,
10 Ainsi le laboureur faisant son labourage,
Ainsi le pèlerin regrettant sa maison,

Ainsi l'aventurier en songeant à sa dame,
Ainsi le marinier en tirant à la rame,
Ainsi le prisonnier maudissant sa prison.

JOACHIM DU BELLAY, *Les Regrets*, XII, 1558.

1. *La charge de l'intendance.*

2. **Magny** : *ami des poètes de la Pléiade.*

3. **Ouvrier** : *deux syllabes (synérèse).*

Guide de lecture : la poésie consolatrice

1. Énumérez, d'après les trois premiers vers, les tracas que subit Joachim du Bellay à Rome.

2. Comment l'effet de surprise du vers 4 est-il mis en valeur ?

3. Étudiez comment, dans le deuxième quatrain, le « chant » peut devenir « enchantement ».

4. À qui Du Bellay se compare-t-il dans les deux tercets ? Justifiez ces comparaisons, et montrez comment elles progressent.

5. Essayez de préciser quelle conception du poète et de son art Du Bellay énonce ici.

Style et versification

1. Relevez des inversions et commentez-les brièvement.

2. L'anaphore est la répétition d'un même mot en tête de plusieurs vers. Du Bellay use largement de ce procédé (vers 9 à 14). Quel effet produit-il ?

3. Étudiez la disposition des rimes dans les tercets.

RONSARD

Les Amours
(1552-1578)

« Je vous envoie un bouquet... »

En 1555, Ronsard s'éprend d'une jeune paysanne de Bourgueil, Marie Dupin. Dans ce sonnet, il s'adresse à elle avec une sincérité et une simplicité qui touchent encore le lecteur du XXe siècle.

Pierre de Ronsard (1524-1585) était destiné à une carrière militaire et diplomatique, mais, atteint de surdité, il se consacre entièrement à la poésie. Devenu chef de la Pléiade, il imite les Anciens dans ses *Odes* (1550-1556). Il compose aussi des *Hymnes* (1550-1556) d'inspiration épique, et des *Discours* (1560-1563) engagés en faveur de la religion catholique. Mais il est surtout le poète de l'amour : après les sonnets pétrarquistes des *Amours de Cassandre* (1552), il évolue vers une inspiration de plus en plus personnelle, avec les *Amours de Marie* (1555), et les *Amours d'Hélène* (1578), dans lesquels il exprime avec émotion sa conscience de la fragilité du bonheur.

Je vous envoie un bouquet que ma main
Vient de trier de ces fleurs épanies[1] ;
Qui[2] ne les eût à ce vêpre cueillies[3],
Chutes[4] à terre elles fussent demain.

5 Cela vous soit un exemple certain
Que vos beautés, bien qu'elles soient fleuries,
En peu de temps cherront[5] toutes flétries,
Et, comme fleurs, périront tout soudain.

Le temps s'en va, le temps s'en va, ma dame,
10 Las ! le temps non, mais nous nous en allons,
Et tôt serons étendus sous la lame[6],

Et des amours desquelles nous parlons,
Quand serons morts, n'en sera plus nouvelle.
Pour c'[7]aimez-moi cependant qu'êtes belle.

RONSARD,
Les Amours, (1552-1578).

1. Épanies : *épanouies.*

2. *Si on ne les avait cueillies.*

3. Ce vêpre : *ce soir.*

4. Chutes : *tombées (verbe « choir »).*

5. Cherront : *tomberont (verbe « choir »).*

6. La lame : *la dalle du tombeau.*

7. Pour c' : *pour ce (pour cela).*

Guide de lecture : le temps qui fane

1. Quel genre d'offrande Ronsard adresse-t-il à Marie ?

2. Que précise-t-il aux vers 3 et 4 ? Pourquoi ?

3. Montrez que le deuxième quatrain est la suite logique du premier.

4. Comment Ronsard passe-t-il du thème de la fleur à celui, plus général, du temps et de la mort ?

5. L'épicurisme est une philosophie qui invite à profiter de la vie. Mais le conseil de Ronsard à Marie n'est-il pas quelque peu intéressé ?

Style et versification

1. Repérez dans les vers 9 à 12 : une répétition, une apostrophe, une interjection, une correction. Essayez de préciser ensuite l'effet produit par ces procédés.

2. Quelle sorte de vers Ronsard emploie-t-il dans ce sonnet ?

3. Étudiez la disposition des rimes dans les quatrains et dans les tercets.

4. En classant ses poèmes, vers la fin de sa vie, Ronsard a retranché celui-ci du recueil intitulé *Les Amours*. Quelles raisons l'ont poussé à cette décision ? Celle-ci vous semble-t-elle juste ? Pourquoi ?

Vocabulaire

1. Le vieux verbe *choir* vient du latin *cadere*. Précisez le temps et le mode des formes *chutes* (vers 4) et *cherront* (vers 7).
Que signifient aujourd'hui les verbes *échoir* et *déchoir* ? Dites quels noms sont dérivés de ces verbes et employez chacun d'eux dans une phrase.

2. Jusqu'au XVIIe siècle, le mot *vespre* ou *vêpre* a désigné le soir, comme le latin *vesper* dont il est issu. Qu'appelle-t-on, aujourd'hui, *les vêpres* ?

3. Le romantisme

Au XIXe siècle, Victor Hugo, à la tête du mouvement romantique, a voulu renouveler une forme poétique qui sombrait, selon lui, dans la monotonie. Ainsi, par exemple, dans son poème « Les Djinns » (ci-dessous) s'est-il amusé à utiliser dans un ordre croissant, puis décroissant, presque tous les mètres de la versification française.

Mais cet immense génie n'a pas été seulement un habile versificateur, indifférent aux problèmes de son temps. Au contraire, il s'est élevé contre les injustices de son époque et les a combattues : notamment le scandale qui consistait à faire travailler, dans les usines, de tous jeunes enfants (p. 120). En outre, ce poète inspiré, persuadé de l'existence de Dieu et d'une autre vie après la mort, recommande le respect absolu de la vie, sous toutes ses formes.

D'autres poètes romantiques ont envisagé différemment la souffrance humaine : Alfred de Musset, par exemple, compare le poète au pélican qui se sacrifie pour nourrir ses enfants (p. 124), cependant qu'Alfred de Vigny tire d'une chasse au loup une leçon de stoïcisme (p. 123).

Les Djinns

VICTOR HUGO

Les Orientales (1828)

Dans les légendes musulmanes, les Djinns sont des divinités, tantôt bienfaisantes, tantôt malfaisantes, mais toujours redoutées. Victor Hugo évoque leur arrivée, leur passage sur la ville et leur départ, dans un poème que sa forme particulière a rendu célèbre.

Murs, ville,
Et port,
Asile
De mort,
5 Mer grise
Où brise
La brise,
Tout dort.

Dans la plaine
10 Naît un bruit.
C'est l'haleine
De la nuit.
Elle brame
Comme une âme
15 Qu'une flamme
Toujours suit !

La voix plus haute
Semble un grelot.
D'un nain qui saute
20 C'est le galop.

Il fuit, s'élance,
Puis en cadence
Sur un pied danse
Au bout d'un flot.

25 La rumeur approche.
L'écho la redit.
C'est comme la cloche
D'un couvent maudit ;
Comme un bruit de foule,
30 Qui tonne et qui roule,
Et tantôt s'écroule,
Et tantôt grandit.

Dieu ! la voix sépulcrale[1]
Des Djinns !... Quel bruit ils font !
35 Fuyons sous la spirale
De l'escalier profond.
Déjà s'éteint ma lampe,
Et l'ombre de la rampe,
Qui le long du mur rampe,
40 Monte jusqu'au plafond.

1. *Qui semble sortir d'un tombeau.*

C'est l'essaim des Djinns qui passe,
Et tourbillonne en sifflant !
Les ifs, que leur vol fracasse,
Craquent comme un pin brûlant.
45 Leur troupeau, lourd et rapide,
Volant dans l'espace vide,
Semble un nuage livide
Qui porte un éclair au flanc.

Ils sont tout près ! — Tenons fermée
50 Cette salle, où nous les narguons.
Quel bruit dehors ! Hideuse armée
De vampires et de dragons !
La poutre du toit descellée
Ploie ainsi qu'une herbe mouillée,
55 Et la vieille porte rouillée
Tremble, à déraciner ses gonds !

Cris de l'enfer ! voix qui hurle et qui pleure !
L'horrible essaim, poussé par l'aquilon[2],
Sans doute, ô ciel ! s'abat sur ma demeure.
60 Le mur fléchit sous le noir bataillon.
La maison crie et chancelle penchée,
Et l'on dirait que, du sol arrachée,
Ainsi qu'il chasse une feuille séchée,
Le vent la roule avec leur tourbillon !

65 Prophète ! si ta main me sauve
De ces impurs démons des soirs,
J'irai prosterner mon front chauve
Devant tes sacrés encensoirs[3] !
Fais que sur ces portes fidèles
70 Meure leur souffle d'étincelles,
Et qu'en vain l'ongle de leurs ailes
Grince et crie à ces vitraux noirs !

Ils sont passés ! — Leur cohorte
S'envole, et fuit, et leurs pieds
75 Cessent de battre ma porte
De leurs coups multipliés.
L'air est plein d'un bruit de chaînes,
Et dans les forêts prochaines
Frissonnent tous les grands chênes,
80 Sous leur vol de feu pliés !

De leurs ailes lointaines
Le battement décroît,
Si confus dans les plaines,
Si faible, que l'on croit
85 Ouïr la sauterelle
Crier d'une voix grêle,
Ou pétiller la grêle
Sur le plomb d'un vieux toit.

D'étranges syllabes
90 Nous viennent encor ;
Ainsi, des arabes
Quand sonne le cor,
Un chant sur la grève
Par instants s'élève,
95 Et l'enfant qui rêve
Fait des rêves d'or.

Les Djinns funèbres,
Fils du trépas[4],
Dans les ténèbres
100 Pressent leurs pas ;
Leur essaim gronde :
Ainsi, profonde,
Murmure une onde[5]
Qu'on ne voit pas.

105 Ce bruit vague
Qui s'endort,
C'est la vague
Sur le bord ;
C'est la plainte,
110 Presque éteinte,
D'une sainte
Pour un mort.

On doute
La nuit...
115 J'écoute : —
Tout fuit,
Tout passe ;
L'espace
Efface
120 Le bruit.

2. **Aquilon** : *vent du nord.*

3. **Encensoirs** : *récipients ou
l'on brûle l'encens dans les
cérémonies religieuses.*

4. **Le trépas** : *la mort.*

5. **Onde** : *terme poétique pour
désigner l'eau.*

Victor Hugo,
Les Orientales, XXVIII, 1828.

Guide de lecture : comme une tornade

Strophes 1 à 5 : l'arrivée des djinns

1. Précisez l'atmosphère au début du poème.

2. Comment se manifeste l'approche des djinns ?

3. À quel moment apprenons-nous leur nom ?

4. Quel sentiment les djinns inspirent-ils aux habitants ?

5. Relevez, dans ces cinq strophes, quelques comparaisons.

Strophes 6 à 9 : tempête sur la ville

1. Expliquez l'expression : « l'essaim des Djinns » (vers 41).

2. Relevez et commentez, dans les strophes 6 et 7, d'autres expressions ou images par lesquelles Victor Hugo désigne ces divinités.

3. Dans la strophe 6, relevez des sonorités qui vous semblent expressives. Qu'évoquent-elles ?

4. Quels bruits entend-on dans les strophes 7 et 8 ?

5. Quelle promesse le poète fait-il dans la strophe 9 ? Pourquoi ?

Strophes 10 à 15 : le départ

1. Quel sentiment manifeste le poète au vers 73 ?

2. Relevez dans les strophes 11, 12 et 13, les comparaisons et les images par lesquelles Victor Hugo traduit l'éloignement progressif des djinns.

3. À quoi nous ramènent les deux dernières strophes ?

4. Sur le graphique réalisé ci-dessus, distinguez, par des couleurs différentes, les trois grandes parties de ce long poème et trouvez un titre original pour chacune d'elles.

Versification

1. Combien comptez-vous de strophes dans ce poème ? Combien de vers y a-t-il dans chaque strophe ?

2. On peut aussi représenter par un graphique le nombre de syllabes que comptent les vers de chaque strophe. Pouvez-vous compléter, sur une feuille, le graphique amorcé ci-dessous, à raison d'un centimètre ou d'un carreau par syllabe ?

Que remarquez-vous ? Où se situe le point le plus élevé ?

3. Dans ce poème, Victor Hugo utilise presque toutes les ressources de la métrique (voir le lexique, p. 315) à quelques exceptions près ; lesquelles ?

4. Vous avez maintenant compris à quoi correspondent l'augmentation puis la diminution régulière du nombre de syllabes dans chaque strophe ; expliquez-le clairement.

5. Que signifient, en musique, les mots *crescendo* et *decrescendo* ? *forte, fortissimo, piano, pianissimo* ? Cherchez-en quelques exemples dans des morceaux de musique ou des chansons que vous aimez (vous pourrez faire appel à votre professeur d'éducation musicale).

Mélancholia

VICTOR HUGO

Les Contemplations (1856)

Où vont tous ces enfants dont pas un seul ne rit ?
Ces doux êtres pensifs, que la fièvre maigrit ?
Ces filles de huit ans qu'on voit cheminer seules ?
Ils s'en vont travailler quinze heures sous des meules ;
5   Ils vont, de l'aube au soir, faire éternellement
Dans la même prison le même mouvement.
Accroupis sous les dents d'une machine sombre,
Monstre hideux qui mâche on ne sait quoi dans l'ombre,
Innocents dans un bagne, anges dans un enfer,
10 Ils travaillent. Tout est d'airain, tout est de fer.
Jamais on ne s'arrête et jamais on ne joue.
Aussi quelle pâleur ! La cendre est sur leur joue.
Il fait à peine jour, ils sont déjà bien las.
Ils ne comprennent rien à leur destin, hélas !
15 Ils semblent dire à Dieu : « Petits comme nous sommes,
Notre père, voyez ce que nous font les hommes ! »

VICTOR HUGO, *Les Contemplations*, III, 2, 1856.

Guide de lecture : tristes enfants

1. Que nous apprend ce poème sur la condition de certains enfants au XIXe siècle ?

2. Comment nous apparaissent ces enfants (allure, physique, santé, etc.) ?

3. Quels sentiments cette situation inspire-t-elle à Victor Hugo ?

4. Pourquoi, en dernier recours, les enfants s'adressent-ils à Dieu dans une émouvante prière ?

Quelques procédés de style

a. Les répétitions : relevez-en quelques-unes et essayez de les justifier en disant sur quelle idée Victor Hugo a voulu insister.
b. Des oppositions, ou antithèses, apparaissent dans certains vers. Soulignez-les et essayez de préciser ce qu'a voulu montrer ainsi Victor Hugo.
c. La machine est **personnifiée :** comment nous apparaît-elle ?

Versification

Ce poème est composé d'*alexandrins* (12 pieds).

1. Lisez-les en marquant bien les pauses expressives.

2. Comment lisez-vous le vers 4 ?

3. Quel mot se détache à la fin du vers 14 ?

4. Mettez bien en évidence *le rejet* du vers 10.

5. Les sonorités sont tantôt douces, tantôt désagréables, grinçantes et sourdes. Montrez-le à la lecture.

Recherche, Réflexion, Rédaction

1. Rédaction

1. Comment imaginez-vous la journée d'un jeune ouvrier au XIXe siècle ? (Vous pouvez parler à la première personne, comme si vous étiez, vous-même, ce jeune ouvrier.)

2. Faites une enquête, autour de vous, sur les conditions de travail d'un ouvrier ou d'un artisan d'autrefois. Qu'est-ce qui a changé ? Vous pouvez imaginer un dialogue entre un jeune ouvrier et son grand-père.

2. Exposé

1. Documentez-vous (dans un livre d'histoire, une encyclopédie, etc.) sur la « révolution industrielle » du XIXe siècle et ses conséquences en France.
Quelles lois ont, peu à peu, amélioré la condition des enfants et celle des ouvriers ?
Existe-t-il, aujourd'hui encore, des pays où les enfants commencent à travailler très jeunes ?

2. Lisez, dans *Les Misérables* de Victor Hugo, les épisodes concernant Cosette et Gavroche. Présentez-les oralement à vos camarades.

Le crapaud

VICTOR HUGO

*La Légende
des siècles*
(1859)

Pour Victor Hugo, toute forme de vie doit être respectée. Adversaire de la peine de mort pour les humains, il étend le respect de la vie aux créatures les plus infimes, ou les plus horribles, du règne animal ou végétal.

Ainsi, ce crapaud répugnant, que des adultes molestent par dégoût et que des enfants — dont l'auteur lui-même — torturent par jeu, est-il finalement épargné par l'âne, qui donne ici une bonne leçon aux hommes.

Tous les yeux poursuivaient le crapaud dans la vase ;
C'était de la fureur et c'était de l'extase ;
Un des enfants revint, apportant un pavé
Pesant, mais pour le mal aisément soulevé,
5 Et dit : — Nous allons voir comment cela va faire.
Or, en ce même instant, juste à ce point de terre,
Le hasard amenait un chariot très lourd
Traîné par un vieux âne éclopé, maigre et sourd ;
Cet âne harassé, boiteux et lamentable,
10 Après un jour de marche approchait de l'étable ;
Il roulait la charrette et portait un panier ;
Chaque pas qu'il faisait semblait l'avant-dernier ;
Cette bête marchait, battue, exténuée ;
Les coups l'enveloppaient ainsi qu'une nuée ;
15 Il avait dans ses yeux voilés d'une vapeur
Cette stupidité qui peut-être est stupeur ;
Et l'ornière était creuse, et si pleine de boue
Et d'un versant si dur, que chaque tour de roue
Était comme un lugubre et rauque arrachement ;
20 Et l'âne allait geignant et l'ânier blasphémant ;
La route descendait et poussait la bourrique ;
L'âne songeait, passif, sous le fouet, sous la trique,
Dans une profondeur où l'homme ne va pas.
Les enfants, entendant cette roue et ce pas,
25 Se tournèrent bruyants et virent la charrette :
— Ne mets pas le pavé sur le crapaud. Arrête !
Crièrent-ils. Vois-tu, la voiture descend
Et va passer dessus, c'est bien plus amusant.
Tous regardaient.
            Soudain, avançant dans l'ornière
30 Où le monstre attendait sa torture dernière,
L'âne vit le crapaud, et, triste, — hélas ! penché
Sur un plus triste, — lourd, rompu, morne, écorché,
Il sembla le flairer avec sa tête basse ;
Ce forçat, ce damné, ce patient, fit grâce ;
35 Il rassembla sa force éteinte, et, roidissant
Sa chaîne et son licou sur ses muscles en sang,
Résistant à l'ânier qui lui criait : Avance !
Maîtrisant du fardeau l'affreuse connivence,
Avec sa lassitude acceptant le combat,
40 Tirant le chariot et soulevant le bât,
Hagard il détourna la roue inexorable,

Laissant derrière lui vivre ce misérable ;
Puis, sous un coup de fouet, il reprit son chemin.
Alors, lâchant la pierre échappée à sa main,
45 Un des enfants — celui qui conte cette histoire[1] —
Sous la voûte infinie à la fois bleue et noire,
Entendit une voix qui lui disait : Sois bon !

Victor Hugo, *La Légende des siècles*, LIII, 1859.

1. « *J'étais enfant, j'étais petit, j'étais cruel* » dit plus haut Victor Hugo.

Guide de lecture : le crapaud, les enfants et l'âne

1. Qu'est-ce qui pousse les enfants à torturer le crapaud ?

2. Expliquez le vers 4 : « Pesant, mais pour le mal aisément soulevé. »

3. Présentez brièvement l'âne (vers 6 et suivants). Quels points communs a-t-il avec le crapaud ?

4. Comment comprenez-vous le vers 23 : « Dans une profondeur où l'homme ne va pas » ?

5. Quelle nouvelle idée vient aux enfants (vers 24 à 28) ?

6. Quelles circonstances donnent une valeur particulière à la décision de l'âne ?.

7. Quelle est la portée morale de ce récit ? Comment la leçon finale est-elle mise en relief ?

Versification

1. Commentez le rejet de l'adjectif *pesant* au vers 4 ; que traduit-il ?

2. Quel effet le vers 7 est-il destiné à produire ? Étudiez tous les procédés (rythme de l'alexandrin, place des accents, allitérations, diérèse...) qui contribuent à cet effet.
Analysez ensuite le rythme des vers suivants (8 à 19).

3. Commentez les rythmes et les allitérations des vers 17 à 19.

POUR LE BREVET DES COLLÈGES

Grammaire

1. « Traîné par un *vieux* âne » (vers 8) : qu'aurait dû écrire normalement Victor Hugo ? Pouvez-vous justifier son choix ?
2. Relevez tous les *adjectifs qualificatifs épithètes* par lesquels le poète décrit l'âne aux vers 8-9, puis aux vers 31-32.
3. Relevez les passages au *style direct* et précisez l'effet qu'ils produisent.

Vocabulaire

1. Quelle différence faites-vous entre la *stupidité* et la *stupeur* ? Expliquez ensuite le vers 16.
2. Quelle particularité présente l'expression « *roidissant* sa chaîne » (vers 35-36) ? Expliquez-la brièvement.

La mort du loup

Les leçons que reçoivent les hommes ne leur viennent pas seulement de leurs semblables : les animaux aussi peuvent, parfois, leur en donner. Ainsi, le loup traqué puis tué par des chasseurs apparaît-il à Alfred de Vigny comme un remarquable exemple de dignité.

ALFRED
DE VIGNY

Les Destinées
(1864)

Alfred de Vigny (1797-1863) se préparait à une carrière militaire. Mais, supportant mal la monotonie de la vie de garnison, il compose dès 1822 son poème *Moïse*, et se consacre désormais à la littérature : au roman historique, avec *Cinq-Mars* (1826), à la poésie avec les *Poèmes antiques et modernes* (1826), et au théâtre avec *Chatterton* (1835). La mort de sa mère, et sa rupture avec l'actrice Marie Dorval accentuent son inquiétude et son pessimisme, sensibles dans son écriture. *Les Destinées*, grands poèmes philosophiques et moraux, ne seront publiées qu'après sa mort.

Les nuages couraient sur la lune enflammée
Comme sur l'incendie on voit fuir la fumée,
Et les bois étaient noirs jusques[1] à l'horizon.
Nous marchions, sans parler, dans l'humide gazon,
5 Dans la bruyère épaisse et dans les hautes brandes[2],
Lorsque sous des sapins pareils à ceux des Landes,
Nous avons aperçu les grands ongles marqués
Par les loups voyageurs que nous avions traqués (...)
Nous avons tous alors préparé nos couteaux
10 Et, cachant nos fusils et leurs lueurs trop blanches,
Nous allions, pas à pas, en écartant les branches.
Trois s'arrêtent, et moi, cherchant ce qu'ils voyaient,
J'aperçois tout à coup deux yeux qui flamboyaient,
Et je vois au-delà quatre formes légères
15 Qui dansaient sous la lune au milieu des bruyères,
Comme font chaque jour, à grand bruit, sous nos yeux,
Quand le maître revient, les lévriers joyeux.
Leur forme était semblable et semblable la danse ;
Mais les enfants du loup se jouaient en silence,
20 Sachant bien qu'à deux pas, ne dormant qu'à demi,
Se couche dans ses murs l'homme, leur ennemi (...).
Le loup vient et s'assied, les deux jambes dressées
Par leurs ongles crochus dans le sable enfoncées.
Il s'est jugé perdu, puisqu'il était surpris,
25 Sa retraite coupée et tous ses chemins pris ;
Alors il a saisi, dans sa gueule brûlante,
Du chien le plus hardi la gorge pantelante[3]
Et n'a pas desserré ses mâchoires de fer,
Malgré nos coups de feu qui traversaient sa chair
30 Et nos couteaux aigus qui, comme des tenailles,
Se croisaient en plongeant dans ses larges entrailles,
Jusqu'au dernier moment où le chien étranglé,
Mort longtemps avant lui, sous ses pieds a roulé.
Le loup le quitte alors et puis il nous regarde.
35 Les couteaux lui restaient au flanc jusqu'à la garde,
Le clouaient au gazon tout baigné dans son sang ;
Nos fusils l'entouraient en sinistre croissant.
Il nous regarde encore, ensuite il se recouche
Tout en laissant le sang répandu sur sa bouche,
40 Et, sans daigner savoir comment il a péri,
Refermant ses grands yeux, meurt sans jeter un cri.

1. **Jusques** : *orthographe et prononciation anciennes (2 syllabes).*

2. **Brande** : *bruyère sèche qui tapisse les sous-bois.*

3. **Pantelante** : *palpitante.*

ALFRED DE VIGNY, *Les Destinées*, 1864.

Guide de lecture : le loup et les hommes

1. Distinguez les différentes parties du poème et donnez un titre à chacune.

2. Caractérisez rapidement le cadre de l'action.

3. Vigny compare les louveteaux à des lévriers. Pourquoi ? Quelle différence y a-t-il entre eux toutefois (vers 13 à 21) ?

4. Précisez l'attitude du loup lorsqu'il aperçoit les chasseurs.

5. Pourquoi s'en prend-il à un chien ?

6. Quelle leçon le loup donne-t-il aux hommes en mourant ?

Style

1. Les comparaisons ; relevez-en quelques-unes et commentez-les. Dites ensuite celles qui vous semblent expressives et bien choisies.

2. Le rythme des alexandrins est tantôt fluide et lié, tantôt marqué par des pauses. Choisissez quelques vers qui vous paraissent expressifs et lisez-les à haute voix. Qu'évoquent-ils ?

De la lecture à la rédaction

L'observation du comportement d'un animal vous a peut-être, à vous aussi, inspiré quelques réflexions... Lesquelles ? Exposez-les après avoir raconté la scène.

La Chasse au loup, *gravure de E. Grasset, vers 1900.*

ALFRED DE MUSSET

La Nuit de mai (1835)

Le pélican

« *Les plus désespérés sont les chants les plus beaux.*
Et j'en sais d'immortels qui sont de purs sanglots »,
écrit Alfred de Musset dans ce long poème intitulé La Nuit de mai, *où, dialoguant avec sa Muse, le poète prend peu à peu conscience du rôle primordial que joue la souffrance dans la création poétique. C'est ainsi qu'il en vient à comparer le poète au pélican qui, selon la légende, s'offre lui-même en pâture à ses petits lorsqu'il ne parvient pas à les nourrir...*

1. *Le bec du pélican porte une poche extensible, où il emmagasine les poissons destinés à la nourriture de ses petits. Le sang des poissons que les petits viennent prendre dans cette poche est sans doute à l'origine de cette légende.*

    Lorsque le pélican, lassé d'un long voyage,
    Dans les brouillards du soir retourne à ses roseaux,
    Ses petits affamés courent sur le rivage
    En le voyant au loin s'abattre sur les eaux.
5   Déjà, croyant saisir et partager leur proie,
    Ils courent à leur père avec des cris de joie
    En secouant leurs becs sur leurs goitres hideux[1].
    Lui, gagnant à pas lents une roche élevée,
    De son aile pendante abritant sa couvée,
10 Pêcheur mélancolique, il regarde les cieux.

Alfred de Musset (1810-1857) est l'« enfant terrible » du mouvement romantique. Il s'oriente tout d'abord vers le théâtre, avec *Un spectacle dans un fauteuil* (1832) et *Les Caprices de Marianne* (1833). Mais sa liaison passionnée avec George Sand, puis la rupture, marquent définitivement son œuvre et sa vie. Cette épreuve lui apporte une maturité qui se révèle dans le drame de *Lorenzaccio* (1834), le récit de *La Confession d'un enfant du siècle* (1836) et les quatre poèmes des *Nuits* (1835-1837). A l'âge de vingt-huit ans, Musset avait déjà donné le meilleur de lui-même.

2. *Propre à engendrer la joie.*

Le sang coule à longs flots de sa poitrine ouverte ;
En vain il a des mers fouillé la profondeur :
L'Océan était vide et la plage déserte ;
Pour toute nourriture, il apporte son cœur.
15 Sombre et silencieux, étendu sur la pierre,
Partageant à ses fils ses entrailles de père,
Dans son amour sublime il berce sa douleur,
Et, regardant couler sa sanglante mamelle,
Sur son festin de mort il s'affaisse et chancelle,
20 Ivre de volupté, de tendresse et d'horreur.
Mais parfois, au milieu du divin sacrifice,
Fatigué de mourir dans un trop long supplice,
Il craint que ses enfants ne le laissent vivant ;
Alors il se soulève, ouvre son aile au vent,
25 Et, se frappant le cœur avec un cri sauvage,
Il pousse dans la nuit un si funèbre adieu,
Que les oiseaux des mers désertent le rivage,
Et que le voyageur attardé sur la plage,
Sentant passer la mort, se recommande à Dieu.
30 Poète, c'est ainsi que font les grands poètes.
Ils laissent s'égayer ceux qui vivent un temps ;
Mais les festins humains qu'ils servent à leurs fêtes
Ressemblent la plupart à ceux des pélicans.
Quand ils parlent ainsi d'espérances trompées,
35 De tristesse et d'oubli, d'amour et de malheur,
Ce n'est pas un concert à dilater le cœur[2].
Leurs déclamations sont comme des épées :
Elles tracent dans l'air un cercle éblouissant,
Mais il y pend toujours quelque goutte de sang.

ALFRED DE MUSSET, *La Nuit de mai*, 1835.

Guide de lecture : de la légende au symbole

1. Distinguez les épisodes du drame qui se joue (vers 1 à 29).

2. Qu'attendaient les petits ? Que font-ils ?

3. Comment meurt le pélican ? Qu'est-ce qui rend sa mort à la fois si effrayante et si émouvante ?

4. Le symbole :
a. Précisez le double sens que l'on peut prêter au vers 14.
b. Expliquez clairement ce symbole.

5. Sur quelle nouvelle comparaison s'achève le poème ? Justifiez-la.

Versification

1. Commentez le rythme des vers 15 à 20.

2. Cherchez, dans le poème, des allitérations qui vous semblent expressives et commentez-les brièvement.

Recherche, Réflexion, Rédaction

Les « chants les plus beaux » sont-ils aussi pour vous « les plus désespérés » ?

Citez quelques poèmes, ou quelques vers, que vous aimez, et justifiez votre choix en quelques phrases précises.

POUR LE BREVET DES COLLÈGES

Vocabulaire
1. Relevez, dans les vers 1 à 29, tous les mots ou expressions qui permettent d'imaginer le décor. Quelle impression s'en dégage ?
2. Expliquez l'expression : « il berce sa douleur » (vers 17).

Grammaire
1. « En vain il a *des mers* fouillé la profondeur » (vers 12). Analysez *mers*.
Quelle remarque faites-vous sur la place de ce mot ?
2. Analysez les propositions dans la phrase :
« Il pousse dans la nuit un si funèbre adieu,
Que les oiseaux des mers désertent le rivage,
Et que le voyageur attardé sur la plage,
Sentant passer la mort, se recommande à Dieu » (vers 26 à 30).

4. La fin du XIXᵉ siècle : symbolistes et décadents

La fin du XIXᵉ siècle est dominée par le génie de deux grands poètes, Paul Verlaine *(pp. 127 à 129) et* Arthur Rimbaud *(p. 130) qui, après* Charles Baudelaire, *ouvrent la voie de la poésie moderne.*

Le courant symboliste fait de la poésie un art de la suggestion et du rêve, conception que les « décadents », comme Jules Laforgue *(p. 131) reprendront aussi à leur compte.*

Soir antique, *A. Osbert.*

PAUL VERLAINE

Poèmes saturniens (1866)

Paul Verlaine (1844-1896) a consacré à la poésie toute sa vie tourmentée, marquée par la rencontre tumultueuse avec Rimbaud. Emprisonné deux ans pour avoir tiré sur son ami, il s'adonne ensuite à la boisson. Verlaine est le poète des assonances directes et des rythmes fluides qui composent un chant intime et prenant. Il a inspiré des musiciens comme Fauré et Debussy.

Œuvres principales : *Poèmes saturniens* (1866), *Romances sans paroles* (1874), *Sagesse* (1881), *Jadis et Naguère* (1884).

Après trois ans

En exil, on rêve des lieux que l'on a quittés, comme le font Du Bellay (p. 115) ou Lamartine. Et lorsqu'on revient, on a quelquefois la satisfaction de constater que « rien n'a changé ».

Le déjeuner,
C. Monet
(détail).

    Ayant poussé la porte étroite qui chancelle,
    Je me suis promené dans le petit jardin
    Qu'éclairait doucement le soleil du matin,
    Pailletant chaque fleur d'une humide étincelle.

5 Rien n'a changé. J'ai tout revu : l'humble tonnelle
    De vigne folle avec les chaises de rotin...
    Le jet d'eau fait toujours son murmure argentin
    Et le vieux tremble[1] sa plainte sempiternelle.

    Les roses comme avant palpitent ; comme avant,
10 Les grands lys orgueilleux se balancent au vent,
    Chaque alouette qui va et vient m'est connue.

    Même j'ai retrouvé debout la Velléda[2]
    Dont le plâtre s'écaille au bout de l'avenue,
    Grêle, parmi l'odeur fade du réséda[3].

PAUL VERLAINE, *Poèmes saturniens*, 1866.

1. Tremble : *espèce de peuplier dont la feuille tremble au moindre vent.*

2. Velléda : *druidesse de Germanie qui, au temps de Vespasien, souleva une partie de la Gaule du Nord et mourut captive à Rome.*

3. Réséda : *plante aux fleurs très odorantes.*

Guide de lecture : les retrouvailles

1. Quel paysage est esquissé dans le premier quatrain ? Montrez l'harmonie entre le rythme des vers et ce paysage.

2. Comparez le rythme du cinquième vers à celui des vers précédents. Quelle phrase se trouve mise en relief ? Pourquoi ?

3. Comment l'évocation du paysage se précise-t-elle dans le second quatrain ? Le poète s'adresse-t-il seulement à notre sens visuel ?

4. Sur quelle expression Verlaine insiste-t-il au vers 9 ? Pourquoi ?

5. Quel sentiment se fait jour dans le second tercet ? Quels mots, et quelle sensation nouvelle le montrent ?

Versification

1. Précisez, en observant ce poème, la composition d'un sonnet.

2. Cherchez des sonorités expressives, et commentez-les.

De la lecture à la rédaction

Vous retrouvez un endroit dont vous avez été tenu éloigné pendant un certain temps. A-t-il changé ? Décrivez-le en nous faisant part de vos réactions.

Gaspar Hauser chante

PAUL VERLAINE

Sagesse
(1881)

En 1828, un jeune homme d'environ seize ans, vêtu en paysan, entra dans la ville de Nuremberg, hagard, sachant à peine parler. Il semblait avoir été séquestré. Recueilli par la charité publique, puis confié aux soins d'un professeur de Nuremberg qui se chargea de son éducation, il fut mystérieusement assassiné en 1833, ce qui accrédita l'idée qu'il s'agissait d'un descendant d'une très grande famille.

Paul Verlaine qui, en 1873, vient d'être condamné à deux ans de prison pour avoir blessé son ami Rimbaud de deux coups de pistolet, donne ici la parole à ce personnage étrange qui avait intrigué l'Europe un demi-siècle auparavant, et dont le désarroi lui rappelle le sien...

Je suis venu, calme orphelin,
Riche de mes seuls yeux tranquilles,
Vers les hommes des grandes villes :
Ils ne m'ont pas trouvé malin.

5 À vingt ans un trouble nouveau,
Sous le nom d'amoureuses flammes,
M'a fait trouver belles les femmes :
Elles ne m'ont pas trouvé beau.

Bien que sans patrie et sans roi
10 Et très brave ne l'étant guère[1],
J'ai voulu mourir à la guerre :
La mort n'a pas voulu de moi.

Suis-je né trop tôt ou trop tard ?
Qu'est-ce que je fais en ce monde ?
15 Ô vous tous, ma peine est profonde :
Priez pour le pauvre Gaspar !

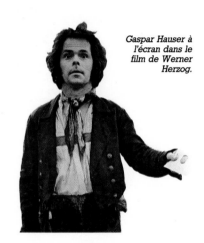

Gaspar Hauser à l'écran dans le film de Werner Herzog.

1. *N'étant guère brave...*

PAUL VERLAINE, *Sagesse*, 1881.

Guide de lecture : un exclu

1. Comment Gaspar Hauser se présente-t-il lui-même ?

2. Énumérez, d'après les trois premières strophes, les trois échecs successifs de Gaspar.

3. Montrez la progression du premier au troisième échec. Quelles réflexions vous inspire le dernier ?

4. Sur quoi s'interroge le « pauvre Gaspar » dans la dernière strophe ?

5. Quels sentiments cette dernière strophe traduit-elle ?

6. Dépassant la simple anecdote, Verlaine fait de Gaspar un symbole. Que représente-t-il ?

Versification

1. De quelle sorte de strophe ce poème est-il composé ?

2. Quel type de vers Paul Verlaine utilise-t-il ici ?

3. Comment sont disposées les rimes ?

4. Verlaine précise, dans le titre : « Gaspar Hauser chante. » On peut donc considérer ce poème comme *une complainte*.
Définissez clairement ce mot, puis donnez-en quelques exemples.

POUR LE BREVET DES COLLÈGES

Grammaire

1. « M'a fait trouver *belles* les femmes » (vers 7) : nature et fonction de *belles* ?

2. Dans les trois premières strophes, remplacez les deux points par une conjonction de coordination.

3. Quelle différence de construction syntaxique remarquez-vous entre les deux premières strophes et la troisième ?

Chanson d'automne

PAUL VERLAINE

*Poèmes
saturniens*
(1866)

Les sanglots longs
Des violons
   De l'automne
Blessent mon cœur
5 D'une langueur
   Monotone.

Tout suffocant
Et blême, quand
   Sonne l'heure,
10 Je me souviens
Des jours anciens
   Et je pleure ;

Et je m'en vais
Au vent mauvais
15   Qui m'emporte
Deçà, delà,
Pareil à la
   Feuille morte.

PAUL VERLAINE, *Poèmes saturniens*,
« Paysages tristes », V, 1866.

Lithographie de T. A. Steinlen

Il pleut doucement sur la ville

PAUL VERLAINE

*Romances
sans paroles*
(1874)

Il pleure dans mon cœur
Comme il pleut sur la ville ;
Quelle est cette langueur
Qui pénètre mon cœur ?

5 Ô bruit doux de la pluie
Par terre et sur les toits !
Pour un cœur qui s'ennuie
Ô le chant de la pluie !

10 Il pleure sans raison
Dans ce cœur qui s'écœure.
Quoi ! nulle trahison ?...
Ce deuil est sans raison.

C'est bien la pire peine
15 De ne savoir pourquoi
Sans amour et sans haine
Mon cœur a tant de peine !

PAUL VERLAINE, *Romances sans paroles*,
« Ariettes oubliées », III, 1874.

Guide de lecture

Comparez ces deux poèmes de Paul Verlaine en organisant votre réflexion autour des thèmes suivants :

1. La mélancolie : sa nature, ses causes, ses manifestations.

2. L'expression de cette mélancolie : vocabulaire, images, versification...

3. La recherche délibérée de procédés musicaux, illustrant le principe fondamental de Verlaine dans son *Art poétique* : « De la musique avant toute chose. »

**ARTHUR
RIMBAUD**

Poèmes (1871)

Né à Charleville, **Arthur Rimbaud** (1854-1891) reste le symbole du génie poétique précoce et de la révolte adolescente. A partir de 1870, sa poésie se fait l'écho de cette révolte intérieure contre toutes les formes de tabous et d'asservissements. Sa rencontre avec Verlaine, en 1871, suivie d'une rupture dramatique en 1873, marque la fin d'un rêve, qu'il relate dans le récit d'*Une saison en enfer*. Après une longue errance solitaire à travers l'Europe, Rimbaud, abandonnant la poésie, se fera marchand et trafiquant d'armes en Abyssinie. Il rejoindra la France en 1891 pour mourir, amputé d'une jambe, à l'hôpital de Marseille.
Œuvres principales : *Bateau ivre* (1871), *Une saison en enfer* (1873), *Illuminations* (1886).

Le dormeur du val

C'est un trou de verdure où chante une rivière
Accrochant follement aux herbes des haillons
D'argent, où le soleil, de la montagne fière,
Luit : c'est un petit val qui mousse de rayons.

5 Un soldat, jeune, bouche ouverte, tête nue
Et la nuque baignant dans le frais cresson bleu,
Dort ; il est étendu dans l'herbe, sous la nue,
Pâle sur son lit vert où la lumière pleut.

Les pieds dans les glaïeuls, il dort. Souriant comme
10 Sourirait un enfant malade, il fait un somme :
Nature, berce-le chaudement : il a froid.

Les parfums ne font pas frissonner sa narine ;
Il dort dans le soleil, la main sur sa poitrine
Tranquille. Il a deux trous rouges au côté droit.

ARTHUR RIMBAUD, *Poésies*, 1871.

H. Fantin-Latour, Un coin de table *(détail)*.

Guide de lecture : le sommeil de la mort

1. Lisez le poème une première fois en entier et précisez l'effet de surprise que nous réserve le dernier vers.

2. Relisez ensuite le poème. Quelles expressions annoncent la « surprise » finale ?

3. Quel est le mouvement suivi par le regard ? De quel procédé cinématographique peut-on le rapprocher ?

4. Relevez les notations de couleurs dans l'ensemble du texte. Quel changement notez-vous entre la 1re et la 2e strophe ? Où se situe le principal contraste ?

5. Quelles images tendent à personnifier la nature ? Commentez-les.

6. Ce sonnet contient plusieurs rejets expressifs. Relevez-les et commentez-les brièvement.

7. Comparez le 1er et le dernier vers du poème. Que constatez-vous ?

8. Peut-on deviner quels sont les sentiments de l'auteur ?

JULES
LAFORGUE

Derniers Vers
(1887)

Couchant d'hiver

Mort prématurément de tuberculose, Jules Laforgue (1860-1887) est l'auteur de
Complaintes *(1885) et de poésies dont la dérision souriante et l'humour macabre sont
pour lui autant de manières de conjurer la maladie, la pauvreté et le pessimiste qui
l'oppressent.*

Au Bois

Quel couchant douloureux nous avons eu ce soir !
Dans les arbres pleurait un vent de désespoir,
Abattant du bois mort dans les feuilles rouillées.
À travers le lacis[1] des branches dépouillées
5 Dont l'eau-forte[2] sabrait le ciel bleu clair et froid,
Solitaire et navrant, descendait l'astre-roi[3].
Ô Soleil ! l'autre été, magnifique en ta gloire,
Tu sombrais, radieux comme un grand Saint-Ciboire[4],
Incendiant l'azur ! À présent, nous voyons
10 Un disque safrané[5], malade, sans rayons,
Qui meurt à l'horizon balayé de cinabre[6],
Tout seul, dans un décor poitrinaire et macabre,
Colorant faiblement les nuages frileux
En blanc morne et livide, en verdâtre fielleux,
15 Vieil or, rose fané, gris de plomb, lilas pâle.
Oh ! c'est fini, fini ! longuement le vent râle,
Tout est jaune et poussif ; les jours sont révolus,
La Terre a fait son temps ; ses reins n'en peuvent plus.

JULES LAFORGUE, *Derniers Vers* (1887).

1. Le lacis : *le réseau des
branches entrelacées.*

2. Eau-forte : *acide nitrique
utilisé pour la gravure.*

3. Périphrase *à expliquer.*

4. Saint-Ciboire : *vase sacré
en forme de coupe où l'on
conserve les hosties.*

5. Safrané : *de la couleur du
safran (aromate), jaune
orangé.*

6. Cinabre : *sulfure de
mercure, de couleur rouge
vermillon.*

Guide de lecture : des couleurs de deuil

1. Quels sentiments le coucher du soleil fait-il naître chez le poète ? Pourquoi ?

2. Précisez l'opposition entre les vers 7-9 et le reste du poème.

3. Quelle image traditionnelle de l'hiver apparaît dans les derniers vers ? Relevez et commentez les expressions évoquant la maladie et la mort.

4. « Un paysage est un état d'âme... »
a. Essayez de relever toutes les couleurs de ce tableau. Quel est leur point commun ?
b. Jules Laforgue ne reste pas extérieur à sa description, comme le font les poètes « parnassiens ». Au contraire, le paysage a une grande influence sur son état d'esprit : relevez les mots, les expressions qui le révèlent, puis essayez de montrer l'harmonie entre la nature et ce qu'éprouve le poète.

Versification

1. Ce poème est en *alexandrins*. Distinguez ceux dont le rythme est très lié de ceux où la césure est nettement marquée. Que traduisent ces rythmes différents ?

2. Relevez deux diérèses dans les vers 8 et 9. Quel effet produisent-elles ?

5. Le XXe siècle

C'est au XXe siècle que s'imposent les audaces poétiques dont l'idée était née à la fin du XIXe siècle. Finies les contraintes mécaniques de la métrique et de la rime : le vers libre s'impose. Guillaume Apollinaire, le premier, ose bannir toute ponctuation de son recueil Alcools, sans savoir qu'il fera très vite école (ci-dessous).

Avant la Deuxième Guerre mondiale, le surréalisme, qui voit dans la poésie une émanation, sous forme d'images, de l'inconscient psychique, franchit une nouvelle étape. Désormais nettement séparée de la prose, la poésie pourra être interprétée différemment par chaque lecteur. Le poète devient, pour reprendre le mot de Paul Éluard, « celui qui inspire, bien plus que celui qui est inspiré ».

GUILLAUME APOLLINAIRE

Alcools
(1913)

Wilhelm Apollinaris de Kostro-witsky, dit **Guillaume Apollinaire** (1880-1918) est le fils naturel d'un officier italien et d'une noble polonaise. Après de nombreux voyages en Allemagne et en Autriche, qui inspirent large-ment sa poésie, il s'installe à Paris et se lie avec Marie Lau-rencin. Ami de nombreux pein-tres, il célèbre l'art nouveau. Engagé en 1914 pour la durée de la guerre, il est blessé à la tempe et trépanné. Il sera pré-maturément emporté par une épidémie de grippe espagnole. Apollinaire peut être considéré comme l'un des initiateurs de la poésie moderne : ses images insolites et neuves renouvellent le ton de la confidence lyrique. Œuvres principales : *Alcools* (1913), *Le Poète assassiné* (1916), *Calligrammes.*

Le Pont Mirabeau

Pour rentrer chez lui, à Auteuil, Apollinaire passait chaque jour sur le pont Mirabeau.
En 1912, après sa rupture avec Marie Laurencin, la vue de la Seine coulant indéfiniment sous les arches lui inspira cette belle méditation.

Sous le pont Mirabeau coule la Seine
    Et nos amours
Faut-il qu'il m'en souvienne
La joie venait toujours après la peine

5 Vienne la nuit sonne l'heure
Les jours s'en vont je demeure

Les mains dans les mains restons face à face
    Tandis que sous
Le pont de nos bras passe
10 Des éternels regards l'onde si lasse

Vienne la nuit sonne l'heure
Les jours s'en vont je demeure

L'amour s'en va comme cette eau courante
    L'amour s'en va
15 Comme la vie est lente
Et comme l'Espérance est violente

Vienne la nuit sonne l'heure
Les jours s'en vont je demeure

Passent les jours et passent les semaines
20   Ni temps passé
Ni les amours reviennent
Sous le pont Mirabeau coule la Seine

Vienne la nuit sonne l'heure
Les jours s'en vont je demeure

GUILLAUME APOLLINAIRE, *Alcools*, 1913, © éd. Gallimard.

La Muse *(Marie Laurencin)*
inspirant le poète *(Guillaume
Apollinaire), le Douanier
Rousseau.*

Guide de lecture : l'eau et le temps

1. Que symbolise le cours de la Seine ? Relevez des vers qui le montrent.

2. Comment les images de la première strophe sont-elles reprises et transformées dans la deuxième strophe ?

3. Expliquez le vers 10 : « Des éternels regards l'onde si lasse »

4. Sur quel effet de contraste le refrain repose-t-il ?

5. Quel sentiment domine ce poème ?

6. Quel effet produit le retour du premier vers à la fin du poème ?

Versification

1. De quelle sorte de strophes ce poème est-il composé ?

2. Quels sont les mètres employés dans chaque strophe ?

3. Apollinaire avait d'abord composé ce poème en strophes de 3 vers (tercets). À quoi peut-on le voir ? Pourquoi, selon vous, a-t-il ensuite adopté cette nouvelle disposition ?

Poésie et musique

1. Voici une liste de procédés qui contribuent à la musicalité d'un poème. Citez au moins un exemple de chacun dans « Le Pont Mirabeau » :
— allitérations liquides et mélodieuses ;
— rimes féminines ;
— présence d'un refrain ou « leitmotiv » ;
— inversion de certains mots ;
— diérèse ;
— répétition ou reprise ;
— mètre impair (plus musical si l'on en croit Verlaine dans son *Art poétique*).

2. Lisez à haute voix ce poème, que rend encore plus fluide l'absence délibérée de toute ponctuation.

3. Recherchez d'autres poèmes qui associent la fuite du temps, de l'eau, et de l'amour.

POUR LE BREVET DES COLLÈGES

1. Subjonctif ou indicatif ?
a. Dans l'expression « Vienne la nuit », à quel mode est le verbe ? Que traduit-il ?
b. Dans « Sonne l'heure », optez-vous pour le subjonctif ou pour l'indicatif ? Justifiez votre choix en précisant la différence de signification entre les deux modes.
c. Faites le même travail pour le vers « Passent les jours et passent les semaines ».

2. Comme...
Dans les vers : « L'amour s'en va *comme* cette eau courante », le mot *comme* introduit une comparaison. Mais qu'exprime-t-il dans les vers 16-16 :
« Comme la vie est lente
Et comme l'espérance est violente » ?

3. « Les jours s'en vont je demeure » : Apollinaire exprime ici une opposition dont les deux éléments sont simplement juxtaposés, sans aucune ponctuation.
Exprimez cette opposition :
a. dans deux propositions indépendantes coordonnées ;
b. dans une phrase complexe (précisez la nature et la fonction des propositions).

GUILLAUME
APOLLINAIRE

Alcools
(1913)

Automne malade

Automne malade et adoré
Tu mourras quand l'ouragan soufflera dans les roseraies
Quand il aura neigé
Dans les vergers
5   Pauvre automne
Meurs en blancheur et en richesse
De neige et de fruits mûrs
Au fond du ciel
Des éperviers planent
10   Sur les nixes[1] nicettes[2] aux cheveux verts et naines
Qui n'ont jamais aimé
Aux lisières lointaines
Les cerfs ont bramé

Et que j'aime ô saison que j'aime tes rumeurs
15   Les fruits tombant sans qu'on les cueille
Le vent et la forêt qui pleurent
Toutes leurs larmes en automne feuille à feuille

Les feuilles
Qu'on foule
20   Un train
Qui roule
La vie
S'écoule

GUILLAUME APOLLINAIRE, *Alcools*, © éd. Gallimard.

1. Nixes : *divinités du Rhin.*

2. Nicettes : *adjectif forgé
sur l'ancien français « nice » :
niaises, simplettes.*

Recherche, Réflexion, Expression

1. L'absence de ponctuation
Apollinaire fut le premier à bannir toute ponctuation de la poésie. « Le rythme même et la coupe des vers, voilà la véritable ponctuation », écrit-il.
L'absence de ponctuation vous gêne-t-elle ? Quel effet produit-elle ?

2. Versification
a. Le vers libre moderne : Apollinaire l'emploie-t-il tout au long du poème ? Pourquoi, selon vous ?
b. Les rimes sont-elles absentes de ce poème ? Sont-elles toujours régulières ?
c. Quel effet produit la troisième strophe ?

3. De la lecture au commentaire
a. Les thèmes de l'automne et de la fuite du temps ont été abondamment traités en poésie : cherchez-en quelques exemples, que vous lirez en classe.
b. L'originalité d'un poème ne réside pas dans le sujet, mais dans la façon dont il est traité. Pouvez-vous préciser, en une quinzaine de lignes, ce qui fait l'originalité de celui-ci ?

4. Rédaction
Le spectacle de la nature, un paysage, une saison particulière, vous inspirent de la mélancolie : essayez de le faire partager à vos lecteurs.

PAUL VALÉRY

*L'Album
de vers anciens*
(1920)

La fileuse

Lilia..., neque nent[1].

Assise, la fileuse au bleu de la croisée
Où le jardin mélodieux se dodeline ;
Le rouet ancien qui ronfle l'a grisée.

Lasse, ayant bu l'azur[2], de filer la câline
5 Chevelure, à ses doigts si faibles évasive,
Elle songe, et sa tête petite s'incline.

Un arbuste et l'air pur font une source vive
Qui, suspendue au jour, délicieuse arrose
De ses pertes de fleurs le jardin de l'oisive.

10 Une tige, où le vent vagabond se repose,
Courbe le salut vain de sa grâce étoilée,
Dédiant magnifique, au vieux rouet, sa rose.

Mais la dormeuse file une laine isolée ;
Mystérieusement l'ombre frêle se tresse
15 Au fil de ses doigts longs et qui dorment, filée.

Le songe se dévide avec une paresse
Angélique, et sans cesse, au doux fuseau crédule[3],
La chevelure ondule au gré de la caresse...

Derrière tant de fleurs, l'azur se dissimule[4],
20 Fileuse de feuillage et de lumière ceinte :
Tout le ciel vert se meurt. Le dernier arbre brûle.

Ta sœur, la grande rose où sourit une sainte,
Parfume ton front vague au vent de son haleine
Innocente, et tu crois languir... Tu es éteinte

25 Au bleu de la croisée où tu filais la laine.

PAUL VALÉRY, *L'Album de vers anciens*, 1920, © éd. Gallimard.

Né à Sète, **Paul Valéry** (1871-1945), descendant d'une famille de marins corses, songeait à préparer l'École Navale... mais sa passion pour la mer dériva vite vers la poésie et la littérature.
Œuvres principales : *La Jeune Parque* (1917), *Le Cimetière marin* (1920), *Charmes* (1929), *Variétés* (1924-1944).

1. « *Les lis (ne travaillent) ni ne filent.* » (*Évangile selon saint Matthieu VI, 28.*)

2. *L'azur est ici le symbole de la rêverie.*

3. *Il obéit docilement.*

4. *Le soir tombe.*

Guide de lecture : une douce rêverie

1. Analysez les éléments du tableau que nous propose ce poème : le personnage, le cadre, l'arrière-plan, le moment de la journée. Pouvez-vous proposer un autre titre ?

2. Aimez-vous ce poème ? Développez votre réponse.

Versification

1. Précisez d'abord :
— le type de vers employé ;
— de quelle sorte de strophe il est composé ;
— la disposition des rimes.

2. Paul Valéry n'a utilisé dans ce poème que des rimes féminines. Pourquoi ?

3. Recherchez dans le poème :
— des rejets ;
— des diérèses ;
— des alexandrins au rythme particulièrement évocateur ;
— des allitérations suggestives.
Indiquez à chaque fois l'effet produit.

4. Comparez la fin de ce poème avec celle du « Pont Mirabeau » de Guillaume Apollinaire. Que remarquez-vous ? Quel effet produit une telle composition ?

PAUL ÉLUARD

Le temps déborde
(1947)

Eugène Grindel, dit **Paul Éluard** (1895-1952), connut une jeunesse douloureuse, marquée par le sanatorium et la guerre, qui fit naître très tôt chez lui la volonté d'un engagement au service de la justice. En 1920, il rencontra Tzara, Breton, Aragon, découvrant ainsi le mouvement dada, et, plus durablement, le surréalisme. L'amour de la vie, la libération du langage, la célébration de la femme (Gala, Nusch, Dominique...) lui inspirèrent ses plus beaux poèmes. Il adhéra au parti communiste en 1926, soutint l'Espagne républicaine, et devint l'un des plus grands poètes de la Résistance, avant de mourir prématurément.
Œuvres principales : *Capitale de la douleur* (1926), *L'Amour, la poésie* (1929), *Poésie et vérité* (1942), *Le temps déborde* (1947).

Notre vie

Paul Éluard avait connu Nusch en 1929 et l'avait épousée en 1934. Le 28 novembre 1946, la mort de la jeune femme, si souvent peinte par Picasso et photographiée par Man Ray, plongea Éluard dans une douleur profonde qui lui inspira, entre autres, ce poème à la fois simple et émouvant.

Notre vie tu l'as faite elle est ensevelie
Aurore d'une ville un beau matin de mai
Sur laquelle la terre a refermé son poing
Aurore en moi dix-sept années toujours plus claires
5 Et la mort entre en moi comme dans un moulin.

Notre vie disais-tu si contente de vivre
Et de donner la vie à ce que nous aimions
Mais la mort a rompu l'équilibre du temps
La mort qui vient la mort qui va la mort vécue
10 La mort visible boit et mange à mes dépens

Morte visible Nusch invisible et plus dure
Que la soif et la faim à mon corps épuisé
Masque de neige sur la terre et sous la terre
Source des larmes dans la nuit masque d'aveugle
15 Mon passé se dissout je fais place au silence.

PAUL ÉLUARD, *Le temps déborde*, 1947, © éd. Gallimard.

Nusch, *Picasso (1937).*

Guide de lecture : la douleur d'un poète

1. La vie et la mort s'opposent tout au long du poème. Relevez d'abord les expressions ou les images évoquant la mort, puis celles qui traduisent la joie de vivre. Quelle impression produit cette antithèse ?

2. Choisissez quelques images qui vous paraissent particulièrement expressives et commentez-les avec précision.

3. Comment comprenez-vous le dernier vers ?

Versification : tradition et modernité

1. Montrez que la forme poétique reste traditionnelle. Où apparaît, néanmoins, la modernité du poème ?

2. Analysez le rythme du vers 9. Que traduit-il ?

3. Les rimes sont presque absentes de ce poème. Toutefois, le retour de certaines sonorités à l'intérieur et à la fin des vers tisse une trame musicale beaucoup plus subtile. Donnez-en quelques exemples.

POUR LE BREVET DES COLLÈGES

Vocabulaire

1. Expliquez l'expression « Notre vie tu l'as faite » (vers 1), en la rapprochant du vers 7 : « Et de donner la vie à ce que nous aimions ».

2. Quels mots s'opposent aux vers 10-11 ? Qu'exprime cette opposition ?

Grammaire

1. Réécrivez le premier vers en coordonnant les deux propositions.

2. Classez, d'une part, les verbes au passé et, d'autre part, les verbes au présent. Que remarquez-vous ?

3. Au début du poème, Paul Éluard emploie la première personne du pluriel, tandis qu'il emploie la première personne du singulier dans le dernier vers. Pourquoi, selon vous ?

BORIS VIAN

Je ne voudrais pas crever (1962)

Né dans une famille aisée, **Boris Vian** (1920-1959) connut une enfance et une adolescence très heureuses. Cet ingénieur sorti de l'École centrale, romancier et poète, était aussi critique musical, trompettiste de jazz, chanteur, comédien, et directeur artistique d'une firme de disques.
Insolites et divertissantes par les déformations qu'elles font subir au langage, ses œuvres sont aussi une protestation angoissée contre l'absurdité de la mort.
Œuvres principales. Romans : *L'Écume des jours, L'Automne à Pékin* (1947), *L'Herbe rouge* (1950), *L'Arrache-cœur* (1953). Poésies : *Cantilènes en gelée* (1950), *Je voudrais pas crever* (1959).

« Elle serait là, si lourde... »

La machine ou l'oiseau ? Tel est le dilemme que Boris Vian s'amuse à imaginer. La locomotive est le fruit de « la sueur des âges », l'aboutissement de « dix et cent mille ans d'attente », mais l'oisillon vit, lui, et de plus il est si beau...

Elle serait là, si lourde
Avec son ventre de fer
Et ses volants de laiton
Ses tubes d'eau et de fièvre
5 Elle courrait sur ses rails
Comme la mort à la guerre
Comme l'ombre dans les yeux
Il y a tant de travail
Tant et tant de coups de lime
10 Tant de peine et de douleurs
Tant de colère et d'ardeur
Et il y a tant d'années
Tant de visions entassées
De volonté ramassée
15 De blessures et d'orgueils
Métal arraché au sol
Martyrisé par la flamme
Plié, tourmenté, crevé
Tordu en forme de rêve
20 Il y a la sueur des âges
Enfermée dans cette cage
Dix et cent mille ans d'attente

1. *Oiseaux qui ont le bec conique, comme certains passereaux (moineau, bouvreuil, pinson).*

Et de gaucherie vaincue
S'il restait un oiseau
25 Et une locomotive
Et moi seul dans le désert
Avec l'oiseau et la chose
Et si l'on disait choisis
Que ferais-je, que ferais-je
30 Il aurait un bec menu
Comme il sied aux conirostres[1]
Deux boutons brillants aux yeux
Un petit ventre dodu
Je le tiendrais dans ma main
35 Et son cœur battrait si vite...
Tout autour, la fin du monde
En deux cent douze épisodes
Il aurait des plumes grises
Un peu de rouille au bréchet
40 Et ses fines pattes sèches
Aiguilles gainées de peau
Allons, que garderez-vous
Car il faut que tout périsse
Mais pour vos loyaux services
45 On vous laisse conserver
Un unique échantillon
Comotive ou zoisillon
Tout reprendre à son début
Tous ces lourds secrets perdus
50 Toute science abattue
Si je laisse la machine
Mais ses plumes sont si fines
Et son cœur battrait si vite
Que je garderais l'oiseau.

BORIS VIAN, *Je ne voudrais pas crever*, éd. J.-J. Pauvert, 1962.

Guide de lecture : la machine ou l'oiseau ?

1. Montrez comment, dans les premiers vers, la machine est personnifiée.

2. Que représente, pour l'homme, la réalisation d'une telle machine ?

3. Quelle situation Boris Vian imagine-t-il à partir du vers 24 ?

4. Que symbolise, en fait, le choix entre l'oiseau et la locomotive ?

5. Que choisit Boris Vian, finalement ? Pourquoi ?

6. Ce poème n'a pas de titre. Pouvez-vous en proposer un ?

Vocabulaire et style

1. Expliquez les expressions :
— « ses tubes d'eau et de fièvre » (vers 4) ;
— (métal) « tordu en forme de rêve » (vers 19).

2. Boris Vian aime jouer avec les mots. Relevez, au fil du poème, des marques de fantaisie et d'humour.

Versification

Montrez que Boris Vian associe, dans ce poème, la versification traditionnelle aux libertés modernes.

À l'écoute de la musique

Écoutez *Pacific 231*, œuvre symphonique dans laquelle un compositeur contemporain, Arthur Honegger (1892-1955) évoque le mouvement et la vitesse d'une puissante locomotive.

L'ÉTUDE LITTÉRAIRE D'UN POÈME

Une bonne lecture ne s'effectue pas au gré de notre fantaisie mais doit, pour être efficace, obéir à une technique précise. Voici, non pas une « recette », mais une sorte de « grille » qui vous aidera à conduire votre lecture méthodiquement.

1. SITUER L'ŒUVRE DANS SES CONTEXTES

1. Le poète

RECHERCHER : son époque. Les éléments dominants de sa biographie. École littéraire ou mouvement (ex. : romantique-symboliste-surréaliste...). Ses idées esthétiques. Ses principales œuvres.

2. L'œuvre

Un poème fait partie d'un *recueil* qui développe un ou plusieurs thème(s), que le titre peut indiquer (ex. : *Les Fleurs du mal, Sagesse, Une saison en enfer...*).

RECHERCHER : date de publication. Accueil (éventuellement « querelle » ou « scandale »). Tonalité dominante. Construction et place du poème dans cette œuvre.

2. LIRE ET COMPRENDRE LE POÈME

1. La forme du poème

VOCABULAIRE UTILE : *poème à forme fixe - sonnet - ballade - rondeau - pantoum - vers libres - poème en prose.*

OBSERVER : la présence ou l'absence de ponctuation - le plan (construction - structure) - le nombre et la forme des strophes - les particularités typographiques.

2. Les thèmes

OBSERVER : la disposition des thèmes et leur évolution (développement ou progression parallèle, convergence, fusion ou divergence...), les jeux de sens.

3. La métrique : mesure, rythme du vers.

VOCABULAIRE UTILE :

— **Le vers :** *octosyllabe - décasyllabe - alexandrin -vers libre.*

— **Le rythme :** *accents toniques* (fixes, mobiles) *-hémistiche - césure - enjambement - rejet.*

— **Les rimes :** *disposition* (plates : *aabb,* embrassées : *abba,* croisées : *abab*) *- féminines ou masculines - pauvres, suffisantes, riches.*

— **La strophe :** *distique - tercet - quatrain.*

4. Les « images »

VOCABULAIRE UTILE : *comparaison - métaphore* (ou comparaison elliptique) *- métonymie - allégorie - personnification.*

5. La « musique »

« De la musique avant toute chose » (Verlaine).

VOCABULAIRE UTILE : *assonance, allitération - harmonie suggestive - rimes intérieures.*

OBSERVER : les procédés de musicalité sont rarement gratuits ; quels effets précis cherchent-ils à susciter chez le lecteur, en liaison avec les thèmes et les idées ?

3. OBJECTIF FINAL

Grâce à la somme de toutes vos observations à ces différents niveaux, il vous sera alors possible de dégager les lignes de force qui vous mèneront au cœur du poème et vous permettront de comprendre d'une façon objective ce qui en fait l'originalité profonde, l'unité et le « charme ».

4. UN TEXTE À ÉTUDIER

HARMONIE DU SOIR

Voici venir les temps où vibrant sur sa tige
Chaque fleur s'évapore ainsi qu'un encensoir ;
Les sons et les parfums tournent dans l'air du soir ;
Valse mélancolique et langoureux vertige !

Chaque fleur s'évapore ainsi qu'un encensoir ;
Le violon frémit comme un cœur qu'on afflige ;
Valse mélancolique et langoureux vertige !
Le ciel est triste et beau comme un grand reposoir.

Le violon frémit comme un cœur qu'on afflige,
Un cœur tendre, qui hait le néant vaste et noir !
Le ciel est triste et beau comme un grand reposoir ;
Le soleil s'est noyé dans son sang qui se fige...

Un cœur tendre, qui hait le néant vaste et noir,
Du passé lumineux recueille tout vestige !
Le soleil s'est noyé dans son sang qui se fige...
Ton souvenir en moi luit comme un ostensoir !

BAUDELAIRE, *Les Fleurs du mal,* 1857.

139

1. L'auteur

Charles Baudelaire (1821-1867). Premier grand poète moderne. Il énonce la loi des « correspondances » ou de l'analogie universelle : « Les parfums, les couleurs et les sons se répondent. » L'art poétique est le fruit d'un travail sur les mots, sur le « Verbe », considéré comme « sacré ». Le poète est un « alchimiste », qui, grâce à la « sorcellerie évocatoire » du langage, nous conduit vers un idéal de Beauté n'excluant pas le « bizarre » ni la « mélancolie ».

2. Le recueil

Les Fleurs du mal provoquent un scandale dès leur parution en 1857 (procès pour immoralité). Le thème central : les « tourments » du poète, partagé entre le Spleen (angoisse de vivre) et l'Idéal (évasion vers un monde de perfection et de beauté grâce à des moyens privilégiés comme la poésie, le voyage, l'amour...). Mais la mort et la déchéance sont également présentes et menaçantes, parfois « envoûtantes » (le Mal). D'où une insatisfaction profonde et permanente, qui pousse Baudelaire toujours « vers l'inconnu pour trouver du nouveau ».

3. Le titre du poème

Quelles indications nous donne-t-il ? Sens particulier du mot *harmonie* pour Baudelaire ? Ce titre évoque-t-il le thème majeur du poème ?

Autre précision importante : « le soir ». Que pensez-vous du choix de ce moment de la journée ?

4. La forme du poème

Le *pantoum*. Déjà utilisé par Victor Hugo dans *Les Orientales*. De combien de strophes se compose-t-il ? Que sont ces strophes ?

Observez les disposition des vers 2 et 4 de chaque strophe et ce qu'ils deviennent dans la strophe suivante.

Coucher de soleil sur le lac Léman, *G. Courbet.*

En quoi ce type de poème s'accorde-t-il bien avec les intentions de Baudelaire dans ce cas précis ?

5. La construction et la syntaxe

Pourquoi peut-on dire que les quinze premiers vers « s'opposent » au dernier vers ? Que pensez-vous de l'idée exprimée précisément au vers 16 ?

Étudiez la construction des vers : relevez des similitudes au niveau de la syntaxe. Qu'en concluez-vous ? Y a-t-il des antithèses ? Relevez des phrases exclamatives. Que traduisent-elles ?

6. Les champs lexicaux

Quels sont-ils ? Quels *thèmes* développent-ils. Comment ces thèmes s'enchaînent-ils ?

Comment le champ lexical « religieux » est-il mis en valeur ? Que cherche-t-il à traduire, en relation avec le vers 16 ?

Relevez dans tout le poème les « correspondances ».

7. La musique

Étudiez quelques vers qui vous semblent particulièrement « musicaux ». Notez les voyelles ou consonnes accentuées. Faites apparaître (grâce à la phonétique) les allitérations, les assonances, les sonorités, atténuées par des *e* muets, les effets d'harmonie suggestive.

Comment sont construites les rimes ? Leur qualité ? Place des rimes féminines et masculines dans chacune des strophes ?

Les alexandrins sont-ils « réguliers ». Notez les césures, les accents (place fixe ou irrégulière), effets créés ?

Comment faut-il « dire » les vers 9 et 10 ? Pourquoi ?

8. Les « images »

Relevez les comparaisons. Pourquoi une telle abondance ? Où sont-elles situées dans chaque vers ?

Que produit la répétition de cette même forme dans le poème ? Est-ce favorable à l'établissement des « correspondances » ? Relevez-vous beaucoup de métaphores ?

9. Synthèse

À l'aide de vos réponses, mettez en évidence les lignes de force du poème. Comment le choix du « pantoum » favorise-t-il les desseins de Baudelaire ? Y a-t-il, selon vous, une « harmonie » entre la forme et les idées ? Les mots clés : *beauté -tristesse - vénération* amoureuse (souvenir mort). *Spleen* et *Idéal* sont-ils réunis dans « Harmonie du soir » ?

4
Thèmes d'aujourd'hui et de toujours

CH. BLANCHER

1. La mode

LA BRUYÈRE

Caractères
(1688)

Jean de La Bruyère (1645-1696)
est avant tout l'auteur des *Caractères*, succession de portraits et
de maximes au style incisif et
nerveux.

1. *Grasseyer, c'est-à-dire
prononcer certaines consonnes,
notamment le r, de la gorge.*

2. Chausses : *culotte, de la
ceinture aux genoux.*

3. *Les femmes ne portaient ni
chapeau, ni chausses, bien
évidemment.*

Iphis

*Les soins excessifs que certaines personnes accordent à leur personne les rendent
ridicules. La Bruyère nous en donne un exemple ici.*

I phis voit à l'église un soulier d'une nouvelle mode ; il regarde le sien
et en rougit ; il ne se croit plus habillé. Il était venu à la messe pour
s'y montrer, et il se cache ; le voilà retenu par le pied dans sa chambre
tout le reste du jour. Il a la main douce, et il l'entretient avec une pâte de
5 senteur ; il a soin de rire pour montrer ses dents ; il fait la petite bouche, et
il n'y a guère de moments où il ne veuille sourire ; il regarde ses jambes, il se
voit au miroir ; l'on ne peut être plus content de personne qu'il l'est de lui-
même ; il s'est acquis une voix claire et délicate, et heureusement il parle
gras[1] ; il a un mouvement de tête, et je ne sais quel adoucissement dans les
10 yeux, dont il n'oublie pas de s'embellir ; il a une démarche molle et le plus joli
maintien qu'il est capable de se procurer ; il met du rouge, mais rarement, il
n'en fait pas habitude. Il est vrai aussi qu'il porte des chausses[2] et un
chapeau[3], et qu'il n'a ni boucles d'oreilles ni collier de perles ; aussi ne l'ai-je
pas mis dans le chapitre des femmes.

LA BRUYÈRE, *Caractères*, XIII, « De la mode », 1688.

Guide de lecture : un minet

1. Que veut montrer La Bruyère en situant d'abord la scène à
l'église ?

2. Citez des passages montrant le soin excessif qu'Iphis accorde à
sa personne.

3. Montrez que, en public, Iphis n'est jamais naturel.

4. Iphis n'est-il pas quelque peu efféminé ? Où le voit-on ?

5. Quel est le ton de la dernière phrase ?

6. Quel est le ton général de ce portrait ? Relevez des mots, des
expressions montrant que La Bruyère se moque de son personnage.

POUR LE BREVET DES COLLÈGES

Grammaire

« Il était venu à la messe pour s'y montrer et il se cache. »
Analysez les propositions contenues dans cette phrase. Transformez ensuite la coordination en subordination, et précisez le
rapport entre les deux nouvelles propositions.

Autour d'un mot

En quoi consiste le *snobisme* ? Comment se manifeste celui
d'Iphis ? Cherchez-en des exemples précis autour de vous.

Rédaction

Faites à votre tour, sur un ton amusé ou ironique, le portrait d'un
personnage au caractère très marqué.

MONTESQUIEU

Lettres persanes
(1721)

Les caprices de la mode

Deux Persans, Rica et Usbek, visitent l'Europe au début du XVIIIᵉ siècle, et écrivent à leurs amis restés en Perse les surprises que leur cause la découverte d'une civilisation entièrement différente de la leur...

Moraliste et philosophe, Charles de Secondat, baron de la Brède et de **Montesquieu** (1689-1755) voyage à travers l'Europe, en Angleterre surtout, pour étudier l'organisation politique des diverses nations. Sa pensée, libérale, est inspirée par un profond respect de la personne humaine et par le souci de réformes équitables. Elle est dominée par le thème des libertés et de leurs garanties institutionnelles, qui reposent notamment sur la séparation des pouvoirs. Œuvres principales : *Lettres persanes* (1721) ; *De l'esprit des lois* (1748).

1. *Ne reconnaît pas.*

2. *Mlle de Fontange (1661-1681) avait mis à la mode une coiffure tout en hauteur. Celle-ci fit fureur à la Cour jusqu'en 1714, date à laquelle une Anglaise, arrivée avec une coiffure basse, lança brusquement cette nouvelle mode.*

3. **Mouches :** *petites pièces de taffetas noir que l'on collait sur le visage.*

J e trouve les caprices de la mode, chez les Français, étonnants. Ils ont oublié comment ils étaient habillés cet été ; ils ignorent encore plus comment ils le seront cet hiver. Mais, surtout, on ne saurait croire combien il en coûte à un mari pour mettre sa femme à la mode.

5 Que me servirait de te faire une description exacte de leur habillement et de leurs parures ? Une mode nouvelle viendrait détruire tout mon ouvrage, comme celui de leurs ouvriers, et, avant que tu eusses reçu ma lettre, tout serait changé.

Une femme qui quitte Paris pour aller passer six mois à la campagne en 10 revient aussi antique que si elle s'y était oubliée trente ans. Le fils méconnaît[1] le portrait de sa mère, tant l'habit avec lequel elle est peinte lui paraît étranger ; il s'imagine que c'est quelque Américaine qui y est représentée, ou que le peintre a voulu exprimer quelqu'une de ses fantaisies.

Quelquefois, les coiffures montent insensiblement, et une révolution les 15 fait descendre tout à coup[2]. Il a été un temps que leur hauteur immense mettait le visage d'une femme au milieu d'elle-même. Dans un autre, c'étaient les pieds qui occupaient cette place : les talons faisaient un piédestal qui les tenait en l'air. Qui pourrait le croire ? Les architectes ont été souvent obligés de hausser, de baisser et d'élargir leurs portes, selon que les parures des 20 femmes exigeaient d'eux ce changement, et les règles de leur art ont été asservies à ces caprices. On voit quelquefois sur un visage une quantité prodigieuse de mouches[3], et elles disparaissent toutes le lendemain. Autrefois, les femmes avaient de la taille et des dents ; aujourd'hui, il n'en est pas question. Dans cette changeante nation, quoi qu'en disent les mauvais 25 plaisants, les filles se trouvent autrement faites que leurs mères.

Il en est des manières et de la façon de vivre comme des modes : les Français changent de mœurs selon l'âge de leur roi. Le monarque pourrait même parvenir à rendre la nation grave, s'il l'avait entrepris. Le Prince imprime le caractère de son esprit à la Cour ; la Cour, à la Ville ; la Ville, aux 30 provinces. L'âme du souverain est un moule qui donne la forme à toutes les autres.

De Paris, le 8 de la lune de Saphar, 1717.

MONTESQUIEU, *Lettres persanes*, XCIX, 1721.

Guide de lecture : en suivant la mode

1. Dégagez clairement l'idée directrice du passage.

2. À quoi voit-on que la mode change rapidement ?

3. Quelles conséquences la mode vestimentaire peut-elle avoir sur l'architecture ?

4. Rica n'exagère-t-il pas un peu, quelquefois ? Dans quels passages du texte ? Pourquoi, selon vous ?

5. De quel genre de mode est-il question dans le dernier paragraphe ? Quelle image de la France Montesquieu nous donne-t-il ici ?

Recherche, Réflexion, Rédaction

Rédactions

1. Évoquez à votre tour, sur un ton humoristique, les caprices de la mode, tels que vous avez pu les observer autour de vous... ou les subir !

2. La mode ne s'exerce pas uniquement dans le domaine vestimentaire. Dans quels autres domaines peut-elle s'exercer ? Choisissez-en un et présentez-le sur un ton humoristique, à la manière de Montesquieu.

POUR LE BREVET DES COLLÈGES

Grammaire

1. « Je trouve les caprices de la mode (...) *étonnants* » : quelle est la fonction de l'adjectif « étonnants » ?

2. Analysez les propositions dans la phrase : « Ils ont oublié comment ils étaient habillés cet été ; ils ignorent encore plus comment ils le seront cet hiver. »
Transformez ensuite les interrogations indirectes en interrogations directes.

3. « Autrefois, les femmes avaient de la taille et des dents ; aujourd'hui, il n'en est pas question. »
Faites de ces deux phrases simples une phrase complexe contenant une idée d'opposition.

Vocabulaire

Cherchez l'étymologie de *caprice* et de *étonnant,* puis précisez la signification de ces mots dans le texte, ou remplacez-les par un synonyme.

Dictée préparée

Depuis la ligne 14 jusqu'à la ligne 25.
1. Observez bien les mots *occuper, piédestal, architecte, hausser, une quantité* et recopiez-les si cela vous paraît nécessaire.
2. « Les architectes ont été souvent obligés... » (ligne 18), « les règles de leur art ont été asservies à ces caprices » (ligne 20). Justifiez l'accord des participes passés.
3. Attention. *Quoi qu'*en dise le critique : en deux mots. Ne pas confondre *quoi que* et *quoique* (= *bien que*).

VERS LA CLASSE DE SECONDE

Une satire de la belle société

Derrière Rica (qui n'a jamais existé), c'est bien évidemment Montesquieu qui critique la société de son temps. En une dizaine de lignes, exposez clairement la satire contenue dans ce texte. Vous montrerez en particulier que le dernier paragraphe, quoique court, n'en est pas moins important.

Une caricature

1. Essayez de représenter par un schéma les « caprices de la mode » énumérés aux lignes 14-18 (« Quelquefois »... « un piédestal qui les tenait en l'air »). Quel genre de dessin obtenez-vous ?

2. Cherchez, dans des journaux, des magazines, quelques exemples de caricatures et observez-les attentivement : comment a procédé le dessinateur ? Qu'a-t-il voulu montrer ? Qu'est-ce qui rend son dessin amusant ? Montrez ensuite que Montesquieu a procédé de la même façon.

Jeune femme en peignoir du matin...
(gravure de mode, v. 1785)

Naissance d'une mode

D'après Montesquieu, qui lance la mode en France au début du XVIIIe siècle ? Et aujourd'hui, vous êtes-vous interrogés sur l'origine d'une nouvelle mode ? Lisez l'explication proposée par le petit texte ci-dessous. Peut-être pourrez-vous citer quelques exemples d'idées qui ont « marché » ?...

MAIS ALORS QUI FAIT LA MODE ?

« La mode n'est dictée par personne. Un publicitaire, un groupe de rock, un styliste ou une entreprise commerciale ne font que "lancer" une idée qui "marchera" ou "ne marchera pas" — leur réussite ou leur échec dépendant bien entendu de l'intuition qu'ils avaient des "impondérables de l'air du temps".
Dans le cas favorable, cette idée sera vite reprise par d'autres, qui l'enrichiront successivement, lui donnant davantage de sens et de complexité : en étendant ses applications à un modèle de coiffure, à une façon de danser, à une idéologie, à un graphisme publicitaire, etc., cette idée pourra en fin de compte devenir une mode à part entière — par l'addition successive des trouvailles que chacun y apportera, animé par une même compréhension de "l'esprit du temps".
La mode est créée par ceux qui la suivent. À l'inverse de l'Art, c'est une création de la masse. »

Hector OBALK, Alain SOREL, Alexandre PASCHE, *Les Mouvements de mode expliqués aux parents,* © éd. Robert Laffont, 1984.

JACQUES
CHARPENTREAU

*La Poésie comme
elle s'écrit*
(1979)

Il faut être à la page

Mon ami Christian
n'est pas un anti « dans le vent »
c'est au contraire un nanti dans le vent.
Il nettoie ses dents
5 au Gardol ou à l'Hexachlorophène
ou il emploie le Fluocaril bi-fluoré
et, parfois, Gibbs au titane.
Il possède, bien sûr, Beosystem 901,
avec deux Beovox 901
10 qui sont des modules d'évasion,
sans compter le Beogram 4 000 X TR J de Philips.
Quant à sa télé,
c'est une Thomson Pil
à tube auto-convergent.
15 Il fait dix minutes de Slendertone
chaque matin
puis se détend avec Peritel ML 200
Il utilise William
car quand il n'y a plus de mousse
20 il reste la lanoline
et se barbouille de crème Atrix
qui contient des silicones.
Il lave ses cheveux à la Polleine
et à Polleine-Plus par Phytothérathrie
25 car c'est un volumateur à cheveux fins.
Et Claude, sa femme,
ne mélange pas les produits
qui nettoient le linge, les éviers,
les carreaux, les sols, les waters,
30 la robinetterie, les casseroles,
la vaisselle, les verres
car il ne faut pas se tromper
et ce n'est plus comme dans le temps
où il n'y en avait qu'un.
35 Elle possède un Sauter,
le seul four à Pyrogène.
Claude et Christian, mes amis,
tout leur réussit dans la vie
c'est un mélange uni
40 qui est de son temps.
Ce sont des gens de maintenant
qui vont de l'avant,
et, quand ils partent en vacances,
ils n'oublient pas leur Agfamatic,
45 le seul équipé du Sensor
et du Repitomatic.

Jean l'Anselme

Cité par JACQUES CHARPENTREAU,
La Poésie comme elle s'écrit, © éd. Ouvrières, 1979.

Lune au-dessus d'Alabama,
Lindner.

Guide de lecture : un couple bien de son temps

1. Que signifie l'expression *être dans le vent* ? Proposez quelques expressions synonymes.

2. Expliquez clairement le calembour des vers 2-3.

3. Relevez des expressions montrant que Christian obéit, en fait, comme un véritable robot, à des slogans publicitaires.

4. Le comportement de sa femme, Claude, est-il différent du sien ?

5. Relevez, en les classant, les différents domaines pour lesquels Christian et Claude suivent de très près la mode : soins du corps, santé, loisirs...

6. Quel est le principal souci de Christian et de Claude ? Quelle image veulent-ils donner d'eux-mêmes ?

Lisez le texte sur un ton humoristique, montrant que Jean l'Anselme se moque de son ami Christian.

Recherche, Réflexion, Expression

1. Comparez ce poème avec le texte de La Bruyère, « Iphis » : points communs ? Différences ?

2. Christian et Claude s'apprêtent à sortir, à recevoir des amis, ou à partir en vacances... Décrivez leurs préparatifs et imaginez leur dialogue.

LUCAS
FOURNIER

*C'est nouveau,
ça vient de sortir*
(1987)

Êtes-vous néopathe ?

Pour désigner les personnes qui ont toujours peur de ne pas être « à la page », d'être dépassées par la nouveauté, Lucas Fournier a inventé le mot néopathe(s), du grec neos : nouveau, et pathos : souffrance. *La « néopathie » est, semble-t-il, une maladie assez répandue... Êtes-vous néopathe ? Votre comportement face à un Minitel peut servir de test.*

S oit vous, soit un Minitel.
    Attitude n° 1 : celle du porteur sain. Là, pas de problème. L'informatique, une nouvelle religion ? Alors aux lions les nouveaux adeptes ! L'appareil finit directement au fond du placard. Net et sans bavure.
5 Ce comportement est d'ailleurs largement répandu. La preuve ? Selon une étude hypersérieuse : 48 % des Français ne souhaitent pas la diffusion de l'informatique, 34 % seulement pensent le contraire. Ça rassure. Enfin un peu d'air frais.
    Variante de cette attitude. L'essai... Vous avez juré de ne pas toucher à
10 l'engin. Mais la puce vous démange. Vous pianotez. Pour voir. Vous ne voyez rien. Laisse béton[1]. Le Minitel finira lui aussi dans l'armoire à chaussures. Seul châtiment : la facture des P.T.T. Là, vous vous sentez néopathe objectif. Vous souffrez *objectivement* (financièrement) du fait d'un *objet* (le Minitel). Maigre consolation : au moins quelqu'un — les P.T.T. — a pu saisir au
15 passage la totalité des messages que vous avez tenté d'adresser au monde à travers votre petit écran magique. N'en parlons plus.
    Attitude n° 2 : celle du psychonéopathe. Autant le dire franchement, c'est grave. Il suffit que vous découvriez, tout à trac, que votre imbécile de voisin a joué du Minitel comme d'autres font de la broderie anglaise, pour que votre
20 néopathie objective bascule vers la psychonéopathie. Bonjour les dégâts. L'estocade est portée par votre petit neveu, petit filleul, petit cousin au choix, un affreux gamin mal élevé, qui, virtuose accompli du logiciel, fait avec son Mac Intosh[2] les déclarations d'impôts de toute la famille. Peste soit de cette science dont les princes sont les enfants ! Chez vous, le Minitel gît
25 misérablement au fond de son carton. Dans votre crâne, ça tourne les petits chevaux. Le sentiment de jalousie sourde qui vous envahit s'accompagne de la certitude violente de votre nullité crasse. Pas question de passer à l'autocritique. Cette impression pénible, si, si, vous contraint à l'humilité, au sens que Nietzsche[3] donne à ce mot : « Le ver se recroqueville quand on

1. *L'auteur connaît le* « verlan »...

2. Mac Intosh : *marque d'ordinateur.*

3. Nietzsche : *philosophe allemand (1844-1900).*

4. Silicon Valley : *haut lieu des technologies de pointe, aux États-Unis.*

5. *Dans le célèbre poème :* « La mort du loup ».

6. Gravelotte : *commune de Moselle, théâtre de sanglants combats les 16 et 18 août 1870.*

7. Computer : *ordinateur.*

8. Yvette Roudy : *ancien ministre de la Condition féminine.*

9. *École des Sciences politiques.*

10. SICOB : *Salon international d'informatique, télématique, communication, organisation de bureau et de bureautique.*

11. G.M. : *les gentils membres (organisateurs) du Club Méditerranée.*

12. Hardware : *ensemble des éléments qui constituent un calculateur électronique.*

marche dessus. Cela est plein de sagesse. Par là, il amoindrit la chance de se faire marcher dessus. Dans le langage de la morale : l'humilité. » L'avantage du ver de terre est qu'il ne pense pas, vous si. Dans une société néolâtre, l'humilité, c'est dur. Alors éclôt, peu à peu, en votre moi intime la vilaine plante de la défaite et du désabusement. C'est la psychonéopathie. Les milliers de revues spécialisées, les dialogues polissons de votre collègue de bureau avec son ordinateur, le nom même de Silicon Valley[4], tout ça vous rend malade. Mais vous ne faites rien. Vous tenez bon. Vous n'ouvrez toujours pas le placard à chaussures. Oh ! il ne s'agit pas de lâcheté, mais bien de prudence. Cet état psychologique s'apparente à celui que vous subissez sur la plage (disons à Hossegor pour changer) quand vos amis épatent les filles en réussissant des triples axel sur leur fun board et qu'il vous faut, pour éviter d'avoir à vous donner pitoyablement en spectacle sur votre planche à voile, prétexter une indisposition passagère, un courrier urgent ou la fin du chapitre de votre roman à écrire. « En gros », vous assumez difficilement. Vous souffrez, mais en silence. Au moins, c'est poli. Le loup de Vigny qui meurt « sans jeter un cri »[5], le jeune Spartiate qui préfère se laisser bouffer l'estomac par le petit renard caché sous sa chemise plutôt que d'avouer qu'il est un voleur, c'est vous.

Superbe abnégation. Combien de temps tiendrez-vous ainsi sans craquer ? Difficile à dire. Car les assauts bientôt vont se concentrer. Ça tombe comme à Gravelotte[6] : le Félix Potin, en bas de chez vous, vient d'être repris par un revendeur Toshiba. Mitterrand donne dans le terminal. Vos enfants — on dit les kids — ont commandé à Petit Papa Noël un Bull Micral 60. Vous avez trente ans. Vous n'êtes rien. Vous pensez ne plus savoir ni lire, ni écrire, ni parler.

Pont du Golden Gate, *Jean Tardiveau (1985).*

Attitude nº 3 : celle du néopathe réactif. Attention, quand la psychonéopathie commence à dégénérer, ça devient dangereux. Le néopathe réactif, c'est un psychonéopathe qui a plongé. Sortez vos Minitel.

60 Pour le néopathe néoréactif, télématique et informatique sont les deux mamelles du nouveau. Pas question de se dire branché ou câblé sans posséder son ordinateur. Et là, le computer[7] fait très fort : regardez l'état jubilatoire des agricultrices de Lozère — grâce soit rendue à Yvette Roudy[8] d'avoir su leur faire prendre conscience de leur identité de femme — qui suivent des stages informatiques, histoire d'aider leur époux rural dans les comptes de la ferme,
65 pardon dans la gestion de l'exploitation agricole. Amirez les cadres bon genre, ceux-là mêmes qui à Sciences po[9] devaient repasser l'examen d'informatique en septembre parce qu'ils n'arrivaient pas à décrocher la moyenne dans cette matière, les voici pantelants devant le SICOB[10] ; et les autres, tous les autres, les petits patrons bretons, les lycéens, les épiciers, les
70 sportifs de haut niveau, chacun s'y est mis. Même les G.M.[11] du Club qui participent depuis 1981 à des « ateliers d'initiation à l'informatique » mariant « l'hypersophistication et le *do it yourself* », la modernité technologique et le développement du potentiel personnel, l'utopie technicienne et celle du sujet souverain. Vive le hardware[12]. Mieux que le Meccano, ou que le train
75 électrique... Si vous en êtes là, vous êtes perdu. Les lois de la génétique informatique vous ont condamné d'avance.

LUCAS FOURNIER, *C'est nouveau, ça vient de sortir. Traité de néopathie*, © éd. du Seuil, 1987.

Guide de lecture : face au Minitel

1. Qu'est-ce qu'un Minitel ? Quels usages peut-on en faire ?

2. Précisez clairement les trois attitudes qu'envisage l'auteur face à un Minitel.

3. Montrez la progression, de la première attitude à la troisième.

4. À laquelle de ces trois attitudes va la sympathie de l'auteur ?

5. Quel est le ton général du texte ? Appuyez votre réponse sur quelques exemples précis.

Vocabulaire

1. Sachant que le grec *neos* veut dire « nouveau », qu'est-ce qu'un *néologisme* ; le style *néo-gothique* ; la période *néolithique* ; le *néo-réalisme* ?

2. Par quels exemples concrets l'auteur essaie-t-il de nous faire comprendre ce qu'est la « psychonéopathie » ? Quelle définition en donneriez-vous ?

3. Le mot *néolâtre* (ligne 32) est calqué sur *idolâtre*. Proposez une définition pour chacun de ces deux mots.

4. Qu'est-ce que *l'hypersophistication* (ligne 72) ?

Style

La néopathie affecte aussi le langage : l'auteur le montre en utilisant avec humour des expressions familières du jargon à la mode. Relevez des exemples :
— du jargon « branché » ;
— du jargon pédant, pseudo-scientifique (notamment dans la troisième partie du texte).

POUR LE BREVET DES COLLÈGES

Grammaire

1. *Vous pianotez. Vous ne voyez rien.*
Quel est le rapport de sens entre ces deux phrases simples ? Transformez-les en une seule phrase qui comportera :
— deux propositions indépendantes coordonnées ;
— une principale et une subordonnée, dont vous préciserez la nature et la fonction.

2. *Combien de temps tiendrez-vous ainsi sans craquer ? Difficile à dire.*
De ces deux phrases simples, faites une seule phrase complexe commençant par : *Il est difficile de dire...*
Donnez la nature et la fonction des propositions.

Rédaction

1. Présentez, de préférence avec humour, votre propre attitude devant un ordinateur ou un Minitel.

2. Imaginez une discussion entre un partisan et un adversaire de l'informatique.

3. « Être dans le coup », « être in », « être branché » (ou « chébran ! »). Ces expressions, qui reflètent des façons de s'exprimer à la mode à diverses époques, évoquent toutes un même souci : ne pas être dépassé par la modernité. Poussée à l'extrême, une telle attitude relève du snobisme. Faites le portrait d'un snob qui se veut « branché ».

CHRISTIANE
COLLANGE

Moi, ta mère
(1985)

« Votre langage est un désastre »

La mode ne joue pas seulement dans le domaine vestimentaire : elle marque toujours de son empreinte le langage de chaque génération. Selon Christiane Collange, écrivain et mère de famille, celui des jeunes d'aujourd'hui est révélateur d'un état d'esprit, d'une mentalité nouvelle, dont l'enseignement moderne est en partie responsable.

Quand je m'essaie à comparer votre acquis culturel au mien — au même âge, bien sûr, le parallèle n'aurait autrement aucun sens —, j'ai des doutes.

Cela m'agace prodigieusement, par exemple, que vous ne soyez pas
5 capables d'écrire deux lignes sans commettre une faute de français ou une faute d'orthographe. Le plus souvent, les deux à la fois. C'est agaçant, mais je ne crois pas que ce soit très grave. Il y a suffisamment de correcteurs dans les imprimeries et de dictionnaires dans les bureaux pour éviter ou amender le pire. La plupart d'entre vous n'auront pas pour métier d'écrire, et j'avoue
10 que cette langue française multiplie les pièges comme à plaisir. Je passerais volontiers sur quelques participes passés mal accordés si, à défaut d'écrire, vous saviez déjà parler.

Hélas ! votre langage est un désastre !

Je ne parle pas du verlan. Vous avez le droit de vous amuser avec ce code
15 secret qui met les mots à l'envers. Pourquoi ne dirait-on pas entre copains *laisse-béton* au lieu de laisse tomber ?

Nous avions le javanais, vous avez le verlan. Chaque génération a droit à ses bafouillis initiatiques[1]. Mais quand nous ne parlions pas javanais, nous nous exprimions en français. Vous pas.

20 Votre discours quotidien n'est qu'une suite d'onomatopées, de jurons elliptiques, de vocables tronqués. À croire que ça vous fatigue tellement de parler que vous mangez la moitié des mots pour ne pas avoir à fournir l'effort de les prononcer dans leur intégralité.

« *Cata' mon fute est crad'. Ça m'fait ch'. A c't ap' ou à tout*[2]. » C'est drôle
25 à 13 ans, normal à 15, débile à 18, et carrément nul à 20 ans, si tu veux mon opinion. Comme pour tes horaires ou tes affaires, ton langage devrait commencer à tenir compte du monde extérieur. Tu ne vivras pas éternelle-ment au milieu d'une bande de copains grands handicapés verbaux.

Autre hypothèse plus optimiste : vous savez parfaitement vous exprimer
30 en français, la preuve en est que vous êtes arrivés à passer votre bachot[3], à entreprendre et parfois poursuivre des études supérieures, mais vous faites exprès de continuer à baragouiner devant nous et entre vous pour prolonger votre communication d' « ados »[4]. Ce refus linguistique du monde des adultes en dit sûrement long sur votre mentalité. Au lieu de vous donner l'envie de
35 progresser et de découvrir, de changer le monde, de faire vos révolutions, de contester notre culture, d'imposer vos idées, de démolir les nôtres, vos études vous ont laissés encoconnés[5] dans votre statut d'adolescents, confortablement lovés dans votre monde de jeunes comme un appendice social sans contact avec les réalités d'aujourd'hui et les nécessités de demain.

40 En fait, je vois fort bien ce qu'on vous a enseigné en moins par rapport à nous autres : tout un fatras de faits et de règles qui encombraient l'esprit sans toujours susciter des idées. Mais je cherche encore ce que vous avez appris *en plus*.

Franck Margerin,
Bananes métalliques,
© *Les Humanoïdes associés.*

1. *Réservés aux initiés.*
2. *Complétez ou traduisez...*
3. **Bachot** : *baccalauréat.*
4. **Ados** : *adolescent.*
5. *Dans un cocon.*

Vous ne savez plus rédiger une proposition à l'imparfait du subjonctif,
45 mais vous n'avez pas appris à dicter vos idées ou les conclusions d'un rapport
au magnétophone.

Vous n'avez pas tiré la langue sur des pages d'écriture calligraphiées à la
plume Sergent-Major, mais on ne vous a pas non plus contraints à savoir vous
servir d'un clavier de machine à écrire ou de terminal, sans lesquels vous
50 risquez de rester manchots dans la société technologique de demain.

On vous a supprimé l'Histoire de France, mais on ne vous a pas initiés
aux notions essentielles pour comprendre le passé et le présent du reste du
monde.

Vous ne savez plus le latin, mais vous n'avez pas non plus suivi de cours
55 réguliers pour apprendre le Basic ou le Pascal[6].

Nous ne savions guère l'anglais au sortir du lycée, vous pas davantage.

Notre culture musicale et notre formation sportive étaient carrément
nulles. Les vôtres ont un peu progressé. Si peu !

Comprenons-nous bien : je ne nous donne pas en modèle, au contraire.
60 Je n'avais nulle envie que vous me ressembliez au même âge, je vous voulais
mieux. Plus cultivés, plus ouverts, plus originaux, plus compétents, plus
entreprenants, plus tout.

6. *Langages utilisés en
informatique.*

CHRISTIANE COLLANGE, *Moi, ta mère*, © éd. Fayard, 1985.

Guide de lecture : De mon temps...

Orthographe et langage

1. Qu'est-ce que l' « acquis culturel » ?

2. Avez-vous conscience de faire beaucoup de fautes d'orthographe ?

3. Précisez clairement l'attitude de l'auteur sur la question de l'orthographe des jeunes d'aujourd'hui.

4. Que reproche-t-elle à leur langage ?

5. Montrez que, d'après l'auteur, le langage des jeunes est le reflet d'un état d'esprit, d'une mentalité.

L'enseignement d'hier et d'aujourd'hui.

1. Classez dans un tableau, d'après la dernière partie du texte :
— ce qu'on a supprimé dans l'enseignement,
— ce qu'on n'a pas appris aux jeunes d'aujourd'hui.

2. Quel est le bilan ? Quel sentiment inspire-t-il à l'auteur ?

Expression orale

1. En classant vos arguments, répondez aux critiques de Christiane Collange et prenez la défense des jeunes d'aujourd'hui.

2. Sur les questions du langage, de l'orthographe, de l' « acquis culturel », de l'enseignement que vous recevez, imaginez un dialogue entre un adolescent de votre âge (vous-même, peut-être ?) et un adulte de la génération de vos parents.

3. Donnez des exemples de modes dans le domaine du langage et employez-les, si possible, dans un dialogue entre deux adolescents, ou dans un court récit.

POUR LE BREVET DES COLLÈGES

Grammaire

« Vous ne savez plus rédiger une proposition à l'imparfait du subjonctif » affirme l'auteur. Est-ce vrai ? Dans les phrases ci-dessous, repérez les verbes à l'imparfait du subjonctif et justifiez leur emploi.
Comme je préférerais que le temps fût plus clément !
Chaque matin, le maître exigeait qu'un élève récitât la leçon de la veille.
À quelle personne l'imparfait du subjonctif est-il surtout employé, de nos jours ? L'emploie-t-on encore à l'oral ?

Vocabulaire

1. Qu'est-ce qu'une *onomatopée ?* Citez-en quelques exemples. Cherchez dans le vocabulaire français des noms communs qui étaient, à l'origine, des onomatopées.

2. Cherchez des synonymes du verbe *parler* et du nom *langage*. Classez-les par niveaux de langue, en allant du plus recherché au plus vulgaire.

© *Les Humanoïdes associés.*

ANNIE ERNAUX

La Place
(1983)

De l'image au texte : une photo

Alentour de la cinquantaine, encore la force de l'âge, la tête très droite, l'air soucieux, comme s'il craignait que la photo ne soit ratée, il porte un ensemble, pantalon foncé, veste claire sur une chemise et une cravate. Photo prise un dimanche, en semaine, il était en bleus. De toute
5 façon, on prenait les photos le dimanche, plus de temps, et l'on était mieux habillé. Je figure à côté de lui, en robe à volants, les deux bras tendus sur le guidon de mon premier vélo, un pied à terre. Il a une main ballante, l'autre à sa ceinture. En fond, la porte ouverte du café, les fleurs sur le bord de la fenêtre, au-dessus de celle-ci la plaque de licence des débits de boisson. On
10 se fait photographier avec ce qu'on est fier de posséder, le commerce, le vélo, plus tard la 4 CV, sur le toit de laquelle il appuie une main, faisant par ce geste remonter exagérément son veston. Il ne rit sur aucune photo.

ANNIE ERNAUX, *La Place*, © éd. Gallimard.

Guide de lecture : un portrait photographique

1. Que nous apprend ce court portrait que brosse ici Annie Ernaux, d'après une photo de son père :
— sur son âge ; son attitude ; son costume ; son visage ?

2. Comment sait-elle que la photo a été prise un dimanche ?

3. Quel autre personnage figure sur la photo ? Dans quel costume ?

4. Quels autres éléments relevez-vous sur la photo ?

Recherche, Réflexion, Expression

1. Choisissez, à votre tour, une photo et essayez, en une quinzaine de lignes, d'en donner une image aussi précise que possible.

2. Comparez deux photos montrant, l'une la mode d'autrefois, l'autre la mode d'aujourd'hui. Quelles différences notez-vous ?
Faites part de vos réactions ou de celles de votre entourage.
Qu'a-t-on appelé la mode « rétro » ? Donnez-en des exemples.

2. La pub

H. DE BALZAC

*La Maison
du chat
qui pelote*
(1830)

Une vieille tradition

L'intrigue de La Maison du chat qui pelote *(1830) se déroule à Paris chez un marchand de drap, M. Guillaume. Ce dernier a deux filles, Virginie (28 ans) et Augustine (18 ans). Une tradition bien établie veut que le premier commis, au terme d'un rude apprentissage, épouse la fille de la maison. Mais une autre tradition exige que l'on ne marie pas la cadette avant l'aînée...*

Après diverses tentatives financières qui échouent lamentablement et le laissent couvert de dettes, **Honoré de Balzac** (1799-1850) se consacre entièrement à la littérature. Durant vingt années, il écrit les quelque quatre-vingt-quinze romans qui deviendront, en 1842, *La Comédie humaine*. Les personnages, que l'on retrouve d'un roman à l'autre, tracent une puissante évocation de la société française entre 1789 et 1848. Son œuvre, où l'imagination transfigure l'observation minutieuse, est celle d'un « visionnaire passionné. » Quelques titres de *La Comédie humaine* : *Les Chouans* (1829), *Eugénie Grandet* (1833), *Le Père Goriot* (1834), *Le Lys dans la vallée* (1835), *Illusions perdues* (1837-1843).

1. *M. Guillaume a jadis épousé la fille du sieur Chevrel, chez qui il était premier commis.*

L e dimanche matin, le vieux marchand drapier fit sa barbe dès six heures, endossa son habit marron dont les superbes reflets lui causaient toujours le même contentement, il attacha les boucles d'or aux oreilles de son ample culotte de soie ; puis, vers sept heures, au moment
5 où tout dormait encore dans la maison, il se dirigea vers le petit cabinet attenant à son magasin du premier étage. Le jour y venait d'une croisée armée de gros barreaux de fer, et qui donnait sur une petite cour carrée formée de murs si noirs qu'elle ressemblait assez à un puits. Le vieux négociant ouvrit lui-même ces volets garnis de tôle qu'il connaissait si bien, et releva une moitié
10 du vitrage en le faisant glisser dans sa coulisse. L'air glacé de la cour vint rafraîchir la chaude atmosphère de ce cabinet, qui exhalait l'odeur particulière aux bureaux. Le marchand resta debout, la main posée sur le bras crasseux d'un fauteuil de canne doublé de maroquin dont la couleur primitive était effacée, il semblait hésiter à s'y asseoir. Il regarda d'un air attendri le bureau
15 à double pupitre, où la place de sa femme se trouvait ménagée, dans le côté opposé à la sienne, par une petite arcade pratiquée dans le mur. Il contempla les cartons numérotés, les ficelles, les ustensiles, les fers à marquer le drap, la caisse, objets d'une origine immémoriale, et crut se revoir devant l'ombre évoquée du sieur Chevrel[1]. Il avança le même tabouret sur lequel il s'était jadis
20 assis en présence de son défunt patron. Ce tabouret garni de cuir noir, et dont le crin s'échappait depuis longtemps par les coins mais sans se perdre, il le plaça d'une main tremblante, au même endroit où son prédécesseur l'avait mis ; puis, dans une agitation difficile à décrire, il tira la sonnette qui correspondait au chevet du lit de Joseph Lebas. Quand ce coup décisif eut été
25 frappé, le vieillard, pour qui ces souvenirs furent sans doute trop lourds, prit trois ou quatre lettres de change qui lui avaient été présentées, et les regardait sans les voir, quand Joseph Lebas se montra soudain.

— Asseyez-vous là, dit Guillaume en lui désignant le tabouret.

Comme jamais le vieux maître-drapier n'avait fait asseoir son commis
30 devant lui, Joseph Lebas tressaillit.

— Que pensez-vous de ces traites ? demanda Guillaume.

— Elles ne seront pas payées.

— Comment ?

— Mais j'ai su qu'avant hier Étienne et compagnie ont fait leurs paiements
35 en or.

— Oh ! oh ! s'écria le drapier, il faut être bien malade pour laisser voir sa bile. Parlons d'autre chose. Joseph, l'inventaire est fini.

— Oui, Monsieur, et le dividende est un des plus beaux que vous ayez eus.

— Ne vous servez donc pas de ces nouveaux mots. Dites le produit, Joseph.

Commerçant parisien, v. 1840.

40 Savez-vous, mon garçon, que c'est un peu à vous que nous devons ces résultats ? aussi, ne veux-je plus que vous ayez d'appointements. Mme Guillaume m'a donné l'idée de vous offrir un intérêt. Hein, Joseph ! Guillaume et Lebas, ces mots ne feraient-ils pas une belle raison sociale ? On pourrait mettre *et compagnie* pour arrondir la signature.

45 Les larmes vinrent aux yeux de Joseph Lebas qui s'efforça de les cacher.
— Ah, monsieur Guillaume ! comment ai-je pu mériter tant de bontés ? Je n'ai fait que mon devoir. C'était déjà tant que de vous intéresser à un pauvre orph…

Il brossait le parement de sa manche gauche avec la manche droite, et 50 n'osait regarder le vieillard qui souriait en pensant que ce modeste jeune homme avait sans doute besoin, comme lui autrefois, d'être encouragé pour rendre l'explication complète.
— Cependant, reprit le père de Virginie, vous ne méritez pas beaucoup cette faveur, Joseph ! Vous ne mettez pas en moi autant de confiance que j'en mets 55 en vous. (Le commis releva brusquement la tête.) — Vous avez le secret de la caisse. Depuis deux ans je vous ai dit presque toutes mes affaires. Je vous ai fait voyager en fabrique. Enfin, pour vous, je n'ai rien sur le cœur. Mais vous ?… vous avez une inclination, et ne m'en avez pas touché un seul mot. (Joseph Lebas rougit.) — Ah ! ah ! s'écria Guillaume, vous pensiez donc 60 tromper un vieux renard comme moi ? Moi ! à qui vous vous avez vu deviner la faillite Lecoq ?
— Comment, monsieur ? répondit Joseph Lebas en examinant son patron avec autant d'attention que son patron l'examinait, comment, vous sauriez qui j'aime ?
65 — Je sais tout, vaurien, lui dit le respectable et rusé marchand en lui tordant le bout de l'oreille. Et je pardonne, j'ai fait de même.
— Et vous me l'accorderiez ?
— Oui, avec cinquante mille écus, et je t'en laisserai autant, et nous marcherons sur nouveaux frais avec une nouvelle raison sociale. Nous 70 brasserons encore des affaires, garçon, s'écria le vieux marchand en se levant et agitant ses bras. Vois-tu, mon gendre, il n'y a que le commerce ! Ceux qui se demandent quels plaisirs on y trouve sont des imbéciles. Être à la piste des affaires, savoir gouverner sur la place, attendre avec anxiété, comme au jeu, si les Étienne et compagnie font faillite, voir passer un régiment de la garde 75 impériale habillé de notre drap, donner un croc-en-jambe au voisin, loyalement s'entend ! fabriquer à meilleur marché que les autres ; suivre une affaire qu'on ébauche, qui commence, grandit, chancelle et réussit, connaître comme un ministre de la police tous les ressorts des maisons de commerce pour ne pas faire fausse route ; se tenir debout devant les naufrages ; avoir des 80 amis, par correspondance, dans toutes les villes manufacturières, n'est-ce pas un jeu perpétuel, Joseph ? Mais c'est vivre, ça ! Je mourrai dans ce tracas-là, comme le vieux Chevrel, n'en prenant cependant plus qu'à mon aise. Dans la chaleur de sa plus forte improvisation, le père Guillaume n'avait presque pas regardé son commis qui pleurait à chaudes larmes.
85 — Eh bien ! Joseph, mon pauvre garçon, qu'as-tu donc ?
— Ah ! je l'aime tant, tant, monsieur Guillaume, que le cœur me manque, je crois…
— Eh bien ! garçon, dit le marchand attendri, tu es plus heureux que tu ne crois, sarpejeu, car elle t'aime. Je le sais, moi !
90 Et il cligna ses deux petits yeux verts en regardant son commis.
— Mlle Augustine, Mlle Augustine ! s'écria Joseph Lebas dans son enthousiasme.

Distraction d'un afficheur.

Il allait s'élancer hors du cabinet quand il se sentit arrêté par un bras de fer, et son patron
95 stupéfait le ramena vigoureusement devant lui.

— Qu'est-ce que fait donc Augustine dans cette affaire-là ? demanda Guillaume dont la voix glaça sur-le-champ le malheureux Joseph Lebas.

— N'est-ce pas elle... que... j'aime ? dit le commis
100 en balbutiant.

Déconcerté de son défaut de perspicacité, Guillaume se rassit et mit sa tête pointue dans ses deux mains pour réfléchir à la bizarre position dans laquelle il se trouvait. Joseph Lebas honteux et au
105 désespoir resta debout.

— Joseph, reprit le négociant avec une dignité froide, je vous parlais de Virginie. L'amour ne se commande pas, je le sais. Je connais votre discré-tion, nous oublierons cela. Je ne marierai jamais
110 Augustine avant Virginie. Votre intérêt sera de dix pour cent.

HONORÉ DE BALZAC, *La Maison du chat qui pelote*, 1830.

Guide de lecture : « Vois-tu, mon gendre... »

1. Distinguez les grandes parties du texte et donnez un titre à chacune.

2. Où voit-on que M. Guillaume accomplit ici une véritable cérémo-nie rituelle ?

3. À quels signes reconnaît-on l'agitation intérieure du maître drapier ? Pour quelles raisons est-il si ému ?

4. Quels sentiments animent, en face de lui, Joseph Lebas, son premier commis ?

5. M. Guillaume, en s'adressant à Joseph, passe soudain du « vous » au « tu ». Que traduit ce changement ?

6. M. Guillaume fait un éloge enthousiaste du commerce. Qu'est-ce qui fait, selon lui, l'attrait et l'intérêt de cette activité ?

7. Cette scène repose sur *un quiproquo*. Présentez-le clairement. À quel moment prend-il fin ?

Recherche, Réflexion, Expression

1. Joseph Lebas épousera-t-il finalement Augustine ? Ou bien épou-sera-t-il Virginie, l'aînée ? Quelle sera alors la destinée de la cadette ? Lisez en entier *La Maison du chat qui pelote* et présentez clairement l'histoire tragique d'Augustine.

2. Comparez la destinée d'Augustine à celle de Geneviève Baudu dans *Au Bonheur des Dames*, d'Émile Zola (voir p. 155). Geneviève aussi doit épouser le premier commis de son père, marchand de drap à Paris...

POUR LE BREVET DES COLLÈGES

Orthographe

1. Recopiez les mots suivants : *rafraîchir, exhaler, un air attendri, leurs paiements, une origine immémoriale, il tressaillit, son enthousiasme, son défaut de perspicacité.*

2. « Elles ne seront pas payées » : justifiez l'accord du participe passé.

3. « Je mourrai » : à quel temps est ce verbe ? Quand faut-il redoubler le *r* ?

Grammaire

1. Analysez les propositions dans la phrase : « Comme jamais le vieux maître drapier n'avait fait asseoir son commis devant lui, Joseph Lebas tressaillit. »

2. « Vous avez une inclination, et ne m'en avez pas touché un seul mot. » Sans en changer le sens, transformez cette phrase simple en une phrase complexe dont vous analyserez les propositions.

Vocabulaire

1. « Je ne veux plus que vous ayez d'*appointements* » : que désigne ce mot ? De quelle façon Joseph Lebas sera-t-il alors rémunéré ?

2. Voici différents modes de *rémunération*. Indiquez, d'une flèche, la personne à qui ils reviennent :

un salaire	un militaire
des honoraires	un fonctionnaire
un traitement	un employé
des gages	un domestique
une solde	un membre d'une profession libérale

Émile Zola ébauche vers 1868 le plan d'ensemble d'une grande œuvre dans laquelle il veut raconter « l'histoire naturelle et sociale d'une famille sous le second Empire » : Les Rougon-Macquart. Entre 1871 et 1893, il va écrire, à un rythme régulier, vingt romans, dont les personnages principaux appartiennent tous, sur cinq générations successives, à la famille des Rougon-Macquart. Le lecteur voyagera ainsi dans les milieux sociaux les plus divers, sur lesquels Zola, avant d'entreprendre chaque roman, avait coutume de se documenter très sérieusement.

Dans Au Bonheur des Dames *(1883), Émile Zola évoque la naissance et le développement des premiers grands magasins de Paris : le Bon Marché, le Louvre, le Printemps... Sans doute Octave Mouret, le héros du roman, doit-il quelques-uns de ses traits à Aristide Boucicaut, qui a fondé le* Bon Marché *en 1852.*

L'action commence en 1864 et se déroulera sur cinq années environ. Au moment ou Octave Mouret met sur pied de grands travaux pour agrandir encore ce qui n'était, naguère, qu'une boutique de « calicot », et en faire le grand magasin Au Bonheur des Dames, *une jeune orpheline, Denise Baudu, débarque à Paris aves ses deux jeunes frères... Elle sera embauchée comme vendeuse au* Bonheur des Dames, *et après diverses tribulations, elle finira par épouser Octave Mouret, le séduisant et prestigieux propriétaire et directeur du magasin.*

ÉMILE ZOLA

Au Bonheur des Dames (1883)

Émile Zola (1840-1902) abandonne tôt ses études et exerce différents métiers, dont celui de journaliste, avant de devenir le chef de file des romanciers naturalistes. Les vingt volumes de son œuvre maîtresse, *Les Rougon-Macquart,* qui relatent l'histoire d'une famille sous le second Empire, illustrent ses théories sur l'influence de l'hérédité et du milieu social. Cette œuvre, qui s'appuie sur une documentation minutieuse et abondante, est cependant animée par un véritable souffle épique.

Quelques titres des *Rougon-Macquart* : *L'Assommoir* (1877), *Nana* (1879), *Au Bonheur des Dames* (1883), *Germinal* (1885).

1. *« J'étais venue les promener, et voilà que je dévalise les magasins ! »* s'exclame Mme Bourdelais.

Un génie du commerce

« Un lundi, le 14 mars (1867), Le Bonheur des Dames inaugurait ses magasins neufs par la grande exposition des nouveautés d'été, qui devait durer trois jours. »

Grâce à l'aide du baron Hartmann et du Crédit Immobilier, Mouret a pu profiter des travaux réalisés dans le quartier, où l'on perce une nouvelle rue, pour agrandir encore son magasin, qui compte maintenant vingt-huit rayons, mille employés, et dont le chiffre d'affaires a quintuplé.

Octave Mouret qui, du reste, compte bien ne pas en rester là, n'a pu obtenir de tels résultats sans un véritable génie du commerce, qui le pousse à imposer, envers et contre tous, des idées tout à fait nouvelles...

Mouret avait l'unique passion de vaincre la femme. Il la voulait reine dans sa maison, il lui avait bâti ce temple, pour l'y tenir à sa merci. C'était toute sa tactique, la griser d'attentions galantes et trafiquer de ses désirs, exploiter sa fièvre. Aussi, nuit et jour, se creusait-il la tête, à la
5 recherche de trouvailles nouvelles. Déjà, voulant éviter la fatigue des étages aux dames délicates, il avait fait installer deux ascenseurs, capitonnés de velours. Puis, il venait d'ouvrir un buffet, où l'on donnait gratuitement des sirops et des biscuits, et un salon de lecture, une galerie monumentale, décorée avec un luxe trop riche, dans laquelle il risquait même des expositions
10 de tableaux. Mais son idée la plus profonde était, chez la femme sans coquetterie, de conquérir la mère par l'enfant[1] ; il ne perdait aucune force, spéculait sur tous les sentiments, créait des rayons pour petits garçons et fillettes, arrêtait les mamans au passage, en offrant aux bébés des images et des ballons. Un trait de génie que cette prime des ballons, distribuée à chaque
15 acheteuse, des ballons rouges à la fine peau de caoutchouc, portant en grosses

lettres le nom du magasin, et qui, tenus au bout d'un fil, voyageaient en l'air, promenaient par les rues une réclame vivante !

La grande puissance était surtout la publicité. Mouret en arrivait à dépenser par an trois cent mille francs de catalogues, d'annonces et d'affiches. Pour sa mise en vente des nouveautés d'été, il avait lancé deux cent mille catalogues, dont cinquante mille à l'étranger, traduits dans toutes les langues. Maintenant, il les faisait illustrer de gravures, il les accompagnait même d'échantillons, collés sur les feuilles. C'était un débordement d'étalages, le Bonheur des Dames sautait aux yeux du monde entier, envahissait les murailles, les journaux, jusqu'aux rideaux des théâtres. Il professait que la femme est sans force contre la réclame, qu'elle finit fatalement par aller au bruit. Du reste, il lui tendait des pièges plus savants, il l'analysait en grand moraliste. Ainsi, il avait découvert qu'elle ne résistait pas au bon marché, qu'elle achetait sans besoin, quand elle croyait conclure une affaire avanta-geuse ; et, sur cette observation, il basait son système des diminutions de prix, il baissait progressivement les articles non vendus, préférant les vendre à perte, fidèle au principe du renouvellement rapide des marchandises. Puis, il avait pénétré plus avant encore dans le cœur de la femme, il venait d'imaginer « les rendus », un chef-d'œuvre de séduction jésuitique. « Prenez toujours, madame : vous nous rendrez l'article, s'il cesse de vous plaire. » Et la femme, qui résistait, trouvait là une dernière excuse, la possibilité de revenir sur une folie : elle prenait, la conscience en règle. Maintenant, les rendus et la baisse des prix entraient dans le fonctionnement classique du nouveau commerce.

Mais où Mouret se révélait comme un maître sans rival, c'était dans l'aménagement intérieur des magasins[2]. Il posait en loi que pas un coin du Bonheur des Dames ne devait rester désert ; partout, il exigeait du bruit, de la foule, de la vie ; car la vie, disait-il, attire la vie, enfante et pullule. De cette loi, il tirait toutes sortes d'applications. D'abord, on devait s'écraser pour entrer, il fallait que, de la rue, on crût à une émeute ; et il obtenait cet écrasement, en mettant sous la porte des soldes, des casiers et des corbeilles débordant d'articles à vil prix ; si bien que le menu peuple s'amassait, barrait le seuil, faisait penser que les magasins craquaient de monde, lorsque souvent ils n'étaient qu'à demi pleins. Ensuite, le long des galeries, il avait l'art de dissimuler les rayons qui chômaient, par exemple les châles en été et les indiennes en hiver ; il les entourait de rayons vivants, les noyait dans du vacarme. Lui seul avait encore imaginé de placer au deuxième étage les comptoirs des tapis et des meubles, des comptoirs où les clientes étaient plus rares, et dont la présence au rez-de-chaussée aurait creusé des trous vides et froids. S'il en avait découvert le moyen, il aurait fait passer la rue au travers de sa maison.

Justement, Mouret se trouvait en proie à une crise d'inspiration. Le samedi soir, comme il donnait un dernier coup d'œil aux préparatifs de la grande vente du lundi, dont on s'occupait depuis un mois, il avait eu la conscience soudaine que le classement des rayons adopté par lui était inepte. C'était pourtant un classement d'une logique absolue, les tissus d'un côté, les objets confectionnés de l'autre, un ordre intelligent qui devait permettre aux clientes de se diriger elles-mêmes. Il avait rêvé cet ordre autrefois dans le fouillis de l'étroite boutique de Mme Hédouin[3] ; et voilà qu'il se sentait ébranlé, le jour où il le réalisait. Brusquement, il s'était écrié qu'il fallait « lui casser tout ça ». On avait quarante-huit heures, il s'agissait de déménager une partie des magasins. Le personnel, effaré, bousculé, avait dû passer les deux nuits et la journée entière du dimanche, au milieu d'un gâchis épouvantable. Même le lundi matin, une heure avant l'ouverture, des marchandises ne se

2. « Tous en convenaient, le patron était le premier étalagiste de Paris » (chap. 2).

3. Dans Pot-Bouille, Zola raconte comment Octave Mouret, entré comme vendeur chez Mme Hédouin, séduit celle-ci, qui l'épouse. Il la décide ensuite à agrandir le magasin, mais elle se tue en visitant le chantier.

Un grand magasin, vers 1857.

trouvaient pas encore en place. Certainement, le patron devenait fou, 70 personne ne comprenait, c'était une consternation générale.

— Allons, dépêchons ! criait Mouret, avec la tranquille assurance de son génie. Voici encore des costumes qu'il faut me porter là-haut... Et le Japon est-il installé sur le palier central ?... Un dernier effort, mes enfants, vous verrez la vente tout à l'heure !

75 Bourdoncle[4], lui aussi, était là depuis le petit jour. Pas plus que les autres, il ne comprenait, et ses regards suivaient le directeur d'un air d'inquiétude. Il n'osait lui poser des questions, sachant de quelle manière on était reçu, dans ces moments de crise. Pourtant, il se décida, il demanda doucement :

80 — Est-ce qu'il était bien nécessaire de tout bouleverser ainsi, à la veille de notre exposition ?

D'abord, Mouret haussa les épaules, sans répondre. Puis, comme l'autre se permit d'insister, il éclata.

— Pour que les clientes se tassent toutes dans le même coin, n'est-ce pas ? 85 Une jolie idée de géomètre que j'avais eue là ! Je ne m'en serais jamais consolé... Comprenez donc que je localisais la foule. Une femme entrait, allait droit où elle voulait aller, passait du jupon à la robe, de la robe au manteau, puis se retirait, sans même s'être un peu perdue !... Pas une n'aurait seulement vu nos magasins !

90 — Mais, fit remarquer Bourdoncle, maintenant que vous avez tout brouillé et tout jeté aux quatre coins, les employés useront leurs jambes, à conduire les acheteuses de rayon en rayon.

Mouret eut un geste superbe.

— Ce que je m'en fiche ! Ils sont jeunes, ça les fera grandir... Et tant mieux, 95 s'ils se promènent ! Ils auront l'air plus nombreux, ils augmenteront la foule. Qu'on s'écrase, tout ira bien !

ÉMILE ZOLA, *Au Bonheur des Dames*, IX, 1883.

Guide de lecture : « Vaincre la femme »

1. Énumérez tous les « pièges » tendus aux femmes par Octave Mouret pour les inciter à la dépense.

2. Expliquez pourquoi Octave Mouret vend certains articles à perte ; en quoi consiste le procédé des « rendus ».

3. À quels procédés publicitaires Octave Mouret fait-il appel ? Sont-ils encore utilisés de nos jours ?

4. Expliquez clairement les principes qui régissent l'aménagement du magasin.

5. Pourquoi Octave Mouret a-t-il décidé, au dernier moment, de bouleverser l'ordre du magasin ?

Vocabulaire

Expliquez

— « ... pour l'y tenir *à sa merci* » (ligne 2) ;

— « il *spéculait* sur tous les sentiments » (ligne 12) ;

— « il avait eu la conscience soudaine que le classement adopté par lui était *inepte* » (ligne 59).

Recherche, Réflexion, Expression

Étude de personnages

Émile Zola fait vivre, dans son roman, des femmes qui incarnent chacune un type d'acheteuse. Lisez attentivement le chapitre IX d'*Au Bonheur des Dames* et précisez, en quelques phrases, le comportement, dans le magasin, de : Mme Desforges ; Mme Bourdelais ; Mme de Boves ; Mme Guibal ; Mme Marty.

Enquêtes

1. Dressez le plan d'un grand magasin que vous fréquentez régulièrement. Comment sont disposés les rayons ? Cette disposition vous semble-t-elle judicieuse ? Pourquoi ?
Interrogez, si vous le pouvez, un responsable de ce magasin qui vous expliquera pourquoi cet agencement a été adopté.

2. Interviewez un responsable de ce service dans un grand magasin et demandez-lui de vous préciser rapidement quelques points tels que :

— le budget de la publicité ;

— l'importance accordée à la publicité, l'efficacité de celle-ci (chiffres à l'appui).

PATRICE BOLLON

L'Express (1982)

Profession : « designer »

Le mot anglais « designer » (= dessinateur) définit une personne dont la profession est de dessiner la forme d'un objet pour le rendre plus agréable à toucher et… plus facile à commercialiser. Un journaliste nous présente ici Raymond Loewy, l'un des pionniers du « design ».

L orsque le magazine *Life* établit, pour son numéro du bicentenaire[1], la liste des cent personnes qui ont fait l'Amérique, il n'en distingua que trois nées hors du sol américain : Christophe Colomb, La Fayette et… Raymond Loewy. Presque inconnu en France, où il est pourtant né, le
5 designer Raymond Loewy a pratiquement modelé notre environnement quotidien : des trains, des voitures, des bateaux, les aménagements intérieurs de Concorde, de Skylab et de la navette spatiale, mais aussi des produits aussi courants que la bouteille longue de Coca-Cola, le paquet blanc de Lucky Strike, le Frigidaire, les points rouges Coop, les logos[2] de la British
10 Petroleum, des jeans New Man, des soupes Liebig. Sans oublier le paquet de petits Lu et les bouteilles d'eau de Javel.

Sa carrière ressemble à l'une de ces « success stories » comme aiment à en raconter les Américains. En 1919, troisième fils d'un Viennois réfugié à Paris et d'une Française, Raymond Loewy débarque à New York, tout juste
15 démobilisé. Il a 25 ans, un désir effréné de vivre, mais seulement 40 dollars en poche. Parce que ce bon dessinateur est un homme plaisant et distingué, il se lie d'amitié, sur le bateau, avec le consul général britannique à New York, qui lui donne une lettre de recommandation pour l'éditeur de *Vogue*[3].

Il sera pendant dix ans dessinateur de mode. Mais il a d'autres ambitions.
20 Choqué par la faible qualité esthétique des produits industriels de la Grande Amérique, il fait imprimer un carton qu'il envoie aux plus importantes

1. « Le bicentenaire » de l'indépendance des États-Unis d'Amérique, le 4 juillet 1976.

2. **Logo** : *abréviation de logotype : signes graphiques constituant la marque d'un produit.*

3. *Vogue : célèbre magazine de mode américain.*

*L'Avanti dessinée
par Raymond Loewy en 1961.*

entreprises, avec ce libellé : « Entre deux objets comparables par le prix, la fonction et la qualité, celui qui a le plus bel aspect se vend le mieux. » Suivent son nom et son adresse.

25   Une semaine plus tard, Julius Gestetner, l'homme des duplicateurs, vient le trouver dans sa chambre-atelier de Manhattan. Il doit embarquer dans trois jours pour Londres avec une nouvelle machine et demande à Raymond Loewy s'il peut la redessiner. L'appareil est sale et bruyant. Son mécanisme, apparent, donne une impression de confusion. Enfin, d'étranges pieds
30   saillants manquent de faire trébucher tous ceux qui l'approchent.

    Raymond Loewy commence par supprimer ces pieds, élimine toute protubérance et toute surcharge inutiles dans le meuble, raccourcit la manivelle et enferme le mécanisme dans un châssis lisse et facile à entretenir, qu'il sculpte avec de la glaise. Ce n'est qu'un simple « lifting », une opération

4. Le lifting est une opération bénigne de chirurgie esthétique. La cosmétologie est l'étude de tout ce qui se rapporte aux produits de beauté.

35   de « cosmétologie »[4], mais Julius Gestetner est ravi. Le nouveau modèle donne une impression de simplicité, d'harmonie et de compétence. Il restera presque inchangé pendant trente ans, et les ventes, qui stagnaient, remontent. Le design industriel vient de naître.

    En mars 1940, George Washington Hill, le président de l'American
40   Tobacco, parie avec lui 50 000 dollars. L'enjeu : améliorer le paquet de cigarettes Lucky Strike. Loewy relève le défi. Il remplace la couleur verte, salissante et onéreuse, par un blanc pur et lumineux, transfère un texte publicitaire que personne ne lisait sur les montants et porte deux cibles de chaque côté du paquet, afin que la marque soit toujours visible. Le résultat
45   est un succès à la fois esthétique et financier : le coût de fabrication baisse, la publicité est meilleure et les ventes font un bond de 25 %.

    Sa vraie fierté : sa participation aux programmes spatiaux de la Nasa. Skylab et la navette, pour lesquels il étudie, dès 1967, les conditions d'habitabilité dans l'espace. Avec bon sens, il préconise que chaque
50   cosmonaute dispose d'une aire propre, où il puisse s'isoler huit heures par jour, que l'équipage prenne ses repas en se faisant face et qu'un hublot soit percé dans la paroi aveugle des capsules. Rien ne rend nécessaires ces aménagements, si ce n'est la psychologie. Au retour, les cosmonautes sont unanimes : sans ces détails, ils n'auraient jamais supporté le voyage.
55   Idéaliste, Raymond Loewy refuse tous les travaux allant à l'encontre de sa conception humaniste de la technologie. Un jour, le président d'une firme américaine d'armements lui demande de réfléchir sur le dessin d'une grenade offensive afin d'en améliorer la fragmentation. Dix ans plus tard, il en reste

Raymond Loewy.

offusqué : « Pour moi, l'objet du design industriel est d'améliorer la vie
60 quotidienne, pas de la détruire ! »

À 89 ans, il a encore des rêves d'enfant. S'il répond avec courtoisie aux
questions sur son passé et sort volontiers de ses vieux cartons des projets, non
réalisés, au modernisme stupéfiant, c'est l'avenir qui l'intéresse. Vêtu d'un
blazer frappé de l'écusson de la mission conjointe Apollo-Soyouz de 1975,
65 installé dans son salon bizarrement surchargé, où toutes les époques se
mélangent, son visage un peu triste s'éclaire quand il évoque des avenirs à la
Jules Verne : la quatrième dimension, la découverte de matériaux nouveaux,
dont nous n'avons pas encore conscience, ou bien l'espoir que les manipula-
tions génétiques dans les laboratoires à gravité zéro puissent un jour limiter
70 les risques de guerre sur la Terre.

Et quand on lui demande, au terme de cette vie bien remplie, quel a été
son seul regret, il n'hésite pas une seconde : n'avoir pas créé l'œuf, « cette
forme parfaite ». Il s'explique : « Songez que grâce à son architecture une
paroi aussi mince permet de supporter graduellement des charges allant
75 jusqu'à 19 kilos ! La nature, reprend-il, un sourire malicieux aux yeux,
m'avait devancé dans cette tâche. »

PATRICE BOLLON, *L'Express*, 3 décembre 1982.

Guide de lecture : un rôle important

1. D'après ce texte, précisez clairement en quoi consiste la profession de « designer ».

2. Montrez l'étendue des réalisations de Raymond Loewy.

3. Par quel argument Raymond Loewy justifie-t-il le rôle important du
« design » ?

4. D'après l'exemple du travail accompli sur le duplicateur Gestetner,
en quoi consiste le « design » industriel ?

5. Quel rôle important Raymond Loewy a-t-il joué lors de sa
collaboration au programme spatial de la N.A.S.A. ?

6. Pour quelle raison a-t-il refusé de travailler pour une firme
d'armements ?

Vocabulaire

1. Cherchez l'étymologie des mots : *libellé, duplicateur*. Donner leur
signification générale puis expliquez le sens qu'ils ont dans le texte.

2. Cherchez des homophones de *faîte* et de *aire*, puis employez
chacun d'eux dans une phrase.

Expression orale

1. Choisissez une annonce publicitaire qui vous plaît particulièrement. Décrivez-la soigneusement. Dites ensuite pourquoi elle a
retenu votre attention et quelles qualités vous lui trouvez : beauté du
dessin, harmonie des couleurs, humour, etc. Donnez aussi votre avis
sur le texte.

2. À la télévision, quel est votre « spot » publicitaire préféré ?
Présentez-le rapidement, mais clairement. Essayez de préciser les
instructions de son réalisateur. Dites ensuite pourquoi il vous plaît.

3. Les slogans publicitaires cherchent avant tout à frapper notre
esprit. C'est pourquoi ils reposent souvent sur *des calembours* (jeux
de mots), *des comparaisons, des métaphores* ou *des formules
lapidaires* très expressives.
Cherchez-en quelques exemples et présentez-les rapidement.
Peut-être pourrez-vous en imaginer aussi quelques-uns ?

Rédaction

1. À votre avis, sommes-nous, aujourd'hui, envahis par la publicité ?
Celle-ci vous irrite-t-elle ou, au contraire, la jugez-vous nécessaire ?

2. Après avoir montré l'importance prise par la publicité dans le
monde d'aujourd'hui, vous essaierez d'analyser, objectivement, ses
avantages et ses inconvénients.

POUR LE BREVET DES COLLÈGES

Grammaire

1. « Parce que ce bon dessinateur est un homme plaisant et
distingué, il se lie d'amitié, sur le bateau, avec le consul général
britannique à New York, qui lui donne une lettre de recommandation pour l'éditeur de *Vogue*. »
Précisez la nature et la fonction des propositions contenues dans
cette phrase.
Transformez ensuite cette phrase complexe en une succession
de phrases simples.

2. « Idéaliste, Raymond Loewy refuse tous les travaux allant à
l'encontre de sa conception humaniste de la technologie. »
Dans cette phrase, l'adjectif qualificatif *idéaliste* est apposé au
nom Raymond Loewy. Sans changer le sens de la phrase,
remplacez-le par une proposition subordonnée dont vous préciserez la nature et la fonction.

3. L'amour

LE MARIAGE

MARIVAUX

Les Fausses Confidences
(1737)

Ruiné par la banqueroute de Law, Pierre Carlet de Chamblain de **Marivaux** (1688-1763) va se lancer dans la carrière des lettres. Il sera à la fois « journaliste », romancier et auteur de comédies jouées avec succès au Théâtre-Italien. En 1742, il est élu à l'Académie française. Peintre de la passion naissante, Marivaux crée un univers plein d'élégance et de charme. Derrière la légèreté et même la féerie de certaines pièces, il analyse avec une extrême subtilité tous les mécanismes du sentiment amoureux.
Principales œuvres : *La Surprise de l'Amour* (1722), *Le Jeu de l'Amour et du Hasard* (1730), *Les Fausses Confidences* (1737), *La Vie de Marianne* (roman ; 1731-1741).

1. *À : sur.*

2. *La mère d'Araminte a arrangé le mariage de sa fille avec un comte du voisinage. Sachant qu'Araminte cherchait un intendant, le comte lui en a proposé un, mais Araminte a préféré Dorante...*

3. *Pourquoi ?*

Un beau parti

Dorante est amoureux d'Araminte, une riche veuve chez qui il vient d'entrer comme intendant, sur la recommandation de son oncle, Monsieur Rémy. Bien qu'il soit de bonne famille, Dorante est pauvre, et ne peut espérer épouser Araminte... à moins que l'amour ne triomphe des considérations bassement matérielles. C'est à cela, justement, que Dubois, le fidèle et habile valet de Dorante, emploie toute son ingéniosité. Par une série de fausses confidences, il va amener Araminte à prendre conscience de l'amour qu'elle éprouve pour Dorante.

Monsieur Rémy, qui vient ici chercher son neveu pour le marier, va encore hâter le dénouement...

MONSIEUR RÉMY. — Madame, je suis votre très humble serviteur. Je viens vous remercier de la bonté que vous avez eue de prendre mon neveu à[1] ma recommandation.

ARAMINTE. — Je n'ai pas hésité, comme vous l'avez vu.

5 MONSIEUR RÉMY. — Je vous rends mille grâces. Ne m'aviez-vous pas dit qu'on vous en offrait un autre[2] ?

ARAMINTE. — Oui, Monsieur.

MONSIEUR RÉMY. — Tant mieux ; car je viens vous demander celui-ci pour une affaire d'importance.

10 DORANTE, *d'un air de refus.* — Et d'où vient[3], Monsieur ?

MONSIEUR RÉMY. — Patience !

ARAMINTE. — Mais, Monsieur Rémy, ceci est un peu vif ; vous prenez assez mal votre temps, et j'ai refusé l'autre personne.

DORANTE. — Pour moi, je ne sortirai jamais de chez Madame, qu'elle ne me
15 congédie.

MONSIEUR RÉMY, *brusquement.* — Vous ne savez ce que vous dites. Il faut pourtant sortir ; vous allez voir. Tenez, Madame, jugez-en vous-même ; voici de quoi il est question : c'est une dame de trente-cinq ans, qu'on dit jolie femme, estimable, et de quelque distinction ; qui ne déclare pas son nom ; qui
20 dit que j'ai été son procureur ; qui a quinze mille livres de rente pour le moins, ce qu'elle prouvera ; qui a vu Monsieur chez moi, qui lui a parlé, qui sait qu'il n'a pas de bien, et qui offre de l'épouser sans délai. Et la personne qui est venue chez moi de sa part doit revenir tantôt pour savoir la réponse, et vous mener tout de suite chez elle. Cela est-il net ? Y a-t-il à consulter là-dessus ?
25 Dans deux heures il faut être au logis. Ai-je tort, Madame ?

ARAMINTE, *froidement.* — C'est à lui à répondre.

MONSIEUR RÉMY. — Eh bien ! à quoi pense-t-il donc ? Viendrez-vous ?

DORANTE. — Non, Monsieur, je ne suis pas dans cette disposition-là.

MONSIEUR RÉMY. — Hum ! Quoi ? Entendez-vous ce que je vous dis, qu'elle
30 a quinze mille livres de rente ? entendez-vous ?

DORANTE. — Oui, Monsieur ; mais en eût-elle vingt fois davantage, je ne l'épouserais pas ; nous ne serions heureux ni l'un ni l'autre : j'ai le cœur pris ; j'aime ailleurs.

4. *Allusion aux romans d'amour du XVIIe siècle, dont les héros étaient souvent des bergers.*

MONSIEUR RÉMY, *d'un ton railleur, et traînant ses mots.* — J'ai le cœur pris : voilà qui est fâcheux ! Ah, ah, le cœur est admirable ! Je n'aurais jamais deviné la beauté des scrupules de ce cœur-là, qui veut qu'on reste intendant de la maison d'autrui pendant qu'on peut l'être de la sienne ! Est-ce là votre dernier mot, berger fidèle[4] ?

DORANTE. — Je ne saurais changer de sentiment, Monsieur.

MONSIEUR RÉMY. — Oh ! le sot cœur, mon neveu ; vous êtes un imbécile, un insensé ; et je tiens celle que vous aimez pour une guenon, si elle n'est pas de mon sentiment, n'est-il pas vrai, Madame, et ne le trouvez-vous pas extravagant ?

ARAMINTE, *doucement.* — Ne le querellez point. Il paraît avoir tort ; j'en conviens

MONSIEUR RÉMY, *vivement.* — Comment, Madame ! il pourrait...

ARAMINTE. — Dans sa façon de penser je l'excuse. Voyez pourtant, Dorante, tâchez de vaincre votre penchant, si vous le pouvez. Je sais bien que cela est difficile.

DORANTE. — Il n'y a pas moyen, Madame, mon amour m'est plus cher que ma vie.

MONSIEUR RÉMY, *d'un air étonné.* — Ceux qui aiment les beaux sentiments doivent être contents ; en voilà un des plus curieux qui se fassent. Vous trouvez donc cela raisonnable, Madame ?

ARAMINTE. — Je vous laisse, parlez-lui vous-même. (*À part.*) Il me touche tant, qu'il faut que je m'en aille. (*Elle sort.*)

DORANTE, *à part.* — Il ne croit pas si bien me servir.

MARIVAUX, *Les Fausses Confidences*, acte II, scène 2, 1737.

Guide de lecture : le cœur a ses raisons...

1. Que vient faire M. Rémy ?

2. Quelle réaction attend-il de Dorante, son neveu ?

3. Comment réagit, en fait, ce dernier ?

4. Montrez l'évolution des sentiments de M. Rémy du début à la fin de la scène.

5. Quelle attitude Araminte adopte-t-elle pendant cet entretien ?

6. Qu'est-ce qui peut laisser croire que ce « beau parti » qui s'offre à Dorante n'est, en réalité, qu'une invention de Dubois, son valet, pour éveiller la jalousie d'Araminte et l'amener à se déclarer ?

7. Analysez le caractère de chacun des trois personnages.

Vocabulaire

1. En matière de théâtre, qu'est-ce qu'un *aparté* ? Que laissent entendre celui d'Araminte, puis celui de Dorante, sur lesquels s'achève la scène ?

2. Que désigne, aujourd'hui, le mot *marivaudage* ?

Mise en scène et jeu théâtral

1. En vous référant au texte, essayez d'organiser la mise en scène : comment imaginez-vous le décor ? Quelles indications donneriez-vous sur la place des personnages, leurs attitudes, leurs mouvements, leurs mimiques ?...

2. Quelles indications tirez-vous, notamment, de la réplique d'Araminte à la ligne 26, et de celle de M. Rémy à la ligne 27 ?

3. Quelles indications l'auteur nous donne-t-il sur le ton de la réplique de M. Rémy aux lignes 34-38 ? Appliquez-vous à dire cette réplique.

Fiancée à treize ans

CHOW CHING
LIE

*Le Palanquin
des larmes*
(1975)

En Chine, en plein vingtième siècle, avant la Révolution, la condition féminine n'était pas meilleure que celle d'Agnès, dans L'École des femmes, de Molière. « J'avais onze ans et je ne pouvais pas savoir que dans moins de deux ans je connaîtrais à mon tour, dans toute son atrocité, les règles de cette aberration, la condition de la femme chinoise au milieu du XXe siècle : aucun droit, seulement des devoirs, impossibilité de la moindre révolte, du moindre geste de liberté », écrit Chow Ching Lie.

Demandée en mariage, à l'âge de treize ans, par le fils d'une des plus riches familles de Shanghaï, la jeune fille, qui voudrait terminer ses études, peut-elle se permettre un refus, alors que sa mère, sans même lui parler, a déjà donné son accord ? Toutefois, Wei Hi, son père, hésite encore.

Mon père ne se décidait toujours pas à donner sa réponse. La famille Liu commençait à bouillir d'impatience. Pour tenter d'enfoncer la forteresse, elle choisit un nouvel émissaire, quelqu'un de beaucoup plus important que M. Yuen : un certain M. Chen, ami personnel de M. Liu.
5 À présent, chaque jour, deux hommes venaient assiéger son père, M. Yuen et M. Chen. Il n'en pouvait plus.

Quels étaient alors les sentiments véritables de Wei Hi[1] ? Je crois les connaître sans me tromper. Il n'y a pas de doute qu'il me trouvait trop jeune et qu'il lui répugnait de me donner à la famille Liu, une famille à qui, dès le
10 jour de mon mariage, j'appartiendrais exclusivement. Peut-être aussi qu'il était tôt, dans son cœur, pour perdre déjà la fille qu'il aimait tant. Mais cela dit, la perspective de l'alliance avec une famille si riche et d'une si grande réputation avait quelque chose de flatteur qui ne le laissait pas insensible. Et si, par égoïsme, il me faisait manquer une chance qui ne se présenterait plus
15 jamais ? Cela aussi, il y avait songé. C'est ainsi que, déchiré entre des sentiments contradictoires, il ne pouvait se résoudre à donner sa réponse aux deux émissaires.

Nous étions en automne. C'est la saison des grands crabes d'eau douce dont les Chinois sont si friands. Mon grand-père Tsou Hon l'était particulière-
20 ment. Or, ma mère en avait acheté une grande quantité — bien que ce fût un aliment coûteux — et quand elle les eut préparés, elle envoya le chauffeur chercher grand-père dont elle connaissait la gourmandise et lui fit dire de venir avec sa femme habiter chez nous pendant la saison des crabes. Comme vous allez le voir, ces crabes vont me coûter cher.
25 Il y avait dans notre maison un homme qui depuis deux mois harcelait sans résultat mon père pour lui arracher son consentement. Cet homme, c'était M. Yuen. L'arrivée de mon grand-père à la maison lui apparut comme l'éclair de l'espérance. D'accord avec son compère M. Chen, il décida de changer la direction du tir. Il fallait s'attaquer à Tsou Hon. Les deux hommes
30 avaient du flair : ils étaient, cette fois, sur le terrain favorable.

Personne n'avait dit mot à Tsou Hon de la rencontre au Pavillon Vert[2] ni des projets qu'on avait formés pour moi. MM. Yuen et Chen furent les premiers à l'informer. Quand mon grand-père entendit prononcer le nom de la famille Liu, ce nom que personne n'ignorait dans Shanghaï, quand il apprit
35 que cette famille voulait s'allier à la nôtre et que j'étais l'heureuse élue, il en fut littéralement enivré. Cela dépassait pour lui tout ce qu'il aurait pu rêver de plus fastueux, de plus inaccessible. Alors MM. Yuen et Chen lui apprirent que son fils Wei Hi n'avait pas donné son accord au mariage.

1. *Le père de Chow Ching Lie a reçu, à la ville, une éducation occidentale. Tsong Haï, sa mère, en revanche, élevée à la campagne, est entièrement soumise aux traditions ancestrales. N'a-t-elle pas été, elle-même, fiancée à l'âge de quatre ans ?*

2. *Les deux familles ont pris le thé ensemble quelque temps auparavant au Pavillon Vert, sans que la fillette soit prévenue des intentions du fils Liu...*

— Qu'est-ce que vous dites ? s'écria mon grand-père. Mon fils a-t-il donc
40 perdu la raison ?

Il s'était d'abord mis en colère, puis il avait simplement hoché la tête avec
pitié : l'opinion de Wei Hi n'avait pas la moindre importance. Il le fit venir
aussitôt et balaya ses objections d'un geste. Il n'était même pas question de
discuter. Or, depuis toujours, Wei Hi témoignait à son père une obéissance
45 totale. Au surplus, les semaines d'hésitation et de lutte intérieure qu'il venait
de vivre l'avaient épuisé. Il abandonna à Tsou Hon toute la responsabilité de
l'affaire. Pour grand-père, il n'y avait pas lieu de tergiverser un instant de
plus. Le lendemain, il fit connaître sa décision : je deviendrais la femme de
Liu Yu Wang. Grand-père pria MM. Yuen et Chen de bien vouloir demander
50 à la famille Liu la date qu'elle proposait pour les fiançailles.

Plusieurs jours après cette décision dont je n'étais pas informée, mon
frère, ma sœur et moi étions en train de faire nos devoirs quand ma mère entra
dans la chambre avec une expression inusitée de contentement.

— Mes enfants, dit-elle en souriant, je vous annonce une très grande
55 nouvelle : grand-père a décidé que Mi Mi[3] sera fiancée. Le jour choisi est le
28 octobre.

Nous étions le 20 septembre.

Ma mère avait à peine fini de parler que mon frère Ching Son donna un
violent coup de poing sur la table.
60 — Vous êtes fous ! cria-t-il.

Cette nouvelle brutale, ce coup de poing de mon frère toujours si maître
de lui, tout cela était brusquement si étrange qu'au lieu d'être bouleversée,
j'avais l'impression que ce bruit autour de moi ne me concernait pas, que
c'était comme du théâtre. Mon frère parlait de plus en plus fort :

3. *Surnom affectueux de
Chow Ching Lie.*

65 — Ce n'est pas possible ! Vous n'avez pas le droit de détruire la vie de cette enfant ! Une fille telle que ma sœur, vous n'avez pas le droit d'y toucher !

Ching Lin, ma petite sœur, toujours très calme, interrompit mon frère :

— Ne t'énerve pas, lui dit-elle. Puisque c'est grand-père qui a pris la décision, nous allons dire à grand-père d'aller épouser la famille Liu ! Nous,

70 nous gardons notre sœur.

À ce moment, je vis que la figure de Tsong Haï avait changé. Une peine si profonde marquait le visage de ma mère qu'elle me fit pitié. Décidée à ne la blesser à aucun prix, je lui parlai avec douceur :

— Maman, nous réfléchirons à tout cela, si tu veux bien. Nous en parlerons

75 une autre fois. Laisse-nous finir nos devoirs.

Elle était si abattue qu'elle quitta la chambre sans ajouter un mot. Dès qu'elle eut fermé la porte, Ching Lin se tourna vers mon frère et moi :

— Il faut agir, dit-elle, pour ne pas laisser faire une chose pareille. C'est monstrueux. Cela ne doit pas avoir lieu.

80 — Oui, dit Ching Son, nous sommes des enfants obéissants et nous aimons nos parents. Mais pour défendre Ching Lie, il nous faut lutter jusqu'au bout. Il faut lui sauver la vie.

CHOW CHING LIE, *Le Palanquin des larmes*, © éd. Robert Laffont, 1975.

Finalement Mi Mi devra céder et monter dans le palanquin nuptial qui sera, pour elle, « le palanquin des larmes ». Mais la forte personnalité de la jeune fille, ainsi que les bouleversements historiques, vont être la cause de bien des rebondissements dont vous pourrez prendre connaissance en lisant en entier ce récit émouvant. Peut-être pourriez-vous ensuite le présenter oralement à vos camarades ?

Guide de lecture : une décision révoltante

1. Pour quelles raisons Wei Hi, le père de Chow Ching Lie, tarde-t-i à donner sa réponse ?

2. Exposez la ruse imaginée par Tsong Haï, la mère de la jeune fille, pour parvenir à ses fins.

3. Que nous apprend la réaction de Tsou Hon, le grand-père paternel, sur les coutumes familiales dans la Chine ancienne ?

4. Comment réagissent le frère et la sœur de la jeune fille ? Pourquoi ?

Recherche, Réflexion, Rédaction

Documentez-vous sur la Révolution chinoise : dates, événements importants, acteurs principaux...

POUR LE BREVET DES COLLÈGES

Grammaire

Dans la phrase : « Elle était si abattue qu'elle quitta la chambre sans ajouter un mot », distinguez la cause et la conséquence. Analysez les propositions. Construisez ensuite deux autres phrases sur le même modèle. Vous pourrez utiliser d'autres locutions conjonctives que *si... que*.

Vocabulaire

1. Qu'est-ce qu'un *émissaire ?* Quel est le rôle de ceux dont il est question au début du texte ?

2. Expliquez la métaphore : « Pour tenter d'enfoncer la forteresse. » Quel verbe nous la rappelle ensuite ?

Rédaction

1. « Il faut agir, dit-elle, pour ne pas laisser faire une chose pareille. » Que peuvent faire Ching Son et Ching Lin ? Imaginez librement la suite du texte.

2. Mi Mi essaie de convaincre Tsong Haï, sa mère, de ne pas la marier. Imaginez leur dialogue.

LA FONTAINE

Fables (1668-1693)

Né à Château-Thierry, **Jean de la Fontaine** (1621-1695) succèdera à son père, en 1652, comme maître des eaux et forêts. Grâce à son poème *Adonis* (1658), il s'assure la protection du surintendant Fouquet, et, jusqu'à la disgrâce de ce dernier, partage la vie brillante de Vaux-le-Vicomte. Entré au service de la duchesse d'Orléans, il connaît le succès avec ses *Contes et Nouvelles* (1665), récits gracieux et licencieux. Dès 1668 paraissent les six premiers livres de ses *Fables*, dont la sagesse épicurienne repose sur une vision lucide et pessimiste de la réalité.

La fille

Au XVIIᵉ siècle, les précieuses se montraient extrêmement exigeantes sur le choix de leurs soupirants, qui devaient, en outre, patienter longtemps avant d'obtenir leur main. Mais à demander trop, on s'expose parfois à des déboires...

Certaine fille, un peu trop fière,
　Prétendait trouver un mari
Jeune, bien fait et beau, d'agréable manière[1],
Point froid et point jaloux : notez ces deux points-ci.
5　　Cette fille voulait aussi
　　Qu'il eût du bien, de la naissance,
De l'esprit, enfin tout. Mais qui peut tout avoir ?
Le destin se montra soigneux de la pourvoir :
　Il vint des partis d'importance.
10　La belle les trouva trop chétifs de moitié :
« Quoi ? moi ! quoi ? ces gens-là ! l'on radote, je pense.
À moi les proposer ! hélas ! ils font pitié :
　Voyez un peu la belle espèce ! »
L'un n'avait en l'esprit nulle délicatesse ;
15　L'autre avait le nez fait de cette façon-là :
　　C'était ceci, c'était cela ;
　　C'était tout, car les précieuses
　　Font dessus tout[2] les dédaigneuses.
Après les bons partis, les médiocres[3] gens
20　　Vinrent se mettre sur les rangs.
Elle de se moquer. « Ah ! vraiment je suis bonne
De leur ouvrir la porte ! Ils pensent que je suis
　　Fort en peine de ma personne :
　　Grâce à dieu, je passe les nuits
25　　Sans chagrin, quoique en solitude. »
La belle se sut gré de tous ces sentiments ;
L'âge la fit déchoir : adieu tous les amants.
Un an se passe, et deux, avec inquiétude ;
Le chagrin[4] vient ensuite ; elle sent chaque jour
30　Déloger[5] quelques Ris, quelques Jeux, puis l'Amour ;
　　Puis ses traits choquer et déplaire ;
Puis[6] cent sortes de fards. Ses soins ne purent faire
Qu'elle échappât au temps, cet insigne larron.
　　Les ruines d'une maison
35　Se peuvent réparer : que n'est cet avantage
　　Pour les ruines du visage ?
Sa préciosité changea lors de langage.
Son miroir lui disait : « Prenez vite un mari. »
Je ne sais quel désir le lui disait aussi :
40　Le désir peut loger chez une précieuse.
Celle-ci fit un choix qu'on n'aurait jamais cru,
Se trouvant à la fin tout aise et toute heureuse
　　De rencontrer un malotru[7].

LA FONTAINE, *Fables*, VII, 5, 1678.

1. **Manière** : *façon d'être, genre.*

2. *Sur tout.*

3. **Médiocres** : *au sens étymologique de « moyen » = les gens de condition moyenne.*

4. **Le chagrin** : *la mauvaise humeur.*

5. **Déloger** : *s'en aller.*

6. *Puis elle dut avoir recours à cent sortes de fards.*

7. **Un malotru** : *un misérable, mal fait, mal bâti.*

Illustration de Gustave Doré (1868).

Guide de lecture : à la recherche d'un mari

1. Distinguez les différentes étapes de ce récit.

2. Comment La Fontaine met-il en évidence le caractère prétentieux de la fille ?

3. La Fontaine précise à peine quels défauts la fille trouve à ses divers prétendants. Pourquoi ?

4. Montrez, à partir du vers 27, l'évolution implacable de la situation. Qu'avait oublié cette précieuse ?

5. Êtes-vous surpris par le dénouement ? Pourquoi ?

6. « Écoutez, humains, un autre conte » dit La Fontaine avant de commencer son récit. Pourquoi le mot « *conte* » convient-il mieux ici que celui de « *fable* » ?

La versification

1. Quels mètres sont employés dans ce texte ?

2. Cherchez un rejet et une diérèse qui vous paraissent expressifs. Commentez-les brièvement.

3. Étudiez le **rythme** des vers 27 à 33 et précisez ce qu'il traduit.

La préciosité

« ... les précieuses
Font dessus tout les dédaigneuses », affirme La Fontaine aux vers 17-18. Mais, lorsque la fille se voit dédaignée, il écrit : « Sa préciosité changea lors de langage » (vers 37).
Comparez l'histoire de cette précieuse à celle d'Armande dans *Les Femmes savantes,* de Molière. Vous relirez attentivement, pour cela, les scènes 1 et 2 de l'acte I et, à la scène 2 de l'acte IV, les vers 1167 à 1244.

POUR LE BREVET DES COLLÈGES

Grammaire

« Elle de se moquer » (vers 21). Comment appelle-t-on cette construction ? Quel avantage offre-t-elle ? Cherchez-en d'autres exemples dans les fables de La Fontaine.

Vocabulaire

1. « Certaine fille un peu trop fière
Prétendait trouver un mari... »
Que marque le verbe *prétendre ?* Quel substantif et quel adjectif sont dérivés de ce verbe ? Que signifient-ils dans la langue moderne ? Employez chacun d'eux dans une phrase.

2. « Il vint des *partis* d'importance. » Que désigne ici le mot *parti ?* Employez-le dans une phrase où il aura un sens différent. Cherchez ensuite :
a. des homophones de ce mot ; quelles différences d'orthographe notez-vous ?
b. des locutions contenant le mot *parti.*

3. L'adjectif *chétif* (vers 10) a pour doublet *captif.*
Précisez ce qu'est un doublet. Quel sens a le mot *chétif* dans le texte ? Et aujourd'hui ? Cherchez, dans un dictionnaire étymologique, des précisions sur l'histoire de ce mot.

Rédaction

Racontez, à votre tour, une histoire, réelle ou imaginaire, illustrant le vers : « On hasarde de perdre en voulant trop gagner. »

SIMONE DE
BEAUVOIR

*Le Deuxième
Sexe* (1949)

L'histoire de **Simone de Beau-voir** (1908-1986) est celle d'une émancipation, puis d'un engagement. Dans *Les Mémoires d'une jeune fille rangée* (1958), elle évoque ce milieu bien pensant et conventionnel dont elle s'est libérée. Sa soif de savoir et son intelligence hors du commun la conduisent à l'agrégation de philosophie en 1929, en compagnie de Sartre. Elle connaît alors des années heureuses de professorat et de voyages, qu'elle relate dans *La Force de l'âge* (1960). Après guerre, elle devient un personnage public, connu pour ses prises de position politiques. À partir de 1970, vingt ans après avoir écrit *Le Deuxième Sexe*, elle fait figure de porte-parole du féminisme moderne.

La condition des femmes : une conciliation difficile

L e fait qui commande la condition actuelle de la femme c'est la survivance têtue, dans la civilisation neuve qui est en train de s'ébaucher, des traditions les plus antiques. On ouvre aux femmes les usines, les bureaux, les facultés, mais on continue à considérer que le mariage
5 est pour elles une carrière des plus honorables qui les dispense de toute autre participation à la vie collective. La femme mariée est autorisée à se faire entretenir par son mari ; elle est en outre revêtue d'une dignité sociale très supérieure à celle de la célibataire. La fille-mère demeure un objet de scandale. Tout encourage encore la jeune fille à attendre du « prince
10 charmant » fortune et bonheur plutôt qu'à en tenter seule la difficile et incertaine conquête. En particulier, elle peut espérer accéder grâce à lui à une caste supérieure à la sienne, miracle que ne récompensera pas le travail de toute sa vie. Mais un tel espoir est néfaste parce qu'il divise ses forces et ses intérêts ; c'est une division qui est peut-être pour la femme le plus grave
15 handicap. Les parents élèvent encore leur fille en vue du mariage plutôt qu'ils ne favorisent son développement personnel ; elle y voit tant d'avantages qu'elle le souhaite elle-même ; il en résulte qu'elle est souvent moins spécialisée, moins solidement formée que ses frères, elle s'engage moins totalement dans sa profession. Par là elle se voue à y demeurer inférieure ; et
20 le cercle vicieux se noue : cette infériorité renforce son désir de trouver un mari. Tout bénéfice a toujours pour envers une charge ; mais si les charges sont trop lourdes, le bénéfice n'apparaît plus que comme une servitude ; pour la majorité des travailleurs le travail est aujourd'hui une corvée ingrate : pour la femme, celle-ci n'est pas compensée par une conquête concrète de sa dignité
25 sociale, de sa liberté de mœurs, de son autonomie économique ; il est naturel que nombre d'ouvrières, d'employées, ne voient dans le droit au travail qu'une obligation dont le mariage les délivrerait. Cependant, du fait qu'elle a pris conscience de soi et qu'elle peut s'affranchir aussi du mariage par le travail, la femme n'en accepte pas non plus docilement la sujétion. Ce qu'elle
30 souhaiterait c'est que la conciliation de la vie familiale et d'un métier ne réclamât pas d'elle d'épuisantes acrobaties.

SIMONE DE BEAUVOIR, *Le Deuxième Sexe*, © éd. Gallimard, 1949.

Guide de lecture : « Des handicaps multiples »

1. Quelle contradiction souligne Simone de Beauvoir dans la condition actuelle de la femme ?

2. Qu'appelle-t-on un *cercle vicieux* ? Expliquez clairement celui qu'expose ici Simone de Beauvoir.

3. Quelle solution semblerait satisfaisante, pour la femme moderne ? À quelle condition ? Quelles sont, notamment, ces « épuisantes acrobaties » dont parle l'auteur à la fin du texte ?

Réflexion

Quarante ans plus tard, Michèle Fitoussi, dans *Le Ras-le-bol des super-women* (éd. Calmann-Lévy, 1987), considère que les femmes dites « libérées » sont encore « moins bien loties que leurs dignes aïeules » :

« D'un côté, héritières d'archaïsmes dont nos prétendues libératrices n'ont pas su (ni pu) nous débarrasser : *bonnes mères, bonnes épouses, bonnes maîtresses de maison*. Bref, le bon vieux boulot de bonnes femmes quasiment inchangé depuis l'éternité, même au temps des mères porteuses et du micro-ondes.
De l'autre, prisonnières des diktats[1] imposés par *la carrière, l'ambition, le sexe*, ces nouvelles normes piquées aux hommes grâce au combat acharné de nos sœurs féministes. (Mauvaises couturières, elles ont juste "oublié" de les adapter à nos mesures.)
Et on se retrouve encore piégées. »
Qu'en pensez-vous ?

---

1. Diktat : *exigence absolue, imposée par la force.*

LA NAISSANCE DE LA PASSION

STENDHAL

*Le Rouge
et le Noir*
(1830)

Madame de Rênal et Julien Sorel

La femme du maire de Verrières, Mme de Rênal, attend avec anxiété l'arrivée du précepteur que son mari a engagé pour instruire ses enfants. Elle imaginait « un prêtre sale et mal vêtu, qui viendrait gronder et fouetter ses enfants »… et non un jeune homme timide comme Julien Sorel !

Peut-être est-ce dans cet effet de surprise que naît l'amour que Mme de Rênal va bientôt éprouver pour Julien, et dont l'issue sera tragique.

Avec la vivacité et la grâce qui lui étaient naturelles quand elle était loin des regards des hommes, madame de Rênal sortait par la porte-fenêtre du salon qui donnait sur le jardin, quand elle aperçut près de la porte d'entrée la figure d'un jeune paysan presque encore enfant,
5   extrêmement pâle et qui venait de pleurer. Il était en chemise bien blanche, et avait sous le bras une veste fort propre de ratine[1] violette.

Le teint de ce petit paysan était si blanc, ses yeux si doux, que l'esprit un peu romanesque de madame de Rênal eut d'abord l'idée que ce pouvait être une jeune fille déguisée, qui venait demander quelque grâce à M. le
10   maire. Elle eut pitié de cette pauvre créature, arrêtée à la porte d'entrée, et qui évidemment n'osait pas lever la main jusqu'à la sonnette. Madame de Rênal s'approcha, distraite un instant de l'amer chagrin que lui donnait l'arrivée du précepteur. Julien, tourné vers la porte, ne la voyait pas s'avancer. Il tressaillit quand une voix douce lui dit tout près de l'oreille :
15   — Que voulez-vous ici, mon enfant ?

1. **Ratine** : *étoffe de laine frisée.*

Julien se tourna vivement, et frappé du regard si rempli de grâce de madame de Rênal, il oublia une partie de sa timidité. Bientôt, étonné de sa beauté, il oublia tout, même ce qu'il venait faire. Madame de Rênal avait répété sa question.

20 — Je viens pour être précepteur, madame, lui dit-il enfin, tout honteux de ses larmes qu'il essuyait de son mieux.

Madame de Rênal resta interdite ; ils étaient fort près l'un de l'autre à se regarder. Julien n'avait jamais vu un être aussi bien vêtu et surtout une femme avec un teint si éblouissant, lui parler d'un air doux. Madame de Rênal

25 regardait les grosses larmes, qui s'étaient arrêtées sur les joues si pâles d'abord et maintenant si roses de ce jeune paysan. Bientôt elle se mit à rire, avec toute la gaîté folle d'une jeune fille ; elle se moquait d'elle-même et ne pouvait se figurer tout son bonheur.

STENDHAL, *Le Rouge et le Noir*, I, 6, 1830.

Guide de lecture : double surprise

1. Relevez, dans le texte, les mots et les expressions montrant que Julien, âgé de 19 ans, a encore l'air d'un enfant.

2. Dans quel état d'esprit est-il ? Énumérez les sentiments successifs qu'il éprouve, du début à la fin de cette scène.

3. Pour qui Mme de Rênal le prend-elle ?

4. Quel sentiment éprouve-t-elle d'abord pour lui ?

5. Expliquez le bonheur final de Mme de Rênal.

Vocabulaire

1. Expliquez : « l'esprit un peu romanesque de Mme de Rênal ».

2. Relevez dans le texte des mots marquant l'extrême surprise.

« *Comment, vous savez le latin ? fit Mme de Rênal.* »
(édition de 1854).

POUR LE BREVET DES COLLÈGES

Grammaire

1. « Un jeune paysan (...) extrêmement *pâle* et *qui venait de pleurer.* »
Nature et fonction de « pâle » et de « qui venait de pleurer ». Quel est le point commun entre ces mots ?

2. Relevez dans le texte :
a. deux adjectifs qualificatifs épithètes ;
b. deux adjectifs qualificatifs attributs ;
c. deux adjectifs qualificatifs apposés ;
et précisez le nom qu'ils qualifient.

Rédaction

Mme de Rênal, rassurée, fait entrer Julien, lui présente les enfants.
Imaginez la suite immédiate du texte.

VERS LA CLASSE DE SECONDE

Exposez, en quelques phrases précises, ce qui rend aussi vivante cette petite scène prise sur le vif : justesse de l'analyse des sentiments, précision des descriptions et des gestes, choix des verbes et des adjectifs, rythme des phrases, dialogues, etc.

AMOUR-HUMOUR

Adieu Lucy

HENRI
GOUGAUD

*Départements
et Territoires
d'Outre-Mort
(1977)*

Toutes les histoires d'amour ne sont pas tristes. Et même quand elles se terminent tragiquement, il est toujours possible de les raconter avec humour...

Tous ses voisins adoraient Lucy Quimby. Elle était gaie, discrète, serviable — la bonté même. Les jeunes cadres un peu snobs du quartier l'estimaient physiquement quelconque — elle était, il est vrai, un peu boulotte, un peu courte sur pattes, un peu trop blonde — mais
5 dans son regard toujours ensoleillé pétillait une telle gentillesse qu'il suffisait qu'elle vous dise « bonjour », tout simplement « bonjour », de grand matin, à l'heure où l'on achète son journal, pour que l'on se sente aussitôt d'humeur allègre et que l'on ait envie d'embrasser ses deux joues rebondies. C'est d'ailleurs ce qu'avait fait Joseph Quimby. Un jour de printemps, courant à
10 son bureau, la serviette sous le bras, il l'avait rencontrée, revenant du marché, son panier débordant de carottes et de salades. En passant elle lui avait dit un mot aimable avec, dans l'œil, son bon sourire. Alors pris subitement de folie fantasque, il l'avait serrée sur son cœur. Trois mois plus tard, il l'avait épousée. Depuis, Joseph et Lucy Quimby étaient aussi heureux qu'on peut
15 l'être en ce bas monde.

Pourtant, malgré l'amour qu'elle portait à son cher Joseph, la bonne Lucy ne lui avait jamais avoué l'étrange, le terrible secret qui faisait d'elle une femme hors du commun : elle était un peu sorcière. Sa grand-mère — une fieffée mégère, elle — lui avait appris avant de mourir quelques incantations
20 assez efficaces pour lui permettre sans douleur de se transformer en n'importe quel animal. Lucy avait donc le pouvoir d'entrer à volonté dans la peau d'un chat de gouttière ou d'une souris de salon, d'un tigre ou d'un dragon flamboyant, les monstres légendaires n'étant pas exclus du catalogue. Mais elle n'abusait pas de ce don bizarre. Elle en usait même avec la plus extrême
25 discrétion. Sans doute, de temps à autre, allait-elle voleter, abeille parmi les abeilles, autour des fleurs de son jardin, mais elle ne poussait jamais plus loin l'extravagance. Elle était une épouse irréprochable et entendait le rester.

Or, vers la dixième année de son mariage, Lucy Quimby s'aperçut avec mélancolie que Joseph l'accablait au fil des jours d'une indifférence de plus
30 en plus morne. Il n'était pas vraiment odieux, non, mais il bâillait en sa présence, il rêvassait, l'air taciturne, en faisant semblant de lire son journal, bref, il s'éloignait manifestement de sa tendre épouse, voguant vers d'autres jupons. Lucy s'inquiéta. Comme elle était trop bonne pour être jalouse, elle se reprocha de n'être pas assez belle, assez intelligente, assez affectueuse. Elle
35 suivit donc un régime amaigrissant, redoubla d'entrain et d'affection. Elle fit tant qu'elle parvint à ranimer quelques braises et à réchauffer un peu l'atmosphère conjugale. « Alléluia, se dit-elle en son cœur, mon cher Joseph revient à moi. » Hélas, son cher Joseph, un soir, le front barré de rides brisées, le regard fuyant, lui dit brièvement qu'une affaire urgente l'obligeait à
40 s'absenter pour le week-end.

Alors Lucy, le premier instant de désespoir passé, décida fièrement de le suivre. Non point pour l'espionner, Dieu l'en garde ! La sainte femme voulait

simplement, tout simplement regarder vivre son époux hors du foyer et apprendre ainsi à le mieux connaître pour l'aimer mieux et le rendre heureux, enfin, s'il était encore temps. Mais comment l'accompagner partout sans être vue ? Comment ? Parbleu ! Elle prononça la formule magique et aussitôt se transforma en puce, en puce minuscule. Et pour être sûre de tout voir, de tout entendre à l'aise, juste au moment où Joseph franchissait la porte de leur petite villa, elle bondit, se posa à l'ombre du lobe de son oreille droite et attendit.

Joseph Quimby n'alla pas très loin. À quelques centaines de mètres de chez lui, il s'arrêta devant la maison de Virginie Stone. « Ainsi, se dit tristement la petite puce, Virginie est l'heureuse élue. » C'était une vieille amie de Lucy. Elle était belle mais très médisante. Une vraie langue de vipère. Une splendide chipie. Joseph entra chez elle. Elle l'accueillit avec passion. Il parut gêné par ses débordements amoureux. « Mon pauvre mari n'a pas l'air dans son assiette, se dit la petite puce, à l'ombre de l'oreille. Assurément Virginie Stone n'est pas une femme pour lui. Elle est trop passionnée, trop possessive. » Il s'assit tout raide sur le bord d'un fauteuil en face de sa vampirique maîtresse, s'humecta les lèvres et dit assez solennellement :

— Ma chère Virginie, j'ai mûrement réfléchi. Nous avons vécu ensemble une agréable aventure mais pour parler honnêtement je ne suis pas amoureux de toi. J'ai décidé de ne plus te revoir et de consacrer ma vie, désormais, à faire le bonheur de ma femme. Lucy est une admirable épouse, j'ai honte de l'avoir trompée, j'espère qu'elle me pardonnera. Je veux passer ce week-end tout seul, à me refaire, pour elle, un cœur tout neuf. Virginie, je te souhaite d'être heureuse avec un homme digne de toi.

La petite puce écouta ces mots avec une émotion considérable. Elle pleura de joie si fort que ses larmes inondèrent quelques pores, derrière
70 l'oreille de son cher Joseph. Virginie Stone, évidemment, réagit de manière en tous points contraire. Quand Joseph Quimby se leva pour prendre congé elle l'agonit d'injures. Il demeura de marbre. « Tu ne peux rien contre notre bonheur, lui cria la petite puce à voix microscopique, gambadant follement sur la joue de son mari, tu ne peux rien contre notre bonheur ! »
75 Hélas, elle se trompait. À bout d'arguments, Virginie Stone gratifia son ex-amant d'une gifle vengeresse, une de ces gifles qui vous impriment pour plusieurs heures le parfait dessin de cinq doigts et d'une paume, en rouge profond, sur la joue. Joseph Quimby, stupéfait, caressa machinalement de l'index sa face durement outragée et la trouva légèrement humide. Il regarda
80 le bout de son doigt et vit un relief de bestiole écrasée. Il se demanda stupidement où il avait bien pu attraper des puces et, complètement sonné, sortit en bredouillant :

— Adieu, Lucy.

Ce n'était pas un simple lapsus.

Henri Gougaud, *Départements et Territoires d'Outre-Mort*, © éd. Julliard, 1977.

Guide de lecture : ma sorcière bien-aimée

1. Distinguez les grandes parties de ce récit, et donnez un titre à chacune d'elles.

2. Quel est le secret de Lucy ?

3. Qu'est-ce qui inquiète Lucy, au bout de dix années de mariage ?

4. En quoi Lucy se transforme-t-elle ? Pourquoi ?

5. Que découvre-t-elle ainsi ?

6. Qu'est-ce qu'*un lapsus* ? Expliquez clairement la dernière phrase du texte.

POUR LE BREVET DES COLLÈGES

Grammaire

« Pourtant, malgré l'amour qu'elle portait à son cher Joseph, la bonne Lucy ne lui avait jamais avoué l'étrange, le terrible secret qui faisait d'elle une femme hors du commun. »

1. Analysez les propositions dans cette phrase.

2. Sans changer le sens de la phrase, remplacez le groupe : « malgré l'amour qu'elle portait à son cher Joseph » par une proposition conjonctive dont vous préciserez la fonction.

Vocabulaire

1. Expliquez les expressions : « une fieffée mégère » ; « sa vampirique maîtresse ».

2. De quel verbe s'agit-il dans l'expression : « elle l'agonit d'injures » ? Avec quel verbe ne faut-il pas le confondre ?

3. Que désignent les mots *cadres* et *relief* dans les expressions :
— « les jeunes cadres un peu snobs du quartier » ;
— « il vit un relief de bestiole écrasée » ?
Employez chacun d'eux dans une phrase où il aura un sens différent.

Rédaction

1. Si ce dénouement vous semble trop tragique, peut-être pouvez-vous en imaginer un autre ?

2. Avec humour, racontez à votre tour une histoire d'amour fantastique mettant en scène un sorcier ou une sorcière.

VERS LA CLASSE DE SECONDE

Qu'est-ce qu'une nouvelle ? En quelques phrases, précisez ce qui fait l'intérêt de celle-ci.

La force de l'habitude

**Jacques
Charpentreau**

*La Poésie comme
elle s'écrit*
(1979)

Une jeune fille récite un poème
Je n'aime pas le poème
mais je crois que j'aime la jeune fille
alors j'y vais de bon cœur
5 j'applaudis à tout casser...
Quand on a fini de déblayer les décombres
la jeune fille se relève
tant bien que mal
et repoussant les brancardiers
10 m'apostrophe durement
me laissant entendre
que c'est très beau de s'enthousiasmer
sympathique et tout
mais qu'au moment où je l'ai interrompue
15 elle avait encore sept cent quatre-vingt-huit vers à dire
et que j'aurais pu au moins
attendre la fin...

Jacques Charpentreau, *La Poésie comme elle s'écrit*, © éd. Ouvrières, 1979.

Sophie Hue.

Guide de lecture : « À tout casser »...

1. Quels sont les personnages de cette scène ?

2. Sur quoi repose l'effet de surprise produit par le vers 6 ?.

3. Comment réagit la jeune fille ? Pourquoi ?

4. Essayez de caractériser le ton et le style de ce texte. Relevez les divers éléments qui invitent à sourire.

Quelques notes d'humour

1. Rédigez un poème en vers libres, ou un court récit humoristique, autour d'une expression imagée que vous prendrez au sens propre, ou vice versa.

2. Votre excès de zèle vous a attiré des ennuis, ou encore, une bonne intention a été bien mal récompensée : racontez... avec humour, de préférence.

DEUX POÈMES D'AMOUR

PAUL ÉLUARD

*Capitale
de la douleur*
(1926)

« La courbe de tes yeux... »

*Paul Éluard a connu Gala en 1912 et l'a épousée en 1917. L'amour qu'il éprouve
pour elle lui inspire ici quelques-uns de ses plus beaux vers.*

La courbe de tes yeux fait le tour de mon cœur,
Un rond de danse et de douceur,
Auréole du temps, berceau nocturne et sûr,
Et si je ne sais plus tout ce que j'ai vécu
5   C'est que tes yeux ne m'ont pas toujours vu.

Feuilles de jour et mousse de rosée,
Roseaux du vent, sourires parfumés,
Ailes couvrant le monde de lumière,
Bateaux chargés du ciel et de la mer,
10   Chasseurs des bruits et sources des couleurs,

Parfums éclos d'une couvée d'aurores,
Qui gît toujours sur la paille des astres,
Comme le jour dépend de l'innocence
Le monde entier dépend de tes yeux purs
15   Et tout mon sang coule dans leurs regards.

PAUL ÉLUARD, *Capitale de la douleur*, © éd. Gallimard, 1926.

Icare, H. Matisse.
© Succession H. Matisse 1989.

Un bouquet d'images

La poésie surréaliste se caractérise — entre autres — par un jaillissement d'images, par lesquelles il est préférable de se laisser porter, plutôt que de chercher systématiquement à comprendre des vers dont le sens n'est pas toujours clair.

Lisez donc d'abord le poème sans chercher à comprendre, mais plutôt comme si vous regardiez des photos, des illustrations, ou un film : que voyez-vous ? quelle image préférez-vous ? Pourquoi ?

Guide de lecture : « les yeux fertiles »

1. Quels vers montrent qu'il s'agit d'un poème d'amour ?

2. Relevez tous les mots traduisant la douceur, l'harmonie, le bonheur.

3. Étudiez les images évoquant la nature et le monde. Comment progressent-elles ?

4. Recherchez des sonorités agréables. Qu'apportent-elles au poème ?

5. Montrez l'importance du regard dans ce texte. Comment comprenez-vous les vers 4-5 ? Et les vers 14-15 ?

Le mouvement surréaliste

Documentez-vous, au C.D.I. ou dans une bibliothèque, sur ce mouvement artistique qui a marqué la première partie du XXe siècle. Quelles en furent les principales théories, quels artistes l'ont illustré, etc.

Illustrez ce poème

par un tableau, une photo, un montage photographique ou un collage réalisé à partir de diverses photos, gravures, images, etc., ou encore un dessin de votre propre création, figuratif ou abstrait, à votre gré.

Barbara

JACQUES
PRÉVERT

Paroles
(1946)

Rappelle-toi Barbara
Il pleuvait sans cesse sur Brest ce jour-là
Et tu marchais souriante
Épanouie ravie ruisselante
5　Sous la pluie
Rappelle-toi Barbara
Il pleuvait sans cesse sur Brest
Et je t'ai croisée rue de Siam
Tu souriais
10　Et moi je souriais de même
Rappelle-toi Barbara
Toi que je ne connaissais pas
Toi qui ne me connaissais pas
Rappelle-toi
15　Rappelle-toi quand même ce jour-là
N'oublie pas
Un homme sous un porche s'abritait
Et il a crié ton nom
Barbara
20　Et tu as couru vers lui sous la pluie
Ruisselante ravie épanouie
Et tu t'es jetée dans ses bras
Rappelle-toi cela Barbara
Et ne m'en veux pas si je te tutoie
25　Je dis tu à tous ceux que j'aime
Même si je ne les ai vus qu'une seule fois
Je dis tu à tous ceux qui s'aiment
Même si je ne les connais pas
Rappelle-toi Barbara
30　N'oublie pas
Cette pluie sage et heureuse
Sur ton visage heureux
Sur cette ville heureuse
35　Sur l'arsenal
Sur le bateau d'Ouessant
Oh Barbara
Quelle connerie la guerre
Qu'es-tu devenue maintenant
40　Sous cette pluie de fer
De feu d'acier de sang
Et celui qui te serrait dans ses bras
Amoureusement
Est-il mort disparu ou bien encore vivant
45　Oh Barbara
Il pleut sans cesse sur Brest
Comme il pleuvait avant
Mais ce n'est plus pareil et tout est abîmé
C'est une pluie de deuil terrible et désolée
50　Ce n'est même plus l'orage

De fer d'acier de sang
Tout simplement des nuages
Qui crèvent comme des chiens
Des chiens qui disparaissent
55 Au fil de l'eau sur Brest
Et vont pourrir au loin
Au loin très loin de Brest
Dont il ne reste rien.

JACQUES PRÉVERT, *Paroles*, © éd. Gallimard, 1946.

Guide de lecture : rappelle-toi...

La composition

1. Précisez le souvenir qu'évoque ici Jacques Prévert : lieu, circonstances, époque, personnages...

2. Quel sentiment domine ce souvenir ?

3. Sur quelle opposition le poème est-il construit ?

4. Où commence la deuxième partie ? Qu'évoque-t-elle ?

5. Étudiez comment évolue l'image de la pluie tout au long du texte.

6. Quelle question le poète se pose-t-il ? Pourquoi ?

Poésie et chanson

1. Relevez quelques répétitions. Que traduisent-elles ?

2. Comparez les vers 4 et 21. Que remarquez-vous ? Précisez l'effet produit.

3. Commentez le rythme des derniers vers (à partir du vers 50) : quelles impressions, quels sentiments ces vers éveillent-ils en vous ?

4. Citez quelques procédés qui rapprochent ce poème d'une chanson.

Le vers libre moderne

Pouvez-vous, d'après ce poème, en définir les caractéristiques par rapport à la versification traditionnelle ? Cette dernière est-elle tout à fait absente ?

Exposé : autour de Jacques Prévert

Documentez-vous sur Jacques Prévert, sa vie, son œuvre. Citez les titres de ses principaux recueils poétiques. Individuellement, ou par petits groupes, choisissez ensuite quelques-uns de ses poèmes qui vous ont plu. Présentez-les à vos camarades, puis lisez-les à haute voix.
Ce travail oral pourra déboucher sur un dossier dans lequel vous pouvez coller, ou recopier, en les illustrant, les poèmes que vous avez choisis. Vous pourrez classer les poèmes par genres (lyriques, satiriques, humoristiques, etc.) ou par thèmes, à votre gré.

AU BONHEUR DES DAMES D'ÉMILE ZOLA

1. Portrait d'un personnage
Faites un portrait clair et concis :
— d'Octave Mouret ;
— de Denise Baudu.

2. Les personnages secondaires
Dressez-en la liste et présentez-en quelques-uns.

3. Des principes commerciaux révolutionnaires
Lisez, notamment dans les chapitres 2 et 3 du roman, les déclarations d'Octave Mouret sur le nouveau commerce tel qu'il le conçoit.
Montrez l'originalité de ces principes nouveaux, comparés à ceux du petit commerce traditionnel.

4. Le contexte historique
Le récit (1864-1869) se déroule à la fin du second Empire.
a. Documentez-vous, dans un livre d'histoire, sur cette période : dates, principaux événements, grandes réalisations, etc.
b. Pour le personnage du baron Hartmann, Émile Zola s'est manifestement inspiré du baron Haussmann : documentez-vous sur ce personnage et ses réalisations.

5. Une belle histoire d'amour
Énumérez les principales étapes qui marquent, depuis le premier chapitre jusqu'au dénouement, l'évolution des sentiments d'Octave Mouret envers Denise.

6. Un écrivain consciencieux
Conformément à son habitude, avant d'écrire son roman, Émile Zola s'est documenté abondamment sur le sujet. Le *Carnet d'enquête* de *Au Bonheur des Dames* offre un témoignage tout à fait caractéristique de la méthode de travail du romancier.
Lisez attentivement, ci-dessous, les notes prises par Zola. Relisez ensuite le texte « Un génie du commerce » (p. 155) et dites avec précision :
— quels éléments nous retrouvons ;
— par quels moyens Zola a animé ces notes un peu sèches.

Le principe du magasin est de ne laisser aucun coin désert, mort, sans affaire. Au deuxième étage seulement, aux tapis, aux meubles et à la literie, on tolère que la foule ne s'écrase pas. Mais, en bas, aux portes surtout dans le premier hall, on s'arrange pour mettre des soldes, des rubans à bon marché, toutes sortes d'articles qui tentent la foule et qui la font s'écraser à la porte. On ne peut plus entrer, il y a là constamment un flot de monde qui fait dire : « Que de monde toujours dans ce Bon Marché ! » De même, marchandises pour rien à la porte, les pendus, les paniers pleins, etc. Les vendeurs, par les beaux temps, y gagnent beaucoup, d'autant plus que la guelte sur ces articles est très forte. Dans le magasin, quand un article ne se vend pas, par exemple l'indienne en hiver, on réduit le rayon, on le détruit même, on l'entoure de rayons faisant du vacarme. Il faudra en un mot qu'Octave ne tolère pas un coin languissant ; il fera plutôt tout bouleverser. Il faut que le magasin ait l'air toujours plein. Et on solde, on baisse tout ce qui ne part pas. Le système est de tout écouler, même à perte. On encombre même des passages exprès. Un chef de rayon, auquel un patron reproche de boucher un passage par un jour de foule, amenée par un beau temps, murmure : « S'il pleuvait et qu'il n'y eût personne, il me reprocherait de ne pas assez encombrer. »
(...)
Octave pourra d'abord avoir fait ranger méthodiquement les rayons, tous les rayons de tissus confectionnés d'un côté, tous les tissus de l'autre, tous les articles en dehors des tissus d'un autre. Puis il s'apercevra que cela localise trop la foule. Alors, il mettra un apparent désordre, par exemple il enlèvera les modes, les robes et costumes d'à-côté des confections et manteaux, pour les mettre à un autre bout et à un autre étage. En un mot il disséminera les articles dont une femme peut avoir besoin successivement, ou simplement désire voir l'un après l'autre. Cet apparent désordre donne les résultats suivants : d'abord cela répartit la foule, en met partout à la fois ; ensuite cela produit un va-et-vient considérable qui anime et semble multiplier les clientes, lorsque les vendeurs sont obligés de mener les clientes d'un bout à l'autre du magasin, ce qui les fatigue, mais ce qui emplit le magasin de leurs promenades ; enfin cela force la cliente à traverser le magasin en tous sens, à tout voir, à passer devant des étalages qui la tentent. C'est ainsi que le comptoir du Japon est central, on est obligé de passer là pour se rendre d'un point à un autre, et on est tenté.

Émile Zola, *Carnets d'enquêtes*, © éd. Plon.

7. Les Rougon-Macquart, une longue série romanesque
Pouvez-vous énumérer tous les romans de la série, dans l'ordre de parution ? D'après les titres, dans quels milieux sociaux divers Zola va-t-il conduire son lecteur ?

LE GRAND MEAULNES
D'ALAIN-FOURNIER

1. LE TEMPS DU ROMAN

1. Les aventures de Meaulnes
a. Reconstituez l'ordre chronologique des aventures de Meaulnes en dressant la liste des faits principaux du récit.
b. Confrontez cette liste d'événements avec leur ordre d'apparition dans le roman.
c. Situez les retours en arrière : où se placent-ils ? quels faits concernent-ils ?

2. Le rythme du récit
a. Relevez précisément les indications de date et de durée figurant dans le récit, en vous reportant plus précisément aux pages 11-23-52-118-150-175-185-187-188-201-225-243-263-267-269-272-285-311 (éd. du Livre de Poche).
b. Calculez la durée totale de l'histoire. Quelle saison est le plus souvent représentée ?
c. Les ellipses de la narration : cherchez-en des exemples.
d. Les temps forts du récit :
Comparez la durée des événements racontés et la longueur du texte qui leur est consacrée. Faites un tableau comparatif.

2. LES LIEUX

1. Quel est le **lieu principal** de l'histoire ? Faites la liste de tous les chapitres qui s'y déroulent.

2. L'ailleurs
Par quel lieu est-il essentiellement représenté ? Comment est décrit ce lieu ? À quel moment du récit apparaît-il ? Quelle transformation subira-t-il dans la suite du récit ?

3. La ville
Quelles sont les deux villes évoquées dans le récit ? À quel moment du récit apparaissent-elles ? Quels événements s'y déroulent ? Leur description est-elle positive ou négative ? Citez des exemples.

3. LA NARRATION

1. Relevez toutes les indications données par le texte sur le personnage narrateur : nom, âge, passé, particularités physiques, occupations.

2. Relevez également les indications que le texte donne sur Meaulnes.

3. Comparez la longueur du texte consacrée à l'un et à l'autre de ces deux personnages : qui est le héros principal de l'histoire ?

4. Certains passages du récit ne sont pas pris en charge par le narrateur principal. Lesquels ? Qui raconte ? Justifiez ce relais de narration.

4. LA QUÊTE DE MEAULNES

1. Lors de son premier départ, Meaulnes est-il informé sur sa quête ?

2. Quels sont les objets successifs de la quête de Meaulnes ?

3. Que pensez-vous de la fin du roman ? Peut-on imaginer une suite ?

5. LES PERSONNAGES

Cherchez les ressemblances et les oppositions entre : Meaulnes et François Seurel — Meaulnes et Frantz de Galais — François et Frantz de Galais — Yvonne et Valentine.
Quelles conclusions pouvons-nous tirer de ces confrontations ?

6. L'ÉCRITURE DU MYSTÈRE

Divers procédés contribuent à créer une atmosphère d'insolite ou d'irréalité.

1. Le vocabulaire et les comparaisons
Relevez le vocabulaire de l'étrange et de la folie.

2. Les temps
Recherchez les décalages explicites entre le temps de l'aventure et le temps de la narration.

3. Les scènes diurnes ou nocturnes
Repérez-les, comptez-les.

4. Le château, le labyrinthe
Dans la première partie du récit, relevez les indices de récit initiatique.

7. EXPOSÉS

La vie paysanne en Sologne au début du siècle, d'après les trois premiers chapitres.
Visions de l'adolescence et de l'âge adulte dans le roman.
Frantz de Galais, le héros romantique : évolution du personnage.

Entraînement

L'ARGUMENTATION SUR UN THÈME

1. QUELQUES CONSEILS

— Lisez attentivement le sujet, en soulignant les mots importants, qui permettront de cerner la question posée.

— La question soulevée sera présentée clairement dans **l'introduction.**

— Différents aspects de la question seront présentés dans le développement. Les arguments, que vous aurez peut-être d'abord notés « en vrac » sur votre brouillon, seront ensuite regroupés en **deux ou trois grandes parties,** nettement séparées.

— Évitez les développements abstraits. Pensez toujours à illustrer vos réflexions d'exemples précis, concrets, tirés de votre expérience personnelle ou de vos lectures.

— La conclusion doit être l'aboutissement logique de la discussion, en apportant une réponse à la question soulevée dans l'introduction.

2. UN EXEMPLE

1. Lisez le sujet suivant, puis rédigez votre discussion, en vous aidant du plan qui vous est proposé ci-dessous.

La mode ne joue pas seulement dans le domaine vestimentaire. Précisez les domaines très divers où elle peut s'exercer.
Avez-vous suivi vous-même une mode ? Racontez. Dites quelles influences vous avez subies (publicité, désir de vous singulariser ?...) ou comment et pourquoi vous y avez résisté.

(BEPC Grenoble, 1969)

2. Plan détaillé
Introduction
Présenter rapidement les deux questions posées. On pourra partir de l'expérience personnelle.

1re partie
Les différents domaines où la mode s'exerce, outre le domaine vestimentaire :
— architecture ;
— mobilier ;
— art ;
— loisirs, jeux ;
— langage, etc.
Ne pas chercher à dresser un catalogue exhaustif. Prendre plutôt quelques exemples bien choisis.

2e partie
J'ai suivi une mode, ou je suis actuellement une mode.
— Dans quel domaine ? Qu'est-ce qui m'a incité à suivre cette mode ? (la publicité, l'exemple des plus grands, etc.)
— De toute façon, peut-on vraiment ne pas suivre la mode ?

3e partie (facultative)
Il m'est arrivé (ou il m'arrive en ce moment) **de refuser de suivre une mode :**
— laquelle ?
— pourquoi ? (opposition, contestation, désir de me singulariser, de ne pas être un « mouton de Panurge », ou simplement refus de me laisser manipuler par les moyens publicitaires...)

Conclusion : mon jugement personnel sur la mode et la nécessité — ou non — de la suivre.

En vous aidant des conseils généraux ci-dessus et du plan proposé pour le sujet précédent, dites quelles réflexions vous inspire cette phrase de La Bruyère, écrite au XVIIe siècle (*Caractères,* chapitre XIII, « De la mode ») :

« Une chose folle et qui découvre bien notre petitesse, c'est l'assujettissement aux modes, quand on l'étend à ce qui concerne le goût, le vivre, la santé et la conscience. »

Photo Jean-Michel Petan.

5
Deux œuvres suivies

Il convient aujourd'hui de céder la place au maître des maîtres...

L'Homme qui rit vient de paraître...

Empressons-nous de détacher une tranche de l'œuvre substantielle et robuste de VICTOR HUGO, et servons-la en régal et en primeur à nos lecteurs...

EFFET DE NEIGE

Il chemina un certain temps sur cette piste. Par malheur les traces étaient de moins en moins nettes. La neige tombait dense et affreuse. C'était le moment où l'ourque agonisait sous cette même neige dans la haute mer.

L'enfant, en détresse comme le navire, mais autrement, n'ayant dans l'inextricable entrecroisement d'obscurités qui se dressaient devant lui, d'autre ressource que ce pied marqué dans la neige, s'attachait à ce pas comme au fil du dédale.

Subitement, soit que la neige eût fini par les niveler, soit pour toute autre cause, les empreintes s'effacèrent. Tout redevint plane, uni, ras, sans une tache, sans un détail. Il n'y eut plus qu'un drap blanc sur la terre et un drap noir sur le ciel.

C'était comme si la passante s'était envolée.

L'enfant aux abois se pencha et chercha. En vain.

V. HUGO, *L'Homme qui rit*
E.T. HOFFMANN, *L'Homme au Sable*

1. Victor Hugo et *L'Homme qui rit*

Victor Hugo a soixante-quatre ans quand il entreprend, en 1866, la composition d'un nouveau roman, L'Homme qui rit, *dont la plus grande partie sera écrite à Guernesey, durant son exil.*

L'Homme qui rit *est un roman étrange, sortant des normes classiques. L'auteur déroute en permanence son lecteur par un mélange du concret et de l'abstrait, du rêve et de la réalité, et par des digressions historiques et scientifiques. C'est un roman, une épopée, une œuvre initiatique et métaphysique, un conte philosophique et aussi un chant poétique.*

Il a pour cadre l'Angleterre du XVIIᵉ siècle, une société corrompue où s'affrontent les intérêts des puissants que sont les rois et les lords. Complots, assassinats, enlèvements, caractérisent cette époque. Les lords, intouchables donc impunis, êtres machiavéliques et pervers, ont fait du peuple leur bouc émissaire.

Essayez de lire intégralement cette œuvre (que vous trouverez dans la collection Folio, éd. Gallimard), avant d'étudier attentivement les trois extraits qui suivent.

VICTOR HUGO

L'Homme qui rit
(1869)

L'hospitalité d'un misanthrope

Le héros, Gwynplaine, a dix ans ; il a été enlevé, défiguré et abandonné par des bohémiens, les Comprachicos, sur la falaise de Portland, un soir du terrible hiver de l'année 1690.

Après une lutte acharnée contre l'océan, les Comprachicos sont morts repentis et ont confessé leur faute sur un parchemin jeté dans une gourde à la mer. Pendant ce temps, Gwynplaine, terrorisé, a suivi des empreintes dans la neige, qui l'ont conduit au cadavre d'une femme et au corps transi de son bébé. Gwynplaine se charge de l'enfant et part en quête de secours. Rejetés de la maison des riches, les enfants trouvent enfin refuge dans la cahute d'Ursus, le saltimbanque-philosophe, dont voici les propos.

Ursus et homo.

La détresse universelle a des éclaboussures jusque dans ma pauvreté. Il me tombe dans ma cabane des gouttes hideuses de la grande boue humaine. Je suis livré à la voracité des passants. Je suis une proie. La proie des meurt-de-faim. L'hiver, la nuit, une cahute de carton, un
5 malheureux ami dessous et dehors, la tempête, une pomme de terre, du feu gros comme le poing, des parasites, le vent pénétrant par toutes les fentes, pas le sou, et des paquets qui se mettent à aboyer ! On les ouvre, on trouve dedans des gueuses. Si c'est là un sort ! J'ajoute que les lois sont violées ! Ah ! vagabond avec ta vagabonde, malicieux pickpocket, avorton mal intentionné
10 ah ! tu circules dans les rues passé le couvre-feu ! Si notre bon roi le savait, c'est lui qui te ferait joliment flanquer dans un cul-de-basse-fosse pour t'apprendre !

Monsieur se promène la nuit, avec mademoiselle ! Par quinze degrés de froid, nu-tête, nu-pieds ! sache que c'est défendu. Il y a des règlements et
15 ordonnances, factieux ! les vagabonds sont punis, les honnêtes gens qui ont des maisons à eux sont gardés et protégés, les rois sont les pères du peuple.

1. **Constable** : *officier de police.*

2. **Farthing** : *quart d'un ancien penny, moins d'un sou.*

3. **Dénerel** : *mesure de capacité.*

Je suis domicilié, moi ! Tu aurais été fouetté en place publique, si l'on t'avait rencontré, et c'eût été bien fait. Il faut de l'ordre dans un État policé. Moi, j'ai eu tort de ne pas te dénoncer au constable[1]. Mais je suis comme cela, je

20 comprends le bien, et je fais le mal. Ah ! le ruffian ! m'arriver dans cet état-là ! Je ne me suis pas aperçu de leur neige en entrant, ça a fondu. Et voilà toute ma maison mouillée. J'ai l'inondation chez moi. Il faudra brûler un charbon impossible pour sécher ce lac. Du charbon à douze farthings[2] le dénerel[3] ! Comment allons-nous faire pour tenir trois dans cette baraque ? Maintenant,

25 c'est fini, j'entre dans la nursery, je vais avoir chez moi en sevrage l'avenir de la gueuserie d'Angleterre. J'aurai pour emploi, office et fonction de dégrossir les fœtus mal accouchés de la grande coquine. Misère, de perfectionner la laideur des gibiers de potence en bas âge, et de donner aux jeunes filous des formes de philosophe.

Victor Hugo, L'Homme qui rit.

Guide de lecture : un étrange personnage

1. Essayez de retrouver les trois moments qui composent ce passage, et donnez à chacun un titre.

2. Le philosophe Ursus parle de « détresse universelle » ; expliquez avec précision chacun de ces deux termes, puis donnez le sens de cette expression par rapport au texte.

3. En quoi consiste « la pauvreté » dénoncée ici par Ursus ?

4. Établissez une liste de tous les qualificatifs qu'il adresse aux enfants ; cherchez le sens et l'étymologie de chacun.

5. Pourquoi le rythme de la phrase est-il aussi haché ? À quoi reconnaît-on qu'Ursus n'est pas un homme du peuple ordinaire ?

6. Que pensez-vous de cette phrase : « Je comprends le bien et je fais le mal » ?
Quel nom donne-t-on au procédé stylistique qui consiste à dire le contraire de ce que l'on pense ? En réalité, quel est le vrai langage d'Ursus ? Que dénonce-t-il ?

7. On peut dire d'Ursus qu'il est un misanthrope. Cherchez le sens de ce mot dans le dictionnaire et dites pourquoi le saltimbanque a choisi cette attitude.

Grammaire

1. « C'eût été bien fait » : quel est le temps et le mode de ce verbe ? Justifiez leur emploi.

2. Analyse logique de la sixième phrase : « L'hiver, la nuit, une cahute de carton... qui se mettent à aboyer. »

Recherche, Réflexion, Expression

1. Documentez-vous à propos des mots *philosophe* et *philosophie*. Qu'est-ce qu'un philosophe ? Depuis quand parle-t-on de philosophie ? En quel siècle son développement fut-il intense ? Choisissez un grand philosophe et présentez-le à vos camarades.

2. Retrouvez dans une pièce de théâtre que vous avez étudiée (de Molière par exemple) un passage, une scène qui soit un monologue ; situez ce dernier dans l'intrigue et déduisez son rôle et sa nécessité.

3. Rédaction
L'adoption est un thème d'actualité ; que savez-vous à ce sujet ?

Barkilphédro

Ursus ne tarde pas à s'apercevoir que l'enfant Gwynplaine est défiguré (les Comprachicos ont appliqué sur son visage le masque du rire) et que Dea, la petite fille, est aveugle. Curieux couple, association de deux misères qui, en grandissant sous la protection d'Ursus, va vivre une idylle platonique. Pour survivre, nos héros donnent une représentation théâtrale, à la fin de laquelle l'apparition de Gwynplaine provoque l'hilarité du public.

Un soir, à Londres, la duchesse Josiane, femme superbe, inaccessible et capricieuse, figure en tous points opposée à celle de Dea, adresse secrètement une lettre à Gwynplaine et lui donne rendez-vous. Barkilphédro, ancien domestique, homme d'église raté, a réussi à s'introduire à la cour et voue à Josiane un amour impossible qui se transforme en une haine implacable... : « Ajoutons que Josiane était belle, grande, jeune, riche, puissante, illustre et que Barkilphédro était laid, petit, vieux, pauvre, protégé, obscur. Il fallait bien aussi qu'il se vengeât de cela. »

Londres et la Tamise, vues par
Canaletto.

Qu'était-ce que Barkilphédro ? Ce qu'il y a de plus petit et ce qu'il y a de plus terrible. Un envieux.

L'envie est une chose dont on a toujours le placement à la cour.

La cour abonde en impertinents, en désœuvrés, en riches fainéants
5 affamés de commérages, en chercheurs d'aiguilles dans les bottes de foin, en faiseurs de misères, en moqueurs moqués, en niais spirituels, qui ont besoin de la conversation d'un envieux.

Quelle chose rafraîchissante que le mal qu'on vous dit des autres !

L'envie est une bonne étoffe à faire un espion.

10 Il y a une profonde analogie entre cette passion naturelle, l'envie, et cette fonction sociale, l'espionnage. L'espion chasse pour le compte d'autrui, comme le chien ; l'envieux chasse pour son propre compte, comme le chat.

Un moi féroce, c'est là tout l'envieux.

Autres qualités : Barkilphédro était discret, secret, concret. Il gardait
15 tout, et se creusait de sa haine. Une énorme bassesse implique une énorme vanité. Il était aimé de ceux qu'il amusait, et haï des autres ; mais il se sentait dédaigné par ceux qui le haïssaient, et méprisé par ceux qui l'aimaient. Il se contenait. Tous ses froissements bouillonnaient sans bruit dans sa résignation hostile. Il était indigné, comme si les coquins avaient ce droit-là. Il était
20 silencieusement en proie aux furies. Tout avaler, c'était son talent. Il avait de sourds courroux intérieurs, des frénésies de rage souterraine, des flammes

couvées et noires, dont on ne s'apercevait pas ; c'était un colérique fumivore. La surface souriait. Il était obligeant, empressé, facile, aimable, complaisant. N'importe qui, et n'importe où, il saluait. Pour un souffle de vent, il
25   s'inclinait jusqu'à terre. Avoir un roseau dans la colonne vertébrale, quelle source de fortune !

Victor Hugo, *L'Homme qui rit.*

Guide de lecture : l'art du portrait

1. Ce texte est un portrait psychologique ; relevez les traits de caractère qui le composent.

2. À travers le portrait de Barkilphédro, quel défaut Victor Hugo veut-il dénoncer ?

3. Au début du dernier paragraphe, quel mot est employé ironiquement ? Cherchez dans le texte des expressions dans lesquelles Victor Hugo utilise la même figure de style.

4. « Avoir un roseau dans la colonne vertébrale, quelle source de fortune ! » Expliquez cette image.

5. Cherchez des couples de mots qui, dans la même phrase, ont un sens opposé.

6. Quel lien l'auteur établit-il entre l'envie et l'espionnage ?

7. Expliquez le mot « cour » ; pourquoi est-ce un endroit malsain ?

Recherche, Réflexion, Expression

1. Rédactions

a. La société dans laquelle nous vivons suscite-t-elle l'envie ? Trouvez des exemples et donnez votre point de vue.

b. Faites le portrait d'une personne que vous n'aimez pas en utilisant l'antiphrase (ironie).

2. Exposé

Faites une comparaison entre ce que dit Victor Hugo de la cour et ce qu'en disait La Bruyère dans le texte suivant :

« Un homme qui sait la cour est maître de son geste, de ses yeux et de son visage ; il est profond, impénétrable ; il dissimule les mauvais offices, sourit à ses ennemis, contraint son humeur, déguise ses passions, dément son cœur, parle, agit contre ses sentiments. Tout ce grand raffinement n'est qu'un vice, que l'on appelle fausseté, quelquefois aussi inutile au courtisan pour sa fortune, que la franchise, la sincérité et la vertu. »

La Bruyère, *Caractères*, « De la cour », chapitre VIII.

« Un misérable
taillé dans l'étoffe des grands »

> *Nos héros, qui font bonne recette à Londres, vivent tranquilles quand un jour, sans explication, le « Wapentake », officier de justice royale, vient chercher Gwynplaine. La gourde jetée à la mer a été retrouvée, et avec elle le secret de la naissance du héros ; celui-ci est l'héritier de lord Clancharlie, qui a fui l'Angleterre pendant la République de Cromwell. Gwynplaine, investi de son nouveau titre, savoure sa revanche tout en errant à travers le palais, quand il aperçoit la belle duchesse endormie. Informée par la reine, Josiane congédie brutalement l'homme qu'elle avait souhaité rencontrer, et qui ne comprend pas.*
>
> *Gwynplaine, qui siège bientôt parmi ses pairs, voit sa plaidoirie en faveur des pauvres se solder par un gigantesque éclat de rire dès que le rictus apparaît sur son visage. Il comprend alors l'enseignement de son maître Ursus et sait désormais qu'il a quitté le vrai pour le faux, le réel pour le chimérique, Dea pour Josiane, l'amour pour l'orgueil et la liberté pour la puissance. C'est alors la révolte...*

Je suis celui qui vient des profondeurs. Milords, vous êtes les grands et les riches. C'est périlleux. Vous profitez de la nuit. Mais prenez garde, il y a une grande puissance, l'aurore. L'aube ne peut être vaincue. Elle arrivera. Elle arrive. Elle a en elle le jet du jour irrésistible. Et
5   qui empêchera cette fronde de jeter le soleil dans le ciel ? Le soleil, c'est le droit. Vous, vous êtes le privilège. Ayez peur. Le vrai maître de la maison va

Frontispice de L'Homme qui rit (1880).

frapper à la porte. Quel est le père du privilège ? Le hasard. Et quel est son fils ? l'abus. Ni le hasard ni l'abus ne sont solides. Ils ont l'un et l'autre un mauvais lendemain. Je viens vous avertir. Je viens vous dénoncer votre
10 bonheur. Il est fait du malheur d'autrui. Vous avez tout, et ce tout se compose du rien des autres. Milords, je suis l'avocat désespéré, et je plaide la cause perdue. Cette cause, Dieu la regagnera. Moi, je ne suis rien, qu'une voix. Le genre humain est une bouche, et j'en suis le cri. Vous m'entendez. Je viens ouvrir devant vous, pairs d'Angleterre, les grandes assises du peuple, ce
15 souverain, qui est le patient, ce condamné, qui est le juge. Je plie sous ce que j'ai à dire. Par où commencer ? Je ne sais. J'ai ramassé dans la vaste diffusion des souffrances mon énorme plaidoirie éparse. Qu'en faire maintenant ? elle m'accable et je la jette pêle-mêle devant moi. Avais-je prévu ceci ? non. Hier j'étais un bateleur, aujourd'hui je suis un lord. Jeux profonds. De qui ? de
20 l'inconnu. Tremblons tous. Milords, tout l'azur est de votre côté. De cet immense univers, vous ne voyez que la fête ; sachez qu'il y a de l'ombre. Parmi vous je m'appelle lord Fermain Clancharlie, mais mon vrai nom est un nom de pauvre, Gwynplaine. Je suis un misérable taillé dans l'étoffe des grands par un roi, dont ce fut le bon plaisir. Voilà mon histoire. Plusieurs
25 d'entre vous ont connu mon père, je ne l'ai connu. C'est par son côté féodal qu'il vous touche, et moi je lui adhère par son côté proscrit. Ce que Dieu a fait est bien. J'ai été jeté au gouffre. Dans quel but ? pour que j'en visse le fond. Je suis un plongeur, et je rapporte la perle, la vérité. Je parle, parce que je sais. Vous m'entendrez, Milords. J'ai éprouvé. J'ai vu. La souffrance, non,
30 ce n'est pas un mot, messieurs les heureux. La pauvreté, j'y ai grandi ; l'hiver, j'y ai grelotté ; la famine, j'en ai goûté ; le mépris, je l'ai subi ; la peste, je l'ai eue ; la honte, je l'ai bue. Et je la revomirai devant vous, et ce vomissement de toutes les misères éclaboussera vos pieds et flamboiera.

VICTOR HUGO, *L'Homme qui rit*.

Guide de lecture : un discours

1. Pourquoi est-il difficile de dégager un plan dans ce discours ? Relevez des expressions qui le confirment. Quelles sont les deux causes essentielles qui empêchent Gwynplaine de maîtriser la progression de son argumentation ?

2. L'orateur se présente par une périphrase. Laquelle ? Expliquez-la et cherchez dans le texte d'autres figures de style analogues.

3. À quel moment Gwynplaine cite-t-il son nom et celui de son père ? Pourquoi ne l'a-t-il pas fait plus tôt ?

4. Que révèle le va-et-vient constant du « je » au « vous » ? Dites pourquoi la double identité du héros lui permet d'analyser la situation avec réalisme.

5. Comment le poète rend-il compte de la souffrance du peuple ?

6. À quelle puissance le héros attribue-t-il le fait que l'on soit riche ou pauvre ? Quelle est l'institution directement remise en cause par Victor Hugo ?

7. Analysez la portée d'une telle plaidoirie. Gwynplaine se faisait-il beaucoup d'illusions sur la réaction de ses pairs ? Comment le mépris éprouvé par le héros est-il rendu dans la dernière phrase ?

Recherche, Réflexion, Expression

1. Vocabulaire

a. Expliquez les mots et expressions : *droit divin, monarchie absolue, institution, dictature, despotisme, démocratie, libéral.*

b. Cherchez dans un dictionnaire de langue *(Petit Robert)* toutes les acceptions du mot *droit.*

c. Élargissez vos recherches autour des expressions *droit civil, droit pénal, droit administratif.*

2. Rédaction

Pensez-vous qu'il soit difficile de parler en public ? Aimeriez-vous le faire ? Cet art peut-il s'acquérir ou est-il inné ?

3. Exposés

a. Avec l'aide de votre professeur d'histoire, procurez-vous le texte de la Déclaration des droits de l'homme et du citoyen. Choisissez plusieurs articles et faites un exposé.

b. Retrouvez dans les œuvres que vous connaissez (romans, pièces de théâtre) le reflet d'une époque historique (déterminez le lieu, l'époque). Faites des comparaisons sur les régimes politiques en montrant leur évolution.

2. Hoffmann et *L'Homme au Sable*

L'Homme au Sable (*en allemand* Sandmann) *parut pour la première fois en 1816. C'est sans doute l'un des plus célèbres contes de Hoffmann, si l'on en juge par la somme des œuvres qu'il inspira par la suite à nombre de musiciens, d'écrivains, de créateurs de ballets par exemple :*

— L'Ève future : *chef-d'œuvre de l'écrivain français Villiers de l'Isle-Adam (1838-1899).*

— La Poupée de Nuremberg : *opéra-bouffe donné en 1852 et composé par Adam.*

— Coppelia ou la Fille aux yeux d'émail : *ballet de Charles Nuitter et de Saint-Léon. Musique de Léo Delibes (en 1870).*

— Les Contes d'Hoffmann : *opéra fantastique du compositeur Jacques Offenbach (1819-1880), présenté en 1891, sur un livret de Jules Barbier et Michel Carré.*

— La Poupée : *opérette d'Audran (1842-1901).*

— Le Sonnet de l'Homme au Sable : *du poète Verlaine (1844-1896) dans* Parallèlement.

— Coppelia ou la Poupée animée : *film du cinéaste français Georges Méliès (1861-1938).*

— Metropolis : *film du célèbre cinéaste autrichien Fritz Lang (1890-1976).*

— La Poupée : *roman de Jacques Audiberti, écrivain français (1899-1965), adapté à l'écran par le metteur en scène Jacques Baratier.*

<table>
<tr><td>HOFFMANN

*L'Homme
au Sable*
(1816)</td><td></td></tr>
</table>

Une épouvantable légende

Le jeune Nathanaël est étudiant dans la petite ville universitaire allemande de Göttingen. Il écrit à son ami Lothaire qui est resté au pays natal.

Nathanaël à Lothaire[1]

Vous devez être tous très inquiets de voir que depuis tant et tant de jours je n'ai pas écrit. Ma mère sans doute s'en formalise, et Clara doit penser que je mène ici une vie à tout casser qui me fait oublier totalement la douce image angélique que je porte si profondément imprimée
5 dans le cœur et dans l'esprit. Il n'en est rien pourtant. Chaque jour et à chaque heure je pense à vous tous, et l'image charmante de ma douce Clairette ne cesse de hanter mes rêves délicieux et me sourit de ses yeux limpides avec autant de grâce qu'elle avait coutume de le faire quand j'entrais chez vous. Mais hélas ! comment pourrais-je vous écrire, en proie comme je le suis à ce
10 déchirement intime[2] qui détruit toutes mes pensées ! Une chose horrible est entrée dans ma vie. Les sombres pressentiments d'un sort affreux et menaçant font passer au-dessus de ma tête les ombres de noirs nuages d'orage, impénétrables à tous les rayons de l'amitié. Tu me demandes de te dire à présent ce qu'il m'est advenu. Il le faut bien, je le vois, mais rien que d'y
15 penser excite en moi un rire dément. Ah, mon bien cher Lothaire, comment

1. *Lothaire et sa sœur Clara ont été recueillis et adoptés par la mère de Nathanaël après la mort de leurs parents.*

2. *Intérieur, profond.*

Ernst Theodor Wilhelm Ama-
deus Hoffmann (1776-1822),
doué d'une imagination « excentrique », se consacre à une
intense activité artistique, littéraire et musicale, où les figures
les plus fantastiques font intrusion dans la vie réelle.
Œuvres principales : *Les Élixirs
du diable* (1816); *Les Soirées
des frères Sérapion* (1819-1821);
La Princesse Brambilla (1821);
Le Chat Murr.

3. Visionnaire : *au sens
propre, personne qui croit
avoir des « visions ». Ici : qui
imagine des choses fausses,
folles, extravagantes.*

4. *Allusion à la tragédie* Les
Brigands *de Schiller (1759-
1805), grand poète et
dramaturge allemand, ami de
Goethe.*
   *Franz Moor est un héros
maléfique et cynique.*

m'y prendrai-je pour te faire sentir si peu que ce soit comment ce qui m'est arrivé il y a quelques jours a pu ravager aussi cruellement ma vie ? Si du moins tu étais ici, tu pourrais voir les choses par toi-même, mais tu vas certainement me tenir pour un visionnaire[3] et un fou. Bref, l'horreur qui m'est survenue,
20 et dont j'essaie en vain d'écarter l'impression mortelle, consiste tout simplement en ce que, il y a peu de jours, le 30 octobre vers midi, un marchand de baromètres s'est présenté chez moi pour m'offrir sa marchandise. Je n'achetai rien et je le menaçai de le jeter à bas de l'escalier, sur quoi il s'en alla sans demander son reste.

25 Tu le devines, seules des circonstances très particulières et qui se rattachent à ce que j'ai de plus profond en moi ont pu donner de l'importance à cet incident, et il faut que la personne de ce colporteur de malheur m'ait produit une impression particulièrement odieuse. Il en est bien ainsi en effet. Je vais m'efforcer de mon mieux de me ressaisir et de te raconter avec tout le
30 calme et la patience nécessaires ce qu'il faut que tu saches de ma première jeunesse pour que ta vive intelligence en saisisse clairement et distinctement le déroulement lumineux. Sur le point de commencer, je t'entends rire, et Clara dire : « Enfantillages ! » Riez, je vous en prie, moquez-vous de moi de tout cœur ! C'est moi qui vous en prie ! Mais Dieu du ciel ! mes cheveux se
35 dressent sur ma tête, et il me semble que si je vous supplie de rire de moi, c'est dans un accès de folie et de désespoir, comme Franz Moor implorant Daniel[4]. Mais venons au fait.

En dehors du repas de midi, nous ne voyions guère notre père, de toute la journée, mes frères et sœurs et moi. Il était sans doute très pris par son
40 service. Après le dîner, servi dès sept heures à la vieille mode, nous nous réunissions, avec notre mère, dans le cabinet de mon père, où nous prenions place autour d'une table ronde. Mon père fumait tout en buvant un grand verre de bière. Tantôt il nous racontait force histoires merveilleuses et s'excitait au point que sa pipe s'éteignait à tout instant, et j'avais pour fonction
45 de la lui rallumer avec un bout de papier enflammé, ce qui m'amusait beaucoup. Tantôt il mettait entre nos mains des livres d'images et demeurait muet et rigide dans son fauteuil, soufflant d'épais nuages de fumée dans lesquels nous flottions comme au milieu d'un brouillard. Ces soirs-là, notre mère était très triste, et à peine sonnait-il neuf heures qu'elle nous disait :
50 « Allons, enfants, au lit, au lit ! l'Homme au Sable va passer, je l'entends. » En effet, j'entendais chaque fois un pas lourd et lent monter l'escalier. Sans doute était-ce l'Homme au Sable. Une fois ces pas et ce bruit sourd m'effrayèrent plus que de coutume et tandis que ma mère nous emmenait, je demandai : « Dis, maman, qui est-ce, ce méchant Homme au Sable qui nous
55 sépare chaque fois de papa ? De quoi a-t-il l'air ? — Il n'y a pas d'Homme au Sable, mon cher enfant, me répondit maman ; quand je dis que c'est l'Homme au Sable qui vient, je veux dire simplement que vous avez sommeil et que vous ne pouvez plus tenir vos yeux ouverts, comme si l'on y avait jeté du sable. » Cette réponse ne me satisfaisait pas, et dans mon âme enfantine se
60 précisa peu à peu l'idée que si ma mère niait l'existence de l'Homme au Sable, c'était pour ne pas nous faire peur, car je continuai de l'entendre monter l'escalier. Poussé par la curiosité d'en apprendre plus long sur son compte et de savoir ce qu'il nous voulait, à nous autres enfants, je finis par demander à la vieille bonne de ma petite sœur ce que c'était que cet Homme au Sable.
65 « Hé quoi, Thanelet, répondit-elle, tu ne le sais donc pas ? C'est un méchant homme qui vient voir les enfants qui ne veulent pas aller au lit ; il leur jette des poignées de sable dans les yeux, et ces yeux tombent tout sanglants à terre ; alors il les fourre dans son sac et les emporte dans le croissant de lune pour nourrir ses petits. Ils sont là perchés sur leur nid, avec des becs crochus

70 comme ceux des hiboux, et ils picorent les yeux des petits enfants qui n'ont pas été sages. » L'image du cruel Homme au Sable se peignait en moi sous des couleurs atroces ; dès que j'entendais un pas dans l'escalier, le soir, je tremblais d'angoisse et d'épouvante. Ma mère ne pouvait rien tirer de moi que ce cri balbutié au milieu de mes pleurs : « L'Homme au Sable ! L'Homme au

75 Sable ! » Je courais me réfugier dans notre chambre à coucher, et toute la nuit l'horrible apparition de l'Homme au Sable me torturait.

J'étais assez grand déjà pour comprendre que l'histoire de l'Homme au Sable, de ses enfants et de leur nid dans le croissant de lune ne devait pas être tout à fait vraie ; pourtant l'Homme au Sable demeurait pour moi un spectre

80 effroyable, et l'horreur, l'épouvante s'emparaient de moi dès que je l'entendais non seulement monter l'escalier, mais ouvrir violemment la porte du cabinet de mon père et entrer. Il restait parfois longtemps sans reparaître puis revenait plusieurs fois à de brefs intervalles. Cela dura des années, et je ne pouvais m'habituer à ce cauchemar ; rien ne faisait pâlir en moi l'image de

85 l'affreux Homme au Sable. Ses relations avec mon père occupaient de plus en plus mon imagination ; une crainte insurmontable me retenait d'interroger mon père à ce sujet ; mais un désir germait et grandissait en moi avec les années : tâcher d'élucider moi-même le mystère, voir le fabuleux Homme au Sable. Cet Homme au Sable m'avait mis sur la piste du merveilleux, du

90 fantastique qui se niche si volontiers dans les esprits enfantins. Rien ne me plaisait autant que d'écouter ou de lire des histoires terrifiantes de lutins, de sorcières ou de nains. Mais en première ligne venait l'Homme au Sable dont je dessinais partout, sur les tables, les armoires et les murs, à la craie ou au charbon, les plus étranges et les plus horribles portraits.

E.T. Hoffmann, *L'Homme au Sable*, Trad. Geneviève Bianquis, © éd. Aubier-Flammarion.

Guide de lecture : un horrible souvenir

1. Les personnages
Qui sont Lothaire et Clara, pour l'auteur de la lettre, Nathanaël ? Quelles relations unissent ces trois jeunes gens ?

2. Les faits
a. Relevez les termes qui révèlent que Nathanaël a été très profondément bouleversé et qu'il vit dans un état de grande peur.
b. Quel effet produit sur le lecteur la relation de l'événement du 30 octobre ? Nathanaël a-t-il conscience de la réaction de Lothaire face à cet incident ?

3. La narration
a. Quand se produit, dans la narration, un « retour en arrière » ?
b. Pourquoi Nathanaël juge-t-il ce « rappel » de ses souvenirs d'enfance indispensable ?

4. La psychologie
a. Comparez les deux interprétations de la légende de *l'Homme au Sable* : celle de la mère et celle de la vieille servante. Que pensez-vous de la seconde version ? Pourquoi, selon vous, Nathanaël lui accorde-t-il plus de crédit ?
b. Relevez les termes qui traduisent les émotions fortes de l'enfant.
c. Nathanaël était-il seulement horrifié par ce mystère ? Ne nourrissait-il pas également quelque complaisance pour ses terreurs ?

d. Quel était le plus vif désir de l'enfant ?
e. Relevez des détails précis du texte à l'appui de vos réponses.

Recherche, Réflexion, Expression

1. L'auteur et son époque
a. « Situez » Hoffmann : sa nationalité ? son époque ? Faites une fiche détaillée sur sa vie et son œuvre. Lisez un autre conte d'Hoffmann (par exemple « Le vase d'or » ou « Le conseiller Krespel »), puis composez une fiche de lecture qui pourra servir pour un exposé.
b. À quel âge Hoffmann publia-t-il *L'Homme au Sable* ?
c. Citez quelques-uns de ses contemporains célèbres (écrivains, philosophes, musiciens).

2. Le genre littéraire
a. Cette histoire fut publiée dans un recueil de contes intitulé *Nocturnes dans la manière de Callot*. Qui était Jacques Callot ? Selon vous, *L'Homme au Sable* est-il plutôt un conte ou une nouvelle fantastique ?
b. Définissez le « fantastique » en littérature. En quoi ce genre diffère-t-il du « merveilleux » ? Citez des œuvres illustrant chacun de ces genres.

Le secret dévoilé
ou la curiosité punie

La lettre de Nathanaël n'est pas terminée. Il raconte comment sa curiosité s'est amplifiée au fil des jours et des années. Un soir, n'y tenant plus, il parvient à se cacher derrière un rideau dans le bureau de son père.

L'Homme au Sable apparaît. C'est une brute sinistre. Il a des yeux verts, un nez gigantesque, et son sourire est hideux et narquois. Immédiatement Nathanaël le reconnaît : c'est le vieil avocat Coppélius, qui vient parfois déjeuner chez eux, au grand regret de sa mère qui ne l'apprécie guère, car il déteste les enfants.

Au moment où j'aperçus ce Coppélius, une vérité horrible et affreuse se fit jour dans mon âme : l'Homme au Sable ne pouvait être que lui, mais l'Homme au Sable, ce n'était plus pour moi l'épouvantail des contes de nourrice qui fait la chasse aux yeux d'enfants pour nourrir sa nichée de hiboux dans la lune, non, c'était le monstre hideux et fantastique qui partout où il apparaît apporte le chagrin, la détresse, la perdition dans ce monde et dans l'autre.

J'étais glacé comme par un charme. Au risque d'être découvert et, comme je me le représentais nettement, sévèrement puni, je restai là
10 immobile, la tête passée sous le rideau. Mon père accueillait Coppélius avec solennité. « Allons, à l'œuvre !¹ » s'écria celui-ci d'une voix rauque et grinçante, et il mit bas son habit. Mon père, silencieux et sombre, ôta sa robe de chambre et tous deux revêtirent de longues blouses noires. Je ne vis pas d'où ils les avaient tirées. Mon père ouvrit la porte d'un placard à deux
15 battants ; je vis alors que ce que j'avais si longtemps pris pour un placard n'en était pas un, mais une cavité noire dans laquelle se trouvait un petit fourneau. Coppélius approcha et une flamme bleue crépita sur le foyer. Toute sorte d'étranges ustensiles gisaient là épars. Mon Dieu ! comme mon vieux père se penchait sur le feu, il parut transformé. Une douleur affreuse et convulsive
20 semblait avoir contracté ses traits honnêtes et doux pour en faire le masque hideux et repoussant d'un diable. Il ressemblait à Coppélius. Celui-ci brandissait les pinces rougies au feu dont il se servait pour retirer de l'épaisse fumée des masses brillantes et claires qu'il martelait ensuite assidûment. Il me semblait apercevoir alentour des visages humains, mais sans yeux, d'horribles
25 cavités noires et profondes leur en tenaient lieu. « Des yeux, donnez-moi des yeux ! » criait Coppélius d'une voix sourde et grondante. Saisi d'une violente horreur, je poussai un cri perçant et sortant de ma cachette je m'abattis sur le plancher. Coppélius me saisit. « Petite brute, petite brute ! » chevrotait-il en grinçant des dents. Il me releva brusquement et me jeta sur le fourneau
30 dont la flamme commença à me roussir les cheveux. « Nous avons des yeux maintenant, des yeux, une jolie paire d'yeux d'enfant », chuchotait Coppélius. Et il prit avec ses mains dans la flamme des grains rouges et brûlants qu'il voulait me jeter dans les yeux. Alors mon père leva des mains suppliantes en s'écriant : « Maître, maître ! laisse les yeux à mon Nathanaël, laisse-les-lui ! »
35 Coppélius éclata d'un rire strident et s'écria : « Soit, qu'il garde ses yeux, ce garçon, et qu'il pleurniche tout son saoul dans ce monde ; mais nous allons cependant observer de près le mécanisme des mains et des pieds. » Sur quoi il m'empoigna violemment, me faisant craquer les articulations, il me dévissa les mains et les pieds et les revissa tantôt d'une façon tantôt d'une autre. « Ce
40 n'est pas encore ça ! C'est bien comme c'était ! Le vieux sait bien son métier ! »

1. *Ce mot peut sans doute être compris selon ses deux acceptions :*
habituelle : « au travail ! » ;
alchimique : qu'appelle-t-on « le grand œuvre » ?

Goya, Saturne dévorant ses fils *(Madrid, galerie du Prado).*

Ainsi chuchotait, sifflotait Coppélius, entre ses dents ; mais tout, autour de moi, devint sombre et noir, une brusque convulsion secoua mes nerfs et mes os, je perdis connaissance. Un souffle doux et chaud passa sur mon visage, je m'éveillai comme du sommeil de la mort, ma mère se penchait sur moi :
45 « L'Homme au Sable, est-il encore là ? balbutiai-je. — Non, mon cher enfant,

il est parti, il y a bien longtemps, il ne te fera aucun mal. » Ainsi parlait ma mère, embrassant et caressant son cher petit re-
50 trouvé.

Pourquoi te fatiguerais-je, mon cher Lothaire, en te contant tout par le menu alors qu'il me reste tant de choses à te dire ?
55 Bref, j'avais été découvert aux aguets et maltraité par Coppélius. L'angoisse et la peur m'avaient causé une forte fièvre qui me tint au lit des semaines.
60 « L'Homme au Sable est-il encore là ? » Ce fut ma première parole raisonnable et le signe de ma guérison, de mon salut.

E.T. HOFFMANN, *L'Homme au Sable*,
trad. Geneviève Bianquis,
© éd. Aubier-Flammarion.

Fussli, Le Cauchemar,
1782 (Musée de Francfort).

Guide de lecture : une étrange rencontre

1. De la légende à la réalité
À qui l'enfant identifie-t-il Coppélius dès qu'il le « démasque » ? Cependant, quelle modification importante se produit ?

2. De la réalité au fantasme
a. Quels semblent être les rapports entre Coppélius et le père de Nathanaël ? À qui le père est-il un instant identifié ?
b. Peut-on discerner ce qui se rapporte au comportement réel des deux hommes et ce qui relève de la pure imagination déjà délirante de l'enfant ?
c. Relevez les éléments qui rappellent la légende de la nourrice. Quels sont les faits nouveaux ?
d. Qu'est-ce qui fait inévitablement songer à une scène « infernale » ?

e. Comment peut-on raisonnablement interpréter ce qui s'est réellement passé ?
f. Quelles semblent être les relations de cet enfant avec son père ?

Recherche, Réflexion, Expression

Le thème des yeux et de l'automate
1. Dégagez l'importance du thème des yeux (détails à relever). Que peuvent-ils représenter d'un point de vue symbolique ?
Cherchez des expressions évoquant les yeux, et donnez leur sens.

2. Quels détails étranges semblent identifier le corps de l'enfant à celui d'un automate ?

La mystérieuse Olympia ou le bal

Une nuit, alors qu'il se livre à ses étranges pratiques, Coppélius provoque une violente explosion qui tue le père de Nathanaël. Ce dernier jure de se venger. Mais le meurtrier a disparu.

Plusieurs années se sont écoulées lorsque le jeune étudiant rencontre et met à la porte le marchand de baromètres[1]. Il croit avoir reconnu en lui le misérable assassin de son père. Or cet homme se nomme Coppola. Quelle étrange coïncidence !

Clara, la douce et lucide fiancée de Nathanaël, se joint à son frère Lothaire pour calmer l'imagination de l'étudiant. Mais celui-ci réagit mal à leurs raisons et croit qu'on le tient pour « un sombre rêveur » ou un esprit faible.

Dans une autre lettre, Nathanaël confie que son professeur de physique, Spalanzani, ressemble fortement au mage Cagliostro[2]. Il séquestre mystérieusement chez lui sa propre fille Olympia, une bien étrange créature que l'étudiant observe souvent depuis sa chambre à l'aide d'une « lorgnette » que Coppola a fini par lui vendre.

Nathanaël tombe amoureux d'Olympia et oublie sa chère Clara. Un soir, il est invité à une grande fête avec concert et bal, organisée par Spalanzani, qui doit « produire » pour la première fois sa fille en public.

L a société était nombreuse et brillante. Olympia parut dans une toilette riche et du meilleur goût. On ne pouvait qu'admirer son visage aux traits purs, sa taille parfaite. La singulière cambrure du dos, la minceur de guêpe de la taille semblaient causées par un laçage[3] trop serré. Sa
5 démarche, son attitude avaient quelque chose de compassé et de guindé dont certains étaient désagréablement frappés ; on se l'expliquait par la gêne que lui causait la compagnie. Le concert commença. Olympia joua du piano avec une grande virtuosité[4] et chanta de même un air de bravoure, d'une voix claire comme un cristal et presque tranchante. Nathanaël était ravi. Debout au
10 dernier rang, il ne distinguait pas nettement les traits d'Olympia dans l'éblouissante lueur des bougies. Sans que personne le remarquât, il tira de sa poche la longue-vue de Coppola et regarda la belle Olympia. Ah ! il s'aperçut alors qu'elle le regardait d'un air langoureux et que chacun de ses accents semblait s'épanouir dans le regard d'amour qui le brûlait jusqu'à l'âme. Il
15 semblait à Nathanaël que les roulades savantes exprimaient la jubilation[5] céleste d'une âme illuminée par l'amour et quand après la cadence le trille[6] vibra, prolongé et strident à travers la salle, il n'y put tenir ; comme étreint par des bras de feu, il cria tout haut, de douleur et de ravissement : « Olympia ! » Tous se retournèrent et beaucoup se mirent à rire. L'organiste
20 de la cathédrale fit une grimace plus macabre encore que de coutume et dit simplement : « Bon, bon ! »

Le concert était fini, le bal commençait. Danser avec elle ! avec elle ! c'était pour Nathanaël le but de tous ses vœux, de toute son ambition. Mais où prendre le courage de l'inviter, elle, la reine du bal ? Pourtant, sans savoir
25 lui-même comment cela se fit, comme les danses avaient déjà commencé il se trouva tout près d'Olympia qui n'avait pas encore été invitée, et à peine en état de balbutier quelques paroles, il lui prit la main. La main d'Olympia était froide comme glace, il sentit courir dans ses veines l'horrible froid de la mort ; il regarda les yeux d'Olympia où il vit briller l'amour et le désir, et à l'instant
30 il lui sembla que dans cette froide main les artères se mettaient à battre et le torrent du sang passait plus chaud. Chez Nathanaël aussi le désir amoureux s'embrasa, il enlaça la belle Olympia et se mit à tourbillonner avec elle à travers les rangs des danseurs. Il croyait danser très en mesure d'habitude,

1. *Reportez-vous au premier extrait.*

2. *Renseignez-vous sur ce curieux personnage.*

3. *Afin d'avoir une taille « de guêpe », les femmes se serraient alors avec des lacets.*

4. *Avec beaucoup de talent.*

5. **Jubilation** : *joie expansive.*

6. **Trille** : *battement rapide et ininterrompu sur deux notes voisines.*

mais le rythme inflexible qu'Olympia mettait dans sa danse et qui finissait par
35 l'embrouiller lui-même, le fit s'apercevoir à quel point il manquait de mesure.
Il ne voulut cependant danser avec aucune autre et il aurait voulu massacrer
sur place tous ceux qui s'approchaient d'Olympia pour l'inviter. Toutefois
cela n'arriva que deux fois ; à sa vive surprise Olympia se retrouva libre pour
toutes les autres danses et il ne manqua pas une fois de venir l'inviter.

40 Si Nathanaël avait été en état de voir quoi que ce fût en dehors de la belle
Olympia, il n'eût pu se soustraire à toute sorte de querelles et de fâcheuses
disputes ; car visiblement le rire discret, étouffé à grand-peine, qui s'élevait
dans tel ou tel coin parmi les jeunes gens, s'adressait à la belle Olympia qu'ils
suivaient des yeux avec de singuliers regards, sans qu'on pût savoir pourquoi.

45 Échauffé par la danse et par d'abondantes rasades, Nathanaël avait dépouillé
sa timidité habituelle. Assis aux côtés d'Olympia, lui tenant la main, il lui
parlait de son amour avec flamme, avec enthousiasme, en paroles que
personne ne comprenait, ni lui ni Olympia. Elle peut-être, pourtant ; car elle

le regardait fixement
50 dans les yeux et poussait
de petits soupirs : « Ah !
ah ! ah ! » sur quoi
Nathanaël répondait :
« Ô femme sublime et
55 céleste ! rayon de l'au-
delà promis à l'amour !
âme profonde où se
mire tout mon être ! » et
autres propos sembla-
60 bles. Mais Olympia se
contentait de soupirer
encore : « Ah ! ah ! »

Eau-forte d'Alexandre Alexeieff
pour les Contes d'Hoffmann *(1960).*

7. *Allusion à la ballade de Goethe :* La fiancée de Corinthe *(1797), que nous vous conseillons de lire si vous aimez les histoires de « vampires » !*

Le professeur Spalanzani passa une fois ou deux auprès de l'heureux
couple et les regarda en souriant d'un air étrangement satisfait. Bien que
Nathanaël se trouvât transporté dans un autre monde, il lui sembla soudain
que tout s'obscurcissait notablement en ce bas monde, chez le professeur
Spalanzani. Il jeta les yeux autour de lui et s'aperçut à sa grande terreur que
les deux dernières bougies de la salle vide s'étaient consumées et allaient
s'éteindre. Musique et danse avaient cessé depuis longtemps. « Nous séparer !
nous séparer ! » s'écria-t-il en proie à un violent désespoir, et il baisa la main
d'Olympia, puis s'inclina sur sa bouche, et des lèvres glacées rencontrèrent ses
lèvres brûlantes. Comme au moment où il avait touché la froide main
d'Olympia, il se sentit saisi d'une horreur profonde, la légende de la fiancée
morte[7] lui revint en mémoire soudain. Mais Olympia le serrait fermement
contre elle, et dans le baiser ses lèvres semblèrent s'échauffer et prendre vie.
Le professeur Spalanzani traversa lentement le salon vide, ses pas rendaient
un son caverneux et sa silhouette entourée d'un jeu mouvant d'ombres portées
avait un aspect effrayant et fantomatique. « Tu m'aimes, dis, Olympia ? Tu
m'aimes ? Un mot seulement ! Tu m'aimes ? » Ainsi chuchotait Nathanaël,
mais Olympia se contentait de soupirer « Ah ! ah ! » en se levant. « Oui, mon
doux astre, ma belle étoile d'amour, tu t'es levée dans mon ciel et tu brilleras,
tu illumineras mon âme à toujours ! — Ah ! ah ! » répliqua Olympia, avançant
toujours. Nathanaël la suivit ; ils se trouvèrent devant le professeur. « Vous
avez eu avec ma fille un entretien extraordinairement animé, dit celui-ci en
souriant. Allons, allons, mon cher monsieur Nathanaël, si vous vous plaisez
à converser avec cette petite sotte, votre visite sera toujours la bienvenue. »

E.T. Hoffmann, *L'Homme au Sable*, trad. Geneviève Bianquis, © éd. Aubier-Flammarion.

Guide de lecture

1. Le mécanique et le vivant

a. Relevez dans le portrait, mais surtout dans l'attitude et les réactions d'Olympia, tous les éléments qui nous incitent à soupçonner qu'il ne s'agit pas d'un être humain. À quoi songez-vous plus précisément ? Justifiez votre réponse à l'aide de détails précis du texte.

b. Les autres invités (notamment les étudiants) soupçonnent-ils quelque chose d'anormal chez la belle Olympia ? Comment réagissent-ils ? Relevez des signes précis.

2. L'amour aveugle

a. Quels sentiments Nathanaël éprouve-t-il pour Olympia ?

b. Donnez des exemples de son comportement « excessif » à l'égard de la jeune créature.

c. Selon vous, pourquoi Nathanaël se laisse-t-il ainsi duper ? On a dit qu'il se « retrouvait » en Olympia et que son amour était « narcissique ». Qu'en pensez-vous ? Cela expliquerait-il son attitude ?

d. À plusieurs reprises, cependant, n'a-t-il pas un curieux pressentiment ?

3. L'atmosphère

Le psychanalyste Freud a été fasciné par ce conte d'Hoffmann. Il a parlé à ce propos d'une atmosphère « d'inquiétante étrangeté », et ce mot est devenu célèbre.

À quoi est due, selon vous, cette « inquiétante étrangeté », et comment l'art du conteur parvient-il à créer cette impression ?

Recherche, Réflexion, Expression

1. Le thème des yeux.

Relevez tout ce qui se rapporte (de près ou de loin) au *regard*, à la *vision* (floue-rapprochée, naturelle ou « aidée » par des accessoires qui la prolongent...). Les expressions lisibles par les yeux ou dans les yeux ; les échanges de regards. Les yeux et la parole. Le désir. *Voir* peut également être pris au sens figuré. Concluez, émettez des hypothèses.

2. Le thème de la parole

Des philosophes admettent depuis fort longtemps que le langage distingue l'homme des machines. La machine serait capable de tout, sauf de parler naturellement. Étudiez, dans le comportement d'Olympia, la thématique de la voix et de la parole. Pourquoi dispose-t-elle du chant si elle est réellement un automate ? Mais alors pourquoi ne s'exprime-t-elle que par des « Ah ! » (parole articulée), lorsqu'il s'agit de répondre à une personne... ?

3. L'automate et le rire

Le philosophe Bergson a déclaré que le rire était provoqué par « du mécanique plaqué sur du vivant », ou par « un corps qui nous fait songer à une simple mécanique ». Cherchez des exemples de tels personnages qui nous font rire au cinéma (songez à Charlot...). Mais demandez-vous si nous avons envie de rire (comme le font d'ailleurs les étudiants du conte) à propos d'Olympia.

Jolie poupée de bois...

Négligeant les avertissements de ses camarades, et en particulier les mises en garde pressantes de son ami l'étudiant Siegmund, Nathanaël persiste à voir en Olympia un être « admirable », conforme en tous points à son idéal féminin. Il lui rend souvent visite, lui lit ses poésies. Olympia l'écoute fort attentivement, silencieuse et figée...

Le professeur Spalanzani semblait très heureux de la liaison de sa fille avec Nathanaël, il donnait à celui-ci toute sorte de signes non équivoques de sa bienveillance, et quand Nathanaël s'enhardit enfin à faire une lointaine allusion à son mariage avec Olympia, il eut un large
5   sourire et déclara qu'il laisserait à sa fille toute liberté de son choix.

Encouragé par ces paroles, le cœur brûlant de désir, Nathanaël résolut d'aller dès le lendemain supplier Olympia de dire sans ambages, de façon explicite, ce que lui avait avoué depuis longtemps son doux regard amoureux, à savoir qu'elle voulait être à lui pour toujours. Il chercha l'anneau que sa
10   mère lui avait donné au départ pour l'offrir à Olympia en signe de son entier dévouement et du don qu'il lui faisait de sa vie, qui venait de naître et allait fleurir auprès d'elle. À cette occasion les lettres de Clara et de Lothaire lui tombèrent sous la main ; il les écarta avec indifférence, trouva l'anneau, le mit dans sa poche et courut chez Olympia.

15   Dans l'escalier, sur le palier, il entendit un étrange vacarme qui semblait venir du cabinet de Spalanzani. Un piétinement, un cliquetis de verre cassé, un choc, des coups contre la porte, mêlés à des jurons et à des malédictions. « Lâche-la — lâche-la — infâme — gredin — est-ce à cela que j'ai sacrifié ma vie et mon effort ? — ha, ha, ha, ha ! ce n'est pas ce que nous avions parié —
20   moi, c'est moi qui ai fait les yeux — moi les rouages — imbéciles, avec tes rouages — maudit chien d'idiot d'horloger — va-t'en — Satan — arrête — tourneur de têtes de pipe — bête infernale — arrête — va-t'en — lâche-la ! » Les voix de Spalanzani et de l'horrible Coppélius s'entrecroisaient dans ce furieux tourbillon. Nathanaël entra en coup de vent, étreint par une angoisse
25   sans nom.

Le professeur tenait aux épaules un corps de femme, l'Italien Coppola le tenait par les pieds. Ils la tiraillaient et se l'arrachaient en tout sens et s'en disputaient avec rage la possession. Nathanaël recula plein d'horreur,
30   reconnaissant le corps d'Olympia. Flambant d'une furieuse colère, il voulut ravir sa bien-aimée à ces enragés, mais au même instant Coppola rassemblant ses forces de géant tordit le corps et l'arrachant au professeur lui en porta un coup si violent qu'il chancela et tomba à la renverse en travers de la table, parmi les fioles, les cornues, les flacons et les éprouvettes : tous les ustensiles
35   volèrent en mille éclats dans un grand cliquetis. Alors Coppola jetant le corps sur son épaule descendit en courant l'escalier, riant d'un rire horrible et strident, les pieds du mannequin pendant de disgracieuse façon, tapant et sonnant sur les degrés en rendant un son de bois.

Nathanaël demeura pétrifié ; il n'avait que trop bien vu. Le visage de cire
40   d'Olympia, couvert d'une pâleur mortelle, n'avait plus d'yeux, mais à leur place des cavités noires ; c'était une poupée inanimée. Spalanzani se roulait sur le sol. Des éclats de verre l'avaient blessé à la tête, à la poitrine et aux bras, et son sang jaillissait à flots. Mais il rassemblait ses forces : « Cours-lui après, cours, pourquoi tardes-tu ? Coppélius, Coppélius, il m'a pris mon plus bel
45   automate. Avoir travaillé vingt ans, y avoir mis ma force et ma vie ! les

rouages, le langage, la démarche, c'est à moi ! les yeux, ces yeux que je t'ai volés, maudit, damné, cours-lui après, ramène-moi Olympia, tiens, voici tes yeux ! » Nathanaël vit alors deux yeux ensanglantés jetés par terre, et qui le regardaient. Spalanzani les saisit de sa main intacte et les lui jeta. Ils le
50 frappèrent en pleine poitrine. La folie enfonça en lui ses serres brûlantes, lacérant son âme et ses pensées. « Hé, hé, hé ! roue de feu, roue de feu, tourne, tourne, et gai, gai ! Hop là, poupée de bois, hop, jolie poupée de bois ! » Et se jetant sur le professeur il le prit à la gorge. Il l'aurait étranglé, mais le bruit avait attiré des gens qui accoururent en foule, tirèrent en arrière
55 Nathanaël furieux et sauvèrent le professeur, qu'on pansa aussitôt. Siegmund, malgré sa force, n'arrivait pas à se rendre maître du dément qui hurlait sans arrêt d'une voix effroyable : « Poupée de bois, tourne, tourne ! » en brandissant ses poings fermés. Enfin, en unissant leurs forces, un groupe de gens réussit à le maîtriser, à le jeter à terre et à le ligoter. Ses paroles se
60 perdirent en un rugissement affreux et bestial. Se débattant dans une effroyable rage, il fut emmené à l'hospice des fous.

E.T. HOFFMANN, *L'Homme au Sable*, trad. Geneviève Bianquis, © éd. Aubier-Flammarion.

Nathanaël sera long à se remettre de ce dernier choc. Mais il finira par sortir de ce « trou noir » et de la maladie, grâce aux soins efficaces, vigilants et affectueux de sa mère, de sa tendre fiancée Clara et de Lothaire.

Nathanaël et Clara projettent de se marier et leur amour réciproque éclate aux yeux de tous. Spalanzani et son sinistre acolyte ont disparu. On semble s'acheminer vers un dénouement heureux... mais un événement banal fera de nouveau sombrer Nathanaël dans la folie, le conduisant à une fin tragique.

Guide de lecture

1. La tentation et les derniers avertissements
a. Comment le professeur Spalanzani s'y prend-il pour obtenir de Nathanaël qu'il se comporte selon ses « plans » ?
b. L'apparition inopinée des lettres de Lothaire et de Clara vous paraît-elle avoir un intérêt dans le récit ?

2. L'atroce découverte
a. Indiquez les étapes de la progression dramatique dans cette découverte de la vérité.
b. Quels sont, selon vous, les causes et les enjeux de cette violente dispute ?
c. Cette « querelle d'inventeurs » ne prend-elle pas une signification plus symbolique ? Qui est traité de « Satan » ? de « bête infernale » ?
d. Comment se comporte Nathanaël face à ce spectacle ?

3. Le réveil de la folie
Comment le délire de Nathanaël peut-il s'expliquer ? Faites des rapprochements entre cet épisode et les souvenirs d'enfance (curiosité punie ; voix ; soupçons ; découverte ; horreur ; délire).

4. L'art d'écrire
Hoffmann nous fait passer du monde réel au monde de l'hallucination et du cauchemar. Étudiez les procédés qu'il utilise.

Recherches, Réflexion, Expression

1. Information
Certains critiques ont fait remarquer que « la coppa » désigne l'orbite de l'œil, en italien. *Coppola*, qui colporte des yeux de verre, des lunettes, est une réincarnation de *Coppelius*, l'horrible « Homme au Sable » qui emporte dans son sac les yeux tout sanglants des enfants (B. Lehembre, préface à *L'Homme au Sable*, Éd. Nathan).

2. Recherches
Dans cet épisode, le récit devient symbolique. On ne distingue donc plus Coppelius de Coppola, comme s'il s'agissait du même personnage.
a. De qui ce personnage double, Coppelius/Coppola, devient-il le symbole ?
b. Spalanzani. En quoi peut-il passer pour un homme de science, un savant (qui joue dangereusement avec le pouvoir que lui donnent ses connaissances) ?
Notez que, dans le texte original, Nathanaël écrit : « Je suis les cours du professeur de physique qui vient d'arriver ici ; il porte le nom du célèbre naturaliste Spalanzani, il est italien d'origine. » Le traducteur précise en note à ce propos : « Spallanzani (et non Spalanzani), c'est le nom du célèbre biologiste italien, 1729-1799, qui fit les premiers essais de fécondation artificielle des animaux. Plaisante homonymie pour un fabricant de poupées, animées elles aussi d'une vie artificielle. »

UN CŒUR SIMPLE, DE FLAUBERT DANS *TROIS CONTES* *(coll. Livre de Poche)*

1. LA CHRONOLOGIE DU RÉCIT

a. De 1809, date de l'entrée de Félicité chez Madame Aubain, à 1859, date de sa mort, faites la liste des principaux événements du récit, selon leur ordre chronologique.

b. Recherchez les principaux faits historiques de cette période : apparaissent-ils dans le récit? Pourquoi?

2. LE CADRE DE L'HISTOIRE

a. Quel est le lieu principal de l'histoire? Comment est-il décrit?

b. L'héroïne quitte-t-elle ce lieu? Pour aller où? En quelles circonstances?

3. LE DÉROULEMENT DU RÉCIT

1. Félicité et Théodore
— Calculez la durée totale de l'histoire d'amour de Félicité.
— Comment Théodore fait-il la cour à Félicité?
— Pour quelle raison l'abandonne-t-il?

2. Félicité et ses jeunes maîtres
— Cherchez les dates de début et de fin de cet épisode. Quel événement donne la preuve du dévouement de Félicité?
— Selon le point de vue de quel personnage la communion de Virginie est-elle racontée? Donnez des exemples précis pour justifier votre réponse.

3. Félicité et son neveu Victor
— Comment cet épisode s'enchaîne-t-il au précédent?
— En quelle saison Félicité connaît-elle ses plus grands chagrins?

4. La mort de Virginie
— Comment le narrateur a-t-il lié le sort de Victor et de Virginie?
— Où se place la seule description de Virginie dans le récit? Pourquoi?
— Qu'évoque la fin de l'épisode?

5. Félicité et les déshérités
— Faites la liste de tous les bénéficiaires de la bonté de la servante.

— Cet épisode est-il longuement raconté? Pourquoi?

6. Félicité et Loulou
— L'apparition du perroquet a-t-elle été préparée dans le récit précédent? Si oui, où et comment?
— Distinguez les deux étapes de la vie de Loulou.
— Comment est amenée la comparaison finale du perroquet et du Saint-Esprit?
— Justifiez le titre et commentez la dernière phrase du texte.

4. LE PERSONNAGE DE FÉLICITÉ

— Une simple d'esprit

Relevez tous les détails du texte qui permettent d'interpréter ainsi le personnage de Félicité.

— Une sainte

Relevez également les indices du texte qui font pencher en faveur de cette interprétation. Le narrateur intervient-il pour donner son avis et prendre parti? Juge-t-il? Pourquoi?

5. EXPOSÉS

a. La vie quotidienne en Normandie au XIXe siècle.

b. Présentation rapide :

— la servante au théâtre : Suzanne, dans *le Mariage de Figaro;* Martine, dans *les Femmes savantes;*
— la servante dans le roman : Nanon, dans *Eugénie Grandet,* de Balzac. Catherine Leroux, dans *Madame Bovary* (2e partie, chapitre VIII);
— la servante dans un poème : « La servante au grand cœur » de Baudelaire *(Les Fleurs du mal).*

El papagayo, *Carlos Aresti.*

Entraînement

VERS LA CLASSE DE 2ᵉ : LE COMMENTAIRE COMPOSÉ

I. BUT ET OBJECTIFS

Il est nécessaire de bien comprendre le but de cet exercice assez complexe afin de mieux le réussir.

1. Découvrir

On vous propose d'examiner très attentivement **un texte littéraire** afin que vous en fassiez **une lecture personnelle.**

Vous devrez rendre compte de la manière dont ce texte « vous parle ». Comment le ressentez-vous ? Qu'y avez-vous « découvert » ?

Ce qui vous incombe est à la fois passionnant et délicat car c'est à vous **d'orienter** et au besoin **d'élargir** votre lecture.

2. Organiser

Une contrainte importante vous attend au moment de la rédaction : ce commentaire doit être **composé.** Qu'est-ce à dire ?

Il vous faudra organiser et ordonner les découvertes de votre lecture. Plusieurs possibilités s'offrent à vous. Par exemple :

— Retenir **quelques centres d'intérêt** et les ordonner de la manière la plus expressive. C'est la méthode la plus souvent employée.

— Adopter **une présentation en plusieurs étapes** ou **niveaux de profondeur** en rendant compte du texte du niveau le plus extérieur (apparent, superficiel) vers le niveau le plus intime (profond, secret, peut-être symbolique).

— Procéder plus logiquement en vous appuyant sur les **structures linguistiques** du texte, les éléments de la composition et les effets produits (démarche plus scientifique).

Attention ! Le principal piège à éviter est d'effectuer une lecture non organisée qui ne serait que juxtaposition de remarques multiples et désordonnées.

3. S'exprimer

On ne vous demande pas de rédiger comme un grand écrivain mais il faut cependant soigner votre formulation, justifier et nuancer vos jugements, montrer des qualités de clarté et de logique sans négliger la sensibilité qui traduira votre richesse personnelle.

II. CONSEILS PRATIQUES

1. Lisez plusieurs fois le texte et pratiquez une première lecture littéraire rapide.

2. Repérez d'emblée les points qui vous paraissent les plus importants. Ces points varient naturellement d'un texte à l'autre : vous devez vous adapter à la nature de chaque texte. Parfois c'est la **thématique** et l'ordonnance de ces thèmes qui prédomine. D'autres fois, c'est la **structure de l'énoncé,** sa progression, ou encore les **qualités du style,** le **mouvement dramatique** (pièce de théâtre), la **forme** (poème).

3. Posez-vous des questions sur la **nature du texte** (description, ou portrait, ou narration dans des extraits de romans ou de poèmes, etc.). Demandez-vous : qui parle ? (Narration à la première personne ou à la troisième personne, au style direct, indirect, indirect libre...) Qui voit et comment ? (Problème des points de vue : interne, externe, depuis un personnage et sa subjectivité, de manière objective et neutre. Le narrateur intervient-il ou non ?) Est-ce une vision poétique, épique, satirique, ou onirique ?...

N'oubliez pas d'étudier les relations entre les personnages.

4. Aidez-vous de techniques éprouvées : constitution de champs lexicaux, repérages spatio-temporels, termes déictiques, jeu des pronoms, temps des verbes, figures de style, rythmes et sonorités, versification (pour la poésie).

5. Pratique : notez toutes vos observations selon vos angles d'analyse sur des feuilles séparées. Vous regrouperez ensuite le plus judicieusement possible ces « axes de lecture » et il ne vous restera plus qu'à rédiger, en songeant toujours à bien articuler vos parties, qui doivent obéir à un plan d'ensemble.

Derniers conseils : **ne séparez jamais le fond de la forme** et ne faites pas de paraphrase.

6. Vous pouvez utiliser les données que vous possédez sur la vie et l'œuvre de l'auteur; mais servez-vous-en à bon escient : pas d'érudition pédante et inutile.

III. COMMENTAIRE D'UN TEXTE

« APRÈS LE DÎNER... »

Après le dîner, hélas, j'étais bientôt obligé de quitter maman qui restait à causer avec les autres, au jardin s'il faisait beau, dans le petit salon où tout le monde se retirait s'il faisait mauvais. Tout le monde, sauf ma grand-mère qui trouvait que « c'est une pitié de rester enfermé à la campagne » et qui avait d'incessantes discussions avec mon père, les jours de trop grande pluie, parce qu'il m'envoyait lire dans ma chambre au lieu de rester dehors. « Ce n'est pas comme cela que vous le rendrez robuste et énergique, disait-elle tristement, surtout ce petit qui a tant besoin de prendre des forces et de la volonté. » Mon père haussait les épaules et il examinait le baromètre, car il aimait la météorologie, pendant que ma mère, évitant de faire du bruit pour ne pas le troubler, le regardait avec un respect attendri, mais pas trop fixement pour ne pas chercher à percer le mystère de ses supériorités. Mais ma grand-mère, elle, par tous les temps, même quand la pluie faisait rage et que Françoise avait précipitamment rentré les précieux fauteuils d'osier de peur qu'ils ne fussent mouillés, on la voyait dans le jardin vide et fouetté par l'averse, relevant ses mèches désordonnées et grises pour que son front s'imbibât mieux de la salubrité du vent et de la pluie. Elle disait : « Enfin, on respire ! » et parcourait les allées détrempées — trop symétriquement alignées à son gré par le nouveau jardinier dépourvu du sentiment de la nature et auquel mon père avait demandé depuis le matin si le temps s'arrangerait — de son petit pas enthousiaste et saccadé, réglé sur les mouvements divers qu'excitaient dans son âme l'ivresse de l'orage, la puissance de l'hygiène, la stupidité de mon éducation et la symétrie des jardins, plutôt que sur le désir, inconnu d'elle, d'éviter à sa jupe prune les taches de boue sous lesquelles elle disparaissait jusqu'à une hauteur qui était toujours pour sa femme de chambre un désespoir et un problème.

MARCEL PROUST, *À la recherche du temps perdu,*
Du côté de chez Swann,
(Éd. Gallimard, La Pléiade)

1. Exemple de sujet

« Ordonnez votre commentaire autour de tous les moyens mis en œuvre par l'auteur (aussi bien dans la composition, dans la forme que dans l'énonciation des idées) pour nous révéler l'exceptionnelle personnalité de sa grand-mère, en opposition avec tous les autres êtres, proches ou inconnus évoqués dans ce passage. »

2. Exercices d'entraînement

— Interrogez-vous sur la nature du texte : s'agit-il d'un discours (de quel type ?), d'un récit ? d'un portrait ?

— Recherchez les procédés utilisés par Proust pour « ressusciter » véritablement le temps passé.

— Comment l'auteur s'y prend-il pour signaler la répétition d'une situation dans le passé tout en lui donnant l'aspect d'un événement singulier (avec toute sa saveur instantanée) ?

— Étudiez la manière dont Proust donne la parole à sa grand-mère. Définissez le style (direct, indirect, indirect libre, ou autre ?).

— Par qui et comment les événements et les personnages sont-ils observés ?

— Recherchez tous les signes qui manifestent dans le texte la présence du narrateur (signes de son émotivité et interventions de son jugement).

— Étudiez les relations entre les personnages cités. Faites au besoin un schéma qui illustrera les rapports entre ces êtres. Tirez-en des conclusions qui éclaireront la compréhension du passage.

— Recherchez tous les éléments qui permettent de faire un portrait de la grand-mère.

— Quelle importance prend dans cette évocation le temps météorologique ? Tentez d'expliquer cette étrange obsession.

— Le narrateur fait-il part de ses sentiments pour sa grand-mère ? Ne peut-on cependant les deviner ? À l'aide de quels indices ?

IV. ÉLÉMENTS DE CORRIGÉ

1. La répétition dans la durée (scène itérative)

Remarquons tout d'abord que l'écrivain, pour revivre ces moments d'une époque relativement longue dans son passé, utilise le procédé de la **scène itérative** qui lui permet d'évoquer un épisode revécu chaque jour durant un temps indéterminé. L'emploi de **l'imparfait** favorise cette vision qui semble vouloir perdurer et se répéter indéfiniment en dépit des changements liés aux circonstances (ex. : on « restait à causer avec les autres, au jardin s'il faisait beau »... ou « dans le petit salon où tout le monde se retirait s'il faisait mauvais »). Mais d'autres procédés contribuent également à faire revivre le passé.

2. La parole restituée (ou « le discours cité »)

À plusieurs reprises, le narrateur donne la parole à sa grand-mère.

Cités au présent de l'indicatif — et non à l'imparfait —, les propos du personnage acquièrent une « présence » et une « actualité » proprement extraordinaires : Ma grand-mère qui trouvait que « c'**est** une pitié de rester... ». Ceci répond bien au dessein général de l'œuvre, car le temps de la parole est lui aussi « réactualisé », véritablement revécu et retrouvé.

Rapportées au style direct, les paroles conservent ainsi toute leur charge affective et l'effet obtenu renforce les intentions du narrateur. D'ailleurs, seule la grand-mère s'exprime ainsi directement, ce qui la différencie encore des autres personnages cités.

3. Un narrateur sensible et omniprésent (monde de la subjectivité)

Ce passage doit également sa tonalité particulière aux interventions d'un narrateur omniprésent, dont l'émotion et la subjectivité imprègnent le discours : le mot clé « Hélas ! » suffit à donner le ton. Le narrateur projette sans cesse ses sentiments sur le passé qu'il restitue : « d'**incessantes** discussions » ; « disait-elle **tristement**... ». Très souvent, les commentaires interprétatifs et subjectifs du locuteur prennent le pas sur le récit lui-même.

4. Les relations entre les personnages (ou la constellation familiale)

Le récit à la première personne contient de plus des déictiques (*maman, mon père, ma grand-mère*) qui montrent l'importance du locuteur situé au centre de ses propres souvenirs. Les relations qu'il entretient avec ses proches mettent en évidence le rôle privilégié de la grand-mère. Le père et la mère semblent appartenir à une sphère autonome et indépendante. Quant à Françoise, son rôle se limite ici à celui de servante zélée. Une analyse plus fine nous révèle un fonctionnement par « couples » :

— **L'enfant et sa mère** : visiblement l'enfant souffre (« Hélas ! ») car il a le sentiment d'être abandonné par sa mère qui le prive de son affection pour se consacrer aux plaisirs de la conversation en société. Les termes utilisés révèlent bien le peu d'estime (jalousie latente ?) de l'enfant pour ces gens qu'il noie dans un anonymat péjoratif : « les autres », « tout le monde ».

Son amertume se lit encore dans cette expression : « j'étais *obligé* », qui suppose un certain impératif moral et le respect des traditions d'une éducation bourgeoise.

— **La grand-mère et le père** : il est ici flagrant que le père se montre indifférent à l'égard de son fils. Il est pris par sa passion : « car il aimait la météorologie » (ironie de cette logique) et ne cesse

d'interroger son baromètre ainsi que le jardinier. Son rôle se borne à prescrire (fonction négative) : « il m'envoyait lire dans ma chambre au lieu de rester dehors ».

— **La mère et le père** : la mère du narrateur vit dans une sorte de soumission respectueuse et admirative (« évitant de faire du bruit pour ne pas le troubler... le regardait avec un respect attendri... mais pas trop fixement pour ne pas chercher à percer le mystère de ses supériorités »). On sent à travers ces propos l'amertume de l'enfant qui se sent exclu de ce cercle « d'amants », ce cercle « narcissique ».

— **L'enfant et sa grand-mère** : ces deux-là ont une relation privilégiée d'amour réciproque dont nous trouvons aisément les « signes » dans le texte.

La grand-mère semble être seule à accorder du prix à l'éducation de l'enfant au point d'accepter d'entrer en relation conflictuelle avec le père (« incessantes discussions »). Lorsqu'elle est seule, elle « tempête » contre la « stupidité » de cette éducation. Enfin, le narrateur lui consacre toute cette page car c'est bien d'elle seule qu'il nous parle et dont il fait le portrait en opposition avec les autres personnages.

5. Une curieuse obsession

Il est surprenant que l'auteur insiste tellement sur la notion du temps météorologique. Il y revient presque constamment :

— Sa mère « tient conversation » en des lieux différents et variables selon le temps qu'il fait (jardin/petit salon).

— Son père examine le baromètre. D'autre part, il consulte son jardinier auquel il « avait demandé depuis le matin si le temps s'arrangerait ».

— Françoise, lorsqu'il pleut, rentre « précipitamment » les « précieux fauteuils d'osier de peur qu'ils ne [soient] mouillés ».

Bref, tout le monde dans cette maison ne semble vivre qu'en fonction du temps.

Seule la grand-mère fait exception à cette règle et brave courageusement cet interdit.

6. Un symbolisme caché mais significatif

La grand-mère seule a une conduite « invariable » et constante « par tous les temps ». La signification paraît claire : fidélité, constance sont les valeurs qui manquent le plus à cet enfant. La grand-mère est son « modèle » ; elle lui fait connaître les vertus salutaires du grand air (non du confinement, de l'air vicié et de l'enfermement...). N'oublions pas les connotations de certaines expressions : « Enfin on respire ! » (on est libéré, délivré de **l'oppression**).

6
Littérature et histoire : le Moyen Âge et la Renaissance

Ami et Amile
SAINT-FRANÇOIS D'ASSISE, *Œuvres*
H. QUEFFÉLEC, *Le Jongleur de Dieu*
VILLEHARDOUIN, *La Conquête de Constantinople*
Chansons de croisade — Chansons à la vierge
CHRÉTIEN DE TROYES, *Le Chevalier à la charrette*
ADAM DE LA HALLE, *Le Jeu de Robin et Marion*
JEAN DE MEUNG, *Le Roman de la Rose*
Tristan et Iseut — Chansons de toile — Rondeaux
La Chanson des Niebelungen
GEOFFREY CHAUCER, *Les Contes de Canterbury*
MARCO POLO, *Le Devisement du monde*
CHRISTOPHE COLOMB, *Journal*
CHRISTINE DE PISAN, *Le Livre de la cité des dames*
RABELAIS, *Gargantua* — MONTAIGNE, *Essais*
J. BOCCACE, *Le Décaméron* — THOMAS MORE, *L'Utopie*

1. Les chevaliers de la foi

ANONYME

Ami et Amile

L'honneur et la charité

« La valeur n'attend pas le nombre des années », lit-on dans Le Cid *de Corneille. Ainsi en est-il du jeune Girard, qui va se montrer d'une générosité admirable à l'égard de son père, le vaillant Ami, qui vient d'être atteint par la lèpre et relégué misérablement par son indigne épouse.*

Ami reste seul dans la maison, en proie au désespoir et aux souffrances que lui fait endurer sa maladie. Personne, vraiment personne ne vient l'y voir. Seul son fils Girard lui rend souvent visite. Il n'était pas bien grand, il n'avait que sept ans, cependant telle était sa piété filiale qu'il prenait
5 tout le pain qu'il pouvait sur la table pour le porter à son père. Sa mère, quand elle s'en aperçut, s'en prit à lui et le menaça de le jeter à terre, de le frapper à coups de poings et de le gifler si fort qu'il en garderait les marques : « Fils du plus lépreux des lépreux, lui dit-elle, je ne laisserai pas passer un jour sans vous battre à cause de lui. Avant que ne s'achève un mois après Pâques, je
10 vous imposerai un parrâtre[1] qui sera le dernier des lâches s'il ne vous tue pour vous punir de l'amour que vous portez à votre père. »

    Le petit Girard se sauva à travers la salle et monta debout sur une table : « Écoutez-moi, dit-il, vous les vieux, vous les anciens ! Ma mère a trahi mon père : par Dieu, personne n'aurait rien su de sa maladie si elle avait tenu sa
15 langue. Vous n'êtes qu'une bande de canailles, de traîtres et de parjures, vous qui l'avez laissée me battre ainsi. » Regardant devant lui, il aperçoit un morceau de bois, il le soulève de toutes ses forces et frappe quatre d'entre eux à la tête. Les vieux et les anciens se sauvent. Le bruit circule : « Ce garçon s'est révélé à lui-même. Que Dieu le protège, notre Père qui est là-haut ! Grâce
20 à lui nous allons récupérer nos terres. »

    Le petit Girard descend en toute hâte l'escalier qui mène à la cuisine. Il y avise un paon rôti et saupoudré de poivre et apostrophe le cuisinier : « Misérable, traître patenté ! Vous avez vite oublié mon père. Il n'a pas mangé depuis lundi soir et nous sommes jeudi, c'est trop attendre ! Dépêchez-vous
25 de lui porter ce paon. » Et l'autre répond : « Vous êtes fou, votre mère me ferait tuer sur-le-champ. » À ces mots, Girard est pris d'une rage folle. Il voit près de lui un pieu, s'en empare, et alors que le misérable est penché, il lui en assène un coup si violent juste entre le front et le nez qu'il lui fait gicler la cervelle dans l'âtre. Puis il lui dit : « Canaille, voilà pour vous ! Vous saurez
30 ainsi où est votre devoir. » Ce spectacle remplit d'épouvante les deux autres cuisiniers qui s'écrient : « Noble et illustre jeune homme, nous porterons le paon si vous l'ordonnez. — Voilà qui est bien parlé, répond Girard. » Ils entrent tous trois dans la cuisine, prennent de la nourriture, l'emballent, la chargent sur leurs bêtes et se rendent au logis d'Ami. Ils lui donnent de l'eau
35 et le font se laver. Girard, l'illustre jeune homme, lui découpe la volaille : « Mangez, mon père chéri, je vous ai bien fait attendre, mais, par Dieu qui fut martyrisé sur la croix, je n'ai pas pu venir plus tôt. » Le jeune et sage Girard lui raconte comment sa mère l'a traité dans la grand-salle. À ce récit,

1. Parrâtre : *beau-père.*

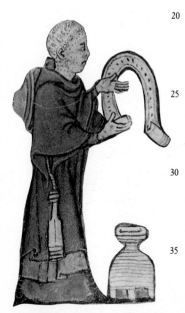

le comte se met à pleurer. Girard l'embrasse sur la bouche et le nez. « Mon
40 fils, dit le comte, éloignez-vous de moi. La maladie dont je souffre est pour
tout le monde si répugnante que je ne connais pas d'être né d'une femme qui
ne se détourne de moi de peur de respirer mon haleine. » Le jeune garçon lui
répondit : « Vos paroles n'ont pas de sens. Votre corps ne provoquera jamais
en moi de répulsion, il m'est au
45 contraire doux et agréable au
toucher. Par l'apôtre à qui Dieu
témoigna sa faveur, si je vous
vois un jour partir, je m'en irai
avec vous si cela m'est possible.
50 Vous ne trouverez pas d'être
plus fidèle que moi. J'irai en
quête de nourriture et de pain,
par Dieu, il ne me coûtera pas de
le faire. »

ANONYME, *Ami et Amile*,
trad. Michel Blanchard et
Michel Quereuil, © éd. Champion,
1985, pp. 54-55.

*St Adélard distribuant des aumônes
aux lépreux.*

Guide de lecture : le courage de l'amour

1. Quels sont les différents moments de ce texte ? Donnez-leur un titre.

2. Qu'y a-t-il de particulièrement scandaleux dans les paroles de la mère ?

3. Que révèle la force physique incroyable de cet enfant de sept ans ?

4. Comment la charité finit-elle par effacer les conséquences de la lèpre ?

Mots en mémoire
Montrez la différence de sens entre *seul* (ligne 1) et *seul* (ligne 3).

Recherche, Réflexion, Expression

La naissance d'un héros
Relevez les ambiguïtés du personnage : douceur et violence/piété filiale. Comment ces contradictions se résolvent-elles dans la notion d'héroïsme ?

Sujet d'imagination
Le roi apprend la situation qui est faite à son fidèle Ami. Il décide d'intervenir. Imaginez.

Sujet de réflexion
À votre avis, pourquoi se détourne-t-on si facilement des plus malheureux d'entre nous ? Quels remèdes pourrait-on apporter à cette situation ?

Recherche
Le statut des lépreux au Moyen Âge.

À lire

Mettez ce texte en parallèle avec l'histoire d'Aymerillot dans *La Légende des siècles*, X, 3 de VICTOR HUGO.
Montrez, en particulier, les signes de la même jeunesse et de la même détermination.

À voir

Une démarche à rebours : le film de BERTOLUCCI, *Le Dernier Empereur*, dans lequel vous étudierez le thème de l'antihéros ou de la mort du héros.

SAINT FRANÇOIS D'ASSISE

Œuvres (1224)

Cantique de frère soleil

I ci commencent les Louanges des créatures que le Bienheureux François composa à la louange et à l'honneur de Dieu lorsqu'il était malade à Saint-Damien.

Surnommé il Poverello, « le petit pauvre », **saint François d'Assise** (1181 ou 1182-1226) est le fils d'un riche marchand ; il rompit avec sa famille pour se faire ermite et prédicateur itinérant, et fonda l'*ordre des Frères mineurs* ou *franciscains*, voué à la pauvreté évangélique. Sa vie, devenue légende, est relatée dans les *Fioretti*, recueil anonyme du XIVe siècle. Il est lui-même l'auteur d'un *Cantique du soleil* ou *Cantique des créatures* (1224) considéré comme le premier grand poème en langue italienne.

St François d'Assise recevant les stigmates du Christ (livre d'heures franciscain - vers 1270).

I Très Haut, tout-puissant, bon Seigneur,
   à toi sont les louanges, la gloire et l'honneur, et toute bénédiction.
   À toi seul, Très Haut, ils conviennent,
   et nul homme n'est digne de prononcer ton nom.

II Loué sois-tu, mon Seigneur, avec toutes tes créatures,
   spécialement monseigneur frère soleil,
   qui donne le jour et par qui tu nous éclaires.
   Il est beau et rayonnant avec une grande splendeur,
   de toi, Très Haut, il est le symbole.

III Loué sois-tu, mon Seigneur, pour sœur lune et les étoiles,
   dans le ciel tu les as créées claires, précieuses et belles.

IV Loué sois-tu, mon Seigneur, pour frère vent,
   pour l'air et le nuage, pour le ciel pur et tous les temps,
   par lesquels à tes créatures tu donnes soutien.

V Loué sois-tu, mon Seigneur, pour sœur eau,
   qui est très utile et humble, et précieuse et chaste.

VI Loué sois-tu, mon Seigneur, pour frère feu,
   par lequel tu illumines la nuit.
   il est beau et joyeux, et robuste et fort.

VII Loué sois-tu, mon Seigneur, pour sœur terre notre mère,
   qui nous soutient et nous nourrit,
   et produit divers fruits avec les fleurs aux mille couleurs et l'herbe.

VIII Loué sois-tu, mon Seigneur, pour ceux qui pardonnent par amour pour toi
   et supportent douleur et tribulation.
   Bienheureux ceux qui persévèrent dans la paix,
   car par toi, Très Haut, ils seront couronnés.

IX Loué sois-tu, mon Seigneur, pour notre sœur la mort corporelle,
   à qui nul homme vivant ne peut échapper.
   Malheur à ceux qui meurent en péché mortel,
   bienheureux ceux qui se trouveront dans tes très saintes volontés,
   car *la seconde mort*[1] ne leur fera point de mal.

X Louez et bénissez, mon Seigneur, et rendez-lui grâces,
   et servez-le avec grande humilité.

1. La seconde mort : *la damnation éternelle.*

SAINT FRANÇOIS D'ASSISE, *Œuvres*, © éd. Albin Michel, 1959, pp. 255-256.

Guide de lecture : « À toi sont les louanges »

1. Un cantique : recherchez la définition exacte de ce mot en partant de son étymologie.
Comment le texte est-il construit ? Qu'est-ce qui peut le différencier d'une prière ?

2. Parmi les remerciements de saint François, il en est un qui peut nous étonner : lequel ? Comment pouvez-vous l'expliquer ?

3. Relevez les marques de personnification : qu'apportent-elles au récit ?
En quoi l'auteur fait-il une utilisation originale des expressions *frère* et *sœur* ?

4. Étudiez le jeu des déterminants :
— qu'apporte cette prolifération de déterminants définis ?
— essayez d'analyser l'absence de déterminant devant « frère » et « sœur » alors que saint François dit : « *mon* Seigneur ».

5. Le vocabulaire est simple, voire naïf : donnez-en quelques exemples et essayez d'en montrer la valeur.

POUR LE BREVET DES COLLÈGES

Grammaire
1. Relevez un complément de nom.
2. Quelle est la valeur du mode subjonctif dans ce texte ?

Vocabulaire
Rayonnant, précieuse : expliquez ces mots dans le texte, puis utilisez-les dans une phrase de votre composition avec un sens différent.
Tu illumines : proposez un nom et un adjectif de la même famille.

St François d'Assise prêchant aux oiseaux, par Giotto.

La géographie d'une âme

HENRI QUEFFÉLEC

Le Jongleur de Dieu

C'est vers les années 1181-1182 que François vient au monde dans la petite ville d'Assise. Son père, Pietro Bernardone, marchand d'étoffes aisé, voyage beaucoup dans la France du Sud, pays de la langue d'oc dont sa femme est probablement originaire. Ceci explique sans doute le prénom de Francesco, « Petit Français », donné à celui qui allait fonder quelques années plus tard l'ordre franciscain.

Henri Queffélec fait revivre ici cette grande figure de la chrétienté médiévale dans une vision de « cette vieille ville en terrasses de l'Umbria Verde », l'Ombrie verte.

L e petit François a connu le bonheur de vivre au long de son enfance. Alors que toute sensation porte et marque, l'allégresse qui explose dans le *Cantique des Créatures* est le fait d'un homme qui ne se souvient pas d'avoir jamais été trahi par l'immédiate beauté du monde
5 élémentaire. « Quel est le père, dit l'Évangile, qui, si son fils lui demande du

La Bretagne occupe une place privilégiée dans l'œuvre d'**Henri Queffélec** (né en 1910). Écrivain catholique, il observe en chrétien la réalité humaine et les différentes conditions sociales. Dans un style simple et direct, il donne une dimension spirituelle, parfois épique, aux relations de l'homme et de la nature.

Œuvres principales : *Un recteur de l'île de Sein* (1945), *Quand la terre fait naufrage* (1965), *Les Îles de la miséricorde* (1974), *Ce sont voiliers que vent emporte* (1984).

pain, lui donne un caillou ? » Semblablement la terre, la maison, la ville, entouraient l'enfant de la vérité de leurs matériaux. Tout était ce que tout devait être. L'herbe des champs comme le sourire maternel, le cri d'une chèvre comme le son des cloches, le goût d'une pomme comme l'odeur d'un
10 vieux mur. Ne jugez pas et vous ne serez pas jugés. Aimez ceux qui vivent autour de vous, êtres et choses, environnement aux ramifications mystérieuses, et le bonheur ne vous boudera jamais.

Avec quelle émotion, devenu presque aveugle, François a salué une ville natale qu'il traversait, il en était sûr, pour la dernière fois. Consciemment et
15 inconsciemment, il l'avait tant aimée, dans le détail de ses maisons et de ses rues, de ses creux et de ses bosses, de ses monuments et de ses échappées miséricordieuses et fantastiques sur la plaine, de son acharnement à mener sous le ciel sa vie de cité humaine, soucieuse du sort de chacun de ses habitants, chacune de ses pierres et de ses fleurs. Tous les humbles et beaux
20 souvenirs de l'enfance assisienne affluaient vers celui qui se préparait à la « mort corporelle ».

Huit siècles plus tard, pour approcher le grand *fratello*, nous disposons de peu de témoignages écrits contemporains. Combien il reste précieux pour nous d'ajouter aux biographies essentielles de Thomas de Celano et de saint
25 Bonaventure, et aux pièces du procès de canonisation, la vue et la fréquentation d'une ville d'Assise qui n'a pas trop bougé. Le grouillement, le tassement du Moyen Âge ne demandant qu'à ressusciter pour notre imagination. Il n'y a plus la lenteur des chariots, les allées et venues des chevaux et des ânes, voire des troupeaux de vaches, comme il n'y a plus
30 l'odeur des feux de bois, l'odeur de fer chaud et de corne brûlée des maréchaleries, les tas de bûches dans les cours, le froufroutement des rats dans l'obscurité des ruelles — mais il y a la lumière et la pierre. Le ciment a épargné des maisons qui ne se sont pas exhaussées. Comme jadis ou naguère, ou plutôt comme toujours, le soleil flambe ou ruisselle sur les façades ou les
35 toits de tuiles et l'ombre n'a pas cessé de se découper au cordeau ou d'étaler sa traîne par-devers un escalier ou un mur de jardin. Si Claudel[1] retrouvait Babylone en appuyant la main, dans la chaleur de midi, sur une roche, il suffit de boire des yeux l'ensoleillement d'Assise pour abolir les siècles. Sentir sourdre la présence de François. Il prie peut-être derrière cette porte d'église
40 tout usée. Il va surgir dans ce tournant de rue, là-bas où le ciel bleu s'appuie sur une corniche de toute sa force.

HENRI QUEFFÉLEC, *Le Jongleur de Dieu*, © éd. Calmann-Lévy, 1982.

1. **Claudel** : *écrivain catholique du XXᵉ siècle.*

Guide de lecture : la géographie d'une âme

Espace et temps

1. Quel est le narrateur ?

2. Le personnage central est-il réel ou fictif ?

3. À quel genre appartient ce récit ?

4. Après huit siècles, qu'est-ce qui reste semblable parmi les choses et les êtres ?

Élargissement

1. Sur quelles valeurs repose précisément le bonheur de François au début du texte ? Relevez les mots-clés en les classant.

2. À travers la description de la ville, le souvenir ouvre sur une dimension d'éternité. Dites autour de quelles lignes de force celle-ci s'organise.

Recherche, Réflexion, Expression

Sujet d'imagination

« Abolir les siècles. » Vous-même, devant un paysage chargé d'histoire ou devant un monument célèbre, avez-vous eu l'impression que le passé ressuscitait ? Racontez.

Sujet de réflexion

Pensez-vous que les grandes figures du passé puissent encore nous donner d'utiles leçons pour aujourd'hui ? À partir d'exemples précis, ordonnez votre réflexion.

Recherche

En liaison avec le professeur d'Histoire : les ordres mendiants au Moyen Âge.

Une croisade bénie par Dieu

Villehardouin, diplomate et chef militaire pendant la IVᵉ croisade, nous décrit, ici, l'émerveillement des croisés devant Constantinople. À ses yeux, la Providence veille sur cette expédition et son texte se montre entièrement favorable à la cause qu'il a lui-même défendue.

Geoffroi de Villehardouin (1150-1213), maréchal de Champagne, est l'un des chefs de la quatrième croisade. Dans sa *Conquête de Constantinople* (v. 1207), il s'efforce de justifier le détournement de l'expédition qui aboutit à la prise de Constantinople par les croisés, sous prétexte de remettre l'héritier légitime sur le trône.

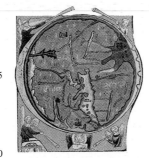

r vous pouvez savoir que ceux-là regardèrent beaucoup Constantinople qui ne l'avaient jamais vue ; car ils ne pouvaient pas penser qu'il pût être en tout le monde aussi puissante ville, quand ils
5 virent ces hautes murailles et ces puissantes tours, dont elle était close tout autour à la ronde, et ces superbes palais, et ces hautes églises, dont il y avait tant que nul ne l'eût pu croire s'il ne l'eût vu de ses yeux, et la longueur et la largeur de la ville, qui sur
10 toutes les autres était souveraine. Et sachez qu'il n'y eut homme si hardi à qui la chair ne frémît, et ce ne fut pas merveille ; car jamais si grande affaire ne fut entreprise par (si peu ?) de gens depuis que le monde fut créé.

Alors les comtes et les barons et le duc de Venise descendirent à terre,
15 et leur parlement[1] se tint au monastère Saint-Étienne. Là il y eut maint avis pris et donné. Toutes les paroles qui là furent dites, le livre ne vous les contera pas ; mais la fin du conseil fut que le duc de Venise se dressa debout et leur dit :

« Seigneurs, je sais plus de l'état des choses de ce pays que vous ne faites :
20 car j'y ai été autrefois. Vous avez entrepris l'affaire la plus grande et la plus périlleuse que jamais gens aient entreprise : aussi conviendrait-il qu'on opérât prudemment. Sachez-le, si nous allons à la terre ferme, le pays est grand et large ; et nos gens sont pauvres et courts de vivres : aussi se répandront-ils par le pays pour chercher des vivres ; et il y a très grande quantité de gens dans le pays : aussi ne pourrions-nous faire si bonne garde que nous ne subissions
25 des pertes ; et nous n'avons pas besoin de perdre, car nous avons bien peu de gens pour ce que nous voulons faire.

« Il y a près d'ici des îles que vous pouvez voir d'ici, qui sont habitées et qui sont fournies en blés et en vivres et en autres ressources : allons-y
30 prendre port, et embarquons les blés et les vivres du pays ; et, quand nous aurons embarqué les vivres, allons devant la ville et faisons ce que Notre Seigneur aura disposé pour nous. Car plus sûrement fait la guerre celui qui a des vivres que celui qui n'en a point. » À cet avis se rangèrent les comtes et les barons, et ils s'en retournèrent tous, chacun à ses nefs et à ses vaisseaux.

35 Ils reposèrent ainsi cette nuit-là ; et le lendemain matin, qui était le jour de la fête de monseigneur saint Jean-Baptiste en juin, les bannières et les gonfanons[2] furent dressés sur les châteaux des nefs, et les housses ôtées des boucliers, et les bords des nefs garnis. Chacun examinait les armes qu'il lui fallait, comme s'ils avaient su avec certitude qu'ils en auraient bientôt besoin.

40 Les matelots levèrent les ancres ; et ils laissent les voiles aller au vent ; et Dieu leur donne bon vent, comme il leur fallait, et ils passent jusque devant Constantinople, si près des murailles et des tours que l'on tira contre maintes de leurs nefs ; et il y avait tant de gens sur les murailles et sur les tours qu'il semblait qu'il n'y en eût que là.

1. **Parlement** : *ici, leur réunion.*

2. **Gonfanons** : *étendards.*

VILLEHARDOUIN, *La Conquête de Constantinople*, © éd. Les Belles-Lettres.

Guide de lecture : un plan de bataille

1. Que veut souligner le premier paragraphe du texte ?

2. Pour quelles raisons précises les comtes et les barons suivent-ils les conseils du duc de Venise (c'est-à-dire du Doge) ?

3. Le genre du discours. Notez les progrès de l'argumentation.

4. À quel moment se manifeste, ici, la protection divine ?

5. Quelles sont les marques lexicales et grammaticales de la puissance de cette ville ? Classez vos réponses.

6. Analysez les temps des verbes : comment soulignent-ils le changement de narrateur ?

Recherche, Réflexion, Expression

1. Faites l'historique de la conquête ; réfléchissez à la valeur de ce mot à travers les âges. Pensez en particulier à la conquête de la Toison d'or, à la conquête de l'Ouest ou, plus près de nous, à la conquête de l'espace.

2. En liaison avec le professeur d'histoire, analysez les origines des croisades.

3. Répartissez-vous en huit groupes pour présenter l'itinéraire, les temps forts et les acteurs de chacune des huit croisades.

POUR LE BREVET DES COLLÈGES

Grammaire

Aussi ne pourrions-nous faire si bonne garde que nous ne subissions des pertes. Quel rapport de subordination avez-vous ici ?

Il semblait qu'il n'y en eût que là. Vous analyserez le deuxième verbe de ce membre de phrase. Vous en justifierez le temps et le mode.

Vocabulaire

Prudemment. À partir de quel mot l'adverbe est-il formé ? Quelle remarque cela vous suggère-t-il au niveau de l'orthographe ?

Nefs. Donnez au moins trois autres noms équivalents en français moderne.

« Le siège du grand Turc et de ses principaux conseillers. »

CHANSONS DE CROISADE

Ces chansons renvoient à la réalité historique des croisades, mais ce sont aussi des méditations plus personnelles sur la signification et l'utilité de ces expéditions.

Chanterai por mon corage

I. Chanterai por mon corage
Que je veuill reconforter,
Car avec mon grant damage
Ne vueill morir n'afoler,
5 *Quant de la terre sauvage*
Ne voi nului retorner,
Ou cil est qui m'assoage
Le cuer quant j'en oi parler.
Dex, quant crieront « Outree »,
10 *Sire, aidiez au pelerin*
Por qui sui espoentee,
Car felon sunt Sarrazin.

II. Je souferrai mon damage
tant que l'an verrai passer.
15 *Il est en pelerinage*
Dont Dex le lait retorner !
Et maugré tot mon lignage
Ne quier ochoison trover
D'autre face mariage.
20 *Folz est qui j'en oi parler.*
Dex, quant crieront « Outree »,
Sire, aidiez au pelerin
Por qui sui espoentee,
Car felon sunt Sarrazin.

25 *III. De ce sui au cuer dolente*
Que cil n'est en cest païs
Qui si sovent me tormente ;
Je n'en ai ne gieu ne ris.
Il est biaus et je sui gente.
30 *Sire Dex, por quel feïs ?*
Quant l'uns a l'autre atalente,
Por coi nos as departis ?
Dex, quant crieront « Outree »,
Sire, aidiez au pelerin
35 *Por qui sui espoentee.*
Car felon sunt Sarrazin.

Je vais chanter pour consoler mon âme
car j'ai besoin de réconfort,
en cette grande épreuve,
pour éviter la mort ou la folie,
5 moi qui vois bien que nul ne revient
de cette contrée sauvage
où est mon ami. Entendre parler de lui
apaise mon cœur.
Mon Dieu, lorsque les pèlerins crieront : « en avant »,
10 secourez celui
pour lequel mon cœur tremble :
ils sont si cruels, les Sarrasins.

Je supporterai mon malheur
jusqu'à ce que l'an soit écoulé.
15 Il est en pèlerinage,
que Dieu lui accorde d'en revenir !
Même s'il me faut m'opposer à tous les miens,
jamais je ne pourrai accepter
aucun autre époux.
20 Il est bien fou qui m'en ose parler !
Mon Dieu, lorsque les pèlerins crieront : « en avant »,
secourez celui
pour lequel mon cœur tremble :
ils sont si cruels, les Sarrasins.

25 Pourquoi suis-je si dolente ?
C'est qu'il est loin de ce pays,
celui qui cause mon tourment.
Plus de plaisirs, plus de rires.
Il est beau et je suis belle,
30 mais, mon Dieu, à quoi bon ?
Et si l'un l'autre nous nous désirons,
pourquoi nous avoir séparés ?
Mon Dieu, lorsque les pèlerins crieront : « en avant »,
secourez celui
35 pour lequel mon cœur tremble :
ils sont si cruels, les Sarrasins.

IV. De ce sui en bone atente
Que je son homage pris.
Et quant la douce ore vente
40 *Qui vient de cel douz païs*
Ou cil est qui m'atalente,
Volontiers i tor mon vis :
Adont m'est vis que jel sente
Par desoz mon mantel gris.
45 *Dex, quant crieront « Outree »,*
Sire, aidiez au pelerin
Por qui sui espoentee,
Car felon sunt Sarrazin.

V. De ce sui mout deçeüe
50 *Que ne fui au convoier ;*
Sa chemise qu'ot vestue
M'envoia por embracier :
La nuit quant s'amor m'argüe,
La met delez moi couchier
55 *Toute nuit a ma char nue*
Por mes malz assoagier.
Dex, quant crieront « Outree »,
Sire, aidiez au pelerin
Por qui sui espoentee,
60 *Car felon sunt Sarrazin.*

Mais je reste confiante
puisque j'ai reçu sa foi.
Et quand souffle sur la contrée
40 comme une haleine suave
qui vient du très doux pays
où est parti mon bien-aimé,
Dieu, c'est comme si je le sentais,
là, sous mon manteau gris.
45 Mon Dieu, lorsque les pèlerins crieront : « en avant »,
secourez celui
pour lequel mon cœur tremble :
ils sont si cruels, les Sarrasins.

Ah ! comme je regrette de n'avoir pu
50 l'accompagner un peu tandis qu'il s'en allait !
La tunique qu'il a alors portée,
il me l'a envoyée pour que je la serre contre moi.
La nuit, quand l'amour me brûle,
je la mets près de moi quand je me couche,
55 toute proche de ma chair nue,
pour apaiser mon mal.
Mon Dieu, lorsque les pèlerins crieront : « en avant »,
secourez celui
pour lequel mon cœur tremble :
60 ils sont si cruels, les Sarrasins.

Poèmes d'amour des XIIe et XIIIe siècles,
poème de GUIOT DE DIJON,
traduit par E. Baumgartner et F. Ferrand,
coll. « 10/18 », © U.G.E., 1983.

Guide de lecture : « Chanterai por mon corage »

1. Qu'est-ce qui, dans la composition de ce texte, permet de le classer parmi les chansons ?

2. Malgré la foi, l'épouse accepte-t-elle totalement la situation qui lui est réservée ainsi qu'à son époux ?

3. On a dit trop souvent que le Moyen Âge méprisait le corps. À quels moments précis ce texte apporte-t-il un démenti à cette fausse idée ?

4. La prière de la femme : en quoi traduit-elle bien la mentalité de l'époque ?

5. Étudiez la forme du refrain. Par quels mots est-il encadré ? Dans quel but ?

Recherche, Réflexion, Expression

Sujet d'imagination
Rédigez la lettre que cette femme pourrait adresser à son bien-aimé (ou l'inverse).

Sujet de réflexion
Certains pensent qu'aucune guerre n'est jamais justifiée. D'autres estiment qu'il est parfois nécessaire de se battre de cette manière. À partir d'exemples précis, illustrez ces opinions contraires et donnez votre propre avis.

Recherche
1. Écoutez *Le Déserteur* de Boris Vian et discutez-en.

2. Recherchez d'autres chansons de croisade.

2. Épreuves et délices de l'amour

CHRÉTIEN DE
TROYES

*Le Chevalier à
la charrette*

L'infamie de la charrette

*Un étrange chevalier retient en captivité un grand nombre d'otages appartenant
à la terre et à la maison du roi Arthur. Il apostrophe celui-ci jusque dans sa cour et
prétend ne jamais les libérer sauf à une condition : qu'un des hommes d'Arthur le suive
une fois qu'il aura entraîné la reine vers la forêt dans le but de la joindre aux autres
captifs. Alors, un duel s'engagera dont l'enjeu sera la liberté pour tous ou pour aucun.
Le faible Arthur accepte de voir partir son épouse sous la pression du sénéchal Keu, qui,
plein de présomption, relève le défi. Hélas, au bout d'un certain temps, personne ne
revient. Le vaillant Messire Gauvain décide alors le roi à partir à la recherche de son
épouse. Ils approchent de la forêt mais ils ne voient que les traces d'un âpre combat.
Gauvain aperçoit même un chevalier inconnu, apparemment défait, prêt à monter dans
une infamante charrette...*

Poète français, **Chrétien de
Troyes** (v. 1135-1183) est l'auteur
de romans de chevalerie où l'on
sent l'influence des thèmes courtois. Dans ses principales
œuvres : *Lancelot ou le Chevalier à la charrette, Yvain ou le
Chevalier au lion, Perceval ou le
Conte du Graal,* les héros sont
partagés entre l'amour et l'aventure chevaleresque ou mystique.

L es charrettes en ce temps-là tenaient lieu de nos piloris. Dans chaque
bonne ville, où de nos jours on les trouve à foison, alors on n'en
comptait qu'une seule. Comme les piloris, cette unique charrette était
commune aux félons, aux meurtriers, aux vaincus en combat judiciaire, aux
5 voleurs qui ravirent le bien d'autrui par la ruse ou par la force au coin d'un
bois. Le criminel pris sur le fait était mis sur la charrette et mené de rue en
rue. Toutes les dignités étaient perdues pour lui. Désormais dans les cours on
refusait de l'écouter : finies les marques d'honneur et de bienvenue ! Voilà ce
que signifiaient sinistrement les charrettes en ce temps-là, et c'est pourquoi
10 s'entendit alors pour la première fois ce dicton : « Quand charrette
rencontreras, fais sur toi le signe de la croix et souviens-toi de Dieu pour qu'il
ne t'arrive pas un malheur. »

Le chevalier privé de monture et de lance hâte le pas derrière la charrette
et voit un nain juché sur les limons. En bon charretier il tenait dans sa main
15 une longue houssine[1].

« Nain, fait le chevalier, au nom du ciel, dis-moi si par ici tu as vu passer
ma dame la reine. »

Le nain vil, exécrable engeance, ne voulut pas lui en dire des nouvelles.

« Si tu veux, répond-il, monter dans ma charrette, avant demain tu
20 pourras savoir ce que la reine est devenue. »

Là-dessus il continue d'aller sans attendre un instant le chevalier. Celui-
ci tarde un peu, en tout le temps de deux pas, à suivre le conseil.

C'est pour son malheur qu'il tarda, pour son malheur qu'il eut honte et
s'abstint de sauter aussitôt dans la charrette. Quel châtiment, trop cruel à son
25 gré, il subira ! Mais Raison, en désaccord avec Amour, l'exhorte à se garder
de faire un pareil saut, le sermonne et lui enseigne à ne rien entreprendre où
l'opprobre s'attacherait à lui. Raison n'a son séjour que sur les lèvres : elle se
risque à lui parler ainsi. Amour est dans le cœur enclos : il donne un ordre
et un élan. Bien vite il faut monter dans la charrette. Amour le veut : le
30 chevalier y bondit. Que lui importe la honte, puisque tel est le commande-
ment d'Amour ?

Quant à monseigneur Gauvain, il galope après la charrette. En y voyant
assis le chevalier, il n'en croit pas ses yeux.

1. Houssine : *baguette
flexible.*

« Nain, dit-il ensuite, instruis-moi du sort de la reine, si tu en sais
35 quelque chose. »

Le nain répond :

« As-tu pour toi-même autant de haine que ce chevalier dans ma charrette
assis ? Alors, monte à côté de lui, si telle est ton envie. Je vous conduirai tous
les deux. »

40 Cette invitation, messire Gauvain la jugea insensée. Sa réponse est un
franc refus. L'abominable troc, s'il échangeait contre une charrette un cheval !

« Mais va toujours, ajouta-t-il, où tu voudras. Je te suivrai où tu iras. »

CHRÉTIEN DE TROYES, *Le Chevalier à la charrette*, © Champion, 1976.

*Lancelot dans la charrette
d'infâmie.*

Guide de lecture : un choix compréhensible ?

1. Que signifiait la « charrette » à une certaine époque ? Quelle était
l'attitude de la plupart des gens à son égard ?

2. Disgrâce physique et disgrâce morale sont souvent liées au
Moyen Âge. Qu'est-ce qui nous le prouve dans ce texte ?

3. Du « chevalier inconnu » et de Messire Gauvain, quel est, à votre
avis, le plus proche de la perfection chevaleresque ? Justifiez votre
réponse.

Recherche, Réflexion, Expression

Sujet d'imagination
Les arguments de la Raison et de l'Amour. Essayez d'imaginer le
débat intérieur du « chevalier inconnu ».

Sujet de réflexion
Tout amour, dit-on, entraîne des sacrifices. Vous essaierez d'examiner le bien-fondé de cette affirmation à travers différents exemples
(amour parental, amour filial, amour conjugal...).

Rapprochement
Comment le petit Girard du texte « L'honneur et la charité » et le
« chevalier inconnu » arrivent-ils à vaincre leur répugnance ? En quoi
ces deux attitudes peuvent-elles correspondre à un christianisme
intensément vécu ?

POUR LE BREVET DES COLLÈGES

Grammaire
Le criminel pris... de rue en rue. Mettez cette phrase à la voix
active.

Vocabulaire

1. Quelle est l'expression qui utilise aujourd'hui le mot *pilori* dans
un sens figuré ?
Employez-la dans une phrase qui en illustrera le sens.

2. Donnez un synonyme de *commune* dans le texte, puis utilisez
l'adjectif *commune* dans une phrase avec un autre sens.

Le « Pont de l'Épée »

CHRÉTIEN DE
TROYES

*Le Chevalier à
la charrette*

À travers bien des péripéties Gauvain et le « Chevalier de la charrette » essaient de retrouver la reine. Mais, à un moment donné, ils se séparent et empruntent des voies différentes, quoique également dangereuses. Le premier décide de passer par le « Pont sous l'eau » tandis que le second s'apprête à franchir l'effroyable « Pont de l'Épée »…

evant l'entrée de ce pont effrayant, ils mettent pied à terre. Ils voient fuir l'eau perfide aux flots noirs et grondants ; torrent boueux, elle épouvante autant que le fleuve infernal ; tous ceux qui tomberaient dans son
5 courant périlleux et profond seraient aussi près de leur fin que si la mer polaire avait fait d'eux sa proie. Le pont qui la franchit n'est pareil à nul autre et jamais n'exista, jamais n'existera plus méchant pont, plus détestable passerelle : une épée bien polie qui brillait de blancheur s'offrait pour tout passage au-dessus
10 de l'eau froide. Mais n'allez pas douter que cette épée fût roide et forte. Elle mesurait bien deux lances en longueur. Il y avait, sur chaque rive, un grand billot de bois où elle était fichée. Inutile de craindre une chute causée par sa rupture ou son fléchissement ! Et pourtant, à la voir, il ne semblerait pas qu'elle puisse porter un fardeau très pesant. Ce qui décourageait beaucoup les
15 compagnons du chevalier, c'est qu'à l'extrémité du pont, sur l'autre bord, ils croyaient voir deux lions, ou bien deux léopards, enchaînés à un bloc de pierre. L'eau, le pont et les lions, tout les glace d'effroi, les fait trembler de peur.

« Ah ! sire, supplient-ils, fiez-vous au conseil que vous donnent vos yeux :
20 il vous faut l'accepter. Ce pont, quel assemblage affreux, quelle horrible charpente ! Si vous ne retournez maintenant sur vos pas, vous vous repentirez trop tard. Dans plus d'un cas, avant d'agir, on doit délibérer. Imaginons que vous soyez passé — et cet exploit ne saurait s'accomplir, pas plus que vous ne pouvez interdire aux vents de souffler ni aux oiseaux d'oser faire entendre

*St Georges et la Princesse
(peinture lombarde du
XVᵉ siècle).*

25 leurs chants, pas plus qu'à l'homme il n'est permis de retourner dans le sein de sa mère et de naître à nouveau, non, pas plus qu'on ne pourrait épuiser l'océan —, comment arrivez-vous à vous persuader que ces deux lions pleins de fureur, enchaînés de l'autre côté, ne voudront pas vous arracher la vie, puis s'abreuver de votre sang, dévorer votre chair, enfin ronger vos os ? Nous nous

30 sentons bien trop hardis, rien que d'oser les regarder. Si vous restez insoucieux de vous-même, ils vous feront mourir, n'en doutez pas. En peu de temps ils vous auront mis en lambeaux sans aucune merci. Ayez pitié de vous et restez avec nous. Vous manquerez à vos devoirs envers vous-même, si de gaieté de cœur vous vous jetez dans un péril où votre mort est si certaine.

35 — Seigneurs, répond-il en riant, soyez amplement remerciés puisque mon sort vous tourmente à ce point. Votre émoi part d'un cœur ami et généreux. Je sais qu'en aucune façon vous ne voudriez mon malheur. Mais je me fie à Dieu en qui je crois : il me sauvera n'importe où. Ni ce pont ni cette eau ne me font plus de peur que ce sol ferme sous mes pieds. Passer sur l'autre

40 bord est un péril où je veux me risquer : je vais m'y préparer. Plutôt mourir que reculer. »

Ses compagnons sont à bout d'arguments, mais tous les deux, saisis de compassion, laissent un libre cours aux pleurs et aux soupirs. Lui de son mieux s'apprête à traverser le gouffre. Conduite étrange et merveilleuse : il ôte

45 à ses pieds, à ses mains, l'armure qui les couvre. Il n'arrivera pas indemne et sans entaille au terme de l'épreuve. Mais sur l'épée plus affilée que faux il se sera tenu bien fermement, mains nues et tout déchaux, car il n'a conservé souliers, chausses ni avant-pieds. Il ne s'inquiétait pas trop de se faire des plaies à ses mains et ses pieds. Il aimait mieux s'estropier que tomber du pont

50 et prendre un bain forcé dans cette eau d'où jamais il ne pourrait sortir. En souffrant le tourment qu'on prépara pour lui il accomplit l'affreuse traversée. Il a les mains, les pieds et les genoux en sang. Mais d'Amour qui le guide, il reçoit baume et guérison. C'est pourquoi son martyre était pour lui délices. S'aidant des mains, des pieds et des genoux, il réussit enfin à parvenir au but.

55 Alors il lui ressouvient des deux lions qu'il pensait avoir vus quand il était sur l'autre rive. Il jette autour de lui les yeux : rien, pas même un lézard, pas le moindre animal qui soit à redouter. Il élève sa main à la hauteur de son visage, observe son anneau et ainsi a la preuve, en n'apercevant plus aucun des deux lions, qu'il a été trompé par un enchantement ; car il n'y avait là

60 aucun être vivant.

CHRÉTIEN DE TROYES, *Le Chevalier à la charrette*, © Champion, 1976.

Guide de lecture : les causes d'un héroïsme

1. Que pensez-vous des conseils prodigués par les compagnons du chevalier ? De quelle faculté humaine proviennent-ils ?

2. Que prouve le rire du « chevalier inconnu » ?

3. Quelles sont les vertus chrétiennes illustrées par le héros ?

4. Le mal dans la chair et dans l'esprit : quels remèdes différents Dieu y apporte-t-il ?

POUR LE BREVET DES COLLÈGES

Grammaire

1. *D'Amour* (l. 52) : nature et fonction de l'expression.

2. *Délices* (l. 53) : nature et fonction du mot.

Vocabulaire

1. *Fiez-vous* : expliquez le sens du verbe dans le texte. Donnez deux autres verbes formés à partir de celui-ci et expliquez-les.

2. *Insoucieux* : comment comprenez-vous ce mot auquel nous ne sommes plus habitués ? Comparez-le à « insouciant ».

Débat-discussion

Dans quelle mesure nos peurs viennent-elles de notre imagination ?

Le nom révélé

CHRÉTIEN DE TROYES

Le Chevalier à la charrette

La reine Guenièvre est prisonnière, en fait, du roi Bademagu. Celui-ci accepte que le « Chevalier à la charrette » dispute la liberté de sa souveraine à son fils Méléagant au cours d'un duel. De la fenêtre d'une tour, l'illustre captive assiste à l'âpre combat dont elle est l'enjeu. Une idée vient alors à la suivante qui est à ses côtés : si sa maîtresse lui indique le nom du mystérieux chevalier, elle pourra l'appeler afin de ranimer son courage. C'est ainsi qu'elle va prononcer cette phrase qui nous révèle pour la première fois l'identité de notre héros : « Lancelot, retourne-toi et porte tes regards sur qui t'accompagne des siens. »

l'ouïe de son nom, Lancelot fut prompt à se retourner. Il fait volte-face et voit assise aux loges de la tour, là-haut, celle qu'au monde il désirait le plus avoir devant les yeux. Dès le moment qu'il s'aperçut qu'elle était là, il n'en détourna plus son visage et sa vue : il se défendait par derrière. Aussi Méléagant le pourchassait sans trêve en s'acharnant, ivre de joie à la pensée que désormais son ennemi ne pourrait plus lui résister. Les gens du pays exultaient. Mais les exilés, brisés par la douleur,
10 sentaient le sol se dérober sous eux. Beaucoup furent contraints, dans leur accablement, de se laisser tomber, les uns sur les genoux, et d'autres tout à l'abandon. Ainsi la tristesse et la joie régnaient en même temps.

« Ah ! Lancelot, s'écria de nouveau la demoiselle à la fenêtre, d'où peut bien provenir ta conduite insensée ? Tu ne cessais d'avoir naguère en toi toute
15 prouesse et toute perfection. Je ne crois pas que Dieu ait jamais fait paraître un chevalier qui pût se comparer à toi pour la valeur et le renom. Et maintenant nous te voyons si égaré que ta main au hasard jette ses coups derrière toi, que tu combats le dos tourné ! Va te mettre où il faut, en demeurant devers ce côté-ci, sans délaisser des yeux ce beau donjon qu'il est
20 si bon de regarder. »

Lancelot tient ce qu'il a fait pour une honte et une vilenie : il en est arrivé à se haïr lui-même ; il ne peut douter en effet qu'il n'ait eu trop longtemps le dessous. Toutes et tous s'en sont bien aperçus. Il saute à reculons et tourne ainsi Méléagant qu'il place alors de force entre la tour et lui. Méléagant
25 déploie beaucoup d'efforts pour repasser du bon côté. Mais Lancelot se rue sur lui et le repousse avec l'écu si violemment, de tout son poids, qu'à chaque tentative il le fait pivoter, deux fois, trois fois, sans lui demander son consentement. Chez le héros grandit la force avec l'audace : Amour lui apportait un secours infini, qui lui venait aussi de n'avoir jamais haï quelqu'un
30 autant que son adversaire en ce combat. Amour et sa haine mortelle, auparavant inégalée, lui font en s'unissant un cœur si résolu que Méléagant ne songe pas du tout à voir dans ses assauts une plaisanterie. La peur s'empare du félon : jamais il n'a connu de chevalier aussi hardi, jamais aucun ne l'a tellement harassé. C'est volontiers qu'il s'éloigne de lui ; il se dérobe à son
35 approche et choisit la retraite ; il n'a que peu d'amitié pour ses coups, refuse ce présent. Lancelot s'abstient de le menacer, mais d'estoc et de taille il le repousse vers la tour où s'appuyait la reine à l'une des fenêtres. À plus d'une reprise il a rempli ses devoirs de vassal envers sa dame en rapprochant son adversaire au plus près d'elle, à la limite exacte où il lui fallait demeurer pour
40 la bonne raison qu'en avançant d'un pas encore il n'eût plus aperçu celle qu'il voulait voir. Ainsi souventefois, en tous sens, il refoulait, puis ramenait

Méléagant, comme il le trouvait bon, pour ne s'arrêter, invariablement, que juste sous les yeux de la reine sa dame. Elle avait allumé dans ses veines le feu
45 qui l'animait sans trêve à tant la regarder. Cette flamme avivait à tel point son ardeur contre Méléagant qu'il pouvait à son gré le pourchasser, le faire aller où qu'il lui plût. L'autre a beau rechigner : le voilà promené comme un aveugle et comme un homme avec une jambe de bois.

CHRÉTIEN DE TROYES, *Le Chevalier à la charrette*, © Champion, 1976.

La reine Guenièvre sera finalement délivrée mais elle reprochera à Lancelot d'avoir hésité à monter dans la charrette d'infamie !... Il devra donc traverser encore de nombreuses épreuves avant d'atteindre à la perfection de l'amour courtois.

Amour et courtoisie.

Guide de lecture : la vraie lumière

1. Traditionnellement, les yeux sont « le miroir de l'âme » : qu'est-ce qui nous le prouve ici ?

2. L'auteur fait preuve d'un certain humour ; à quels moments peut-on s'en rendre compte ?

3. En quoi Lancelot se comporte-t-il comme un bon vassal de la Dame ?

4. Pourquoi la comparaison « comme un aveugle » convient-elle particulièrement à Méléagant à la fin du récit ?

Recherche, Réflexion, Expression

Sujet d'imagination
La Dame a décidé d'imposer une ultime épreuve à Lancelot. Imaginez celle-ci en respectant le plus possible ce que vous savez de l'esprit chevaleresque selon Chrétien de Troyes.

Sujet de réflexion
L' « amour » et la « haine » peuvent-ils être encore à l'origine de nombreux exploits dans notre monde moderne ?

Recherche
Le duel judiciaire au Moyen Âge.

Synthèse
Après l'étude de ces trois textes, nous vous suggérons les directions de recherche suivantes :

1. La notion de héros au Moyen Âge. Relevez le vocabulaire appartenant au domaine physique, ainsi que les métaphores animales.

2. Le lexique médiéval. Recherchez exactement le sens des mots : *chevalier, dame, vassal, félon.*

3. Le merveilleux chrétien et le merveilleux païen.

La loi du plus fort

ADAM DE LA HALLE

Le Jeu de Robin et Marion

Dans cette pastourelle dramatique aux personnages pleins de vie et d'allégresse, Adam de la Halle met en scène des types sociaux différents. Un jeune paysan, Robin, et une jeune bergère, Marion, s'aiment tendrement. Hélas ! Un chevalier convoite également la jeune fille et un simple manant ne saurait guère s'opposer à lui... d'autant que Robin est passablement couard !

Adam le Bossu ou **Adam de la Halle** (du nom de son père) né vers 1235, mort vers 1285. Très célèbre trouvère picard du XIIIᵉ siècle. Auteur de théâtre profane avec *Le Jeu de la Feuillée*, puis *Le Jeu de Robin et Marion*, il est à l'origine du vaudeville et de l'opéra-comique par ses refrains insérés dans ses textes.
Il est aussi l'auteur de rondeaux et de ballades.

1. Surcot : *vêtement de dessus.*

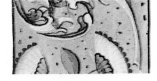

LE CHEVALIER. — Vous n'avez personne à redouter, si vous voulez me prêter quelque attention.

MARION. — Seigneur, vous nous ferez surprendre ; allez-vous-en, laissez-moi tranquille, car je n'ai que faire de vous parler. Laissez-moi m'occuper de
5   mes brebis.

LE CHEVALIER. — Vraiment, je suis bien bête d'abaisser mon esprit au niveau du tien !

MARION. — Allez-vous-en donc et vous ferez bien ; d'ailleurs, j'entends des gens qui viennent ici.

10   *J'entends Robin jouer du flageolet d'argent,*
       Du flageolet d'argent.
Par Dieu, seigneur, allez-vous-en donc !

LE CHEVALIER. — Bergerette, adieu. Je ne vous ferai pas d'autre violence. Ah ! sale rustre, malheur à toi ! Pourquoi assommes-tu mon faucon ? Si l'on
15   te donnait un coup, ce serait une bonne action !

ROBIN. — Ah ! seigneur, vous commettriez une faute. J'ai peur qu'il ne m'échappe.

LE CHEVALIER. — Reçois en paiement cette gifle pour le traiter si gentiment.

ROBIN. — Haro ! Dieu ! Haro ! bonnes gens !

20   LE CHEVALIER. — Tu fais du tapage ? Prends cette claque !

MARION. — Sainte Marie ! J'entends Robin ! Je crois qu'il est dans une mauvaise passe ; j'aimerais mieux perdre mes brebis que de ne pas aller à son secours ! Hélas ! Je vois le Chevalier ! Je crois que c'est à cause de moi qu'il l'a frappé. Robin, cher ami, qu'est-ce qui t'arrive ?

25   ROBIN. — À coup sûr, chère amie, il m'a tué.

MARION. — Par Dieu, seigneur, vous avez tort de l'avoir ainsi mis à mal.

LE CHEVALIER. — Mais voyez comment il a arrangé mon faucon ! Regardez bergère !

MARION. — Il ne sait pas comment s'y prendre avec les faucons : par Dieu,
30   seigneur, pardonnez-lui donc.

LE CHEVALIER. — Volontiers, si vous venez avec moi.

MARION. — Absolument pas.

LE CHEVALIER. — Mais si ! Je ne veux pas avoir d'autre amie, et je veux que ce cheval vous porte.

35   MARION. — À coup sûr, il faudra donc que vous me fassiez violence ! Robin, pourquoi ne viens-tu pas à mon secours ?

ROBIN. — Ah ! Hélas ! J'ai donc tout perdu ! Mes cousins arriveront ici trop tard ! Je perds Marotte, je reçois une claque, et ma robe et mon surcot[1] sont déchirés !

40   GAUTIER. — *Hé ! Réveille-toi, Robin,*
      Car on emmène Marotte,
      Car on emmène Marotte.

ROBIN. — Baudon, Gautier, êtes-vous là ? J'ai tout perdu, Marotte s'en va !

GAUTIER. — Et pourquoi n'allons-nous pas la secourir ?

45 ROBIN. — Taisez-vous, il nous attaquerait, même si nous étions quatre cents. C'est un chevalier qui a perdu la raison. Et il a une très grande épée ! Il vient de me frapper un tel coup sur la nuque que je 50 le sentirai longtemps.

ADAM DE LA HALLE, *Le Jeu de Robin et Marion*, © Champion, Paris, 1970, pp. 28 à 31.

Cependant, Marion repoussera les avances du chevalier qui l'a enlevée et l'amour des deux jeunes gens sera ainsi sauvé !

Ronde paysanne.

Guide de lecture : l'enlèvement de Marion

Les caractères de la pastourelle

1. Robin est certainement un « anti-Lancelot » par son caractère, mais le chevalier aussi. Montrez-le pour l'un et pour l'autre.

2. Les coups que reçoit Robin sont comiques pour deux raisons (leur cause, leur nature) que vous expliquerez.

3. Marion n'est certes pas une « Dame », mais elle a des qualités qui la rendent quand même supérieure aux deux autres personnages. Lesquelles ?

POUR LE BREVET DES COLLÈGES

Grammaire

1. *J'entends Robin jouer du flageolet d'argent.* Quelle est la proposition subordonnée que vous avez ici ?
Remplacez-la successivement par deux autres subordonnées dont vous préciserez à chaque fois la nature.
2. *... pour le traiter si gentiment.* Remplacez cette expression par une subordonnée dont vous donnerez la nature et la fonction.

Vocabulaire

1. *Quelque (attention)* : dans quel sens comprenez-vous « quelque », ici ?
Mettez ce mot au pluriel et utilisez-le dans une phrase de votre composition.
2. *Raison* : expliquez ce mot dans le texte. Utilisez-le avec un autre sens dans un exemple de votre choix.

Élargissement

1. Relevez les procédés comiques contenus dans ce texte et rapprochez-les de ceux utilisés par Molière.
2. Montrez comment la structure de ce texte l'apparente aussi au théâtre de boulevard.

L'introuvable compagne

JEAN DE MEUNG

Le Roman de la Rose
(v. 1275-1280)

Dans Le Roman de la Rose, *Jean de Meung s'est attaché à décrire en vers un parcours amoureux qui doit conduire jusqu'à la « Rose », c'est-à-dire jusqu'à la dame aimée. Mais cette apparente exaltation de la femme cache bien souvent une curieuse misogynie que reflètent ici les propos d'un des personnages allégoriques appelé Ami.*

Érudit et poète, **Jean de Meung** (1250-v. 1305) traduisit Boèce, philosophe latin qui joua un rôle important dans l'histoire de la logique médiévale. En près de 20 000 octosyllabes, il rédigea la seconde partie du *Roman de la Rose,* commencé par Guillaume de Lorris, mais dans un style très différent de celui de son prédécesseur. Sa philosophie, assez éloignée de la tradition courtoise, célèbre en effet la Nature et la Raison, annonçant ainsi les humanistes du xvie siècle.

1. Mondaine : *femme vivant dans le monde.*

Là un mot, à propos de toutes les pucelles,
quelles qu'elles soient, laides ou belles,
dont le jeune homme veut garder l'amour,
voici la recommandation que je lui demande d'observer ;
5 que toujours il s'en souvienne
et pour très précieuse la tienne :
qu'à toutes il fasse croire
qu'il ne peut contre elles se défendre
tant il est surpris, étonné
10 de leur charme et de leur beauté.
Il n'est femme en effet, si honnête soit-elle,
vieille ou jeune, nonne ou « mondaine »[1],
et il n'est si religieuse dame,
si chaste soit-elle de corps et d'âme,
15 si l'on se met à louer sa beauté,
qui ne soit charmée de l'écouter.
Bien qu'on dise qu'elle est laide,
qu'il lui jure qu'elle est plus belle qu'une fée
et qu'il le fasse hardiment
20 car elle l'en croira facilement :
chacune pense à son endroit, en effet,
qu'elle est assez belle, je le sais,
bien qu'elle soit laide avérée,
pour être digne d'être aimée.
25 Ainsi les beaux jeunes gens,
nobles, valeureux, doivent tous être diligents
et attentifs à garder leurs amies
sans les blâmer de leurs folies.
Les femmes n'aiment pas être admonestées
30 mais elles ont l'esprit ainsi bâti
qu'il leur semble qu'elles n'ont nul besoin
d'être instruites de leur métier ;
que nul, s'il ne veut leur déplaire,
ne leur déconseille chose qu'elles veuillent faire.
35 De même que le chat sait par nature
l'art d'attraper les souris,
sans avoir été mis à l'école,
et n'en peut être détourné
car il est né avec cet instinct enraciné,
40 ainsi la femme, née folle,
sait par son jugement naturel,
en ce qui concerne tous ses excès,
qu'elle agisse en bien ou en mal, à droit ou à tort,

ou à propos de tout ce que vous voudrez,
45   qu'elle ne fait chose qu'elle ne doive
et elle déteste quiconque la réprimande.
Elle ne tient pas ce sens d'un maître
mais elle l'a dès sa naissance ;
aussi n'en peut-elle être détournée
50   car il est en elle inné,
en sorte que si l'on voulait la corriger
jamais on ne jouirait de son amour.
    Aussi, cher compagnon, pour en venir à votre rose
qui est si précieuse chose
55   que vous ne la céderiez à aucun prix
si vous pouviez la conquérir,
quand vous l'aurez en votre possession
ainsi que vous l'espérez, je le devine,
et que vous en aurez votre joie complète,
60   gardez-la bien ainsi
que l'on doit garder une fleurette.
Vous jouirez alors de l'amourette
à nulle autre comparable ;
vous ne trouveriez pas son égale,
65   peut-être, en quatorze cités.
    — Certes, fis-je, c'est la vérité.
pas même, j'en suis sûr, dans le monde entier,
tant ses vertus m'ont promis une belle destinée.

Jean de Meung, *Le Roman de la Rose*, Traduction par André Lanly, © éd. Champion, 1973.

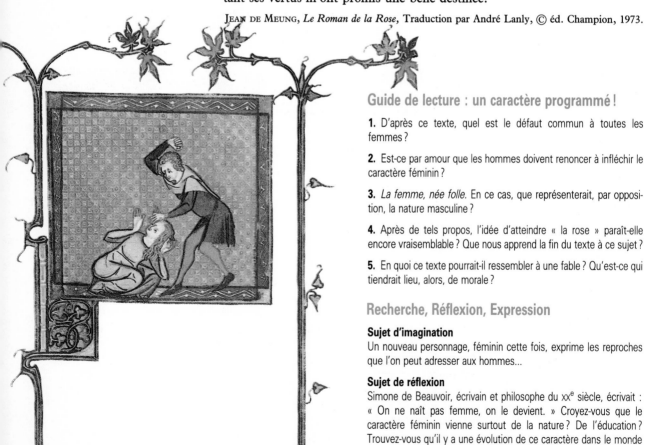

Guide de lecture : un caractère programmé !

1. D'après ce texte, quel est le défaut commun à toutes les femmes ?

2. Est-ce par amour que les hommes doivent renoncer à infléchir le caractère féminin ?

3. *La femme, née folle.* En ce cas, que représenterait, par opposition, la nature masculine ?

4. Après de tels propos, l'idée d'atteindre « la rose » paraît-elle encore vraisemblable ? Que nous apprend la fin du texte à ce sujet ?

5. En quoi ce texte pourrait-il ressembler à une fable ? Qu'est-ce qui tiendrait lieu, alors, de morale ?

Recherche, Réflexion, Expression

Sujet d'imagination
Un nouveau personnage, féminin cette fois, exprime les reproches que l'on peut adresser aux hommes...

Sujet de réflexion
Simone de Beauvoir, écrivain et philosophe du XXᵉ siècle, écrivait : « On ne naît pas femme, on le devient. » Croyez-vous que le caractère féminin vienne surtout de la nature ? De l'éducation ? Trouvez-vous qu'il y a une évolution de ce caractère dans le monde actuel ?

LE LAI

Un lai est un genre poétique du Moyen Âge que l'on peut trouver sous deux formes :
Le lai narratif : *court récit, presque toujours en vers de huit syllabes à rimes plates. Son sujet est habituellement d'inspiration bretonne et courtoise.*
Le lai lyrique : *se présente sous forme de strophes en nombre variable, appuyées sur une mélodie. Ces poèmes étaient, en effet, destinés à être chantés accompagnés sur la harpe ou la rote.*

Lai de Tristan et Iseut

Le soleil luit clair et beau

Seul héritier du roi Marc de Cornouailles dont il est le neveu, Tristan prouve très vite sa valeur en libérant le pays du géant Morholt. Mais, au cours du combat, il est gravement blessé et ne doit la vie qu'aux soins prodigués par la reine d'Islande, sœur du Morholt, et sa fille, Iseut.

Contraint par ses barons de se marier, Marc choisit pour épouse celle à qui appartient le cheveu d'or qu'une hirondelle lui a apporté. Celle-ci n'est autre qu'Iseut la blonde que Tristan est chargé d'aller quérir au péril de sa vie puisqu'il doit, pour ce faire, venir à bout d'un monstre. Il ramène enfin la jeune fille mais, sur le bateau, Brangien, la servante, leur fait boire par erreur un philtre d'amour éternel.

Désormais, les deux jeunes gens sont liés l'un à l'autre et le nain Frocin ne va pas tarder à découvrir leur secret. Exilé de Cornouailles, Tristan épouse bientôt Iseut aux blanches mains pour se préserver de l'amour interdit qui le brûle. Blessé un jour par une lance empoisonnée, Tristan réclame la présence salutaire d'Iseut la blonde mais, trompé par la jalousie d'Iseut aux blanches mains, il mourra avant l'arrivée de celle qu'il aime...

Le soleil répand la splendeur de sa lumière
et j'entends le doux ramage des oiseaux
qui chantent parmi les arbres.
Autour de moi s'élève leur chant nouveau.

5 Ce chant, cette joie,
et l'Amour qui me tient captive
m'invitent à chanter à mon tour : je compose mon lai
et j'en charme ma mort.

Triste, la mémoire endeuillée,
10 je vais accordant mon chant à la voix de ma mort.
En mon lai, nulle discordance,
tant il est doux et harmonieux.

Sur ma mort qui approche
je fais un lai qui sera bien aimé :
15 tous les amants doivent être émus de l'entendre,
car l'amour me fait terrasser par la mort.

Joyeuse et triste, je chante parmi mes pleurs,
adorant l'Amour, adorant Dieu.
Venez, tous les amants, accourez
20 voir Yseut qui chante en mourant.

Je commence mon lai, chant de pleurs,
je chante mon lai et je le pleure.
Chants et pleurs m'ont mise sur une route
dont jamais je ne reviendrai.

25 Tristan, Ami, je sais que vous êtes mort ;
cette mort est un scandale,
je la maudis
si elle ne me mord d'une semblable morsure.

Quand vous êtes mort, pourquoi vivrai-je
30 si je ne peux vous voir revivre ?
Pour vous, ami, je m'offre à la mort,
bientôt le monde sera délivré de moi.

[...]

*Jean Marais et Madeleine
Sologne dans* L'Éternel Retour,
de Jean Delannoy (1943).

Quand nous étions dans le Morois,
l'amour était notre seul entretien.
35 Comme nous l'y avons bien vécu !
Maintenant, tout nous est changé en malheur.

Le souvenir de cette vie
m'emplit de nostalgie
et je me dis qu'elle est heureuse, l'amante
40 qui meurt entre les bras de son amant.

Ami, j'ai gémi et j'ai pleuré,
et mon chagrin a été atroce,
car l'amour que j'avais adoré
m'a transpercé le cœur.

45 Cet amour qui était mon espérance,
mon attente et ma foi,
— je ne croyais qu'en lui comme l'on croit en Dieu —
maintenant ne veut plus que ma mort.

Adam, quittant jadis le Paradis,
50 n'a pas autant perdu qu'Yseut,
qui, tandis qu'elle meurt,
achève son chant.

[...]

Ici s'achève mon lai.
Parmi les chants, parmi les pleurs, il arrive à sa fin.
55 Yseut qui meurt, meurt par amour.
Jamais reine n'eut si belle mort.

Mon lai s'achève. Oh ! vous les amants,
je vous supplie, ne blâmez pas Yseut
si elle va de son amour mourant :
60 Tristan est là, qui l'appelle vers la mort.

« Lai mortel d'Iseut », extrait du *Tristan* en prose (anonyme, XIIe siècle),
traduit par Emmanuelle Baumgartner et Françoise Ferrand, dans *Poèmes d'amour
des XIIe et XIIIe siècles*, coll. « 10/18 ». © U.G.E., 1983.

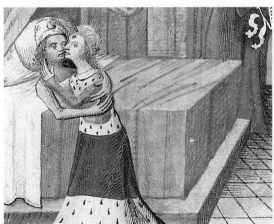

*La mort de Tristan et Yseut
(miniature du XVe siècle).*

Guide de lecture : le dernier soleil

1. Relevez les éléments qui contribuent à la douceur des sentiments.

2. Comment la joie peut-elle s'associer à la tristesse ?

3. Sur quoi repose l'espérance d'Yseut ?

4. Relevez les interventions du récit dans le chant d'Yseut.

5. Comment cette douleur personnelle dépasse-t-elle Tristan et Yseut pour devenir celle des amants de tous les temps ?

LA CHANSON DE TOILE

Les chansons de toile sont des chansons lyrico-narratives, composées de couplets assonancés ou rimés, suivis d'un refrain. Elles chantent une femme dont le prénom se trouve souvent au début du premier vers. Cette femme subit presque toujours la tyrannie d'une mère, mais aussi la trahison d'un amant, la mort au tournoi d'un ami ou son absence.

Elles doivent sans doute leur nom au fait qu'elles étaient probablement chantées par des femmes occupées à des travaux d'aiguille.

Or vienent Pasques les beles en avril

I. Or vienent Pasques les beles en avril.
Florissent bois, cil pré sont raverdi,
Cez douces eves retraient a lor fil,
Cil oisel chantent au soir et au matin.
5 *Qui amors a, nes doit metre en oubli :*
Sovent i doit et aler et venir.
Ja s'entr'amoient Aigline et li quens Guis.
Guis aime Aigline, Aigline aime Guion.

II. Souz un chastel q'en apele Biaucler,
10 *En mout poi d'eure i ot granz bauz levez.*
Ces damoiseles i vont por caroler,
Cil escuier i vont por bohorder,
Cil chevalier i vont por esgarder ;
Vont i cez dames por lor cors deporter.
15 *La bele Aigline s'i est fete mener,*
Si ot vestu un bliaut de cendel
Qui granz deus aunes traïnoit par les prez.
Guis aime Aigline, Aigline aime Guion.

Voici que reviennent Pâques les belles, en avril.
Les bois fleurissent, les prairies reverdissent,
les eaux retrouvent doucement leurs cours,
du soir au matin chantent les oiseaux.
5 Celui qui aime ne doit être oublieux :
qu'à ses amours, il vienne et revienne !
Aigline et le comte Gui s'entr'aimaient.
Guion aime Aigline, Aigline aime Guion

Au pied d'un château du nom de Beauclair,
10 un bal a été bien vite organisé.
Les jeunes filles y vont pour danser,
les écuyers y vont pour jouter,
les chevaliers y vont pour regarder,
et les dames y vont pour s'amuser.
15 La belle Aigline s'y est fait amener.
Elle avait revêtu une tunique de soie ;
la traîne, longuement, en balaie les prés.
Guion aime Aigline, Aigline aime Guion.

Tapisserie dite de la dame à la Licorne (Paris, Musée de Cluny).

Ausi conme unicorne sui

I. *Ausi conme unicorne sui*
Qui s'esbahist en regardant,
Quant la pucele va mirant.
Tant est lië de son ennui,
5 *Pasmee chiet en son giron ;*
Lors l'ocit on en traïson.
Et moi ont mort d'autel senblant
Amors et ma dame por voir.
Mon cuer ont, n'en puis point ravoir.

10 II. *Dame, quant je devant vous fui*
Et je vous vi premierement,
Mes cuers aloit si tressaillant
Que il remest quant je m'en mui.
Lors fu menez sanz raençon
15 *En la douce chartre en prison*
Dont li piler sont de talent,
Et li huis sont de biau veoir
Et li anel de bon espoir.

III. *De la chartre a la clef Amors*
20 *Et si i a mis trois portiers :*
Biau Senblant a non li premiers,
Et Biauté ceus en fet seignors ;
Dangier a mis a l'uis devant,
Un ort felon vilain puant,
25 *Qui mult est maus et pautoniers.*
Ci[l] troi sont et vuiste et hardi :
Mult ont tost un honme saisi.

IV. *Qui porroit souffrir les tristors*
Et les assauz de ces huisiers ?
30 *Onques Rollans ne Oliviers*
Ne vainquirent si fors estors ;
Il vainquirent en conbatant,
Mes ceus vaint on humiliant,
Soufrirs en est gonfanoniers ;
35 *En cest estor dont je vous di,*
N'a nul secors que de merci.

V. *Dame, je ne dout mes riens plus*
Fors tant que faille a vous amer.
Tant ai apris a endurer
40 *Que je sui vostres tout par us ;*
Et se il vous en pesoit bien,
Ne m'en puis je partir pour rien
Que je n'aie le remenbrer
Et que mes cuers ne soit adés
45 *En la prison, et de moi prés.*

Je suis semblable à la licorne
qui contemple, fascinée,
la vierge que suit son regard.
Heureuse de son tourment,
5 elle tombe pâmée en son giron,
proie offerte au traître qui la tue.
Ainsi de moi, je suis mis à mort.
Amour et ma dame me tuent.
Ils ont pris mon cœur, je ne peux le reprendre.

10 Dame, quand je fus pour la première fois
devant vous, quand je vous vis,
mon cœur si fort tressaillit
qu'il est resté auprès de vous quand je partis.
Alors il fut emmené sans rançon
15 et enfermé dans la douce prison
dont les piliers sont de désir,
les portes de contemplation,
et les chaînes, de bon espoir.

Amour a la clef de la prison,
20 il la fait garder par trois portiers :
Beau Visage a nom le premier,
Beauté exerce ensuite son pouvoir ;
Obstacle est mis devant l'entrée,
un être sale, félon, vulgaire et puant,
25 plein de malveillance et de scélératesse.
Ces gardiens rusés et rapides
ont tôt fait de se saisir d'un homme !

Qui pourrait supporter les brimades
et les assauts de ces geôliers ?
30 Jamais Roland ni Olivier
ne remportèrent de si rudes batailles.
Ils triomphèrent, les armes à la main,
mais ceux-là, seule Humilité peut les vaincre
dont Patience est le porte-étendard.
35 En ce combat dont je vous parle,
il n'est d'autre recours que la pitié.

Dame, je ne redoute rien tant
que de manquer à vous aimer.
J'ai tant appris la souffrance
40 qu'elle m'a lié tout entier à vous.
Et même s'il vous déplaisait,
je ne pourrais renoncer à vous
sans emporter au moins mes souvenirs.
Mon cœur, lui, restera en prison,
45 et peut-être moi-même.

Poèmes d'amour des XIIe et XIIIe siècles, coll. 10/18, © U.G.E.

Guide de lecture : deux chansons d'amour

Un amour printanier

1. Montrez comment le refrain pérennise l'amour.

2. Écoutez plusieurs vieilles chansons de France ressuscitées par Guy Béart, notamment « Sur le pont de Nantes » et comparez avec ce texte.

Une passion allégorique

1. Quelles sont les trois vertus qui emprisonnent le cœur de l'amant ? Essayez de les expliquer.

2. Quelles sont les qualités dont l'amant doit faire preuve pour amadouer les « geôliers » de l'Amour ?
Quels rapprochements pouvez-vous faire avec Lancelot dans « Le Chevalier à la charrette » ?

3. Pourquoi l'Amour est-il en contradiction, ici, avec la Liberté ?

4. Étudiez l'allégorie à travers ce texte. Vous commencerez par en donner une définition précise.

Recherche, Réflexion, Expression

Recherche
Le thème de la Dame à la licorne dans l'imagerie médiévale.

LE RONDEAU

> *Le rondeau est un genre typique à forme fixe. Au XIIIe siècle, c'est une chanson de danse. Il s'agit de pièces courtes avec retour d'un refrain de deux vers au moins, de huit vers au plus, que l'on trouve en tête du rondeau puis, repris deux fois, mais pas toujours en entier : une première fois au cours de la pièce et une deuxième fois, à la fin.*
> *Au Moyen Âge, on disait aussi : rondel, rondelet, rondet ou rondin.*

Le mal d'aimer

I

Je meurs, je meurs d'amourette,
Hélas, pauvre de moi !
Ma petite amie s'en est allée,
Sans pitié.
5   Elle me parut d'abord toute douce ;
Je meurs, je meurs d'amourette
Hélas, pauvre de moi !
Elle était si avenante,
Quand je la vis,
10 Et puis elle se montre si cruelle
Quand je la prie.
Je meurs, je meurs d'amourette,
Hélas, pauvre de moi !
Ma petite amie s'en est allée,
15   *Sans pitié.*

II

Le doux regard de ma dame
Me fait espérer sa pitié.
Dieu la protège de tout blâme.
Le doux regard de ma dame
20 Jamais je ne vis, sur mon âme,
Dame plus charmeuse.
Le doux regard de ma dame
Me fait espérer sa pitié.

Au secours ! Le mal d'aimer
25 *Me tue.*
Il m'emplit de désir,
Au secours ! Le mal d'aimer
Par un doux regard
Je fus pris.
30 *Au secours ! Le mal d'aimer*
Me tue.

III

À Dieu je recommande mes amours,
Car je m'en vais,
Soupirant, en terre étrangère.
35 Tout triste, je laisserai les belles
Et plein de regret.
À Dieu je recommande mes amours
Car je m'en vais.
Je les ferais reines
40 Si j'étais roi
Quoi qu'il advienne.
À Dieu je recommande mes amours
Car je m'en vais,
Soupirant, en terre étrangère.

IV

45 *Fi, mari, de votre amour*
Car j'ai ami !
Il est élégant et beau,
Fi, mari, de votre amour
Il m'honore la nuit le jour,
50 C'est pourquoi je l'aime tant.
Fi, mari, de votre amour
Car j'ai ami.

Guide de lecture : l'art du rondeau

1. Retrouvez dans ce texte la structure du rondeau telle qu'elle est donnée en définition.

2. Relevez les marques lexicales qui donnent sa légèreté à ce poème.

(ANONYME)

La Chanson des Nibelungen

Une force invisible

Le roi Gunther, ayant entendu vanter la beauté de Brünhild, reine d'Islande, a entrepris de devenir son époux. Mais la jeune souveraine est une guerrière redoutable douée d'une force prodigieuse qui impose d'insurmontables épreuves à ses prétendants. Fort heureusement pour Gunther, Sigfrid, un chevalier plein de vaillance qui s'est rendu invisible grâce à un manteau magique conquis jadis au pays des Nibelungen, va lui prêter main-forte.

L a force de Brünhild apparut alors d'éclatante façon. On lui apporta dans la lice une lourde pierre, grosse, énorme, massive et ronde ; douze héros intrépides et robustes avaient peine à la porter.

C'était celle qu'elle avait l'habitude de jeter au loin après avoir lancé le
5 javelot. Les craintes des Burgondes s'accrurent grandement. « Malheur ! » dit alors Hagen. « Quelle singulière bien-aimée a choisie le roi ! Elle pourrait être en enfer la digne fiancée du Malin. »

Sur ses bras très blancs elle releva ses manches ; puis elle prit son écu en main. Elle brandit le javelot en l'air : la lutte commençait. Gunther et Sigfrid
10 redoutaient la fureur de Brünhild.

Si Sigfrid n'était pas venu au secours de Gunther, elle eût fait périr le roi. Sigfrid s'approcha secrètement de lui et lui toucha la main. Cette ruse mit Gunther en grand émoi.

« Qui m'a touché la main ? » pensa le vaillant chevalier. Il regarda tout
15 autour de lui, sans voir personne. Mais l'autre dit : « C'est moi, Sigfrid, ton ami fidèle. Sois sans inquiétude, tu n'as rien à craindre de la reine.

« Passe-moi ton écu et laisse-moi le porter. Puis fais grande attention à tout ce que je te dirai. Tu feras les gestes, et moi, j'accomplirai la besogne. » Lorsque Gunther eut reconnu son ami, il en éprouva une grande joie.

20 « Garde secrète ma ruse et n'en dis rien à personne : ainsi la reine n'acquerra pas à tes dépens la moindre part de cette gloire, qu'elle espère pourtant. Vois comme la reine reste pleine d'assurance devant toi. »

Alors, d'une main vigoureuse, la noble jeune fille lança le javelot sur l'écu neuf, grand et large, que le fils de Sigelinde tenait à son poing. Des étincelles
25 jaillirent de l'acier, comme attisées par le vent.

Le fer acéré du solide javelot traversa l'écu tout entier, en sorte qu'on vit le reflet des étincelles sur le haubert. Sous le choc les deux robustes guerriers chancelèrent. Sans la chape magique, ils seraient tous deux restés morts sur place.

30 Le sang jaillit de la bouche du très vaillant Sigfrid. D'un bond il se releva ; puis le brave héros saisit le javelot avec lequel Brünhild avait transpercé son écu, et, de sa main puissante, Sigfrid le lui renvoya.

Il se dit : « Je ne veux pas frapper à mort cette belle jeune fille. » Il retourna la pointe du javelot en arrière ; puis, d'une main vigoureuse, il lança
35 le javelot, la hampe en avant, contre le harnois de la reine. Le coup résonna bruyamment.

Une gerbe d'étincelles jaillit de l'armure ; on eût dit qu'elle était soulevée par le vent. Le fils de Sigemund avait lancé son arme avec vigueur. Malgré sa force, la reine ne put supporter le choc sans faiblir. Le roi Gunther, en
40 vérité, n'aurait jamais rien fait de pareil.

La Chanson des Nibelungen (ANONYME), Traduction Maurice Colleville et Ernest Tonnelat,
© Montaigne, 1944, pp. 146-147.

Guide de lecture : le bras caché

Comprendre et comparer

1. Relevez tous les détails qui nous montrent la force exceptionnelle de Brünhild.

2. Mettez en lumière le caractère des deux autres personnages.

3. Le Moyen Âge français nous a-t-il habitué à une semblable image de la femme ? Justifiez votre réponse.

4. Relisez le tir à l'arc d'Ulysse à la fin de *L'Odyssée* et comparez les deux héros ainsi que les deux exploits.

Recherche, Réflexion, Expression

Sujet d'imagination

Imaginez la suite du combat.

Sujet de réflexion

Les femmes et les exploits sportifs : à travers des exemples précis, vous montrerez ce qu'il en est de nos jours.

Brünhild vue par la « Belle Époque ».

CHAUCER

Les Contes de Canterbury (publ. en 1526)

Un Déluge... de naïveté !

Nicolas, un jeune clerc (ici, un étudiant), s'est épris d'une séduisante coquette de dix-huit ans, Alison, mariée à un charpentier aussi vieux que naïf... Cependant, comment tromper la surveillance de celui-ci ? L' « écolier » n'hésite pas à annoncer l'arrivée d'un nouveau Déluge envoyé par Dieu au brave charpentier, en lui demandant de préparer une huche ou un « cuvier » pour chacun afin que tous les trois soient sauvés. Le rusé Nicolas a même ajouté que c'était « la chère volonté de Dieu lui-même ». Cette manière de mêler la religion aux histoires les plus scabreuses ne doit pas nous étonner : elle marque la grande liberté d'esprit du Moyen Âge, qui, par ailleurs, est fondamentalement attaché au christianisme.

Poète anglais, **Geoffrey Chaucer** (v. 1340-1400) fit campagne en Artois et en Picardie, avant d'être chargé de missions diplomatiques en France, en Flandre et en Italie. C'est ainsi qu'il « importa » de France le décasyllabe, le rondeau, le virelai et la ballade. Il traduisit aussi très fidèlement le *Roman de la Rose*. Ses *Contes de Canterbury*, qui doivent beaucoup à Boccace, sont une véritable chronique sociale de l'Angleterre à la fin du XIVᵉ siècle, pleine de réalisme et de drôlerie.

Notre sot charpentier s'en va donc son chemin,
très souvent il dit : « hélas ! » et « ô malheur ! »
et à sa femme il confie son secret.
Elle était au fait, et savait mieux que lui
5 ce que toute cette curieuse manigance voulait dire.
Mais pourtant elle fit comme si elle allait mourir
et dit : « Hélas ! mets-toi donc vite en route,
aide-nous à nous sauver ou nous sommes tous perdus ;
je suis ta fidèle femme par légitime mariage ;
10 va, cher époux, et aide-nous à sauver notre vie. »
    Voyez la puissante chose qu'est l'amour !
On peut mourir d'imagination,
si profonde peut être l'impression qu'on ressent.
Notre sot charpentier se met à trembler ;
15 il lui semble vraiment voir venir
le déluge de Noé, roulant ses eaux comme la mer,
pour noyer son trésor chéri, son Alison.

1. **Ale** : *bière.*

2. **Soulait** : *avait l'habitude de...*

3. **Laudes** : *office qui suit matines.*

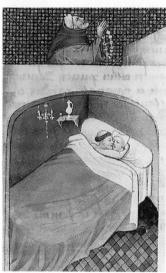

Il pleure, il gémit, il fait triste mine,
il soupire, poussant maint triste grognement.
20 Il s'en va chercher une huche à pétrir,
et puis une cuve et un cuvier,
et en secret il les envoya en son logis
et les pendit à son toit bien secrètement.
De sa propre main il fit trois échelles,
25 pour grimper à l'aide des échelons et des montants
jusqu'aux cuves pendues aux poutres ;
et puis il approvisionna et huche et cuve
de pain et de fromage, et de bonne ale[1] dans une jarre
en ample suffisance pour une journée.
30 Mais avant qu'il eût fait tous ces préparatifs,
il envoya son valet et sa servante aussi
à Londres, pour voir à ses affaires.
Et le lundi, comme le soir venait,
il ferma sa porte, sans chandelle,
35 et prépara chaque chose ainsi qu'il convenait ;
et bref, ils grimpèrent tous trois.
Ils restent silencieux un petit moment.
    « Maintenant, *Pater noster*, chut ! » dit Nicolet,
et « Chut » dit Jean, et « Chut » dit Alison.
40 Le charpentier entre en dévotion,
il se tient coi et récite ses prières,
l'oreille au guet pour entendre la pluie.
    Un sommeil de plomb, pour son labeur lassant,
s'empara du charpentier, juste, je pense,
45 environ l'heure du couvre-feu ou un peu plus tard ;
l'esprit en peine, il pousse de profonds soupirs.
et entre-temps il ronfle, car sa tête est mal posée.
Lors en bas de l'échelle descend Nicolet
et Alison tout doucement dévale ;
50 sans plus de paroles ils s'en vont se coucher
au lit où le charpentier soulait[2] dormir.
C'est là qu'il y eut fête et chansons !
Et ainsi Alison et Nicolas passent la nuit
à leurs joyeuses et plaisantes besognes
55 jusqu'à l'heure où la cloche de laudes[3] se mit à sonner
et où les moines au chœur se mirent à chanter.

CHAUCER, *Les Contes de Canterbury*, © Aubier, 1942, pp. 253 et 255.

Guide de lecture : cocu et... complice

1. Comment le portrait du charpentier est-il brossé ?

2. Qu'est-ce qui rend comique cette histoire ?

3. Relevez les différentes allusions religieuses de ce texte. En quoi sont-elles utilisées à chaque fois de manière impertinente ?

4. Quel est le ressort narratif de ce conte ? Montrez que ce serait totalement différent dans un conte de Perrault.

Recherche, Réflexion, Expression

Sujet d'imagination
Le charpentier se réveille... Imaginez !

Sujet de réflexion
Le charpentier écrit à un ami. Ayant découvert son infortune, il explique tous ses griefs contre Alison et Nicolet.

3. La Renaissance : la découverte et le savoir

Avec son père et son oncle, commerçants vénitiens, **Marco Polo** (v. 1254-1324) entreprit un voyage qui, à travers la Mongolie, les conduisit jusqu'en Chine. Il demeura plusieurs années à la cour de Gengis Khān, avant d'être chargé d'importantes missions en Annam, au Tonkin, en Inde et en Perse. Revenu à Venise, il fut surnommé « Messire Millione », en raison des richesses qu'il avait rapportées. Son *Devisement du monde*, ou *Livre des merveilles du monde*, qu'il dicta à son retour, est considéré comme la première documentation précise, à la fois géographique et ethnographique, sur les pays de l'Orient.

Des phénomènes inouïs

Avant même le temps des grandes découvertes, le Vénitien Marco Polo s'était déjà rendu en Extrême-Orient, notamment en Mongolie. Les impressions qu'il en rapporta font souvent place à ce goût du merveilleux et du surnaturel qui reste un des traits marquants du Moyen Âge.
Voici, en particulier, quelques aspects de la vie de Gengis Khān.

Quand arrive le vingt-huitième jour de la lune du mois d'août, le Grand Can quitte chaque année cette cité de Ciandu et son palais, et vous dirai pourquoi. Vrai est qu'il a un haras de chevaux et de juments blancs comme neige sans nulle autre couleur et qui sont en grand nombre, soit
5 plus de dix mille juments. Et en outre il a un grand nombre de vaches très blanches. Le lait de ces juments blanches, nul au monde n'oserait en boire, fors le Grand Can et ses descendants, ceux qui sont du lignage d'empire. Toutefois est vrai qu'une autre sorte de gens de ce pays, appelés Horiat, en peuvent boire aussi. Cinghis Can leur a donné cet honneur et privilège pour
10 une grande victoire qu'ils ont gagnée à ses côtés jadis. Il décida qu'eux et tous leurs descendants eussent la même nourriture que le Grand Can et ceux de sa race. Ainsi, seules ces deux familles vivent de ces animaux blancs, c'est-à-dire du lait qu'on en trait.

Et vous dis que quand ces bêtes blanches vont paissant par prés et forêts,
15 et passent sur quelque route où un homme désire passer, on les tient en si grande révérence que non seulement le peuple ordinaire, mais aussi un grand seigneur et baron, n'oserait pour rien au monde passer au milieu du troupeau, mais attend qu'elles aient toutes défilé et qu'elles soient parties à bonne distance. Tous leur cèdent le chemin et font tout leur possible pour leur plaire
20 et, comme je vous ai dit, les respectent non moins que si c'était leur propre maître.

Les astrologues des Idolâtres ont dit au Grand Can qu'il doit répandre en l'air et sur la terre un peu de lait de ces juments blanches le vingt-huitième jour de la lune d'août de chaque année, pour que tous les esprits qui vont par
25 l'air et par la terre en aient à boire s'il leur plaît, afin que, pour cette charité, les esprits et idoles, protègent tous ses biens et que ses affaires prospèrent, ses hommes, ses femmes, ses bêtes, ses oiseaux, ses récoltes et toutes autres choses qui poussent de la terre. [...]

Mais vous dirai encore une merveille que j'avais oubliée. Sachez donc que
30 quand le Grand Can demeure en son palais où il reste trois mois de l'année, et qu'il y a pluie, brouillard ou mauvais temps, il a près de lui de sages astrologues et enchanteurs qui vont sur le toit du palais et, par leur science et incantations, ordonnent à tous les nuages, à la pluie et au mauvais temps de s'en aller d'au-dessus du palais ; si bien qu'au-dessus du palais, n'y a point
35 mauvais temps, que jamais goutte d'eau n'y tombe, et que l'intempérie s'en va autre part ; oui, si parfaitement : la pluie, la tempête et l'orage tombent tout alentour, mais rien ne touche le palais.

Les sages hommes qui ce font sont de deux sortes, les uns sont appelés Tebet, les autres Chescemir[1], ce sont là deux genres de peuple qui sont 40 idolâtres. Ils savent les arts diaboliques et les enchantements plus que tous les autres hommes et commandent aux démons, au point que ne crois pas qu'il y ait plus grands enchanteurs par le monde. Tout ce qu'ils font, ils le font par science du diable, et font croire aux autres gens qu'ils le font par leur bonté, leur sainteté et leur science de Dieu. [...]

45 Quand un homme est condamné à mort pour le mal qu'il a fait, et doit être mis à mort par le pouvoir légal, on le leur donne ; ils le prennent et le font cuire et le mangent ; mais s'il était pour mourir de sa belle mort, oncques ne le mangeraient pour rien au monde.

De cette race de charmeurs est si grand nombre que c'en est merveille. 50 Outre les noms susdits, ils sont encore appelés *bacsi*[1], c'est-à-dire de telle religion ou ordre qu'on dirait Frères Prêcheurs ou Mineurs ; et sont si savants et experts en leur art magique et diabolique qu'ils font presque tout ce qu'ils veulent.

Vous pouvez encore savoir très véritablement que ces *bacsi*, qui savent 55 de tels enchantements, entre autres font telle merveille comme je vous dirai. Quand le Grand Can est assis, pour dîner ou souper, dans sa grand'salle, à sa grande table, laquelle, placée à part pour le repas du Seigneur, a plus de huit coudées de haut, et que les coupes d'or sont sur une table au milieu du carrelage, de l'autre côté de la salle, à bien dix pas de la table du seigneur, 60 pleines de vin, de lait et autres bons breuvages, tant font par leurs enchantements et sciences ces sages enchanteurs qui sont nommés *bacsi*, que ces coupes pleines se soulèvent et d'elles-mêmes s'en vont par l'air se présenter devant le Grand Can lorsqu'il veut boire, sans que nul ne les touche. Et lorsqu'il a bu, ces coupes reviennent à la place d'où elles étaient parties. 65 Et ce, le font parfois devant dix mille personnes qui regardent, et devant tous ceux à qui le seigneur veut le faire voir. C'est chose vraie, digne de foi, sans nulle mensonge, car elle a lieu chaque jour à la table du seigneur. D'ailleurs vous dirai que les sages hommes de notre pays qui savent la nécromancie[3] affirment que c'est chose faisable.

1. *Ils portent le nom de leurs pays d'origine : Tibet et Cachemire.*

2. **Bacsi :** *équivalent mongol du lama tibétain.*

3. **Nécromancie :** *art prétendu d'évoquer les morts pour connaître l'avenir.*

MARCO POLO, *Le Devisement du monde*, © éd. La Découverte, 1970.

Guide de lecture : une mentalité à comprendre

1. Qu'est-ce qui a particulièrement impressionné Marco Polo dans l'histoire des « juments blanches » ?

2. Quel jugement porte-t-il sur les « sages enchanteurs et astrologues » ? Pourquoi, à votre avis ?

3. Les affirmations de la dernière partie du texte vous semblent-elles solidement étayées ? Que nous apprennent-elles sur la manière de raisonner d'un homme du Moyen Âge ?

Recherche, Réflexion, Expression

Sujet d'imagination
Marco Polo assiste à nouveau à d'étranges phénomènes qui le déroutent. Racontez.

Sujet de réflexion
Prédiction de l'avenir, astrologie, voyance... Ces activités sont loin d'avoir disparu de notre monde moderne ! Expliquez leur succès et donnez votre avis personnel sur leur bien-fondé.

Une découverte émerveillée

CHRISTOPHE
COLOMB

Journal
(1451-1506)

*Carte de Haïti,
avec des scènes évoquant
l'histoire de l'île : en haut, les
pirates « Frères de la Côte » ;
au centre, l'arrivée de
Christophe Colomb ; en bas, la
libération des esclaves.*

Le grand navigateur Christophe Colomb s'est employé à faire la description aux rois catholiques des conquêtes qu'il a effectuées en leur nom. Il est intéressant pour nous de voir comment un homme du XVe siècle, avec la mentalité de son époque, a pu percevoir un monde qui lui était totalement étranger.

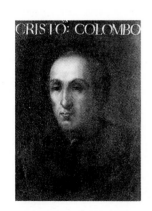

Cette île est, ainsi que toutes les autres, fertile au suprême degré, mais celle-ci plus encore que les autres. Elle a sur la rive de la mer nombre de ports auxquels ceux de la Chrétienté que je connais ne sauraient être comparés, et à foison des fleuves si beaux et si grands que c'est merveille.
5 Les terres de ces îles sont élevées, et on y rencontre beaucoup de sierras et d'immenses montagnes, incomparablement plus hautes que l'île de Ténériffe[1], toutes magnifiques, de mille formes, toutes accessibles et pleines d'arbres de mille essences, si hauts qu'ils semblent atteindre au ciel, et dont je me suis persuadé qu'ils ne perdent jamais leurs feuilles, selon ce que j'ai pu
10 comprendre, les voyant aussi verts et aussi beaux qu'ils le sont au mois de mai en Espagne. Certains étaient en fleur, d'autres avaient leurs fruits, les autres se trouvaient en un état différent selon leur espèce. Et le rossignol et mille autres sortes d'oiseaux chantaient en ce mois de novembre partout où je suis passé.
15 Il y a des palmiers de six ou huit essences dont la belle diversité ravit les yeux d'admiration, mais aussi celle des autres arbres, des fruits et des herbes. Il y a là encore des pinèdes en quantité, des campagnes magnifiques et du miel, toutes sortes de volatiles et des fruits fort divers. À l'intérieur des terres, il y a maintes mines de métaux et d'innombrables habitants.
20 L'Hispaniola[2] est une merveille : les sierras et les montagnes, les plaines et les vallées, les terres si belles et grasses, bonnes pour planter et semer, pour l'élevage des troupeaux de toutes sortes, pour édifier des villes et des villages. On ne croira pas sans les avoir vus ce que sont ses ports de mer et ses fleuves nombreux, grands, aux bonnes eaux, et dont la plupart charrient de l'or. Pour
25 ce qui est des arbres, des fruits et des plantes, il y a de grandes différences entre eux et ceux de la Juana. Dans l'Hispaniola, on trouve beaucoup

1. Ténériffe : *la plus grande des îles Canaries.*

2. Hispaniola : *actuellement, Haïti.*

d'épices, de grandes mines d'or et d'autres métaux. Les gens de cette île et de toutes les autres que j'ai découvertes ou dont j'ai eu connaissance vont tout nus, hommes et femmes, comme leurs mères les enfantent, quoique quelques
30 femmes se couvrent un seul endroit du corps avec une feuille d'herbe ou un fichu de coton qu'à cet effet elles font. Ils n'ont ni fer, ni acier, ni armes, et ils ne sont point faits pour cela ; non qu'ils ne soient bien gaillards et de belle stature, mais parce qu'ils sont prodigieusement craintifs. Ils n'ont d'autres armes que les roseaux lorsqu'ils montent en graine, et au bout desquels ils
35 fixent un bâtonnet aigu. Encore n'osent-ils pas en faire usage, car maintes fois il m'est arrivé d'envoyer à terre deux ou trois hommes vers quelque ville pour prendre langue, ces gens sortaient, innombrables mais, dès qu'ils voyaient s'approcher mes hommes, ils fuyaient au point que le père n'attende pas le fils. Et tout cela non qu'on eût fait mal à aucun, au contraire, en tout lieu où
40 je suis allé et où j'ai pu prendre langue, je leur ai donné de tout ce que j'avais, soit du drap, soit beaucoup d'autres choses, sans recevoir quoi que ce soit en échange, mais parce qu'ils sont craintifs sans remède.

Il est vrai que, lorsqu'ils sont rassurés et ont surmonté cette peur, ils sont à un tel point dépourvus d'artifice et si généreux de ce qu'ils possèdent que
45 nul ne le croirait à moins de l'avoir vu. Quoi qu'on leur demande de leurs biens, jamais ils ne disent non ; bien plutôt invitent-ils la personne et lui témoignent-ils tant d'amour qu'ils lui donneraient leur cœur. Que ce soit une chose de valeur ou une chose de peu de prix, quel que soit l'objet qu'on leur donne alors en échange et quoi qu'il vaille, ils sont contents. Je défendis qu'on
50 leur donnât des objets aussi misérables que des tessons d'écuelles cassées, des morceaux de verre ou des pointes d'aiguillettes, quoique, lorsqu'ils pouvaient obtenir de telles choses, il leur semblait posséder les plus précieux joyaux du monde. Il est arrivé que, pour une aiguillette, un marin obtînt le poids de deux castillans et demi d'or, et que d'autres, pour des objets qui valaient
55 beaucoup moins, eussent obtenu bien plus encore. Ainsi, pour quelques blancs[3] neufs, ils donnaient tout ce qu'ils avaient, quoique ce fût la valeur de deux ou trois castillans d'or ou une ou deux arrobes[4] de coton filé. Jusqu'aux morceaux de cercles cassés des barils qu'ils prenaient en donnant ce qu'ils avaient comme des bêtes brutes !

CHRISTOPHE COLOMB, *Journal*, © Maspero, 1979, pp. 46 à 48.

3. **Blancs :** *menue monnaie.*

4. **Arrobes :** *anciens poids variant de 11 à 15 kg.*

Guide de lecture : un paradis terrestre ?

1. Relevez les mots qui marquent l'abondance naturelle de l'Hispaniola.

2. À votre avis, qu'est-ce qui peut le plus fasciner les contemporains de Colomb dans son énumération ?

3. Le caractère des habitants : deux traits particuliers ressortent ici. Lesquels ?

4. Les méthodes de Colomb avec les indigènes et avec ses propres hommes : en quoi diffèrent-elles de celles des « conquistadores » dont vous avez entendu parler en Histoire ?

Recherche, Réflexion, Expression

Sujet d'imagination
Un compagnon de Colomb raconte la même histoire, mais avec un ton méprisant et agressif.

Sujet de réflexion
La vie sauvage vous paraît-elle être une image du vrai bonheur ? Vous ordonnerez vos idées autour de ses inconvénients et de ses avantages.

POUR LE BREVET DES COLLÈGES

Grammaire

1. *Il est arrivé que, pour une aiguillette, un marin obtînt le poids...*
Mettez ce membre de phrase au présent. Comment expliquez-vous le mode du deuxième verbe ?

2. *... quoique ce fût la valeur de deux ou trois castillans d'or ou une ou deux arrobes de coton filé.*
Nature et fonction de cette subordonnée ?

Vocabulaire

1. *Essences :* Quel est le sens du mot dans le texte ? Utilisez-le avec un sens différent dans une phrase de votre composition.

2. *J'ai pu prendre langue :* Expliquez cette expression.

Peut-on instruire les femmes ?

CHRISTINE DE PISAN

Le Livre de la cité des dames (1405)

Si le Moyen Âge idéalise la Femme à travers bon nombre de ses écrits, il lui refuse en général l'accès à l'instruction.

Christine de Pisan s'indigne de cette injustice de son époque et, imaginant un dialogue entre elle et la Raison, elle met parfaitement en lumière les liens entre l'éducation et l'égalité des sexes.

Christine de Pisan (1363-1430) peut être considérée comme la première femme écrivain française ; à l'âge de vingt-cinq ans, elle se trouve veuve avec trois enfants, et fait de la littérature le moyen de gagner sa vie. Elle s'illustre dans divers genres : politique dans le *Dictié de la Pucelle* (1429) composé en l'honneur de Jeanne d'Arc, lyrique dans les *Cent Ballades d'amant et de dame* (1394). En féministe avant la lettre, elle prend aussi la défense des femmes contre les satires de Jean de Meung.

À la fin de son discours, je demandai à la dame qui me parlait : « Certes, ma Dame, Dieu a accordé une force miraculeuse aux femmes que vous avez mentionnées. Mais apprenez-moi encore, s'il vous plaît, si Dieu, qui a fait pleuvoir sur lui tant de bienfaits, n'a point voulu honorer le
5   sexe féminin en concédant à certaines femmes une haute intelligence et un profond savoir. Leur esprit en est-il capable ? Je souhaite vivement connaître la réponse, car les hommes affirment que les femmes n'ont que de faibles capacités intellectuelles. »

Elle me répondit : « Mon enfant, tout ce que je t'ai dit auparavant te
10   montre que cette opinion est tout le contraire de la vérité, et pour te le prouver plus clairement, je te citerai quelques exemples. Je te le redis, et n'aie plus peur du contraire ; si c'était la coutume d'envoyer les petites filles à l'école et de leur enseigner méthodiquement les sciences, comme on le fait pour les garçons, elles apprendraient et comprendraient les difficultés de tous les arts
15   et de toutes les sciences tout aussi bien qu'eux. Et cela arrive en effet, car, comme je te l'ai indiqué tout à l'heure, les femmes ayant le corps plus délicat que les hommes, plus faible et moins apte à certaines tâches, elles ont l'intelligence plus vive et plus pénétrante là où elles s'appliquent.

— Que dites-vous là, ma Dame ? Je vous en prie, expliquez-vous, ne
20   vous déplaise. Certainement les hommes n'admettraient jamais une telle affirmation si elle n'était pas exposée plus clairement, car ils diraient que tout le monde voit que les hommes ont plus de connaissances que les femmes. »

Elle me répondit : « Sais-tu pourquoi elles savent moins ? »

— Non, ma Dame, il faut me le dire.

25   — C'est sans aucun doute qu'elles n'ont pas l'expérience de tant de choses différentes, mais, s'en tenant aux soins du ménage, elles restent chez elles, et rien n'est aussi stimulant pour un être doué de raison qu'une expérience riche et variée.

— Ma Dame, si leur esprit est aussi capable d'apprendre et de concevoir
30   que celui des hommes, pourquoi n'apprennent-elles pas davantage ? »

Elle me répondit : « Ma chère enfant, c'est qu'il n'est pas nécessaire à la société qu'elles s'occupent des affaires des hommes, comme je te l'ai déjà dit. Il leur suffit d'accomplir les tâches ordinaires qu'on leur a confiées. Quant à ce que l'expérience nous apprend, que leur intelligence serait moindre
35   puisque d'ordinaire elles savent moins que les hommes, pense donc aux habitants des campagnes reculées ou des hauts plateaux ; tu m'accorderas que dans plusieurs pays ils sont si simples qu'on les prendrait pour des bêtes. Et pourtant il est incontestable que Nature les a pourvus de tous les dons physiques et intellectuels qu'elle offre aux hommes les plus sages et les plus
40   érudits que l'on puisse trouver dans nos capitales et grandes villes. Car tout cela vient de ne pas apprendre, ce qui n'exclut pas que chez les hommes comme chez les femmes, certains sont plus intelligents que d'autres, comme je te l'ai déjà dit.

CHRISTINE DE PISAN, *Le Livre de la cité des dames*, © éd. Stock, 1986.

Guide de lecture : la discussion séculaire

1. La première réponse que donne la Raison vous paraît-elle vérifiée par l'enseignement mixte à notre époque ?

2. Quel argument trouve-t-on contre la situation de la « femme au foyer » ?

3. La comparaison avec les « habitants des campagnes reculées » est-elle intéressante ? Pourquoi ?

4. Christine de Pisan croit-elle à l'égalité des intelligences ? Que tient-elle à préciser ?

Recherche, Réflexion, Expression

Sujet d'imagination

Une élève de notre époque se trouve transportée à l'époque de Christine de Pisan. Elle raconte les progrès de l'égalité entre garçons et filles dans les études.

Sujets de débat

1. Les filles, dans l'ensemble, travaillent-elles mieux que les garçons à l'école ?

2. Les filles sont-elles plutôt littéraires et les garçons plutôt scientifiques, « par nature » ?

Recherche

1. Établissez un relevé des femmes qui vous paraissent avoir marqué la littérature, les sciences ou leur temps tout simplement.

À lire, à voir

Lisez *La Ferme africaine* de Karen Blixen et essayez de voir le film inspiré de cette œuvre : *Out of Africa*.

Une cité bâtie par les dames.

RABELAIS

Gargantua
(1534)

Une paresse acharnée

Dans son livre Gargantua, *François Rabelais, qui était à la fois médecin et humaniste, s'en est pris à travers la satire à toutes les faiblesses de l'éducation du Moyen Âge. Le fils du roi Grandgousier, le géant Gargantua a été élevé jusqu'ici par un précepteur qui lui a surtout appris la paresse, à la fois physique et mentale, ainsi que la gloutonnerie la plus malsaine dès qu'il se réveille ! Le nouveau précepteur Ponocratès commence à s'en effrayer...*

François Rabelais (1494-1553) est successivement moine, médecin, professeur d'anatomie puis curé de Meudon. C'est aussi un écrivain original qui sait allier le réalisme truculent au symbolisme, la science la plus érudite au comique le plus débridé. Son œuvre, par l'invention et la richesse du vocabulaire, demeure avant tout une véritable épopée du langage au service de l'humanisme.
Œuvres principales : *Pantagruel* (1532) ; *Gargantua* (1534) ; *Tiers Livre* (1546) ; *Quart Livre* (1548) ; *Cinquième Livre* (1564).

P onocratès lui remontrait qu'il ne devait pas manger si tôt au sortir du lit, sans avoir fait d'abord quelque exercice. Gargantua répondit : « Quoi ? N'ai-je pas fait assez d'exercice ? Je me suis vautré six ou sept tours parmi le lit avant de me lever. N'est-ce pas assez ? Le pape Alexandre

5 faisait ainsi, selon le conseil de son médecin juif, et il vécut jusqu'à la mort, en dépit des envieux. Mes premiers maîtres m'y ont accoutumé, disant que le déjeuner donnait bonne mémoire : aussi ils y buvaient les premiers. Je m'en trouve fort bien et n'en dîne que mieux.

« Et maître Tubal me disait, lui qui fut reçu premier à sa licence à Paris,

10 que tout l'avantage n'est pas de courir bien vite, mais de partir de bonne heure ; aussi ce qui fait la santé totale de l'humanité n'est pas de boire à tas, à tas, à tas, comme des canes, mais bien de boire matin ; *unde versus* :

Lever matin n'est point bonheur,
Boire matin est le meilleur. »

15 Après avoir bien à point déjeuné, il allait à l'Église, et on lui portait, dans un grand panier, un gros bréviaire empantouflé, pesant tant en graisse qu'en fermoirs et parchemin, à peu près, onze quintaux six livres. Là il entendait vingt-six ou trente messes. Pendant ce temps son diseur d'heures[1] venait en place, empaletoqué comme une huppe, et son haleine très bien parfumée avec

20 force sirop de vigne. Avec lui il marmonnait toutes ses kyrielles et les épluchait si soigneusement qu'il n'en tombait un seul grain à terre.

Au sortir de l'Église on lui amenait sur un char à bœufs un fatras de chapelets de Saint-Claude aussi gros chacun que le moule du bonnet, et se promenant par les cloîtres, galeries et jardins, il en disait plus que seize

25 ermites.

Puis il étudiait quelque méchante demi-heure, les yeux fixés sur son livre : mais (comme dit le comique) son âme était en la cuisine.

Pissant donc un plein pot de chambre, il s'asseyait à table. Et, parce qu'il était naturellement flegmatique, commençait son repas par quelques douzai-

30 nes de jambons, de langues de bœuf fumées, de caviar d'andouilles, et tels autres avant-coureurs de vin.

Cependant quatre de ses gens lui jetaient en la bouche, l'un après l'autre continuement, moutarde à pleines pelletées, puis il buvait un horrifique trait de vin blanc pour soulager ses rognons. Après il mangeait, selon la saison,

35 viandes à son appétit et cessait alors de manger quand le ventre lui tirait. À boire il n'y avait ni fin, ni règle ; car il disait qu'il fallait cesser de boire quand le liège des pantoufles de la personne qui buvait enflait en haut d'un demi-pied.

1. **Diseur d'heures** : *celui qui l'aide à réciter ses prières.*

RABELAIS, *Gargantua,* © Union latine d'Éditions, 1933, pp. 123-125.

Guide de lecture : une critique serrée

1. Qu'y a-t-il de comique dans l'exemple du « pape Alexandre » ?

2. Peut-on adresser des reproches à Gargantua lui-même ? Pourquoi ?

Gargantua « à son petit soupé » (estampe du XIXᵉ siècle).

3. Sa pratique religieuse ; elle n'est certes pas condamnée en elle-même, mais relevez tout ce qu'elle a, ici, de ridicule.

4. Gargantua est un géant qui gardera toujours un énorme appétit ! Cependant, qu'est-ce qui est critiqué dans ce passage par le médecin qu'était aussi Rabelais ?

5. La caricature, comme ici, grossit les défauts et gomme les qualités. Recherchez des caricatures dessinées qui illustreront cette méthode.

POUR LE BREVET DES COLLÈGES

Grammaire

Puis il étudiait quelque méchante demi-heure, les yeux fixés sur son livre : mais [...] son âme était en la cuisine. Quel rapport de sens existe-t-il entre les deux propositions indépendantes ? Faites-le apparaître autrement en utilisant la subordination.

Vocabulaire

Rabelais emploie un vocabulaire souvent inattendu, original. Essayez d'expliquer la formation de *empantouflé* et de *empaletoqué,* puis d'en donner le sens.

RABELAIS

Gargantua
(1534)

Un éveil permanent

Heureusement, Ponocratès, qui représente le renouveau humaniste, va peu à peu habituer son élève à un autre emploi du temps dont nous ne vous donnons, ici, qu'un aperçu car la journée de Gargantua est encore beaucoup plus remplie !

COMMENT GARGANTUA FUT INSTRUIT PAR PONOCRATÈS EN TELLE DISCIPLINE
QU'IL NE PERDAIT HEURE DU JOUR

Quand Ponocratès connut la manière vicieuse de vivre de Gargantua, il résolut de l'instruire autrement dans les belles-lettres ; mais, pour les premiers jours, il se montra tolérant, considérant que la nature ne souffre pas les changements soudains sans grande violence. Donc, pour mieux
5 commencer son œuvre, il supplia un savant médecin de ce temps, nommé Théodore, de considérer s'il était possible de remettre Gargantua en meilleure voie. Celui-ci le purgea canoniquement avec de l'ellébore d'Anticyre, et, par ce médicament, il le nettoya de toute altération et perverse habitude du cerveau. Par ce moyen aussi, Ponocratès lui fit oublier tout ce qu'il avait
10 appris sous ses anciens précepteurs, comme faisait Timothée à ses disciples qui avaient été instruits sous d'autres musiciens.

L'Éducation de Gargantua, vue par Gustave Doré (1873).

Pour mieux le faire, il l'introduisit dans la compagnie des gens savants qui étaient là, à l'émulation desquels son esprit s'élargit et son désir d'étudier autrement et de se faire valoir augmenta. Après, il le mit en un tel train
15 d'études qu'il ne perdait une heure du jour : ainsi tout son temps se passait à acquérir des lettres et un honnête savoir.

Donc Gargantua s'éveillait vers quatre heures du matin. Pendant qu'on le frottait, on lui lisait quelque page de la Divine Écriture, hautement et clairement, avec une prononciation appropriée à la matière, et à ce soin était
20 commis un jeune page natif de Basché, nommé Anagnoste. Selon le sujet et l'argument de cette leçon, il s'adonnait souvent à révérer, adorer, prier et supplier le Bon Dieu, dont la lecture montrait la majesté et le jugement merveilleux.

Puis il allait aux lieux secrets faire excrétion des digestions naturelles. Là
25 son précepteur répétait ce qui avait été lu, lui expliquant les points les plus obscurs et les plus difficiles.

Ils s'en retournaient, considéraient l'état du ciel, s'il était comme ils l'avaient remarqué le soir précédent, et ce que présageaient le soleil, et aussi la lune, pour cette journée.
30 Cela fait, il était habillé, peigné, coiffé, accoutré et parfumé, et durant ce temps, on lui répétait les leçons du jour d'avant. Lui-même les disait par cœur, et en tirait quelques applications pratiques et concernant l'état humain, qu'ils développaient parfois pendant deux ou trois heures, mais qui cessaient ordinairement lorsqu'il était tout habillé.
35 Puis, durant trois bonnes heures, on lui faisait la lecture.

Cela fait, ils sortaient, s'entretenant toujours des sujets de la lecture, et se rendaient au Grand Bracque ou aux prés, et jouaient à la balle, à la paume, à la balle en triangle, s'exerçant galamment le corps, comme ils avaient exercé l'âme auparavant.
40 Tout leur jeu n'était qu'en liberté ; car ils laissaient la partie quand cela leur plaisait, et cessaient ordinairement lorsque leur corps était en sueur ou qu'ils se sentaient las. Alors ils étaient très bien essuyés et frottés, changeaient de chemise, et doucement se promenant, allaient voir si le dîner était prêt. Là,

en attendant, ils récitaient clairement et éloquemment quelques sentences
45 retenues de la leçon.

Cependant Monsieur l'Appétit venait ; et, en bons opportunistes, ils
s'asseyaient à table. Au commencement du repas, on lisait quelque histoire
plaisante des anciennes prouesses, jusqu'à ce qu'il eût pris son vin. Alors (si
bon semblait) on continuait la lecture ; ou ils commençaient à deviser
50 joyeusement ensemble, parlant d'abord de la vertu, propriété, efficacité et
nature de tout ce qui leur était servi à table : du pain, du vin, de l'eau, du sel,
des viandes, poissons, fruits, herbes, racines, et de la manière de les apprêter.

RABELAIS, *Gargantua*, 1534 © Union latine d'Éditions.

Guide de lecture : buts et moyens d'une éducation

1. Quelles sont les deux précautions prises par Ponocratès avant d'imposer un nouvel emploi du temps à son élève ? Vous paraissent-elles possibles de la même manière ?

2. Établissez un parallèle entre les deux éducations religieuses de Gargantua. Qu'est-ce qui est nouveau dans la seconde, mais qu'est-ce qui a disparu et peut paraître grave à un catholique du XVIe siècle ?

3. Respect de la nature et respect de l'intelligence. À partir d'exemples précis tirés du texte, vous montrerez comment Rabelais, en bon humaniste, respecte ces principes.

4. « Tout leur jeu n'était qu'en liberté. » Par cette phrase, l'auteur semble éviter un reproche qu'on aurait pui lui adresser. Lequel ?

Recherche, Réflexion, Expression

Sujet d'imagination
Et si l'élève Gargantua avait son mot à dire ?... Imaginez ses propos. Il pourra accorder sa préférence à l'une ou l'autre des deux formes d'éducation étudiées... ou encore à une troisième !

Sujet de réflexion
L'emploi du temps d'un collégien !... À travers plusieurs exemples, dites ce que vous en pensez.

Recherche et comparaison
1. L'éducation dans les collèges du temps de Rabelais.

2. Études parallèles et comparées entre *Vipère au poing* d'Hervé BAZIN et l'éducation de Daniel dans *La Maison de papier* de Françoise MALLET-JORIS.

MONTAIGNE

Essais
(1572-1592)

1. Portefaix : *homme qui porte des fardeaux.*

2. Complexion : *humeur, tempérament.*

3. Carnéade : *philosophe grec de l'Antiquité.*

Pour une éducation équilibrée

L'éducation de Gargantua (même si elle s'applique à un géant !) peut nous paraître bien lourde. Le philosophe Montaigne qui, après Rabelais, s'intéressera aussi en tout premier lieu à l'éducation des enfants, nous mettra en garde contre cette boulimie du savoir. L'idéal de l'instruction ne saurait être le « bourrage de crâne », même si l'intelligence peut être, à tout instant, vigilante.

Pour tout cecy, je ne veux pas qu'on emprisonne ce garçon. Je ne veux pas qu'on l'abandonne à l'humeur melancholique d'un furieux maistre d'escole. Je ne veux pas corrompre son esprit à le tenir à la gehene et au travail, à la mode des autres, quatorze ou quinze heures par jour,
5 comme un portefaix[1]. Ny ne trouveroys bon, quand par quelque complexion[2] solitaire et melancholique on le verroit adonné d'une application trop indiscrette à l'estude des livres, qu'on la luy nourrist ; cela les rend ineptes à la conversation civile et les destourne de meilleures occupations. Et combien ay-je veu de mon temps d'hommes abestis par temeraire avidité de science ?
10 Carneades[3] s'en trouva si affollé, qu'il n'eût plus le loisir de se faire le poil et les ongles. Ny ne veux gaster ses meurs genereuses par l'incivilité et barbarie d'autruy. La sagesse Françoise a esté anciennement en proverbe, pour une

Michel Eyquem de Montaigne (1533-1592) a d'abord été magistrat à Bordeaux, où il s'est lié d'amitié avec Étienne de la Boétie. Plusieurs séjours à la cour, un long voyage en Europe, puis son élection à la mairie de Bordeaux lui ont permis de prendre la mesure des hommes et des événements. Retiré sur ses terres, il a consacré ses dernières années à enrichir les *Essais*, dont la rédaction, commencée dès 1572, reflète l'expérience de toute sa vie. En « essayant » de se peindre, il vise à la fois à se connaître et à témoigner de « l'humaine condition ».

sagesse qui prenoit de bon'heure, et n'avoit guieres de tenue. A la verité, nous voyons encores qu'il n'est rien de si gentil que les petits enfans en France ; mais ordinairement ils trompent l'esperance qu'on en a conceuë, et, hommes faicts, on n'y voit aucune excellence. J'ay ouy tenir à gens d'entendement que ces colleges où on les envoie, dequoy ils ont foison, les abrutissent ainsi.

Au nostre, un cabinet, un jardin, la table et le lit, la solitude, la compaignie, le matin et le vespre, toutes heures luy seront unes, toutes places luy seront estude ; car la philosophie, qui, comme formatrice des jugements et des meurs, sera sa principale leçon, a ce privilege de se mesler par tout. Isocrates l'orateur, estant prié en un festin de parler de son art, chacun trouve qu'il eut raison de respondre : « Il n'est pas maintenant temps de ce que je sçay faire ; et ce dequoy il est maintenant temps, je ne le sçay pas faire. » Car de presenter des harangues ou des disputes de rhetorique à une compaignie assemblée pour rire et faire bonne chere, ce seroit un meslange de trop mauvais accord. Et autant en pourroit on dire de toutes les autres sciences. Mais, quant à la philosophie, en la partie où elle traicte de l'homme et de ses devoirs et offices, ç'a esté le jugement commun de tous les sages, que, pour la douceur de sa conversation, elle ne devoit estre refusée ny aux festins, ny aux jeux.

MONTAIGNE, *Essais*, Livre I, chap. XXVI,
© Société les Belles Lettres, Paris, 1946, pp. 34-35.

Quatre siècles plus tard : un de ces « furieux maistres d'escole », que stigmatisait Montaigne.

Guide de lecture : l'étude et la vie

1. Quelles sont les conséquences, parfois, d'un travail intellectuel trop exclusif (pensez, en particulier, à l'exemple de Carnéade) ?

2. Que pense Montaigne des collèges de son époque ?

3. Quelle est la matière qui peut être utilement mêlée à toutes les activités de l'existence ?

4. Cependant, en dehors de l'exception ci-dessus, que faut-il éviter de faire à l'exemple d'Isocrate ?

POUR LE BREVET DES COLLÈGES

Grammaire
... et les destourne de meilleures occupations : nature et fonction de *les* ainsi que de *meilleures occupations.*

Vocabulaire
1. *Hommes faicts :* expliquez cette expression.
2. *Le vespre.* Ce mot n'existe plus qu'au pluriel : « vêpres ». Comment ce sens actuel nous éclaire-t-il sur celui du texte ?

Recherche
Construisez un débat autour du travail intellectuel tel que vous le vivez aujourd'hui dans votre collège.
Demandez l'aide de vos différents professeurs de langues pour voir comment l'instruction et l'école sont conçues dans les autres pays d'Europe.

La liberté de l'écrivain

L'écrivain italien Boccace n'a pas hésité à écrire des histoires fort lestes dans Le Décaméron. *La conclusion de son ouvrage s'adresse à des lectrices et se montre désinvolte sur les rapports de la morale et de l'art. Il annonce, de cette manière, l'audace et la liberté d'esprit de la Renaissance.*

JEAN BOCCACE

Le Décaméron (v. 1350-1353)

Giovanni Boccaccio dit **Jean Boccace** (1313-1375), tout en se consacrant à la littérature, participe à la vie raffinée et voluptueuse de la cour de Robert d'Anjou puis, de retour à Florence, remplit des charges administratives importantes. Commentateur de Dante, Boccace a été influencé par Pétrarque avec lequel il a correspondu durant des années. À la fin de sa vie, il a contribué à faire de Florence un foyer de l'humanisme naissant.
Œuvres principales : *L'Amoureux de l'amour* (v. 1336); *Le Décaméron* (v. 1350-1353); *Le Corbeau ou le Labyrinthe d'amour* (1354).

Quelles qu'elles soient, mes histoires comme tout le reste, peuvent être utiles ou nuisibles, selon qui les écoute. Ignore-t-on que, d'après Cinciglione, Scolaio* et bien d'autres, le vin, pour les vivants, est ce qu'il y a de meilleur ; mais il est nuisible, quand on a la fièvre. Dirons-nous
5 qu'il soit mauvais, s'il nuit aux fiévreux ? Ignore-t-on que le feu est fort utile et même indispensable aux hommes ? Dirons-nous qu'il est mauvais, puisqu'il brûle maisons, villes et villages ? Quant aux armes, elles sont à la fois un instrument de salut pour qui désire vivre en paix, et trop souvent de mort pour les hommes victimes non de leur propre méchanceté, mais de la
10 méchanceté d'assaillants criminels.

Un esprit corrompu n'a jamais écouté sainement une parole : il ne tire point profit de ce qui est honnête. Réciproquement, ce qui est moins honnête ne saurait gâter un esprit bien tourné, pas plus que la fange ne gâte les rayons du soleil, ou les souillures de la terre les beautés du ciel. Quels livres, quels
15 termes, quels écrits ont plus de sainteté, de dignité, de prestige que les Écritures sacrées ? Il n'empêche qu'une interprétation erronée de ce texte a entraîné la perdition de quelques esprits et de leurs sectateurs. Toute chose est bienfaisante en certains cas ; mal adressée, elle peut causer des ravages étendus. J'en dirai autant de mes nouvelles. Voudra-t-on en tirer mauvais
20 conseil ou mauvais exemple ? Elles n'interdisent rien à personne de ce qu'elles peuvent présenter, le cas échéant, et de ce qu'elles peuvent fournir, étirées et tordues. Y voudra-t-on trouver intérêt et profit ? Elles ne s'y déroberont pas. Mais il faut se rendre à l'évidence : elles sont utiles et honnêtes, si leur public et les circonstances où elles sont lues sont conformes aux prévisions. Quand
25 on est d'humeur à dire des patenôtres ou à faire des boudins ou de la tourte pour son directeur, le mieux est de n'y pas toucher : elles ne courront après

Illustration pour Le Décaméron *(début du xvᵉ siècle).*

personne pour se faire lire. Encore nos braves bigotes ne se gênent-elles pas pour dire et faire parfois bien plus fort que tout ce qu'il y a dans mes récits !

30 Des lectrices diront également qu'il était préférable de supprimer plusieurs nouvelles. D'accord. Mais je ne pouvais et ne devais écrire que selon ce qu'on a raconté. Il appartenait aux auteurs de donner à ces récits un tour avantageux que j'aurais reproduit. En admettant même — ce qui n'est pas — que je sois en même temps l'auteur et l'écrivain, je ne rougirais pas, pour sûr, que toutes ces histoires ne fussent pas belles. Quel créateur — Dieu excepté 35 — mène à terme un chef-d'œuvre absolu ? Charlemagne, à qui l'on doit les paladins, n'en sut faire un assez grand nombre pour constituer avec eux seuls une armée. Il est forcé qu'on relève diverses qualités dans un total imposant d'objets. A-t-on jamais vu champ si bien cultivé, où l'on ne trouvât, mêlées aux meilleures herbes, des orties, des épines et des ronces ? De plus je ne 40 m'adresse qu'à des jeunes femmes sans prétentions, comme vous êtes pour la plupart. Quelle folie de me lancer dans une quête pénible, d'extraire la quintessence, et de consacrer tous mes soins à des effets de style ! Mes lectrices n'ont qu'à laisser de côté ce qui les choque, et à choisir ce qui leur plaît.

JEAN BOCCACE, *Le Décaméron*, pp. 717-718.

Guide de lecture : une habile démonstration

1. Relevez les différents exemples qui nous montrent que toute chose est susceptible d'être vue en bien ou en mal... jusqu'aux plus sacrées !

2. Comment Boccace montre-t-il qu'il ne saurait être responsable du mal que son texte peut éventuellement faire ?

3. L'auteur accepte-t-il les critiques des bigotes. Pourquoi ?

4. À la fin, tout en flattant ses lectrices, Boccace apporte d'autres excuses aux imperfections de son œuvre. Montrez-le.

Recherche, Réflexion, Expression

Deux sujets de réflexion

1. À votre tour, vous montrerez qu'une réalité généralement admise (la famille, l'école...) peut être la meilleure... ou la pire des choses selon les individus !

2. À votre avis, un artiste a-t-il la liberté de tout dire sans se préoccuper d'aucune morale ?

Recherche

L'idée de censure : son évolution au cours des siècles en France.

Une morale de la Nature

THOMAS MORE

L'Utopie (1516)

Dans son livre, L'Utopie, *écrit en latin, l'humaniste anglais Thomas More décrit une société idéale dont les principes s'éloignent fort des sociétés médiévales. Tout procède de la Nature et du respect de celle-ci : il n'est plus question de s'oublier soi-même ni de tendre au sacrifice.*

Saint Thomas More (1478-1535), homme politique et humaniste anglais, eut sous le règne d'Henri VIII une brillante carrière qui le mena à la chancellerie du royaume. Tout en préconisant une réforme de l'Église, il resta catholique, et, pour avoir désavoué le divorce d'Henri VIII, fut emprisonné et exécuté. Ami d'Érasme, il a laissé des traités polémiques et des poésies, mais il est surtout connu comme auteur de *L'Utopie* (1516).

C elui-là vit conformément à la nature qui obéit à la raison lorsqu'elle lui conseille de désirer certaines choses et d'en éviter d'autres. La nature d'abord remplit les mortels d'un grand amour, d'une ardente vénération pour la majesté divine à laquelle nous devons, et notre être lui-5 même, et la possibilité d'atteindre au bonheur. Elle nous incite ensuite à mener une vie aussi exempte de tourments, aussi pleine de joies que possible, et à aider tous les autres, en vertu de la solidarité qui nous lie, à en obtenir autant. En effet, le plus sombre, le plus austère zélateur[1] de la vertu, le plus farouche ennemi du plaisir, tout en te recommandant les travaux, les veilles 10 et les macérations[2], ne manque jamais de t'ordonner en même temps d'alléger de tout ton pouvoir les privations et les ennuis des autres et il estime louable, au nom de l'humanité, l'aide et la consolation apportées par l'homme à

1. **Zélateur** : *qui agit passionnément dans un certain sens.*

2. **Macérations** : *épreuves que l'on s'impose à soi-même par pénitence.*

l'homme. Si l'humanité, cette vertu qui est plus que toute autre naturelle à l'homme, consiste essentiellement à adoucir les maux des autres, à alléger
15 leurs peines et, par là, à donner à leur vie plus de joie, c'est-à-dire plus de plaisir, comment la nature n'inciterait-elle pas aussi un chacun à se rendre le même service à lui-même ?

De deux choses l'une en effet. Ou bien une vie agréable, c'est-à-dire riche en plaisirs, est mauvaise et, dans ce cas, bien loin d'aider personne à y
20 accéder, il faut au contraire la retirer à tous comme chose nuisible et pernicieuse. Ou bien, s'il t'est non seulement permis, mais ordonné, de la procurer aux autres à titre de bien, pourquoi d'abord ne pas te l'accorder à toi-même, envers qui tu as le droit d'être aussi bienveillant qu'envers autrui ? La nature te recommande d'être bon pour ton prochain ; elle ne t'ordonne pas
25 d'être cruel et impitoyable envers toi-même. La nature elle-même, disent-ils, nous prescrit une vie heureuse, c'est-à-dire le plaisir, comme la fin de toutes nos actions. Ils définissent même la vertu comme une vie orientée d'après ce principe.

La nature invite donc tous les mortels à se donner une aide réciproque
30 en vue d'une vie plus riante : sage conseil, personne n'étant si au-dessus du sort commun que la nature doive s'occuper de lui seul, elle qui veut le même bien à tous les êtres qu'elle a réunis en un groupe unique par leur participation à une forme commune. Cette même nature t'enjoint par conséquent de renoncer à t'assurer des profits qui se solderaient par des pertes pour autrui.
35 C'est pourquoi ils estiment qu'il faut respecter les accords entre les particuliers, ainsi que les lois de l'État, en vue d'une bonne répartition des biens de la vie, qui sont la substance même du plaisir, soit qu'un bon prince les ait légalement promulguées, soit qu'un peuple libre de toute tyrannie et de toute sournoise influence les ait sanctionnées d'un commun accord. Veiller
40 à son avantage personnel sans offenser les lois, c'est la sagesse ; travailler en plus à l'avantage de la communauté, c'est la piété.

THOMAS MORE, *L'Utopie*, Livre second, © Flammarion, Paris, 1987, pp. 174-175.

Guide de lecture : rapports de l'individu et de la société

1. Par rapport à Dieu, quel est le rôle de la nature ?
Avec quel texte précédemment étudié pouvez-vous faire un rapprochement ?

2. Si la nature nous pousse à aider les autres, quelles conséquences en devons-nous tirer pour nous-mêmes ?

3. Quel est le but de nos actions ? Ce but est-il en contradiction avec le bonheur des autres ?

4. Montrez que la dernière phrase résume bien le texte.

POUR LE BREVET DES COLLÈGES

Grammaire
« *Ait légalement promulguées* », « *ait sanctionnées* » : analysez ces deux verbes. Qu'est-ce qui justifie, ici, le mode utilisé ?

Vocabulaire
1. *Bienveillant* : expliquer le sens de ce mot en pensant à la manière dont il est formé. Quel est son contraire ?
2. *Impitoyable* : expliquer le sens de ce mot et sa formation.

Un projet d'architecture imaginaire de Piranèse (1720-1778).

Entraînement

PERCEVAL, OU *LE CONTE DU GRAAL,* DE CHRÉTIEN DE TROYES

1. REPÈRES CHRONOLOGIQUES

Chrétien de Troyes : 1135?-1183?

Faites la liste de ses principales œuvres. *Le Conte du Graal* (environ 1182) est inachevé. L'édition Folio Gallimard présente un choix des *Continuations.*

2. LE DÉROULEMENT DE L'ACTION

Établissez, sur deux colonnes, un résumé de l'histoire de Perceval et de celle de Gauvain, en respectant l'ordre chronologique.

Cherchez les points communs aux aventures des deux héros. Quelles épreuves subissent-ils respectivement? Relevez-les en distinguant épreuves qualifiantes, épreuves principales, épreuves glorifiantes.

3. UN RÉCIT INITIATIQUE

1. Les origines du héros
● Dans quelle situation familiale, sociale, intellectuelle et morale se trouve Perceval au début du récit?
● Connaît-il son nom et ses origines? Comment le texte le désigne-t-il?
● Est-il indispensable qu'il quitte le domaine maternel? Pourquoi? Comment ce départ est-il dramatisé?

2. L'épreuve de courage
En quoi consiste-t-elle?

3. L'éducation du novice
Qui s'en charge? En quoi consiste-t-elle? Est-elle complète? Par quel rite prend-elle fin?

4. L'acquisition d'un langage nouveau
En quoi consiste-t-il? Qui le lui apprend?

5. L'acquisition du nom
À quel moment se produit cet événement-clef? Qui apprend son nom à Perceval? Où se situe la révélation? Est-elle positive ou négative?

6. Un homme nouveau
Comparez le personnage de Perceval au début et à la fin du récit.

Dans la perspective d'un récit initiatique, les aventures de Perceval vous semblent-elles terminées?

7. Les symboles initiatiques
● Le sang, la couleur vermeille et l'or :
Faites un relevé précis des apparitions de ces symboles dans le récit.
● Le cortège du Graal :
— Comment est marqué le caractère magique du château, au début et à la fin de l'épisode?
— De quel point de vue la scène est-elle racontée?
— Quelles questions Perceval s'abstient-il de poser à propos de la lance et du Graal?
— Quelles peuvent être les interprétations du silence de Perceval?
— Comment est marqué l'échec de son initiation?
— Quels bienfaits eût entraîné la réussite de Perceval?

4. LA FÉODALITÉ

1. Ceux qui prient : la souveraineté
Relevez les personnages qui, dans le récit, assurent cette fonction. Qui les rencontre? À quel moment? Pourquoi? Comment?

2. Ceux qui combattent : la force
Énumérez-les dans l'histoire de Perceval et dans celle de Gauvain, et répondez aux mêmes questions.

3. Ceux qui travaillent : la fécondité de la terre et des humains
Quels sont les plus présents dans le texte? Pourquoi? De Perceval et de Gauvain, qui rencontre qui?

5. EXPOSÉS

Les châteaux : p. 50-58-89-163-174.
La chevalerie : règles et combats : p. 43-64-154; 54-73-74-83; 113-122-127; 63-217.
Les demoiselles.
L'amour courtois.
Les objets symboliques.
En musique : *Parsifal,* opéra de Richard Wagner.

7
Littérature et histoire : le XXᵉ siècle

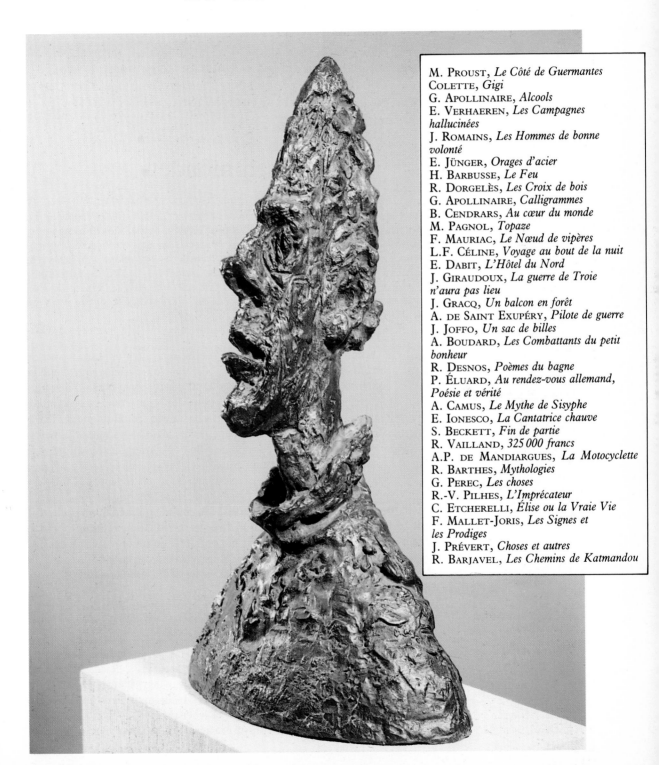

M. PROUST, *Le Côté de Guermantes*
COLETTE, *Gigi*
G. APOLLINAIRE, *Alcools*
E. VERHAEREN, *Les Campagnes hallucinées*
J. ROMAINS, *Les Hommes de bonne volonté*
E. JÜNGER, *Orages d'acier*
H. BARBUSSE, *Le Feu*
R. DORGELÈS, *Les Croix de bois*
G. APOLLINAIRE, *Calligrammes*
B. CENDRARS, *Au cœur du monde*
M. PAGNOL, *Topaze*
F. MAURIAC, *Le Nœud de vipères*
L.F. CÉLINE, *Voyage au bout de la nuit*
E. DABIT, *L'Hôtel du Nord*
J. GIRAUDOUX, *La guerre de Troie n'aura pas lieu*
J. GRACQ, *Un balcon en forêt*
A. DE SAINT EXUPÉRY, *Pilote de guerre*
J. JOFFO, *Un sac de billes*
A. BOUDARD, *Les Combattants du petit bonheur*
R. DESNOS, *Poèmes du bagne*
P. ÉLUARD, *Au rendez-vous allemand, Poésie et vérité*
A. CAMUS, *Le Mythe de Sisyphe*
E. IONESCO, *La Cantatrice chauve*
S. BECKETT, *Fin de partie*
R. VAILLAND, *325 000 francs*
A.P. DE MANDIARGUES, *La Motocyclette*
R. BARTHES, *Mythologies*
G. PEREC, *Les choses*
R.-V. PILHES, *L'Imprécateur*
C. ETCHERELLI, *Élise ou la Vraie Vie*
F. MALLET-JORIS, *Les Signes et les Prodiges*
J. PRÉVERT, *Choses et autres*
R. BARJAVEL, *Les Chemins de Katmandou*

1. La Belle Époque

On a donné le nom de « Belle Époque » à la période qui s'étend, en France, des dernières années du XIXᵉ siècle à la veille de la Première Guerre mondiale. De cette époque d'optimisme, d'insouciance et parfois de frivolité, l'Exposition Universelle de Paris, en 1900, demeure une sorte de témoignage et d'emblème : architectures ambitieuses et conquérantes des pavillons internationaux, rivalités d'élégance des délégations, développement et embellissement d'une capitale française qui rêve d'un nouvel « âge d'or ». Et pourtant, bientôt, les bruits de bottes de la guerre se rapprochent...

MARCEL PROUST

Le Côté de Guermantes (1920)

Issu d'un milieu bourgeois d'une très grande curiosité intellectuelle, **Marcel Proust** (1871-1922) fait de la littérature un véritable sacerdoce. Dans son œuvre maîtresse, *À la recherche du temps perdu*, il s'efforce d'échapper par l'écriture à la loi du temps, et de recréer par l'art et par la pensée l'essence d'une réalité enfouie dans l'inconscient. Cette œuvre marque une étape essentielle dans la naissance de la prose contemporaine.
Autres œuvres : *Les Plaisirs et les Jours* (1896), *Jean Santeuil* (publié en 1952), *Contre Sainte-Beuve* (publié en 1954).

Du « beau monde »...

L'un des meilleurs peintres du monde des élégances de la « Belle Époque » fut le romancier Marcel Proust (1871-1922). L'auteur de À la recherche du temps perdu a bien connu lui-même l'univers des salons bourgeois ou aristocratiques, le « demi-monde » ou le « beau monde » des soirées des faubourgs, des « premières » où il convenait de briller. Au début de la partie de son œuvre intitulée Le Côté de Guermantes (1920), Marcel, le narrateur, se rend ainsi à une soirée de gala à l'Opéra de Paris. Avant que ne commence sur scène le spectacle, un autre spectacle s'offre à ses yeux fascinés...

Un certain nombre de fauteuils d'orchestre avaient été mis en vente au bureau et achetés par des snobs ou des curieux qui voulaient contempler des gens qu'ils n'auraient pas d'autre occasion de voir de près. Et c'était bien, en effet, un peu de leur vraie vie mondaine
5 habituellement cachée qu'on pourrait considérer publiquement, car la princesse de Parme ayant placé elle-même parmi ses amis les loges, les balcons et les baignoires[1], la salle était comme un salon où chacun changeait de place, allait s'asseoir ici ou là, près d'une amie. [...]

D'abord il n'y eut que de vagues ténèbres où on rencontrait tout d'un
10 coup, comme le rayon d'une pierre précieuse qu'on ne voit pas, la phosphorescence de deux yeux célèbres, ou, comme un médaillon d'Henri IV détaché sur un fond noir, le profil incliné du duc d'Aumale, à qui une dame invisible criait : « Que Monseigneur me permette de lui ôter son pardessus », cependant que le prince répondait : « Mais, voyons, comment donc, madame
15 d'Ambresac. » Elle le faisait malgré cette vague défense et était enviée par tous à cause d'un pareil honneur.

Mais, dans les autres baignoires, presque partout, les blanches déités[2] qui habitaient ces sombres séjours s'étaient réfugiées contre les parois obscures et restaient invisibles. Cependant, au fur et à mesure que le spectacle s'avançait,
20 leurs formes vaguement humaines se détachaient mollement l'une après l'autre des profondeurs de la nuit qu'elles tapissaient et, s'élevant vers le jour, laissaient émerger leurs corps demi-nus et venaient s'arrêter à la limite verticale et à la surface clair-obscur où leurs brillants visages apparaissaient derrière le déferlement rieur, écumeux et léger de leurs éventails de plumes,
25 sous leurs chevelures de pourpre emmêlées de perles que semblait avoir

courbées l'ondulation du flux ; après commençaient les fauteuils d'orchestre, le séjour des mortels à jamais séparé du sombre et transparent royaume auquel çà et là servaient de frontière, dans leur surface liquide et plane, les yeux limpides et réfléchissants des déesses des eaux. Car les strapontins du rivage, 30 les formes des monstres de l'orchestre se peignaient dans ces yeux suivant les seules lois de l'optique et selon leur angle d'incidence, comme il arrive pour ces deux parties de la réalité extérieure auxquelles, sachant qu'elles ne possèdent pas, si rudimentaire soit-elle, d'âme analogue à la nôtre, nous nous jugerions insensés d'adresser un sourire ou un regard : les minéraux et les 35 personnes avec qui nous ne sommes pas en relations. En deçà, au contraire, de la limite de leur domaine, les radieuses filles de la mer se retournaient à tout moment en souriant vers des tritons[3] barbus pendus aux anfractuosités[4] de l'abîme, ou vers quelque demi-dieu aquatique ayant pour crâne un galet poli sur lequel le flot avait ramené une algue lisse et pour regard un disque en 40 cristal de roche. Elles se penchaient vers eux, elles leur offraient des bonbons ; parfois le flot s'entr'ouvrait devant une nouvelle néréide[5] qui, tardive, souriante et confuse, venait de s'épanouir du fond de l'ombre ; puis, l'acte fini, n'espérant plus entendre les rumeurs mélodieuses de la terre qui les avaient attirées à la surface, plongeant toutes à la fois, les diverses sœurs 45 disparaissaient dans la nuit.

MARCEL PROUST, *Le Côté de Guermantes*.

... et des bonnes manières

COLETTE

Gigi
(1944)

Sidonie Gabrielle Colette (1873-1954) s'est mariée trois fois, a fait l'expérience du music-hall, comme mime, et a beaucoup voyagé. De livre en livre, elle retrace les étapes de sa vie à travers ses héroïnes, et manifeste une impitoyable lucidité sur la nature humaine. Sa prose précise et savoureuse excelle à évoquer son pays natal, la Bourgogne, ainsi que le monde des animaux, dont elle oppose souvent la courtoisie hautaine à la vulgarité humaine. Œuvres principales : *Dialogues de bêtes* (1904), *La Maison de Claudine* (1922), *Le Blé en herbe* (1923), *Sido* (1929), *Chats* (1936).

1. **Catogan** : *coiffure serrant les cheveux en arrière.*

2. **Mohair** : *tissu angora.*

3. « *Tonton Gaston* » *vient de rompre avec sa maîtresse. Gigi l'épousera plus tard.*

La romancière Colette (1873-1954) nous a laissé, elle aussi, d'amusants tableaux ou portraits du monde de la « Belle Époque » plein de coquettes et de « cocottes », de mondaines et même des marginaux qui ont aussi leurs petites manières et leurs « bonnes manières ». Dans le court récit de Gigi (1944), la romancière raconte les aventures, dans les années 1900, de la jeune Gilberte, élevée par sa grand-mère « Mamita », une ancienne chanteuse de second ordre, et sa tante Alicia, « jolie vieille dame », confite dans la dévotion d'élégances et de bienséances désuètes.

L a voix jeune, les rides clémentes rehaussées de rose, une dentelle sur ses cheveux blancs, tante Alicia jouait les marquises de théâtre. Gilberte révérait sa tante en bloc. En s'attablant, elle tira sa jupe sous son séant, joignit les genoux, rapprocha ses coudes de ses flancs en effaçant 5 les omoplates et ressembla à une jeune fille. Elle savait sa leçon, rompait délicatement son pain, mangeait la bouche close, se gardait, en découpant sa viande, d'avancer l'index sur le dos de la lame. Un catogan[1] serré sur la nuque découvrait les frais abords du front et des oreilles, et le cou singulièrement puissant dans l'encolure, un peu ratée, de la robe refaite, d'un bleu morne, à corsage froncé sur un empiècement, rafistolage sur lequel on avait cousu, 10 pour l'égayer, trois rangs de galon mohair[2] au bord de la jupe et trois fois trois galons mohair sur les manches, entre le poignet et l'épaule.

Tante Alicia, en face de sa nièce, l'épiait de son bel œil bleu-noir, sans trouver rien à redire.

15 — Quel âge as-tu ? demanda-t-elle brusquement.

— Mais comme l'autre jour, tante : quinze ans, six mois. Tante, qu'est-ce que tu en penses, toi, de cette histoire de Tonton Gaston[3] ?

Colette à l'âge de Gilberte.

— Pourquoi ? ça t'intéresse ?

— Bien sûr, tante. Ça m'ennuie. Si tonton se remet avec une autre dame,
20 il ne viendra plus jouer au piquet[4] à la maison, ni boire de la camomille, au
moins pendant quelque temps. Ce sera dommage.

— C'est un point de vue, évidemment.

Tante Alicia, les paupières clignées, regardait sa nièce d'une manière
critique.

25 — Tu travailles, à tes cours ? Qui as-tu comme amies ? Les ortolans[5],
coupe-les en deux, d'un coup de couteau bien assuré qui ne fasse pas grincer
la lame sur l'assiette. Croque chaque moitié, les os ne comptent pas. Réponds
à ma question sans t'arrêter de manger et pourtant sans parler la bouche
pleine. Arrange-toi. Puisque je le fais, tu peux le faire. Qui as-tu comme
30 amies ?

— Personne, tante. Grand-mère ne me permet même pas d'aller goûter
chez les parents de mes camarades de cours.

— Elle a raison. Dehors, tu n'as personne dans tes jupes ? Pas de
surnuméraire[6] à serviette sous le bras ? Pas de collégien ? Pas d'homme mûr ?
35 Je te préviens que si tu me mens, je le saurai.

Gilberte contemplait le brillant visage de vieille femme autoritaire, qui
l'interrogeait avec âpreté.

4. Piquet : *jeu de cartes.*

5. Ortolans : *petits oiseaux à
la chair très appréciée.*

6. Surnuméraire : *employé
de grade inférieur.*

— Mais non, tante, personne.
Est-ce qu'on t'a parlé de moi en mal ?
40 Je suis toujours toute seule. Et pourquoi grand-mère m'empêche-t-elle
d'accepter des invitations ?

— Elle a raison, pour une fois. Tu
ne serais invitée que par des gens
45 ordinaires, c'est-à-dire inutiles.

— Nous ne sommes pas des gens
ordinaires, nous ?

— Non.

— Qu'est-ce qu'ils ont de moins
50 que nous, les gens ordinaires ?

— Ils ont la tête faible et le corps
dévergondé.

COLETTE, *Gigi*, © éd. Hachette.

Gilberte et sa tante Alicia, vues par G. de Feure.

Guide de lecture : une certaine bourgeoisie

1. Le « beau monde » aperçu par Marcel. De qui s'agit-il ? Tous les personnages sont-ils sur le même plan ? De la même « qualité » ?

2. L'émerveillement du regard du narrateur. Comment est-il rendu ? Montrez que l'on peut parler ici de *transfiguration* de la réalité humaine et sociale.

3. En quoi la tante Alicia de Colette est-elle également **un personnage de théâtre ?**

4. Soulignez l'**humour** de la romancière dans l'évocation qu'elle fait des « bonnes manières ». Que pressent-on en effet derrière tous ces conseils ?

5. Le caractère de Gigi : un mélange de naïveté d'enfant et d'intelligence aiguë de future femme. Montrez-le.

Un procédé stylistique : la métaphore filée

On appelle **métaphore filée** le développement, « au fil » de plusieurs phrases, d'un paragraphe ou même de toute une page, d'un réseau d'images déclenché par une première métaphore et poursuivi de manière cohérente. C'est le cas, dans l'extrait cité de l'œuvre de Proust, avec la métaphore filée du monde à la fois *aquatique* et *mythologique* que le regard du narrateur superpose à la réalité des décors et des figurants de la soirée de l'Opéra.

1. Vous rechercherez le mot qui « déclenche » le processus métaphorique.

2. Vous dresserez les deux listes des expressions qui « filent » le double champ métaphorique :
— du monde sous-marin ;
— de l'univers mythologique.

ÉMILE VERHAEREN

Les Campagnes hallucinées (1893)

Émile **Verhaeren** (1855-1916). Poète de l'énergie, des nouveaux paysages industriels et du modernisme, il traduit en une langue frémissante, souvent heurtée et riche de lyrisme, les élans et les visions d'un homme qui se veut solidaire de l'avenir humain.
Œuvres principales : *Les Flamandes* (1884), *Les Campagnes hallucinées* (1893), *Les Villes tentaculaires* (1895), *Toute la Flandre* (1904-1911).

1. Gorgones : *monstres mythologiques à tête de femme et chevelure de serpents.*

La ville tentaculaire

Temps des élégances et d'une certaine joie de vivre insouciante, la « Belle Époque » est aussi celle d'une modernité du monde urbain qui se fait plus ambitieuse et aussi plus agressive. Celle des « villes tentaculaires » dont nous parle le poète belge Émile Verhaeren (1855-1916), ou celle de la « zone » parisienne chantée par Guillaume Apollinaire (1880-1918) : autant de lieux de curiosité, de découvertes, mais aussi d'errance et de perdition.

Tous les chemins vont vers la ville.
Du fond des brumes
Là-bas, avec tous ses étages
Et ses grands escaliers, et leurs voyages
5 Jusques au ciel, vers de plus hauts étages
Comme d'un rêve, elle s'exhume.
Là-bas,
Ce sont des ponts tressés en fer
Jetés, par bonds, à travers l'air ;
10 Ce sont des blocs et des colonnes
Que dominent des faces de gorgones[1] ;
Ce sont des tours sur des faubourgs
Ce sont des toits et des pignons,
En vols pliés, sur les maisons ;
15 C'est la ville tentaculaire
Debout
Au bout des plaines et des domaines.

Des clartés rouges
Qui bougent
20 Sur des poteaux et des grands mâts
Même à midi, brûlent encor
Comme des yeux monstrueux d'or,
Le soleil clair ne se voit pas :
Bouche qu'il est de lumière, fermée
25 Par le charbon et la fumée,
Un fleuve de naphte[2] et de poix[3]
Bat les môles[4] de pierre et les pontons de bois.
Les sifflets crus des navires qui passent
Hurlent la peur dans le brouillard :
30 Un fanal vert est leur regard
Vers l'océan et les espaces.
Des quais sonnent aux entrechocs de leurs fourgons
Des tombereaux grincent comme des gonds
Des balances de fer font choir des cubes d'ombre
35 Et les glissent soudain en des sous-sols de feu ;
Des ponts s'ouvrant par le milieu
Entre les mâts touffus dressent un gibet sombre
Et des lettres de cuivre inscrivent l'univers,
Immensément, par à travers[5]
40 Les toits, les corniches et les murailles
Face à face, comme en bataille.
Par au-dessus, passent les cabs[6], filent les roues
Roulent les trains, vole l'effort
Jusqu'aux gares, dressant, telles des proues
45 Immobiles, de mille en mille, un fronton d'or.
Les rails ramifiés rampent sous terre
En des tunnels et des cratères
Pour reparaître en réseaux clairs d'éclairs
Dans le vacarme et la poussière.
50 C'est la ville tentaculaire.

ÉMILE VERHAEREN. « Les Villes », dans *Les Campagnes hallucinées.*

2. **Naphte :** *bitume à base de pétrole.*

3. **Poix :** *matière visqueuse à base de résine ou de goudron.*

4. **Môles :** *sortes de digues.*

5. *Pléonasme archaïque qu'affectionne le poète.*

6. **Cabs :** *abréviation anglaise pour « cabriolet » (voitures de louage, taxis).*

Eau-forte de Camille Berg pour Les Campagnes hallucinées.

Zone

GUILLAUME
APOLLINAIRE

Alcools (1913)

À la fin tu[1] es las de ce monde ancien

Bergère ô tour Eiffel le troupeau des ponts bêle ce matin

Tu en as assez de vivre dans l'antiquité grecque et romaine

Ici même les automobiles ont l'air d'être anciennes
5 La religion seule est restée toute neuve la religion
Est restée simple comme les hangars de Port-Aviation

Seul en Europe tu n'es pas antique ô Christianisme
L'Européen le plus moderne c'est vous Pape Pie X[2]

Et toi que les fenêtres observent la honte te retient
10 D'entrer dans une église et de t'y confesser ce matin
Tu lis les prospectus les catalogues les affiches qui chantent tout haut
Voilà la poésie ce matin et pour la prose il y a les journaux
Il y a les livraisons à 25 centimes pleines d'aventures policières
Portraits des grands hommes et mille titres divers

15 J'ai[3] vu ce matin une jolie rue dont j'ai oublié le nom
Neuve et propre du soleil elle était le clairon
Les directeurs les ouvriers et les belles sténo-dactylographes
Du lundi matin au samedi soir quatre fois par jour y passent
Le matin par trois fois la sirène y gémit

20 Une cloche rageuse y aboie vers midi
Les inscriptions des enseignes et des murailles
Les plaques les avis à la façon des perroquets criaillent
J'aime la grâce de cette rue industrielle
Située à Paris entre la rue Aumont-Thiéville et l'avenue des Ternes

GUILLAUME APOLLINAIRE, *Alcools*, © éd. Gallimard, 1913.

*« Zone » illustrée par
Marcoussis.*

1. *C'est à lui-même que
s'adresse le poète.*

2. Pie X : *pape de 1903 à
1914.*

3. *Le poète alterne le « je » et
le « tu » (cf. vers 1).*

Guide de lecture : deux capitales

Étude comparée des poèmes

1. Londres, dans le poème de Verhaeren, **Paris,** dans celui d'Apollinaire. À quels détails peut-on reconnaître les deux capitales ?

2. Le décor urbain. Quels éléments ont retenu l'attention des deux poètes ? Quels sont ceux qui prennent une valeur *symbolique* particulièrement forte ?

3. Soulignez, dans le texte de Verhaeren, le jeu poétique réussi entre notations **réalistes** et « échappées » **fantastiques** ou « hallucinées », comme l'indique le titre du recueil.

4. On a parfois parlé, à propos du style d'Apollinaire, de technique de **collage,** comme la pratiquaient à l'époque certains peintres cubistes en juxtaposant sur la toile des *fragments* épars et disjoints de la réalité. Recherchez, dans l'extrait de *Zone,* plusieurs exemples de cette manière d'*écrire,* qui est bien en effet une manière de *voir* et de *peindre.*

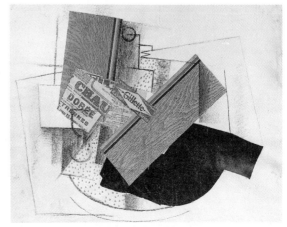

Braque, papier collé (1912).

2. La Grande Guerre

La « Grande Guerre » de 14-18 a marqué en profondeur la littérature des années 1915-1935 comme elle a marqué les consciences des hommes de cette génération, ébranlées par l'ampleur de ce que certains n'hésitèrent pas à appeler « la boucherie » : 1 800 000 Allemands tués, 1 700 000 Russes et près d'un million et demi de Français, sans compter les millions de mutilés, de veuves et d'orphelins.

Dans les années qui suivirent immédiatement le dénouement de celle qui devait être « la der des der », les romanciers des deux camps tentèrent de décrire et d'expliquer les raisons, les moments et les actes de cette « folie meurtrière » de cinq années interminables. Nourries d'une violence encore toute proche, de souvenirs brûlants où alternent héroïsme, lâcheté, dégoût et espérances, leurs récits — quelquefois pathétiques à l'excès — demeurent les témoignages privilégiés d'une effarante « apocalypse ».

JULES ROMAINS

Les Hommes de bonne volonté (1938)

Louis Farigoule, dit **Jules Romains** (1885-1972), abandonne l'enseignement pour se consacrer à la littérature. Son principal ouvrage, *Les Hommes de bonne volonté* (1938), qui s'insère dans l'histoire de la France entre 1908 et 1933, constitue une date dans l'évolution de la technique romanesque; placé sous le signe de la doctrine unanimiste, il exprime la difficulté pour la « bonne volonté » d'influer sur le cours des événements; face aux désordres et aux désastres de tous ordres, il ne reste que la camaraderie humaine et le partage d'un même idéal.
Autres œuvres : *Les Copains* (1913), *Monsieur le Trouhadec saisi par la débauche* (1923), *Knock ou le Triomphe de la médecine* (1923).

Assaut...

Nous avons retenu, dans les quatre textes qui suivent, quatre moments intenses de l'histoire au quotidien ou de l'Histoire avec un grand H, vécus par les « poilus » français ou les « casques à pointe » d'en face. L'horrible tension de l'assaut décrit par Jules Romains (1885-1972) une vingtaine d'années après la bataille de Verdun ; le sursaut « furieux » de la contre-attaque évoqué par l'Allemand Ernst Jünger (né en 1895) dans ses Orages d'acier ; l'apaisement déconcertant de la permission accordée aux soldats « paumés » du Feu d'Henri Barbusse (1874-1935) ; enfin le scandale du grand silence dénoncé dans Les Croix de bois de Roland Dorgelès (1886-1973), quand l'oubli paraît enterrer une deuxième fois les corps mutilés de ceux qui avaient cru en « l'éternelle reconnaissance » de la patrie...

C hacun de ces survivants solitaires voyait ainsi de petites silhouettes, couleur de sauterelle grise, sortir là-bas de la tranchée ennemie ; sortir non par un jaillissement dru, mais peu à peu, presque une à une. Sans aucune précipitation. Comme des ouvriers de la voie qui ayant fini leur travail
5 verraient arriver le train de plates-formes qui doit les ramener, et se dirigeraient vers lui en traînant leurs souliers sur le ballast.

Des silhouettes courbées ; avec un bras droit ballant, lequel tenait un instrument assez court, qui était un fusil ; avec une tête surbaissée par le casque, rendue pareille à une enflure pustuleuse, à un bubon.

10 Les silhouettes ne montaient pas vite ; ne montaient même pas droit. Elles avaient l'air de choisir leur chemin. Cela ne ressemblait nullement à un assaut. On aurait dit des gens qu'on a chargés de recueillir des choses tombées ; ou qui cherchent des champignons dans l'herbe, des escargots dans les buissons.

15 Chacun des survivants était donc persuadé qu'il était seul, ou qu'ils étaient deux ou trois camarades seuls, tout seuls en première ligne, à voir venir ces visiteurs un peu lents, et gris sauterelle. Que pouvait-il faire à lui

Passage du canal de l'Yser le 31 juillet 1917.

seul ? Que pouvaient-ils faire à deux ou à trois dans les décombres de leur tranchée ? Pourtant ils se mettaient à tirer en écartant le camarade mort qui
20 les empêchait de s'appuyer au parapet, comme trois heures plus tôt ils en avaient écarté un autre pour casser la croûte. Et quand il leur restait une mitrailleuse que le bombardement n'avait pas démolie, l'un des survivants pointait la mitrailleuse, et l'autre passait les bandes.

Alors ils étaient tout surpris d'entendre que de loin en loin, le long de la
25 première ligne, d'autres fusils tiraient ; que d'autres mitrailleuses faisaient tac-tac-tac-tac... « Tiens ! ils ne sont pas tous morts ! » se disaient-ils. À quoi ils ajoutaient aussitôt : « Mais en arrière, qu'est-ce qu'ils font ? Qu'est-ce qu'ils attendent pour venir nous aider ? Qu'est-ce qu'ils attendent pour demander l'artillerie ? »

JULES ROMAINS, *Les Hommes de bonne volonté*, XVI, © éd. Flammarion

ERNST JÜNGER

Orages d'acier (1919)

Né à Heidelberg en 1895, **Ernst Jünger** s'engage à 17 ans dans la Légion étrangère. Ses écrits, qui font l'apologie du machinisme et de la révolution nationale, serviront les débuts du nazisme. Dans ses dernières œuvres, il condamnera cependant ce qu'il avait d'abord loué, et affirmera le rôle de l'individu face aux dictatures et à l'idéologie des masses.
Œuvres principales : *Orages d'acier* (1920) ; *Sur les falaises de marbre* (1939) ; *Traité du rebelle* (1951).

1. Trilles : *battement rapide et ininterrompu sur deux notes musicales voisines.*

... et contre-attaque

C'était le moment voulu pour la contre-attaque. Baïonnette au canon, en poussant des hourrahs furieux, nous montâmes à l'assaut du petit bois. Des grenades volèrent à travers les broussailles denses, et en un rien de temps nous eûmes reconquis notre avant-poste sans avoir réussi, à vrai
5 dire, à saisir notre souple adversaire.

Nous nous rassemblâmes dans un champ de blé voisin et nous entre-regardâmes, blêmes, les traits tirés par cette nuit blanche. Le soleil s'était levé, resplendissant. Une alouette s'élança du sol et nous agaça de ses trilles[1].

Tandis que nous nous tendions nos gourdes et allumions une cigarette,
10 nous entendîmes l'ennemi s'éloigner par le chemin creux, avec quelques blessés qui gémissaient tout haut. Nous aperçûmes même un instant son cortège, mais pas assez longtemps, malheureusement, pour lui retirer à tout jamais l'envie de revenir.

Je décidai d'inspecter le champ de bataille. Dans la prairie, des appels et
15 des cris de douleur à l'accent exotique s'élevaient. Ces voix nous rappelèrent les coassements des grenouilles qu'on entend dans les prés après un orage. Nous découvrîmes dans l'herbe haute une file de morts et trois blessés qui, soulevés sur leurs coudes, nous suppliaient de les épargner. Ils semblaient convaincus que nous allions les égorger.

ERNST JÜNGER, *Orages d'acier*, © éd. Christian Bourgois.

POUR LE BREVET DES COLLÈGES

(à partir du texte de Jules Romains)

Grammaire
Donnez la fonction de chacun des adjectifs qualificatifs du deuxième paragraphe (« courbées », « ballant », etc.) et remplacez au moins deux d'entre eux par une proposition relative de même signification.

Vocabulaire
Précisez le sens des mots ou expressions suivantes :
— « sur le ballast » ;
— « une enflure pustuleuse » ;
— « en arrière » (ligne 27).

Expression
Imaginez, sous forme d'un dialogue d'une douzaine de répliques, la suite de la conversation entre les soldats du front attendant leurs renforts.

La permission

HENRI
BARBUSSE

Le Feu
(1917)

Henri Barbusse (1873-1935), journaliste, puis romancier, publie
une étude de mœurs, *L'Enfer*
(1908), dont le réalisme direct et
brutal fait scandale. Engagé
volontaire en 1914, il donne de la
guerre un récit saisissant par sa
vérité sans concession. Transpo-
sant sa rébellion sur le plan
social, exalté par la Révolution
russe, il milite après 1920 en
faveur du communisme et
séjourne fréquemment en Rus-
sie, où il meurt.
Œuvres principales : *Le Feu,
Journal d'une escouade* (1916);
Paroles d'un combattant (1921);
Les Judas de Jésus (1927).

1. *Le narrateur est un soldat
permissionnaire.*

2. *La femme du narrateur.*

E n approchant, à la brune, par la portière du wagon du petit chemin
de fer qui marche encore là-bas sur des bouts de voie, je[1] r'connaissais
à moitié le paysage et à moitié je le r'connaissais pas. Je l'sentais par-
ci par-là tout d'un coup qui s'refaisait et se fondait dans moi comme si il
5 s'mettait à m'parler. Puis, i's'taisait. À la fin, on a débarqué, et il a fallu,
c'qu'est un comble, aller à pied jusqu'à la dernière station.

« Jamais, mon vieux, jamais j'ai eu temps pareil : six jours qu'i' pleuvait ;
six jours que le ciel i' lavait la terre et la r'lavait. La terre s'amollissait et
s'bougeait et allait dans des trous et en f'sait d'autres.

10 — Ici aussi. La pluie n'a pas décessé que c'matin.

— C'est bien ma veine. Aussi partout des ruisseaux grossis et nouveaux
qui venaient effacer comme des lignes sur le papier, la bordure des champs ;
des collines qui coulaient depuis le haut jusqu'en bas. Des coups de vent qui
faisaient dans la nuit, tout d'un coup, des nuages de pluie passant et roulant
15 au galop et nous cinglant les pattes, et la figure et l'cou.

« C'est égal, quand j'ai arrivé pedibus à la station, il en aurait fallu un qui
fasse une rudement laide grimace pour me faire retourner en arrière !

« Mais v'là-t-i pas qu'en arrivant au pays, on était plusieurs : d'autres
permissionnaires, qui n'allaient pas à Villers, mais étaient obligés d'y passer
20 pour aller aut' part. De c'te façon, on est entré en bande… On était cinq vieux
camarades qui s'connaissaient pas. Je n'retrouvais rien de rien. Par là, ça a été
plus bombardé encore que par ici, et pis l'eau, et puis, ça f'sait soir.

« J'vous ai dit qu'il n'y a qu'quatre maisons dans l'pat'lin. Seulement,
elles sont loin l'une de l'autre. On arrive dans le bas de la hauteur. J'savais
25 pas très bien où j'étais, non plus qu'les copains qui avaient pourtant une petite
idée du pays, vu qu'i's étaient des environs — tant plus qu'l'eau tombait à
pleins seaux.

« Ça d'venait impossible d'aller pas vite. On s'met à courir. On passe
devant la ferme des Alleux — une espèce de fantôme de pierre ! — qui est la
30 première maison. Des morceaux de murs comme des colonnes déchirées qui
sortaient de l'eau ; la maison avait fait naufrage, quoi. L'autre ferme, un peu
plus loin, noyée kif-kif.

« Notre maison est la troisième. Elle est au bord de la route qu'est tout
sur le haut de la pente. On y grimpe, face à la pluie qui nous tapait d'sus et
35 commençait dans l'ombre à nous aveugler — on se sentait l'froid mouillé dans
l'œil, v'lan ! — et à nous mettre en débandade, tout comme des mitrailleuses.

« La maison ! J'cours comme un dératé, comme un Bicot à l'assaut.
Mariette[2] ! Je la vois dans la porte lever les bras au ciel, derrière c'te
mousseline de soir et de pluie — de pluie si forte qu'elle la refoulait et la
40 retenait toute penchée entre les montants de la porte, comme une Sainte-
Vierge dans sa niche. Au galop, je me précipite, mais pourtant, j'pense à faire
signe aux camaros d'm'suivre. On s'engouffre dans la maison. Mariette riait
un peu et avait la larme à l'œil d'me voir, et elle attendait qu'on soit tout seuls
ensemble pour rire et pleurer tout à fait.

HENRI BARBUSSE, *Le Feu*, © éd. Flammarion.

ROLAND
DORGELÈS

*Les Croix
de bois* (1919)

R. Lécavelé, dit **Roland Dorge-lès** (1885-1973), a composé une œuvre successivement humoristique et grave, parfois polémique, tirée de son expérience d'engagé volontaire durant la Première Guerre mondiale puis de correspondant de guerre de 1939 à 1945. Mais il a aussi écrit des récits exotiques. Il fut membre, puis président de l'Académie Goncourt.
Œuvres principales : *Les Croix de bois* (1919) ; *Partir* (1926) ; *Caravane sans chameaux* (1928) ; *Retour au front* (1940) ; *À bas l'argent* (1965).

Le grand silence

J e songe à vos milliers de croix de bois, alignées tout le long des grandes routes poudreuses, où elles semblent guetter la relève des vivants, qui ne viendra jamais faire lever les morts. Croix de 1914, ornées de drapeaux d'enfants qui ressembliez à des escadres en fête, croix
5 coiffées de képis, croix casquées, croix des forêts d'Argonne qu'on couronnait de feuilles vertes, croix d'Artois, dont la rigide armée suivait la nôtre, progressant avec nous de tranchée en tranchée, croix que l'Aisne grossie entraînait loin du canon, et vous, croix fraternelles de l'arrière, qui vous donniez, cachées dans le taillis, des airs verdoyants de charmille[1], pour
10 rassurer ceux qui partaient, combien sont encore debout, des croix que j'ai plantées ?

Mes morts, mes pauvres morts, c'est maintenant que vous allez souffrir, sans croix pour vous garder, sans cœurs où vous blottir. Je crois vous voir rôder, avec des gestes qui tâtonnent, et chercher dans la nuit éternelle tous ces
15 vivants ingrats qui déjà vous oublient.

ROLAND DORGELÈS, *Les Croix de bois*, © éd. Albin Michel.

1. Charmille : *allée ou site planté d'arbres verdoyants, en principe des charmes.*

Guide de lecture : l'horreur de la guerre

1. Des sensations. Décrivez, à partir de l'étude des trois premiers extraits, les diverses *sensations physiques* éprouvées et subies par les combattants des deux camps.

2. Des sentiments. Ils sont les mêmes sous la plume des divers narrateurs (angoisse, horreur, désespoir, incompréhension, etc.). Recherchez les *expressions* qui les caractérisent le plus efficacement.

3. Un monde saccagé. Quand le paysage devient « *champ de bataille* », il s'abîme et même se décompose. Recherchez et commentez *les images* qui témoignent le mieux de ce saccage.

Recherche, Réflexion, Expression

Analyse lexicale et stylistique du texte de Barbusse
Le permissionnaire d'Henri Barbusse s'exprime dans la langue et le style savoureux des « bidasses » de l'époque.

1. Vous retrouverez le sens des *expressions argotiques* ou populaires suivantes : « à la brune », « arrivé pedibus », « kif-kif », « les camaros ».

2. Vous *réécrirez*, à la *troisième personne* comme un narrateur extérieur à la scène, le dernier paragraphe du texte en restituant une *syntaxe*, une *ponctuation*, un *vocabulaire* et un jeu des *temps* corrects.

GUILLAUME
APOLLINAIRE

Calligrammes
(1918)

Merveille de la guerre

La guerre est-elle l'ennemie de la poésie ? Peut-il exister une poésie de la guerre ? Guillaume Apollinaire (1880-1918), engagé volontaire en 1914 et grièvement blessé à la tempe en 1916, répond à cette question dans son recueil Calligrammes *(1918) par un poème paradoxal où s'affrontent sur le mode ironique les « merveilles » et les bestialités de la Grande Guerre.*

Que c'est beau ces fusées qui illuminent la nuit
Elles montent sur leur propre cime et se penchent pour regarder
Ce sont des dames qui dansent avec leurs regards pour yeux bras et cœurs
J'ai reconnu ton sourire et ta vivacité
5 C'est aussi l'apothéose quotidienne de toutes mes Bérénices[1] dont les
    chevelures sont devenues des comètes
Ces danseuses surdorées appartiennent à tous les temps et à toutes les races
Elles accouchent brusquement d'enfants qui n'ont que le temps de mourir.
Comme c'est beau toutes ces fusées
10 Mais ce serait bien plus beau s'il y en avait plus encore
    S'il y en avait des millions qui auraient un sens complet et relatif comme les
    lettres d'un livre
Pourtant c'est aussi beau que si la vie même sortait des mourants
Mais ce serait plus beau encore s'il y en avait plus encore
15 Cependant je les regarde comme une beauté qui s'offre et s'évanouit aussitôt
Il me semble assister à un grand festin éclairé a giorno[2]
C'est un banquet que s'offre la terre
Elle a faim et ouvre de longues bouches pâles
La terre a faim et voici son festin de Balthasar[3] cannibale
20 Qui aurait dit qu'on pût être à ce point anthropophage[4]
Et qu'il fallût tant de feu pour rôtir le corps humain.

APOLLINAIRE, Calligrammes © éd. Gallimard, 1918.

1. Bérénice : *princesse mythologique célèbre pour avoir vu ses cheveux changés en « comète » par Aphrodite.*

2. *Aussi brillamment que par la lumière du jour.*

3. Balthasar : *roi biblique à qui le prophète Daniel avait prédit la fin de son royaume.*

4. Anthropophage : *mangeur d'hommes.*

« Et toi mon cœur pourquoi bats-tu ? » (1983). Illustration de J.-M. Folon pour un poème d'Apollinaire : Le Guetteur mélancolique.

Hôtel Notre-Dame

BLAISE CENDRARS

Au cœur du monde (1945)

Dans un texte de 1945, qui aurait pu s'intituler « Poème d'une guerre à l'autre », Blaise Cendrars (1887-1961), amputé en 1915, évoque, lui, par un jeu de superposition, les images éloignées du Paris de son enfance et la tourmente d'une ville bombardée où tout n'est plus que « Feu. Fumée. Flamme. ».

Frédéric Sauser, dit **Blaise Cendrars** (1887-1961), tire de ses innombrables voyages dans le monde entier, de ses multiples rencontres et des divers métiers exercés une source d'inspiration qui exalte, dans ses romans comme dans sa poésie, l'aventure et la « vie dangereuse ». Ses rythmes nerveux et syncopés, les rimes assonancées, l'absence de ponctuation, renouvellent la technique poétique. Privilégiant l'instantané, il conçoit ses poèmes comme des « photographies mentales » du monde moderne.
Œuvres principales : *Pâques à New York* (1912) ; *La Prose du Transsibérien et de la Petite Jehanne de France* (1913) ; *L'Or* (1925) ; *Moravagine* (1926) ; *Rhum* (1930) ; *Bourlinguer* (1948).

Je suis revenu au Quartier
Comme au temps de ma jeunesse
Je crois que c'est peine perdue
Car rien en moi ne revit plus
5 De mes rêves de mes désespoirs
De ce que j'ai fait à dix-huit ans.

On démolit des pâtés de maisons[1]
On a changé le nom des rues
Saint-Séverin[2] est mis à nu
10 La place Maubert[2] est plus grande
Et la rue Saint-Jacques[2] s'élargit
Je trouve cela beaucoup plus beau
Neuf et plus antique à la fois.

C'est ainsi que m'étant fait sauter
15 La barbe et les cheveux tout court
Je porte un visage d'aujourd'hui
Et le crâne de mon grand-père.

C'est pourquoi je ne regrette rien
Et j'appelle les démolisseurs
20 Foutez mon enfance par terre
Ma famille et mes habitudes
Mettez une gare à la place
Ou laissez un terrain vague
Qui dégage mon origine.

25 Je ne suis pas le fils de mon père
Et je n'aime que mon bisaïeul[3]
Je me suis fait un nom nouveau
Visible comme une affiche bleue
Et rouge montée sur un échafaudage
30 Derrière quoi on édifie
Des nouveautés des lendemains.

Soudain les sirènes mugissent et je cours à ma fenêtre
Déjà le canon tonne du côté d'Aubervilliers[4]
Le ciel s'étoile d'avions allemands, d'obus, de croix, de fusées,
35 De cris, de sifflets, de mélisme[5] qui fusent et gémissent sous les ponts
La Seine est plus noire que gouffre avec les lourds chalands qui sont

1. Pâtés de maisons : *ensemble de maisons attenantes.*

2. *Église, place et rue du Quartier Latin à Paris.*

3. Bisaïeul : *arrière-grand-père du poète.*

4. Aubervilliers : *banlieue nord-est de Paris.*

5. Mélisme : *terme musical désignant une sorte de vocalise.*

6. **Chamarrés :**
somptueusement ornés.

Longs comme les cercueils des grands rois mérovingiens
Chamarrés[6] d'étoiles qui se noient au fond de l'eau — au fond de l'eau.
Je souffle ma lampe derrière moi et j'allume un gros cigare.

40 Les gens qui se sauvent dans la rue tonitruante mal réveillés,
Vont se réfugier dans les caves de la Préfecture qui sentent la poudre et le
[salpêtre.
L'auto violette du préfet croise l'auto rouge des pompiers,
Féeriques et souples, fauves et câlines, tigresses comme des étoiles filantes
Les sirènes miaulent et se taisent. Le chahut bat son plein.

Là-haut. C'est fou.
45 Abois. Craquements et lourd silence. Puis chute aiguë et sourde véhémence
[des torpilles.
Dégringolades de millions de tonnes. Éclairs. Feu. Fumée. Flamme.

BLAISE CENDRARS, *Au cœur du monde*, © éd. Denoël.

Photo Inge Morath.

Guide de lecture : « beauté » de la guerre ?

1. « **Merveille de la guerre** ». Le titre du poème d'Apollinaire est construit sur un paradoxe. Vous montrerez comment ce paradoxe se poursuit dans le poème par le jeu en contrepoint des *deux lexiques* de la « beauté » et de la mort.

2. De quelle nature est donc cette *beauté* de la guerre chantée par Apollinaire. On parle parfois des « *canons de la beauté* » ; expliquez cette expression et montrez comment on pourrait ici l'employer ironiquement.

3. Le poème de Cendrars superpose, lui, deux *démolitions* de Paris. Lesquelles ? En quoi se distinguent-elles et se rejoignent-elles ?

4. Comment le *poète-narrateur* éprouve-t-il cette double destruction ? En quoi est-il touché lui-même personnellement ?

5. Feux. Les poèmes de guerre d'Apollinaire et de Cendrars (du vers 33 à la fin) « jouent avec le feu ». Dressez la liste des mots, images et expressions qui évoquent, d'une manière ou d'une autre, *le* ou *les* feux de la guerre. Dans quelle intention ? Avec quels effets ?

3. 1920-1940 : les périls et les doutes

D'une guerre à l'autre, la France des années 1920-1940 va beaucoup changer. Des « Années folles » aux années anxieuses de la « montée des périls », le pays voit se déchirer définitivement le voile brillant de la « Belle Époque » dans une opposition sociale plus marquée entre la bourgeoisie d'affaires et les couches populaires qui vont triompher dans le Front populaire de 1936.

Le monde des intellectuels, d'abord émoustillé par la fête et les provocations des surréalistes, se contraste aussi au contact de l'agitation sociale et de la crise internationale (guerre d'Espagne, montée des fascimes européens). Le problème de l'engagement devient alors central dans une littérature qui, de Malraux à Giraudoux, sur les modes de l'enthousiasme ou de la résignation, se repose les mêmes questions : que peut, que doit faire l'écrivain quand la « condition humaine » paraît exposée aux menaces les plus terribles ?

SATIRES DE LA BOURGEOISIE

Un an avant la grande crise boursière et économique de 1929, Pagnol avait mis en évidence, dans sa pièce intitulée Topaze *(1928), les mécanismes et l'engrenage du pouvoir de l'argent dans la société bourgeoise. Ancien professeur de morale, homme intègre, Topaze entre, par passion pour Suzy, dans le monde des affaires véreuses de l'amant de celle-ci, Castel-Bénac. D'abord tourmenté par sa conscience, il se prend vite au jeu des honneurs et du profit facile. Devenu lui-même grand brasseur d'affaires, il va jusqu'à donner à Tamise, un de ses anciens collègues, une grande leçon de réussite à peine teintée d'amertume : « Ces petits rectangles de papier bruissant, voilà la forme moderne de la force. » Tamise l'entendra et souhaitera devenir à son tour son secrétaire.*

| MARCEL PAGNOL Topaze (1928) | # Voilà la forme moderne de la force ! |

TOPAZE. — Regarde ces billets de banque, ils peuvent tenir dans ma poche, mais ils prendront la forme et la couleur de mon désir. Confort, beauté, santé, amour, honneurs, puissance, je tiens tout cela dans ma main... Tu t'effares, mon pauvre Tamise, mais je vais te dire un secret : malgré les
5   rêveurs, malgré les poètes et peut-être malgré mon cœur, j'ai appris la grande leçon ; Tamise, les hommes ne sont pas bons. C'est la force qui gouverne le monde, et ces petits rectangles de papier bruissant, voilà la forme moderne de la force.

TAMISE. — Il est heureux que tu aies quitté l'enseignement, car si tu
10   redevenais professeur de morale...

TOPAZE. — Sais-tu ce que je dirais à mes élèves ? (*Il s'adresse soudain à sa classe du premier acte.*) « Mes enfants, les proverbes que vous voyez au mur de

Écrivain et auteur dramatique, **Marcel Pagnol** (Aubagne, 1895-Paris, 1974) abandonne sa carrière de professeur d'anglais pour s'orienter vers le théâtre. En 1928, *Topaze*, comédie de mœurs, connaît un succès qui s'est maintenu. Sur un mode à la fois bon enfant et mélodramatique, il évoque le folklore marseillais dans *Marius* (1929), *Fanny* (1931) et *César* (1946), qui lui valent la consécration populaire. Le succès de leur adaptation à l'écran l'encourage à réaliser d'autres films d'après des œuvres de Giono : *Angèle* (1934), *Regain* (1937), *La Femme du boulanger* (1939). Plus tard, il a publié ses souvenirs d'enfance et de jeunesse dans une trilogie : *La Gloire de mon père* (1957) ; *Le Château de ma mère* (1958) ; *Le Temps des secrets* (1960).

1. **Salmis** : *ragoût de pièces de volailles préalablement rôties à la broche.*

2. **Engelures** : *lésions provoquées par le froid.*

cette classe correspondaient peut-être jadis à une réalité disparue. Aujourd'hui on dirait qu'ils ne servent qu'à lancer la foule sur une fausse piste, pendant que les malins se partagent la proie ; si bien qu'à notre époque, le mépris des proverbes c'est le commencement de la fortune... » Si tes professeurs avaient eu la moindre idée des réalités, voilà ce qu'ils t'auraient enseigné, et tu ne serais pas maintenant un pauvre bougre.

TAMISE. — Mon cher, je suis peut-être bougre, mais je ne suis pas pauvre.

TOPAZE. — Toi ? Tu es pauvre au point de ne pas le savoir.

TAMISE. — Allons, allons... Je n'ai pas les moyens de me payer beaucoup de plaisirs matériels, mais ce sont les plus bas.

TOPAZE. — Encore une blague bien consolante ! Les riches sont bien généreux avec les intellectuels : ils nous laissent les joies de l'étude, l'honneur du travail, la sainte volupté du devoir accompli ; ils ne gardent pour eux que les plaisirs de second ordre, tels que caviar, salmis[1] de perdrix, Rolls-Royce, champagne et chauffage central au sein de la dangereuse oisiveté !

TAMISE. — Tu sais pourtant que je suis très heureux !

TOPAZE. — Tu pourrais l'être mille fois plus, si tu pouvais jouir du progrès. Et pourtant, le progrès, ceux qui l'ont permis, ce sont les gens à grosse tête, les gens comme toi.

TAMISE. — Allons donc... Tu sais bien que je n'ai rien inventé.

TOPAZE. — Je le sais bien... Tu n'es pas un de ceux qui nourrissent la flamme, mais tu la protèges de tes pauvres mains, et j'ai la rage au cœur de les voir pleines d'engelures[2], parce que tu n'as jamais pu te payer ces gants de peau grise fourrée de lapin que tu regardes depuis trois ans dans la vitrine d'un magasin.

TAMISE. — C'est vrai. Mais ils coûtent soixante francs. Je ne puis pourtant pas les voler.

TOPAZE. — Mais c'est à toi qu'on les vole, puisque tu les mérites et que tu ne les as pas ! Gagne donc de l'argent !

MARCEL PAGNOL, *Topaze*, acte IV, scène 4, éd. Pastorelly.

FRANÇOIS MAURIAC

Le Nœud de vipères (1932)

« Une aussi bonne chrétienne... »

Dans Le Nœud de vipères *(1932), c'est l'hypocrisie religieuse et morale que dénonce le romancier François Mauriac (1885-1970). Louis, un propriétaire terrien cynique et dur, adresse à sa femme Isa une longue confession qui doit lever les malentendus de leur union. Athée convaincu, il s'en prend principalement au catholicisme voyant, mais qu'il estime douteux, d'une épouse dont il sait qu'elle l'a épousé par intérêt.*

Ma pauvre Isa, aussi bonne chrétienne que tu fusses, avoue que j'avais beau jeu. Que charité soit synonyme d'amour, tu l'avais oublié, si tu l'avais jamais su. Sous ce nom, tu englobais un certain nombre de devoirs envers les pauvres dont tu t'acquittais avec scrupule, en vue de ton éternité. Je reconnais que tu as beaucoup changé sur ce chapitre : maintenant, tu soignes les cancéreuses, c'est entendu ! Mais, à cette époque, les pauvres — tes pauvres — une fois secourus, tu ne t'en trouvais que plus à l'aise pour exiger ton dû des créatures vivant sous ta dépendance. Tu ne transigeais pas sur le devoir des maîtresses de maison qui est d'obtenir le plus de travail pour le moins d'argent possible. Cette misérable vieille qui passait, le matin, avec

Chrétien de tradition familiale et d'éducation, **François Mauriac** (1885-1970) dénonce avec âpreté dans ses écrits toutes les formes de compromissions ou d'hypocrisie morales. Dans son univers romanesque, l'amour est souvent féroce et forcené, mais ne suffit pas à briser ni la solitude ni le carcan de la famille et de la société.
Épousant la cause des colonisés, et les idéaux gaullistes, il a terminé sa vie comblé d'honneurs.
Œuvres principales : *Le Baiser au lépreux* (1922) ; *Thérèse Desqueyroux* (1927) ; *Le Nœud de vipères* (1932) ; *Le Cahier noir* (écrit durant la Résistance) ; *Bloc-Notes* (1958 et 1961).

sa voiture de légumes, et à qui tu aurais fait la charité largement si elle t'avait tendu la main, ne te vendait pas une salade que tu n'eusses mis ton honneur à rogner de quelques sous son maigre profit.

15 Les plus timides invites des domestiques et des travailleurs pour une augmentation de salaire suscitaient d'abord en toi une stupeur, puis une indignation dont la véhémence faisait ta force et t'assurait toujours le dernier mot. Tu avais une espèce de génie pour démontrer à ces gens qu'ils n'avaient besoin de rien. Dans ta bouche, une énumération indéfinie multipliait les avantages dont ils jouissaient :

20 « Vous avez le logement, une barrique de vin, la moitié d'un cochon que vous nourrissez avec mes pommes de terre, un jardin pour faire venir des légumes. »

Les pauvres diables n'en revenaient pas d'être si riches. Tu assurais que ta femme de chambre pouvait mettre intégralement à la Caisse d'épargne les
25 quarante francs que tu lui allouais par mois :

« Elle a toutes mes vieilles robes, tous mes jupons, tous mes souliers. À quoi lui servirait l'argent ? Elle en ferait des cadeaux à sa famille… ».

D'ailleurs, tu les soignais avec dévouement s'ils étaient malades ; tu ne les abandonnais jamais ; et je reconnais qu'en général tu étais toujours estimée
30 et souvent même aimée de ces gens qui méprisent les maîtres faibles. Tu professais, sur toutes ces questions, les idées de ton milieu et de ton époque. Mais tu ne t'étais jamais avoué que l'Évangile les condamne. […] À cette époque, ton amour pour tes enfants t'accaparait tout entière ; ils dévoraient tes réserves de bonté, de sacrifice. Ils t'empêchaient de voir les autres
35 hommes. Ce n'était pas seulement de moi qu'ils t'avaient détournée, mais du reste du monde. À Dieu même, tu ne pouvais plus parler que de leur santé et de leur avenir. C'était là que j'avais la partie belle. Je te demandais s'il ne fallait pas, du point de vue chrétien, souhaiter pour eux toutes les croix, la pauvreté, la maladie. Tu coupais court :
40 « Je ne te réponds plus, tu parles de ce que tu ne connais pas… ».

FRANÇOIS MAURIAC, *Le Nœud de vipères*, éd. Grasset, 1932.

POUR LE BREVET DES COLLÈGES

À partir du texte de François Mauriac

Grammaire

1. « Aussi bonne chrétienne que tu fusses » (l. 1).
Transformez cette proposition :
a. En une proposition subordonnée concessive introduite différemment.
b. En un groupe nominal de même sens.

2. « En vue de ton éternité » (l. 4-5).
Par quel type de proposition subordonnée pouvez-vous remplacer ce groupe nominal ? Rédigez-en deux formulations.

Expression
« Tu coupais court : je ne te réponds plus… »
Au contraire, prenez la plume (en une vingtaine de lignes) et mettez-vous à la place d'Isa qui tente de se défendre des accusations de Louis et de réfuter ses insinuations.

Vocabulaire
Précisez le sens des expressions suivantes dans leur contexte :
— « des devoirs dont tu t'acquittais avec scrupule » ;
— « des créatures vivant sous ta dépendance » ;
— « je te citais le précepte… » ;
— « j'avais la partie belle ».

CROQUIS POPULAIRES

L.-F. CÉLINE

Voyage au bout de la nuit (1932)

Louis Ferdinand Destouches, dit **Céline** (1894-1961) termine ses études de médecine après la guerre de 1914-1918, où il a combattu comme engagé volontaire et a été grièvement blessé. Il exerce en Afrique et en Argentine avant de soigner une clientèle populaire à Clichy, puis à Meudon, en banlieue parisienne. Ses écrits violemment anticommunistes, antisémites et pro-allemands lui vaudront des poursuites judiciaires après la guerre de 1939-1945, l'obligeant à s'exiler plusieurs années.
Céline recherche une écriture violente et saccadée, faisant une large part au langage argotique, qui traduit son dégoût et sa révolte face au mal et à l'injustice universels.
Œuvres principales : *Voyage au bout de la nuit* (1932); *Mort à crédit* (1936); *D'un château l'autre* (1957); *Rigodon* (posth. 1969).

1. *Nom de boulevard de banlieue inventé par Céline.*

2. **Bébert** : *gamin de banlieue que Bardamu tentera en vain de sauver.*

« Ma nuit à moi »

Dans son Voyage au bout de la nuit *(1932, Louis-Ferdinand Céline (1894-1961) met en scène son « double », Ferdinand Bardamu, qui conte, sur le mode d'une autobiographie fictive, ce qu'il appelle ses « vadrouillages » : la Grande Guerre, les trafics africains, les usines américaines et puis le retour à Paris, ou plutôt en banlieue à La Garenne-Rancy. Dans ces quartiers parfois sordides, toujours tristes, Bardamu, médecin sans prestige, n'en finit pas de se heurter à la misère d'une vie quotidienne sans joie, sans soleil. La nuit en somme, même en plein jour !*

Quand on arrive, vers ces heures-là, en haut du Pont Caulaincourt, on aperçoit, au-delà du grand lac de nuit qui est sur le cimetière, les premières lueurs de Rancy. C'est sur l'autre bord, Rancy. Faut faire tout le tour pour y arriver. C'est si loin ! Alors on dirait qu'on fait le tour de
5 la nuit même, tellement il faut marcher de temps et des pas autour du cimetière pour arriver aux fortifications.

Et puis, ayant atteint la porte, à l'octroi, on passe encore devant le bureau moisi où végète le petit employé vert. C'est tout près alors. Les chiens de la zone sont à leur poste d'aboi. Sous un bec de gaz, il y a des fleurs quand
10 même, celles de la marchande qui attend toujours là les morts qui passent d'un jour à l'autre, d'une heure à l'autre. Le cimetière, un autre encore, à côté, et puis le boulevard de la Révolte[1]. Il monte avec toutes ses lampes, droit et large en plein dans la nuit. Y a qu'à suivre, à gauche. C'était ma rue. Il n'y avait vraiment personne à rencontrer. Tout de même, j'aurais bien voulu être
15 ailleurs et loin. J'aurais aussi voulu avoir des chaussons pour qu'on m'entende pas du tout rentrer chez moi. J'y étais cependant pour rien, moi, si Bébert[2] n'allait pas mieux du tout. J'avais fait mon possible. Rien à me reprocher. C'était pas de ma faute si on ne pouvait rien dans des cas comme ceux-là. Je suis parvenu jusque devant sa porte et, je le croyais, sans avoir été remarqué.
20 Et puis, une fois monté, sans ouvrir les persiennes, j'ai regardé par les fentes pour voir s'il y avait toujours des gens à parler devant chez Bébert. Il en sortait encore quelques-uns des visiteurs, de la maison, mais ils n'avaient pas le même air qu'hier, les visiteurs. Une femme de ménage, des environs, que je connaissais bien, pleurnichait en sortant. « On dirait décidément que ça va
25 encore plus mal, que je me disais. En tout cas, ça va sûrement pas mieux... Peut-être qu'il est déjà passé, que je me disais. Puisqu'il y en a une qui pleure déjà ! » La journée était finie.

Je cherchais quand même si j'y étais pour rien dans tout ça. C'était froid et silencieux chez moi. Comme une petite nuit dans un coin de la grande,
30 exprès pour moi tout seul.

De temps en temps montaient des bruits de pas et l'écho entrait de plus en plus en plus fort dans ma chambre, bourdonnait, s'estompait... Silence. Je regardais encore s'il se passait quelque chose dehors, en face. Rien qu'en moi que ça se passait, à me poser toujours la même question.
35 J'ai fini par m'endormir sur la question, dans ma nuit à moi, ce cercueil, tellement j'étais fatigué de marcher et de ne trouver rien.

CÉLINE, Voyage au bout de la nuit, © éd. Gallimard, 1932.

Tardi, extrait de Voyage au bout de la nuit *de L. F. Céline,* © *Futuropolis.*

Canal Saint-Martin

EUGÈNE DABIT

L'Hôtel du Nord
(1929)

Issu d'une humble famille mont-martoise, **Eugène Dabit** (1898-1936) est sans doute le meilleur représentant du militantisme populiste. Par son action politique, comme par sa pratique littéraire, il a su éviter l'engagement aveugle dans une voie où les bons sentiments l'emportent souvent sur la réussite artistique. *L'Hôtel du Nord*, prix Populiste 1929, se veut écrit dans un style simple, et met en scène des personnages modestes aux prises avec les difficultés du monde moderne et l'injustice sociale. Autres œuvres : *Faubourgs de Paris* (1933), *Trains de vie* (1936) ; *Le Mal de vivre* (posth. 1937).

Chef-d'œuvre du roman « populiste » des années 30, L'Hôtel du Nord *(1929) pourrait se définir par les mots qu'employait l'auteur pour décrire son* Journal intime : *« Images de Paris, cafés, lieux de passage ou de rencontres, lieux où toujours on se sent en exil. » Peu ou pas d'intrigue ici, mais des images, des silhouettes, des croquis où se mêlent réalisme et poésie pour dire un monde très humble : à Paris, au bord du canal Saint-Martin, le couple Lecouvreur exploite un modeste hôtel qui finira sous les pioches des démolisseurs pour être remplacé par un vaste immeuble de société.*

Un square entoure l'écluse. Quand Lecouvreur en a assez des blanchisseuses et des pêcheurs à la ligne, il va s'y reposer. Il se sent bien à son aise, l'esprit tranquille. Il s'assied sur un banc. Derrière lui, s'élève le poste-vigie, pavillon cubique décoré d'un drapeau et d'une
5 bouée de sauvetage. Il contemple un instant les péniches, propres et vernies, mais son regard revient toujours à la façade de son hôtel que dorent maintenant les rayons du soleil couchant.

Lecouvreur regagne alors sa boutique.

Par les beaux jours, les locataires de l'Hôtel du Nord, leur dîner expédié,
10 descendent prendre le frais à la terrasse. Les huit chaises sont vite occupées. Bientôt Lecouvreur doit sortir tous les sièges de la boutique. Il va et vient, le seau à glace dans une main, une canette de bière dans l'autre, prêt à satisfaire les caprices de chaque client.

1. Latouche : *voisin, propriétaire de six voitures à chevaux.*

2. Palefrin : *diminutif de « palefrenier », homme qui panse et soigne les chevaux.*

« Patron, un diabolo ! »

15 « Un vittel-cassis, Mimile ! »

Il fait bon prendre un verre sur le trottoir, après une longue journée de chaleur et de travail, quand le soleil s'est couché derrière les vieilles maisons du quai de Valmy et que, peu à peu, le roulement des voitures a fait place au bruit frais des écluses. Les réverbères s'allument, des amoureux s'étreignent

20 dans le square, de vieilles femmes promènent leur chien. Les étoiles se reflètent dans l'eau sombre du canal ; l'air fraîchit, un coup de vent qui vient des boulevards extérieurs apporte le murmure de la ville.

C'est à cette heure-là que Latouche[1] fait atteler ses six voitures. Un homme crasseux, barbu, le « palefrin »[2], apparaît, portant des bricoles. Il

25 harnache les chevaux, les pousse dans les brancards. On sent que chaque geste lui coûte, que l'âge pèse sur ses épaules. Enfin les camionneurs grimpent sur leurs sièges et font claquer leurs fouets. Hop ! en route pour les Halles !

Le palefrin demeure bras ballants à regarder les voitures franchir le pont. Puis il fait quelques pas vers l'hôtel.

30 « Fini le boulot », dit un client.

Le palefrin ne semble pas avoir entendu. Il est vêtu de guenilles ; une casquette enfoncée sur les yeux cache à moitié son visage. Les mains dans les poches, le chef branlant, il s'avance vers la terrasse et s'assied à l'écart.

On lui sert un « blanc-nature » et il reste là, indifférent, voûté, tenant son

35 verre qu'il porte de temps à autre à ses lèvres sans que son visage exprime un plaisir quelconque.

En face, dans le square, des vagabonds s'étendent sur les bancs pour y passer la nuit. D'un œil morne, le palefrin suit leur manège. Enfin il se lève et regagne les écuries sans prêter attention à personne.

EUGÈNE DABIT, *L'Hôtel du Nord*, © éd. Denoël, 1929.

Le Canal St Martin, *G. Braque (1906)*.

Guide de lecture : croquis populaires

Deux « tableaux parisiens »

1. Recherchez sur un plan de Paris et de sa banlieue où pourrait se situer La Garenne-Rancy (ville imaginaire de Céline), et où se situe le lieu réel du quai de Jemappes où Dabit a planté le décor de son *Hôtel du Nord*.

2. Qu'ont en commun ces deux lieux à la fois réels et romanesques ? Quelle communauté d'**atmosphère** s'en dégage ?

3. Quels **personnages** retiennent particulièrement l'attention des deux romanciers ? À quels signes, quels gestes se devine leur « misère » ?

4. Dans *L'Hôtel du Nord*, pourtant, la **« nuit »** est moins noire, et le bonheur s'esquisse parfois. À quoi le voit-on ?

Deux « langues » populaires

Bien que médecin, Bardamu s'exprime dans une langue presque « orale » ; quant à Dabit, il affectionne délibérément les mots et expressions du milieu populaire qu'il décrit.

1. Recherchez dans les deux textes des exemples de cette même volonté des deux romanciers d'échapper aux conventions stylistiques du « roman bourgeois ».

2. Connaissez-vous d'autre romanciers français du XIXᵉ ou du XXᵉ siècle qui ont privilégié ces sujets et cette forme d'écriture « populaire », voire « populiste » ?

PACIFISME ET FATALITÉ

*Cyrielle Claire dans le rôle
d'Hélène (Comédie-Française,
1988).*

« Dans la lumière de la guerre... »

*En 1935, en pleine période de « montée des périls », Jean Giraudoux (1882-
1944), germaniste et diplomate, s'efforce dans sa pièce intitulée ironiquement* La
Guerre de Troie n'aura pas lieu, *de décrire l'absurde mécanisme qui conduit à la
surenchère de crimes et de violences entre pays voisins que tout pourrait pourtant
rapprocher. Si l'on peut considérer cette pièce comme une « fable » illustrant la tragédie
des rapports entre la France et l'Allemagne au XXᵉ siècle, elle apparaît aussi comme
une interrogation sur la fonction des intellectuels et des écrivains, sur leur résignation
ou du moins leur impuissance devant l'engrenage de la guerre. Bien que pleins de bonne
volonté et de compréhension mutuelle, Hector, le Troyen, et Ulysse, le Grec, ont ainsi
l'intuition de la vanité de leurs paroles en regard du poids de la fatalité.*

ULYSSE. — Quand le destin, depuis des années, a surélevé deux peuples,
quand il leur a ouvert le même avenir d'invention et d'omnipotence,
quand il a fait de chacun, comme nous l'étions tout à l'heure sur la
bascule, un poids précieux et différent pour peser le plaisir, la conscience
5 et jusqu'à la nature, quand par leurs architectes, leurs poètes, leurs
teinturiers, il leur a donné à chacun un royaume opposé de volumes, de
sons et de nuances, quand il leur a fait inventer le toit en charpente
troyen et la voûte thébaine, le rouge phrygien et l'indigo grec, l'univers
sait bien qu'il n'entend pas préparer ainsi aux hommes deux chemins de
10 couleur et d'épanouissement, mais se ménager son festival, le déchaînement de cette brutalité et de cette folie humaines qui seules rassurent les
dieux. C'est de la petite politique, j'en conviens. Mais nous sommes chefs
d'État, nous pouvons bien entre nous deux le dire : c'est couramment
celle du Destin.

15 HECTOR. — Et c'est Troie et c'est la Grèce qu'il a choisies cette fois ?

ULYSSE. — Ce matin j'en doutais encore. J'ai posé le pied sur votre estacade[1],
et j'en suis sûr.

HECTOR. — Vous vous êtes senti sur un sol ennemi ?

ULYSSE. — Pourquoi toujours revenir à ce mot ennemi ! Faut-il vous le
20 redire ? Ce ne sont pas les ennemis naturels qui se battent. Il est des
peuples que tout désigne pour une guerre, leur peau, leur langue et leur
odeur, ils se jalousent, ils se haïssent, ils ne peuvent pas se sentir... Ceux-
là ne se battent jamais. Ceux qui se battent, ce sont ceux que le sort a
lustrés et préparés pour une même guerre : ce sont les adversaires.

25 HECTOR. — Et nous sommes prêts pour la guerre grecque ?

ULYSSE. — À un point incroyable. Comme la nature munit les insectes dont
elle prévoit la lutte, de faiblesses et d'armes qui se correspondent, à
distance, sans que nous nous connaissions, sans que nous nous en
doutions, nous nous sommes élevés tous deux au niveau de notre guerre.
30 Tout correspond de nos armes et de nos habitudes comme des roues à
pignon. Et le regard de vos femmes, et le teint de vos filles sont les seuls
qui ne suscitent en nous ni la brutalité, ni le désir, mais cette angoisse du
cœur et de la joie qui est l'horizon de la guerre. Frontons et leurs
soutaches[2] d'ombre et de feu, hennissements des chevaux, peplums[3]
35 disparaissent à l'angle d'une colonnade, le sort a tout passé chez vous à

1. **Estacade :** *jetée à claire-
voie formée par de grands
pieux.*

2. **Soutache :** *se dit en
principe d'une tresse de galon
ajoutée à un tissu dans un but
décoratif.*

3. **Peplum :** *tunique sans
manches s'agrafant sur
l'épaule.*

cette couleur d'orage qui m'impose pour la première fois le relief de l'avenir. Il n'y a rien à faire. Vous êtes dans la lumière de la guerre grecque.

HECTOR. — Et c'est ce que pensent aussi les autres Grecs ?

40 ULYSSE. — Ce qu'ils pensent n'est pas plus rassurant. Les autres Grecs pensent que Troie est riche, ses entrepôts magnifiques, sa banlieue fertile. Ils pensent qu'ils sont à l'étroit sur du roc. L'or de vos temples, celui de vos blés et de votre colza ont fait à chacun de nos navires, de nos promontoires, un signe qu'il n'oublie pas. Il n'est pas très prudent

45 d'avoir des dieux et des légumes trop dorés.

HECTOR. — Voilà enfin une parole franche… La Grèce en nous s'est choisi une proie. Pourquoi alors une déclaration de guerre ? Il était plus simple de profiter de mon absence pour bondir sur Troie. Vous l'auriez eue sans coup férir.

50 ULYSSE. — Il est une espèce de consentement à la guerre que donnent seulement l'atmosphère, l'acoustique et l'humeur du monde. Il serait dément d'entreprendre une guerre sans l'avoir. Nous ne l'avions pas.

HECTOR. — Vous l'avez maintenant !

ULYSSE. — Je crois que nous l'avons.

JEAN GIRAUDOUX, *La guerre de Troie n'aura pas lieu*, Acte II, scène 13, éd. Grasset, 1935.

Hector (François Beaulieu) et Cassandre (Geneviève Casile) dans la mise en scène de Raymond Gerome (Comédie-Française, 1988).

Guide de lecture : la fatale absurdité de la guerre

1. Malgré le décor et les personnages empruntés à l'*Antiquité*, quels événements de l'**actualité des années 30** pouvez-vous identifier dans les propos des deux personnages de Giraudoux ?

2. **Absurdité** et **fatalité** de la guerre. Ces deux concepts sont inséparables pour Giraudoux. Montrez-le.

3. À quoi se devine l'**impuissance** des deux chefs ou négociateurs à surmonter cette fatalité paradoxale ?

4. 1939-1945 : débâcle et résistance

« *Drôle de guerre* » *qui use le moral des troupes et de la nation,* « *guerre éclair* » *des Allemands qui enfoncent en mai 40 les positions françaises, occupation honteuse et douloureuse du territoire, captivités et déportations massives, résistance obscure ou légendaire, libération enfin, à l'été 44, quand le rideau noir commence à se relever sur la vieille Europe une fois de plus saignée à blanc...*

De tout cela la littérature — sous toutes ses formes, du roman historique au poème-cri, du journal « *à vif* » *comme celui d'Anne Frank à la chanson* Nuit et brouillard *de Jean Ferrat — a su témoigner avec une variété de ton et d'expression où coexistent solennité, pathétique, mais quelquefois aussi comique et fantaisie.*

JULIEN GRACQ

Un balcon en forêt (1958)

De l'attente...

Dans son roman intitulé Un balcon en forêt, *Julien Gracq (né en 1910) raconte la longue attente, dans un blockhaus de la forêt des Ardennes, d'un groupe de soldats français, les yeux rivés au loin dans l'imminence d'une attaque allemande toujours différée.*

L e matin était gris et couvert ; une atmosphère de *grasse matinée*, un vide de dimanche campagnard habitaient la pièce ; dans les intervalles des bruits de casseroles, le silence, si peu habituel à la vie militaire, se recouchait au milieu de la chambre avec un ronron de bête heureuse. Le
5   froid même n'était pas inconfortable ; même en leur absence, on sentait que l'air ici n'était remué que par des corps jeunes et bien nourris. Un moment, Grange[1] suivit dans l'air, l'œil vague, la buée légère que faisait son haleine, puis il se retourna et fit un petit rire de gorge perplexe : l'idée qu'il était ici aux *avant-postes* le dépaysait complètement. Les consignes que lui avait
10   transmises le capitaine Vignaud étaient simples. En cas d'attaque, le génie[2] en se repliant devant lui ferait sauter la route. La maison forte avait pour mission de détruire les chars bloqués derrière la coupure et de renseigner sur les mouvements de l'ennemi. Elle l'arrêterait « sans esprit de recul ». Un boyau[3] souterrain qui débouchait dans les taillis devait permettre en principe à la
15   garnison de quitter le blockhaus sans être aperçue, et de se replier à toute extrémité vers la Meuse par les bois. Sur la carte d'état-major qui traînait au bord de la table, il pouvait apercevoir de son lit l'itinéraire de repli défilé que le capitaine Vignaud avait tracé au crayon rouge, et qu'il devait reconnaître dès aujourd'hui. Mais, à ces événements improbables, l'imagination ne
20   s'accrochait pas. Devant soi, on avait les bois jusqu'à l'horizon, et au-delà ce coin de Belgique protecteur qui retombait en pan de rideau, on avait cette guerre qui s'assoupissait peu à peu, cette armée qui bâillait et s'ébrouait comme une classe qui a remis sa copie, attendant le coup de clairon de la fin

1. **Grange :** *jeune aspirant.*

2. **Génie :** *service des armées spécialisé dans les travaux.*

3. **Boyau :** *tranchée étroite.*

de manœuvre. Il ne se passerait rien. Peut-être ne se passerait-il rien. Grange
25 feuilleta le dossier des pièces officielles, les consignes de combat, les relevés
de munitions, d'un doigt distrait : une pluie serrée de paragraphes doctes,
issus d'un délire ingénieux et procédurier, qui semblaient comptabiliser
d'avance un tremblement de terre, puis il les rangea dans une chemise et les
enferma à clef au fond de son tiroir, d'un geste qui était une conjuration. Cela
30 faisait partie des choses qui, trop minutieusement prévues, n'arrivaient pas.
C'étaient les archives notariées de la guerre ; elles dormaient là en attendant
la prescription ; à lire ces pages qui en traquaient l'imprévisible de virgule en
virgule, on se sentait inexprimablement rassuré : on eût dit que la guerre avait
déjà eu lieu.

JULIEN GRACQ, *Un balcon en forêt*, © éd. Corti.

ANTOINE DE SAINT-EXUPÉRY

Pilote de guerre (1942)

Antoine de Saint-Exupéry (1900-1944) a été pilote de ligne sur le parcours Toulouse-Casablanca avant de mettre en service les lignes de la Patagonie. C'est au cours d'une mission de guerre qu'il trouva la mort. Humaniste, l'écrivain insiste sur la nécessaire rigueur de l'individu vis-à-vis de lui-même, sur l'importance des relations humaines, sur les vertus de l'amour qu'il préfère à l'intelligence.
Œuvres principales : *Courrier-Sud* (1927) ; *Vol de nuit* (1931) ; *Terre des hommes* (1939) ; *Le Petit Prince* (1943) ; *Citadelle* (posth., 1948).

... à l'exode

Cette « drôle de guerre » prendra fin le 10 mai 1940 avec l'offensive violente et triomphante des blindés allemands, qui contournent précisément la « ligne Maginot » et enfoncent le front des Alliés. Repli des troupes en pagaille, exode de plusieurs centaines de milliers de réfugiés... C'est ce spectacle chaotique que l'écrivain Antoine de Saint-Exupéry (1900-1944), un des derniers aviateurs encore en mission, retrace dans son livre Pilote de guerre *(1942). L'auteur du célèbre* Petit Prince *disparaîtra en vol en 1944 lors de son ultime mission.*

J e survole donc des routes noires de l'interminable sirop[1] qui n'en finit plus de couler. On évacue, dit-on, les populations. Ce n'est déjà plus vrai. Elles s'évacuent d'elles-mêmes. Il est une contagion démente dans cet exode. Car où vont-ils ces vagabonds ? Ils se mettent en marche vers
5 le Sud, comme s'il était, là-bas, des logements et des aliments, comme s'il était, là-bas, des tendresses pour les accueillir. Mais il n'est, dans le Sud, que des villes pleines à craquer, où l'on couche dans les hangars et dont les provisions s'épuisent. Où les plus généreux se font peu à peu agressifs à cause de l'absurde de cette invasion qui, peu à peu, avec la lenteur d'un fleuve de
10 boue, les engloutit. Une seule province ne peut ni loger ni nourrir la France !
Où vont-ils ? Ils ne savent pas ! Ils marchent vers des escales fantômes, car à peine cette caravane aborde-t-elle une oasis, que déjà il n'est plus d'oasis. Chaque oasis craque à son tour, et à son tour se déverse dans la caravane. Et si la caravane aborde un vrai village qui fait semblant de vivre encore, elle en
15 épuise, dès le premier soir, toute la substance. Elle le nettoie comme les vers nettoient un os.
L'ennemi progresse plus vite que l'exode. Des voitures blindées, en certains points, doublent le fleuve qui, alors, s'empâte et reflue.

SAINT-EXUPÉRY, *Pilote de guerre*, XV, © éd. Gallimard, 1942.

1. *Image pour désigner le flot des fuyards.*

Guide de lecture : de l'attente au chaos

Étude comparée des deux textes

1. Deux regards. Étudiez, pour les opposer, les deux **regards** de l'officier enfermé dans son blockhaus et du « pilote de guerre » qui survole la débâcle. Quelle différence de **conscience** des événements traduisent-ils ?

2. Immobilité et mouvement. La description de Gracq est tout entière sous le signe de l'**immobilité,** voire de l'enlisement. Celle de Saint-Exupéry, au contraire, calque au plus près les **mouvements** de la fuite, de la débandade.

Recherchez les mots, les images et les expressions qui caractérisent le mieux ces deux moments du début de la guerre.

Des gamins sous l'occupation…

JOSEPH JOFFO

Un sac de billes
(1973)

La guerre, malgré ses atrocités et ses souffrances, n'empêche pas les sourires et les facéties de l'enfance. Dans son roman Un sac de billes *(1973), Joseph Joffo déploie ainsi tout son humour pour évoquer ensemble le gag et la tragédie. Au début du livre, Joseph le narrateur, et son frère Maurice, deux petits juifs parisiens, ont poussé le culot et l'inconscience jusqu'à favoriser l'entrée dans la boutique de leur père, coiffeur, de « deux S.S. têtes de mort »…*

L'exode de 1940.

1. **Henri :** *frère aîné du narrateur.*

2. **Cohen :** *client juif.*

3. **Solido :** *marque de jouet.*

4. **Duvallier :** *vieil habitué de la boutique.*

Henri[1] a épousseté le col de Bibi Cohen[2] qui a quitté le fauteuil et s'est dirigé vers la caisse. Nous sommes derrière, Maurice et moi, à suivre les événements.

J'ai un peu d'inquiétude au creux du ventre : là, on y est peut-être allé
5 un peu fort. Introduire ces deux lascars en plein cœur de la colonie juive, c'était gonflé. Un peu trop.

Henri s'est tourné vers l'Allemand.

— Monsieur, s'il vous plaît.

Le S.S. s'est levé, s'est installé, la casquette sur les genoux. Il se regardait
10 dans le miroir comme si son visage avait été un objet sans intérêt, même un peu répugnant.

— Bien dégagé ?

— Oui, la raie droite s'il vous plaît.

J'en suffoque derrière la machine enregistreuse. Un Allemand qui parle
15 français ! Et bien encore, avec moins d'accent que beaucoup du quartier.

Je le regarde. Il a un étui de revolver tout petit, tout brillant, on aperçoit la crosse avec un anneau qui se balance un peu comme celui de mon Solido[3]. Tout à l'heure il va comprendre où il est et il va le sortir, pousser des cris et nous massacrer tous, même maman là-haut qui fait la cuisine et ne sait pas
20 qu'elle a deux nazis dans le salon.

Duvallier[4] lit le journal dans son coin. À côté de lui il y a Crémieux, un voisin qui travaille aux assurances, il amène son fils pour la brosse mensuelle. Je le connais le fils Crémieux, il va dans mon école et on joue à la récréation. Il ne bouge pas, il est petit mais il donne en ce moment l'impression de vouloir
25 l'être encore davantage.

Je ne me souviens plus des autres, j'ai dû bien les connaître pourtant mais j'ai oublié, j'avais de plus en plus peur.

Illustration de Claude Lapointe pour Le Livre de Poche Jeunesse.

Je ne sais qu'une chose, c'est que c'est Albert qui a attaqué en aspergeant de lotion les cheveux crantés de son client.

30 — Pas drôle la guerre, hein ?

Le S.S. a eu un sursaut. Ce devait être la première fois qu'un Français lui adressait la parole et il a sauté dessus comme sur une aubaine.

— Non, pas drôle...

Ils ont continué à parler, les autres s'en sont mêlés, ça devenait amical.
35 L'Allemand traduisait pour son copain qui ne comprenait pas et participait par des hochements de tête qu'Henri essayait de maîtriser. S'agissait pas de lui flanquer une estafilade, au grand seigneur de la race germaine, la situation était assez compliquée comme ça.

Je le voyais s'appliquer, mon père, tirer la langue, et les fesses me
40 cuisaient déjà de la dérouillée qui n'allait pas tarder, les deux types n'auraient pas passé la porte que je serais en travers sur les genoux d'Albert, Maurice[5] sur ceux d'Henri et il faudrait attendre qu'ils aient trop mal aux mains pour pouvoir continuer.

— À vous, s'il vous plaît.

45 C'est mon père qui a pris le deuxième.

Là où j'ai ri quand même, malgré la trouille, c'est lorsque Samuel est entré.

Il passait souvent le soir, dire un petit bonjour, comme ça, en copain. Il était brocanteur aux puces[6], à deux cents mètres, spécialité de vieilles
50 pendules, mais on trouvait de tout dans son stand, on y allait Maurice et moi faire de la farfouille...

Il est entré joyeux.

— Salut tout le monde.

Papa avait la serviette à la main, il la déplia d'un coup sec avant de la
55 passer au cou du S.S.

Samuel avait juste eu le temps de voir l'uniforme.

Ses yeux sont devenus plus ronds que mes billes et trois fois plus gros.

— Oh, oh, dit-il, oh, oh, oh...

— Eh oui, dit Albert, on a du monde.

60 Samuel s'est lissé la moustache.

— Ça fait rien, a-t-il dit, je repasserai quand ça sera plus calme.

— D'accord, mes hommages à Madame.

Samuel ne bougeait toujours pas, sidéré, regardant les étranges clients.

— Ça sera fait, murmura-t-il, ça sera fait.

65 Il resta planté encore quelques secondes et disparut en marchant sur des œufs.

Trente secondes après, de la rue Eugène-Sue aux confins de Saint-Ouen, du fin fond des restaurants yiddish[7] jusqu'aux arrière-boutiques des boucheries cashers[8], tout le monde savait que le père Joffo était devenu le coiffeur
70 attitré de la Wehrmacht.

Le coup du siècle.

Dans le salon, la conversation continuait de plus en plus amicale. Mon père en remettait[9].

Dans la glace, le S.S. a aperçu nos deux têtes qui dépassaient.

75 — À vous les petits garçons ?

Papa a souri.

— Oui, ce sont des voyous.

Le S.S. a hoché la tête, attendri. C'est drôle comme les S.S. pouvaient s'attendrir en 1941 sur les petits garçons juifs.

5. Maurice : *autre frère du narrateur.*

6. Puces : *le « marché aux puces », foire à la brocante parisienne.*

7. Yiddish : *de la communauté juive d'Europe orientale.*

8. Casher : *se dit d'un aliment préparé selon les règles diététiques de la loi juive.*

9. En remettait : *verbe populaire pour « en rajoutait ».*

JOSEPH JOFFO, *Un sac de billes*, © éd. J.C. Lattès, 1973.

... et pendant la Libération

ALPHONSE BOUDARD

Les Combattants du petit bonheur (1977)

D'autres gamins de Paris s'ébattent sous l'occupation et pendant la Résistance, dans les pages gouailleuses des Combattants du petit bonheur *(1977) d'Alphonse Boudard. Phonphonse, Neunœil, Musique et toute leur bande de nouveaux « pieds nickelés », tantôt drôles tantôt héroïques, vivent ainsi la libération du Quartier latin, à l'été 44, par le petit bout de la lorgnette.*

Né en 1925, **Alphonse Boudard** raconte dans ses livres une expérience particulièrement dure qu'il restitue dans une langue truculente aux accents céliniens. *La Cerise* (1963) relate ses années de prison; *L'Hôpital* (1972) décrit le sanatorium et les cures qui ont suivi son incarcération. Dans *Les Combattants du petit bonheur* (1977), il dresse un tableau non conformiste, par rapport à l'histoire officielle, de l'occupation et de la Libération.

Dans les rues de la Huchette, de la Harpe, Xavier Privas... autour de l'église Saint-Séverin[1], c'est de plus en plus l'ambiance des grandes journées patriotardes. Ça discute, s'engueule, s'enflamme, se réconcilie ! On est tous Français, nom de Dieu ! À propos, bien sûr, de cette vacherie
5 de trêve. Ceux qui sont pour... les contre, les modérés, les jusqu'au boutistes, les délirants, les trouillards ! On parle de de Gaulle, du parti communiste. Les rumeurs les plus folles circulent. On nous assure que les Américains sont déjà à Longjumeau, à L'Haÿ-les-Roses, à Cachan[2]... et puis après qu'ils ne sont qu'à Chartres, qu'à Orléans, qu'à Tours ! Avec eux, il y a, paraît-il, une
10 division blindée entière de Franchouillards... les vieux de la vieille de Londres, les héros de la France Libre ! On murmure aussi que les communistes s'installent partout dans les mairies, les casernes, les ministères, qu'ils sont en majorité à l'Hôtel de Ville et qu'ils sont prêts à se colleter avec les flics. On dit des vérités, des bobards... des choses énormes qui sont vraies
15 et des mensonges tout à fait plausibles qui nous font tant de bien ! Avec les potes, on circule... on va de groupe en groupe. On se fait rincer dans les bistrots... au bord des fenêtres. Les bonnes bouteilles sortent des caves. Même le curé de Saint-Séverin rapplique avec du mousseux. On entonne aussi bien les chants patriotiques que *Le petit vin blanc ! L'Amant de Saint-Jean* ou
20 *Tiens voilà mon zob zob zob* en chœur avec les étudiants ! Marcel profite du désordre, de l'euphorie pour aller chouraver quelques boutanches, quelques victuailles dans l'arrière-salle d'une épicerie. Binesco, juché sur l'appui d'une fenêtre, comme ça, sans raison bien apparente, se met à discourir, proclamer des Vive la France !... des appels à l'union de tous pour chasser l'envahisseur
25 hitlérien ! Il finit par une *Marseillaise*... les gens autour reprennent... *le jour de gloire est tarrivé !* Je ne reverrai ce genre de spectacle... retrouverai ce climat qu'un quart de siècle plus tard, en mai 68, autour de la Sorbonne et de l'Odéon... ces groupes de gens qui palabrent, braillent, s'enflamment... se défoulent... savourent l'ineffable plaisir de rompre avec leurs habitudes ! Tout
30 le monde veut y aller de sa chansonnette, de sa proclamation. À ce moment-là, c'est dans le patriotisme que ça divague frénétique... On a été en manque pendant quatre ans... on se rattrape... [...]
La castagne a repris, bien sûr, vous êtes au courant. Comment ? Où ?... Je me souviens plus tout à fait. Ça s'est remis à tirer au loin... et puis plus
35 près... rue Saint-Jacques, si j'ai bonne mémoire. Binesco est venu nous raconter que deux S.S.[3] s'étaient présentés au Petit Pont, les bras en l'air, dans un side-car. Des F.F.I.[4], bonnes pommes, sincères et loyaux, se sont approchés et les S.S. leur ont tiré dessus à bout portant. D'où tient-il cette histoire... mystère ?... Il affirme, lui... ne se justifie jamais... il ne daigne !
40 Enfin on retrouve la joie du carnage, du tir au jugé... des pétarades que je vous passe. Le fastidieux de la guerre vient aussi vite que celui du métro quotidien, à bien réfléchir. Place Saint-André-des-Arts, un autobus bourré d'Allemands se fait prendre sous la mitraille... en enfilade, en feux croisés, tout en même temps ! Il se retourne à l'entrée de la rue Danton... il va servir d'amorce à une

1. *Au Quartier latin.*

2. *Banlieues parisiennes.*

3. S.S. : *initiales pour « sections spéciales », troupes d'élite nazies.*

4. F.F.I. : *initiales pour les résistants des « forces françaises de l'intérieur ».*

5. Gavroche : *jeune héros du roman de Hugo,* Les Misérables, *mort sur les barricades.*

45 barricade... Le mot va venir... s'approche... il est déjà dans l'air. Il nous transporte dans Victor Hugo... on va se sentir bientôt tous Gavroche[5]. Je revis ces moments... sans doute en les analysant sérieux, dans l'ensemble de la guerre qui embrasait alors l'Europe, c'était une piètre pantomime... une anachronique révolte... une vaste rigolade. Nous n'avions pas, nous autres

50 Français, tellement de belles victoires à nous cloquer au palmarès depuis le début de la guerre. On s'était fait rosser sévère... on avait tous plus ou moins ciré les bottes du vainqueur, fallait tout de même effacer ça. Tout l'art du général de Gaulle fut de monter le blanc en neige, de nous faire croire qu'on était des lions alors que nous étions de pauvres clebs calamiteux.

ALPHONSE BOUDARD, *Les Combattants du petit bonheur,* © éd. La Table Ronde, 1977.

Août 1944 - Au Quartier Latin, on attend l'arrivée des Alliés.

POUR LE BREVET DES COLLÈGES

(À partir du texte de Alphonse Boudard)

Grammaire

Faites l'analyse grammaticale et logique de la dernière phrase du texte pour donner :

1. la fonction des deux infinitifs « monter » et « croire » ;

2. la nature et la fonction des deux propositions subordonnées commençant par *que* (« qu'on était des lions ») et *alors que* (« alors que nous étions... »).

Vocabulaire

1. « Traduisez », en utilisant des synonymes « corrects », les expressions argotiques de Boudard :
— « cette vacherie de trêve » (ligne 4).
— « on se fait rincer dans les bistrots » (ligne 16).
— « on s'était fait rosser sévère » (ligne 51).

2. Expliquez le sens des deux expressions qui se suivent (lignes 48-49) : « c'était une piètre pantomime... une anachronique révolte ».

À lire

Sur le thème : enfance et héroïsme

— HUGO, *Les Misérables* (tome III, l'histoire de Gavroche).
— Hector MALOT, *Sans Famille.*
— Jules VALLÈS, *L'Enfant.*
— Jules RENARD, *Poil de Carotte.*
— Anne FRANK, *Le Journal d'Anne Frank.*
— Hans Peter RICHTER, *Mon Ami Frédéric.*
— William GOLDING, *Sa Majesté des mouches.*

À voir

Zazie dans le métro, La Guerre des boutons, Les Olvidados, Jeux interdits, Les Zozos, Au revoir les enfants.

Poèmes de mort...

Le privilège de la poésie est d'être indestructible devant les horreurs et les terreurs de l'Histoire. Indestructible par son recueillement pathétique dans les derniers vers de Robert Desnos (1900-1945), déporté en Tchécoslovaquie où il meurt le 8 juin 1945. Indestructible par l'énergie de son témoignage et de sa protestation dans l'hommage de Paul Éluard (1895-1952) à un « camarade mort pour ce qui nous fait vivre ». Indestructible encore par le rayonnement de sa merveilleuse espérance quand ce même Éluard réinvente le mot de « Liberté » pour en faire l'emblème de la Résistance.

ROBERT DESNOS

Poèmes du bagne (1945, posth.)

Parisien de la Bastille, **Robert Desnos** (1900-1945), épris d'érotisme et d'humour noir, fut l'un des surréalistes les plus doués pour l'écriture automatique et l'onirisme. Attiré par la radio et le cinéma, il a aussi écrit des chansons pour les enfants d'un lyrisme plein de cocasserie. Plus tard, la Résistance et la déportation dans un camp de concentration — où il est mort — lui ont inspiré des poèmes poignants, inspirés par l'espoir et l'amour de la vie.
Œuvres principales : *Corps et biens* (1930); *Fortunes* (1942); *Destinée arbitraire* (posth., 1975).

J'ai rêvé tellement fort de toi,
J'ai tellement marché, tellement parlé,
Tellement aimé ton ombre,
Qu'il ne me reste plus rien de toi.
5 Il me reste d'être l'ombre parmi les ombres
D'être cent fois plus ombre que l'ombre
D'être l'ombre qui viendra et reviendra
     dans ta vie ensoleillée.

ROBERT DESNOS, *Poèmes du bagne*, © Gallimard, 1945.

PAUL ÉLUARD

Au rendez-vous allemand (1944)

Un homme[1] est mort qui n'avait pour défense
Que ses bras ouverts à la vie
Un homme est mort qui n'avait d'autre route
Que celle où l'on hait les fusils
5 Un homme est mort qui continue la lutte
Contre la mort contre l'oubli

Car tout ce qu'il voulait
Nous le voulions aussi
Nous le voulons aujourd'hui
10 Que le bonheur soit la lumière
Au fond des yeux au fond du cœur
Et la justice sur la terre

Il y a des mots qui font vivre
Et ce sont des mots innocents
15 Le mot chaleur le mot confiance
Amour justice et le mot liberté
Le mot enfant et le mot gentillesse
Et certains noms de fleurs et certains noms de fruits
Le mot courage et le mot découvrir
20 Et le mot frère et le mot camarade
Et certains noms de pays de villages
Et certains noms de femmes et d'amis
Ajoutons-y Péri
Péri est mort pour ce qui nous fait vivre
25 Tutoyons-le sa poitrine est trouée
Mais grâce à lui nous nous connaissons mieux
Tutoyons-nous son espoir est vivant.

1. Gabriel Péri (1902-1941) : *journaliste et député communiste, animateur sous l'occupation des* Cahiers clandestins *du P.C., il fut exécuté par les nazis le 15 décembre 1941.*

PAUL ÉLUARD, *Au rendez-vous allemand*, © éd. Gallimard, 1944.

273

PAUL ÉLUARD

Poésie et vérité
(1942)

... et d'espérance

Sur mes cahiers d'écolier
Sur mon pupitre et les arbres
Sur le sable sur la neige
J'écris ton nom

5 Sur toutes les pages lues
Sur toutes les pages blanches
Pierre sang papier ou cendre
J'écris ton nom

Sur les images dorées
10 Sur les armes des guerriers
Sur la couronne de rois
J'écris ton nom

Sur la jungle et le désert
Sur les nids sur les genêts
15 Sur l'écho de mon enfance
J'écris ton nom

Sur les merveilles des nuits
Sur le pain blanc des journées
Sur les saisons fiancées
20 J'écris ton nom

Sur tous mes chiffons d'azur
Sur l'étang soleil moisi
Sur le lac lune vivante
J'écris ton nom

25 Sur les champs sur l'horizon
Sur les ailes des oiseaux
Et sur le moulin des ombres
J'écris ton nom

Sur chaque bouffée d'aurore
30 Sur la mer sur les bateaux
Sur la montagne démente
J'écris ton nom

Sur la mousse des nuages
Sur les sueurs de l'orage
35 Sur la pluie épaisse et fade
J'écris ton nom

Sur les formes scintillantes
Sur les cloches des couleurs
Sur la vérité physique
40 J'écris ton nom

Sur les sentiers éveillés
Sur les routes déployées
Sur les places qui débordent
J'écris ton nom

45 Sur la lampe qui s'allume
Sur la lampe qui s'éteint
Sur mes maisons réunies
J'écris ton nom

Sur mon chien gourmand et tendre
50 Sur ses oreilles dressées
Sur sa patte maladroite
J'écris ton nom

Sur le tremplin de ma porte
Sur les objets familiers
55 Sur le flot du feu béni
J'écris ton nom

Sur toute chair accordée
Sur le front de mes amis
Sur chaque main qui se tend
60 J'écris ton nom

Sur la vitre des surprises
Sur les lèvres attentives
Bien au-dessus du silence
J'écris ton nom

65 Sur mes refuges détruits
Sur mes phares écroulés
Sur les murs de mon ennui
J'écris ton nom

Sur la santé revenue
Sur le risque disparu
75 Sur l'espoir sans souvenirs
J'écris ton nom

Sur l'absence sans désirs
70 Sur la solitude nue
Sur les marches de la mort
J'écris ton nom

Et par le pouvoir d'un mot
Je recommence ma vie
Je suis né pour te connaître
80 Pour te nommer

LIBERTÉ.

PAUL ÉLUARD, *Poésie et vérité*, © éd. de Minuit.

*Illustration de Fernand Léger
pour le poème d'Éluard.*

Guide de lecture : « Liberté »

Les vers

1. Quels types de **strophes** et de **vers** reconnaissez-vous ?

2. Que reste-t-il du système traditionnel des **jeux de rimes** ?

3. Diriez-vous qu'il s'agit encore ici d'un poème **classique** dans sa forme ? Justifiez votre réponse.

Éloquence ou musique ?

On peut lire ce poème en mettant l'accent soit sur les **procédés** de type **oratoire** (répétitions, rythme ternaire, attente différée du « dernier mot »), soit sur les **procédés** de type **musical** (refrain, litanie, assonances).

Décrivez ces divers effets oratoires ou musicaux, montrez comment ils se complètent et, en se combinant, créent un véritable « volume » poétique.

Poésie et vérité

« Liberté » fait partie des poèmes publiés en 1942 par Éluard dans un recueil intitulé *Poésie et vérité*. Si le message principal du texte est en effet celui d'un hymne à la **liberté**, vous montrerez qu'on peut aussi en regrouper les idées principales autour des deux thèmes suivants :
— les *vérités* d'un *homme* (enfance, amitié, engagement, désirs, etc.) ;
— les *vérités* de la *poésie* (et plus généralement de l'écriture : cf. vers 1-8 et 77-80 principalement).

Un hymne à illustrer

1. Choisissez un quatrain du poème et illustrez-le par un dessin personnel.

2. Ou réalisez à plusieurs un montage/collage à partir de documents divers pour témoigner de l'ensemble de ce poème lui-même très visuel.

5. « Les fifties »

Curieuses, contrastées, dévergondées parfois, telles nous apparaissent, avec un quart de siècle de recul, les « années 50 », partagées entre la difficulté de vivre les lendemains de la Seconde Guerre mondiale et l'exaltation de la reconstruction, de la « libération » aux divers sens du terme.

Si le traumatisme de la défaite, de l'occupation et du génocide n'est pas pour rien dans le développement du thème de l'absurde chez des romanciers comme Sartre et Camus, et un peu plus tard chez des hommes de théâtre comme Ionesco et Beckett, les œuvres de ces écrivains témoignent aussi des interrogations d'une génération déboussolée par l'accélération incroyable de la société de production-consommation dont le slogan deviendra vite : « Métro, boulot, dodo. ».

Dans un livre passionnant de 1957, Mythologies (voir p. 283), l'essayiste Roland Barthes s'efforcera ainsi de dresser l'inventaire et d'interpréter les symboles de cette société qui bouge à la vitesse des produits qu'elle s'invente : « Cocotte-minute », « Tourne-disque », « Caravelle », « Mirage », « D.S. 19 »... Et ce même public qui se presse alors dans les « grand-messes » du Salon de l'Auto ou des Arts ménagers est celui dont les enfants, à partir de 1956, découvrent les figures dynamiques et libérées du rock and roll, avec son cortège d'autres symboles à consommer venus d'outre-Atlantique : jeans, blousons de cuir, « gros cubes », Coca-cola... Les années 50 commencent déjà à s'appeler les « fifties ».

« Métro, boulot, dodo ? »

ALBERT CAMUS

Le Mythe de Sisyphe (1942)

Né en Algérie, **Albert Camus** (1913-1960) a pris une part active dans l'actualité de son temps. Son œuvre est imprégnée par le sentiment de l'absurde, qui naît d'une confrontation entre la soif de bonheur de l'homme et l'indifférence du monde. Toutefois, la révolte individuelle et nihiliste doit être dépassée, et s'orienter vers une morale collective, qui exalte la solidarité humaine face au mal.
Œuvres principales : *Noces* (1938), *L'Étranger* (1942), *Le Mythe de Sisyphe* (1942), *Caligula* (1944), *La Peste, L'Homme révolté* (1951), *La Chute* (1956), *L'Exil et le Royaume* (1958).

« Métro, boulot, dodo... », la fameuse formule qui allait devenir un des slogans du « ras-le-bol » des années 60 était en fait déjà inscrite en filigrane dans les réflexions littéraires ou philosophiques des écrivains de la Seconde Guerre mondiale et de ses lendemains. Parmi les penseurs de ce qu'on appela la génération « existentialiste », Albert Camus (1913-1960), essayiste et romancier, avait parfaitement identifié, dès 1942 dans son Mythe de Sisyphe, le nouveau rapport de l'homme au temps dans la société industrielle moderne : rapport de dépendance et de répétition, de lassitude et d'aliénation qui débouche sur le sentiment de « l'absurde, cette révolte de la chair... »

I l arrive que les décors s'écroulent. Lever, tramway, quatre heures de bureau ou d'usine, repas, tramway, quatre heures de travail, repas, sommeil et lundi mardi mercredi jeudi vendredi et samedi sur le même rythme, cette route se suit aisément la plupart du temps. Un jour seulement, le « pourquoi » s'élève et tout commence dans cette lassitude teintée d'étonnement. « Commence », ceci est important. La lassitude est à la fin des actes d'une vie machinale, mais elle inaugure en même temps le mouvement de la conscience. Elle l'éveille et elle provoque la suite. La suite, c'est le retour inconscient dans la chaîne, ou c'est l'éveil définitif. Au bout de l'éveil vient, avec le temps, la conséquence : suicide ou rétablissement. En soi, la lassitude a quelque chose d'écœurant. Ici, je dois conclure qu'elle est

1. **Heidegger :** *philosophe allemand (1889-1976).*

bonne. Car tout commence par la conscience et rien ne vaut que par elle. Ces remarques n'ont rien d'original. Mais elles sont évidentes : cela suffit pour un temps, à l'occasion d'une reconnaissance sommaire dans les origines de
15 l'absurde. Le simple « souci », comme dit Heidegger[1], est à l'origine de tout.

De même et pour tous les jours d'une vie sans éclat, le temps nous porte. Mais un moment vient toujours où il faut le porter. Nous vivons sur l'avenir : « demain », « plus tard », « quand tu auras une situation », « avec l'âge tu comprendras ». Ces inconséquences sont admirables, car enfin il s'agit de
20 mourir. Un jour vient pourtant et l'homme constate ou dit qu'il a trente ans. Il affirme ainsi sa jeunesse. Mais du même coup, il se situe par rapport au temps. Il y prend sa place. Il reconnaît qu'il est à un certain moment d'une courbe qu'il confesse devoir parcourir. Il appartient au temps et, à cette horreur qui le saisit, il y reconnaît son pire ennemi. Demain, il souhaitait
25 demain, quand tout lui-même devrait s'y refuser. Cette révolte de la chair, c'est l'absurde.

CAMUS, *Le Mythe de Sisyphe*, © éd. Gallimard, 1942.

EUGÈNE IONESCO

La Cantatrice chauve (1950)

« Vous n'auriez pas un petit feu de cheminée... »

Dans les années 50 proprement dites, ce sont les dramaturges qui prennent le relais des romanciers et des philosophes pour décrire l'absurde enfoui dans la banalité de la vie quotidienne des relations familiales ou sociales. La Cantatrice chauve d'Eugène Ionesco (né en 1912) — pièce où n'apparaît bien sûr aucune cantatrice ! — passée inaperçue en 1950 lors de ses premières représentations, est devenue depuis un classique de l'absurde à la scène. Un couple d'Anglais, les Smith, reçoivent les Martin. La conversation des quatre protagonistes s'est enlisée dans l'insignifiance la plus complète quand se présente un étrange capitaine des pompiers aux propos pour le moins très peu incendiaires !

LE POMPIER. — Je vais vous prier de vouloir bien excuser mon indiscrétion ; (*très embarrassé*) euh... (*Il montre du doigt les époux Martin.*) puis-je... devant eux...

MME MARTIN. — Ne vous gênez pas.

5 M. MARTIN. — Nous sommes de vieux amis. Ils nous racontent tout.

M. SMITH. — Dites.

LE POMPIER. — Eh bien, voilà. Est-ce qu'il y a le feu chez vous ?

MME SMITH. — Pourquoi nous demandez-vous ça ?

LE POMPIER. — C'est parce que... excusez-moi, j'ai l'ordre d'éteindre tous les
10 incendies dans la ville.

MME MARTIN. — Tous ?

LE POMPIER. — Oui, tous.

MME SMITH, *confuse*. — je ne sais pas... je ne crois pas, voulez-vous que j'aille voir ?

15 M. SMITH, *reniflant*. — Il ne doit rien y avoir. Ça ne sent pas le roussi.

LE POMPIER, *désolé*. — Rien du tout ? Vous n'auriez pas un petit feu de cheminée, quelque chose qui brûle dans le grenier ou dans la cave ? Un petit début d'incendie, au moins ?

MME SMITH. — Écoutez, je ne veux pas vous faire de la peine, mais je pense
20   qu'il n'y a rien chez nous pour le moment. Je vous promets de vous
       avertir dès qu'il y aura quelque chose.

LE POMPIER. — N'y manquez pas, vous me rendriez service.

MME SMITH. — C'est promis.

LE POMPIER, *aux époux Martin*. — Et chez vous, ça ne brûle pas non plus ?

25   MME MARTIN. — Non, malheureusement.

M. MARTIN, *au Pompier*. — Les affaires vont plutôt mal, en ce moment !

LE POMPIER. — Très mal. Il n'y a presque rien, quelques bricoles, une
       cheminée, une grange. Rien de sérieux. Ça ne rapporte pas. Et comme
       il n'y a pas de rendement, la prime à la production est très maigre.

30   M. SMITH. — Rien ne va. C'est partout pareil. Le commerce, l'agriculture,
       cette année c'est comme pour le feu, ça ne marche pas.

M. MARTIN. — Pas de blé, pas de feu.

LE POMPIER. — Pas d'inondation non plus.

MME SMITH. — Mais il y a du sucre.

35   M. SMITH. — C'est parce qu'on le fait venir de l'étranger.

MME MARTIN. — Pour les incendies, c'est plus difficile. Trop de taxes !

LE POMPIER. — Il y a tout de même, mais c'est assez rare aussi, une asphyxie
       au gaz, ou deux. Ainsi, une jeune femme s'est asphyxiée, la semaine
       dernière, elle avait laissé le gaz ouvert.

40   MME MARTIN. — Elle l'avait oublié ?

LE POMPIER. — Non, mais elle a cru que c'était son peigne.

M. SMITH. — Ces confusions sont toujours dangereuses.

MME SMITH. — Est-ce que vous êtes allé voir chez le marchand d'allumettes ?

LE POMPIER. — Rien à faire. Il est assuré contre l'incendie.

EUGÈNE IONESCO, *La Cantatrice chauve*, scène 2, © éd. Gallimard, 1950.

*Mise en scène de 1952, au
théâtre de La Huchette.*

SAMUEL
BECKETT

Fin de partie
(1957)

Samuel Beckett, romancier et
dramaturge irlandais, est né en
1906. Influencée par Joyce et
Kafka, son œuvre présente une
humanité exténuée, dégradée
jusqu'à l'état larvaire, qui attend
en vain un Dieu mystérieux... et
hypothétique.
Dans ses principales œuvres :
Malone meurt (1952), *En attendant Godot* (1953), *Fin de partie*
(1956), *Oh! les beaux jours*
(1961), il offre une vision dérisoire de la condition humaine.

Femme assise,
A. Giacometti, (1956).

1. **Squales :** *famille de
grands poissons à laquelle
appartiennent les requins.*

« L'infini du vide autour de toi... »

*Samuel Beckett pousse encore plus loin que Ionesco la représentation de l'absurde,
jusqu'à en faire peut-être la forme tragique de la condition moderne. Le rapport au
temps, dont Camus évoquait déjà la dégradation, devient véritablement obsédant dans
ses pièces où les personnages, « étrangers » à leur parole comme ceux de Ionesco,
paraissent paralysés dans un espace et une durée qu'ils sont incapables de maîtriser. Fin
de partie (1957), au titre significatif, nous présente, dans un décor gris de fin du monde,
un couple moribond, le tyrannique Hamm et son valet Clov, sous le regard vide des
« géniteurs » de Hamm enfermés dans des poubelles... Dans cette situation immobile
où s'entrechoquent propos désespérés, méchancetés et sarcasmes, c'est l'angoisse de la
mort et du néant qui « suinte » de partout.*

HAMM, *avec élan.* — Allons-nous-en tous les deux, vers le Sud ! Sur la mer !
Tu nous feras un radeau. Les courants nous emporteront, loin, vers
d'autres... mammifères !

CLOV. — Parle pas de malheur.

5 HAMM. — Seul, je m'embarquerai seul ! Prépare-moi ce radeau immédiatement. Demain, je serai loin.

CLOV, *se précipitant vers la porte.* — Je m'y mets tout de suite.

HAMM. — Attends. (*Clov s'arrête.*) Tu crois qu'il y aura des squales[1] ?

CLOV. — Des squales ? Je ne sais pas. S'il y en a, il y en aura. (*Il va vers la
10 porte.*)

HAMM. — Attends ! (*Clov s'arrête.*) Comment vont tes yeux ?

CLOV. — Mal.

HAMM. — Mais tu vois.

CLOV. — Suffisamment.

15 HAMM. — Comment vont tes jambes ?

CLOV. — Mal.

HAMM. — Mais tu marches.

CLOV. — Je vais, je viens.

HAMM. — Dans ma maison. (*Un temps. Prophétique et avec volupté.*) Un jour,
20 tu seras aveugle. Comme moi. Tu seras assis quelque part, petit plein
perdu dans le vide, pour toujours, dans le noir. Comme moi. (*Un temps.*)
Un jour, tu te diras : Je suis fatigué, je vais m'asseoir, et tu iras t'asseoir.
Puis tu diras : J'ai faim, je vais me lever et me faire à manger mais tu ne
te lèveras pas. Tu te diras : J'ai eu tort de m'asseoir, mais puisque je me
25 suis assis, je vais rester assis encore un peu, puis je me lèverai et je me
ferai à manger. Mais tu ne te lèveras pas et tu ne te feras pas à manger.
(*Un temps.*) Tu regarderas le mur un peu, puis tu te diras : Je vais fermer
les yeux, peut-être dormir un peu, après ça ira mieux, et tu les fermeras.
Et quand tu les rouvriras, il n'y aura plus de mur. (*Un temps.*) L'infini
30 du vide sera autour de toi, tous les morts de tous les temps ressuscités ne
le combleraient pas, tu y seras comme un petit gravier au milieu de la
steppe. (*Un temps.*) Oui, un jour, tu sauras ce que c'est, tu seras comme
moi, sauf que toi, tu n'auras personne, parce que tu n'auras eu pitié de
personne et qu'il n'y aura plus personne de qui avoir pitié. (*Un temps.*)

35 CLOV. — Ce n'est pas dit. (*Un temps.*) Et puis tu oublies une chose.

HAMM. — Ah !

CLOV. — Je ne peux pas m'asseoir.

HAMM, *impatient.* — Eh bien, tu te coucheras, tu parles d'une affaire. Ou tu
t'arrêteras, tout simplement, tu resteras debout, comme maintenant. Un
40 jour, tu te diras, je suis fatigué. Je vais m'arrêter. Qu'importe la posture.

SAMUEL BECKETT, *Fin de partie,* © éd. de Minuit, 1957.

Guide de lecture : des personnages « étrangers » à eux-mêmes

Des « situations » absurdes

1. Les Smith et les Martin chez Ionesco, Clov, Hamm et ses parents muets chez Beckett. Comparez ces deux situations à structure double.

2. L'arrivée du pompier dans *La Cantatrice,* la brutale « envie » de Hamm dans *Fin de partie* n'arrivent pas à créer l'événement. Pourquoi ?

Des paroles étranges

Plus souriante et peut-être plus comique chez Ionesco, plus grave et sans doute plus tragique chez Beckett, la démonstration de l'absurde passe davantage dans les deux cas par la parole que par les gestes ou l'action.

Caractérisez les dialogues, leurs différences de rythme et de ton. Sur quelle impasse identique débouchent-ils ?

Satires sociales ou interrogations philosophiques ?

1. Quels éléments, quelles expressions dans la scène de Ionesco donnent une dimension sociale à ce qu'on pourrait appeler une critique de l'univers « petit-bourgeois » ?

2. En quoi le texte de Beckett est-il plus résolument tourné vers une réflexion sur la détresse de la condition humaine elle-même ?

Mise en scène et interprétation

On peut dire et jouer le texte de Ionesco de plusieurs manières selon que l'on met l'accent sur les éléments grotesques ou sur la gravité de l'enjeu dont ils témoignent.
En deux petits groupes de cinq élèves, interprétez cette même scène en privilégiant successivement ces deux « manières » de lire la pièce.

ROGER VAILLAND

325 000 francs (1955)

Roger Vailland (1907-1965) commence sa carrière comme journaliste. C'est son entrée dans la Résistance et les dangers qu'il affronte qui lui révèlent sa vocation d'écrivain engagé où, refusant les contraintes morales et religieuses, il recherche une liberté absolue. Sa tentative de conciliation de la révolte individuelle et de l'action révolutionnaire se solde par un échec après la publication du rapport Khrouchtchev en 1956. Désormais, il se consacre au voyage et à une amère méditation sur la vanité de tout engagement.
Ses héros, par la lucidité de leur pensée et l'énergie de leur caractère, évoquent souvent ceux de Stendhal et de Laclos . Œuvres principales : *Drôle de jeu; Beau Masque; 325 000 francs; Les Mauvais Coups; La Loi; La Fête.*

1. *Le cylindre de la presse.*

2. *Bernard Busard aura d'ailleurs la main droite broyée par cette machine.*

3. **Timon :** *longue pièce de bois de chaque côté de laquelle on attelle une bête de trait.*

La machine-objet...

Pour vendre et s'enrichir il faut produire. Le développement de la société de consommation des années 50 passe par une rationalisation souvent inhumaine des rythmes de production dans ce qu'on appelle « le travail à la chaîne ». Dans son roman intitulé 325 000 *francs, Roger Vailland raconte l'aventure dramatique d'un jeune ouvrier, Bernard Busard, qui a besoin de cette somme pour se « mettre en ménage » avec celle qu'il aime. Passant outre aux protestations de son syndicat, il enfreint la fameuse règle des « trois huit » et se fait embaucher « aux pièces » par son patron : désormais il se trouve directement aux prises avec la machine, une presse à injecter le plastique, qui va lui dicter son rythme infernal jusqu'au jour où un accident anéantira ses espoirs de gain rapide.*

L e cylindre de la machine de Busard[1], posé sur quatre poteaux comme un lion sur ses pattes, mesure deux mètres.

Le piston glisse dans le cylindre et projette la matière en fusion dans le moule, au travers d'un étroit conduit où elle se pulvérise.

5 Le moule, à l'extrémité du cylindre opposée au réservoir, est comme le ventre de la presse. Une tête cylindrique : le réservoir, emmanchée d'un long cou posé horizontalement : le cylindre, aboutissant à un ventre court : le moule; telle apparaissait la machine confiée à Busard.

Busard contempla avec plaisir, allongée devant lui comme un bel animal,
10 la puissante machine qui allait lui permettre d'acheter la liberté et l'amour.

Le ventre dans lequel ses mains allaient avoir à travailler pendant cent quatre-vingt-sept jours n'était plus séparé de lui que par le réseau à jours octogonaux de la grille de sécurité. Le moule ne s'ouvrira que quand il aura levé la grille, ne se fermera que quand il l'aura abaissée. C'est pour l'empêcher
15 d'oublier par mégarde sa main dans la matrice, au moment où la partie femelle va s'ajuster à la partie mâle. Ce ventre peut à l'occasion se transformer en mâchoire capable de broyer n'importe quel poing[2].

L'objet que fabrique vingt-quatre heures sur vingt-quatre la presse confiée à Bernard Busard, est un carrosse louis-quatorzième, aux angles
20 surmontés de plumets. Un jouet, qu'on peut acheter au rayon Enfants de certains magasins à succursales multiples. Les quatre chevaux et le timon[3] sont moulés par d'autres presses, et le tout assemblé à l'étage au-dessus, dans

les ateliers de femmes. Le moule a été acheté d'occasion en Amérique. Là-bas on ne l'injectait pas en rouge géranium, mais en noir, et l'objet fabriqué ne
25 portait pas le nom de carrosse, mais, maquette d'un corbillard de première classe, servait pour la publicité d'une entreprise de pompes funèbres.

Dans le ventre à serpentins[4], la matière plastique refroidit en trente secondes. L'ouverture et la fermeture du ventre, et l'injection de la matière en fusion exigent dix secondes. La presse fabrique un objet toutes les quarante
30 secondes.

Busard calcula qu'en cent quatre-vingt-sept jours, il produirait 201 960 corbillards-carrosses…

ROGER VAILLAND, *325 000 francs*, © éd. Buchet-Chastel, 1956.

Usine de fabrication d'armements, *É. Vuillard.*

A. PIEYRE DE MANDIARGUES

La Motocyclette (1963)

Né en 1909, **André Pieyre de Mandiargues,** amoureux de l'insolite, excelle à créer un climat fantastique où un érotisme cruel suscite des « images qui soient de délectation ou d'émoi ». Peu à peu, il adopte un ton neutre et une forme dépouillée pour écrire des histoires rigoureuses où un lyrisme discret s'unit à la fantaisie.
Œuvres principales : *Soleil des loups ; Le Musée noir ; Marbre ; La Motocyclette ; La Marge.*

… et la machine-plaisir

Dans La Motocyclette, *c'est une autre forme de « machine », exaltée durant les « fifties » américaines par les rockers, la moto, que met en scène André Pieyre de Mandiargues.*
Objet-désir, objet-passion, le romancier en fait le symbole de la folle chevauchée des temps modernes où liberté rime pour lui avec « brutalité ». Rébecca, son héroïne, a décidé de quitter son mari Raymond pour rejoindre en Allemagne son amant. Au petit matin, elle enfourche sa superbe et puissante Harley-Davidson.

Entre ses jambes écartées par le réservoir, le moteur va de toute la force des deux énormes cylindres, chose vivante, frémissante et furieuse à tel point que ce déchaînement ne cesse de l'émerveiller comme au premier instant qu'elle en eut la révélation. Quelle brute ! Le bruit qu'il fait
5 doit s'entendre jusqu'à l'autre banlieue de Haguenau[1], jusqu'au pavillon et jusqu'au lit où Raymond étend peut-être un bras vers la place vide ; il résonne certainement dans la caserne des gendarmes ; Rébecca s'amuse à l'idée de son écho dans les longs couloirs crasseux, à celle de l'aboiement des chiens policiers derrière les grilles.
10 Quand elle jaillit hors de l'espace bâti et qu'elle entre en forêt, l'aiguille du compteur est à cent cinquante, et sa main réduit les gaz tandis que par une double et rapide inclinaison du corps elle guide sa monture sur un léger coude

de la route qu'elle connaît bien d'ailleurs et qui ne demande presque aucun ralentissement. Ensuite, la ligne droite reprend sur une dizaine de kilomètres,
15 jusqu'à Soufflenheim, et cette rectitude avec laquelle comme au couteau l'espace est tranché donne un certain vertige qui se peut rapporter à celui du fil à plomb, car elle attire à la façon d'un abîme profondément vertical sur lequel on se penche. Charme étrange de la ligne d'abeille, saura-t-on jamais ce qui pousse l'insecte à se ruer tout droit de la sorte, si c'est avec ivresse,
20 bonheur, rage, soif d'arriver au bout de son existence, ou par quelque sens de l'espace dont l'homme n'a pas été pourvu mais qu'il soupçonne à l'occasion ? Ainsi la vitesse rassemble les hauts sapins noirs en parois comme d'un défilé creusé dans une roche plutonienne[2] (le choc n'en serait pas moins dur), et la route a l'apparence d'un sentier étroitement encaissé, noir aussi, qui aboutit
25 peut-être au soleil. Plutôt que de conduire une motocyclette, Rébecca penserait qu'elle pointe un canon vers une cible lumineuse, ou encore qu'elle est obus elle-même dans l'âme de ce canon. Ce qui devrait l'encourager à tenir ferme le guidon et à fournir tout ce qui se peut de gaz au moteur. Pourtant elle tourne la poignée, coupe l'admission complètement, laisse la moto ralentir
30 sur sa lancée pendant un peu plus de deux kilomètres, et quand elle arrive devant un banc, qui est sur le bas-côté gauche, elle freine, passe une vitesse inférieure, traverse la route et s'arrête en face des planches moussues. Elle met pied à terre, place la machine en position de repos sur sa béquille ; elle se couche de tout son long sur le banc vieux, la face tournée vers le ciel.

2. *Relatif à Pluton, dieu romain des Enfers.*

ANDRÉ PIEYRE DE MANDIARGUES, *La Motocyclette*, © éd. Gallimard, 1963.

Peter Fonda dans Easy Rider, de Denis Hopper (1969).

Guide de lecture : la machine du plaisir

Étude du texte de Mandiargues

1. La *femme* et la *machine*. Comment est évoquée la fusion du corps humain et de la machine ? Dans quelle intention ?

2. *La vitesse.* Comment l'impression en est-elle stylistiquement rendue ? Comment suggère-t-elle à la fois liberté et plaisir ?

3. L'*abeille* (l. 18) et le *canon* (l. 26). Commentez la puissance d'évocation de ces deux images.

Au-delà du texte

Brigitte Bardot, starlette triomphante du cinéma des années 50, a également connu le succès avec une chanson à la gloire de la « Harley Davidson ».

Procurez-vous un enregistrement de ce « tube », écoutez-le en classe et confrontez ses paroles au texte de Mandiargues pour approfondir notamment les deux réseaux thématiques : femme - machine et vitesse - plaisir - liberté.

ROLAND
BARTHES

Mythologies
(1957)

La nouvelle déesse de l'automobile

En plein développement dans les années 50, le marché de l'automobile devient l'un des lieux les plus spectaculaires de la société de consommation. Comme le pressent le critique Roland Barthes dans l'une de ses Mythologies (1957), *la voiture, surtout « de luxe » comme la nouvelle D.S. de Citroën, est perçue non seulement comme un objet, mais encore comme un symbole capable de cristalliser les désirs, les passions et même les fantasmes d'une génération et d'une classe sociale prêtes à lui rendre un véritable « culte ».*

Critique et sémiologue français, **Roland Barthes** (1915-1980) a été professeur au Collège de France. Dans son œuvre littéraire, il s'applique à un type d'écriture qui dépasse les signes du style et de la littérature pour parvenir à une écriture neutre, puis manifeste un intérêt accru pour le signifiant en tant que symptôme de l'inconscient. Œuvres principales : *Le Degré zéro de l'écriture* ; *Mythologies* ; *Éléments de sémiologie*, *L'Empire des signes*.

1. Phénoménologie : *description commentée des phénomènes.*

Je crois que l'automobile est aujourd'hui l'équivalent assez exact des grandes cathédrales gothiques : je veux dire une grande création d'époque, conçue passionnément par des artistes inconnus, consommée dans son image, sinon dans son usage, par un peuple entier qui
5 s'approprie en elle un objet parfaitement magique. [...]
C'est pourquoi on s'intéresse moins en elle à la substance qu'à ses joints. On sait que le lisse est toujours un attribut de la perfection parce que son contraire trahit une opération technique et tout humaine d'ajustement : la tunique du Christ était sans couture, comme les aéronefs de la science-fiction
10 sont d'un métal sans relais. La D.S. 19 ne prétend pas au pur nappé, quoique sa forme générale soit très enveloppée ; pourtant ce sont les emboîtements de ses plans qui intéressent le plus le public : on tâte furieusement la jonction des vitres, on passe la main dans les larges rigoles de caoutchouc qui relient la fenêtre arrière à ses entours de nickel. Il y a dans la D.S. l'amorce d'une
15 nouvelle phénoménologie[1] de l'ajustement, comme si l'on passait d'un monde d'éléments soudés à un monde d'éléments juxtaposés et qui tiennent par la seule vertu de leur forme merveilleuse, ce qui, bien entendu, est chargé d'introduire à l'idée d'une nature plus facile.
Quant à la matière elle-même, il est sûr qu'elle soutient un goût de la
20 légèreté, au sens magique. Il y a retour à un certain aérodynamisme, nouveau pourtant dans la mesure où il est moins massif, moins tranchant, plus étalé

D.S. et déesse sortant des eaux.

que celui des premiers temps de cette mode. La vitesse s'exprime ici dans des signes moins agressifs, moins sportifs, comme si elle passait d'une forme héroïque à une forme classique. Cette spiritualisation se lit dans l'importance,
25 le soin et la matière des surfaces vitrées. La Déesse est visiblement exaltation de la vitre, et la tôle n'y est qu'une base. Ici, les vitres ne sont pas fenêtres, ouvertures percées dans la coque obscure, elles sont grands pans d'air et de vide, ayant le bombage étalé et la brillance des bulles de savon, la minceur dure d'une substance plus entomologique[2] que minérale (l'insigne Citroën,
30 l'insigne fléché, est devenu d'ailleurs insigne ailé, comme si l'on passait maintenant d'un ordre de la propulsion à un ordre du mouvement, d'un ordre du moteur à un ordre de l'organisme).

Il s'agit donc d'un art humanisé, et il se peut que la Déesse marque un changement dans la mythologie automobile.

ROLAND BARTHES, *Mythologies*, © éd. du Seuil, 1957.

2. Entomologie : *se dit de la partie de la zoologie qui traite des insectes.*

Autobarricade en forme de bouton de fleur, *W. Vostell (Place de la Résistance, à Belfort, 1987).*

POUR LE BREVET DES COLLÈGES

Vocabulaire

1. Précisez le sens des mots ou expressions suivantes :
— « aérodynamisme » (l. 20) ;
— « comme si elle passait d'une forme **héroïque** à une forme **classique** » (l. 23-24).

2. Trouvez les *antonymes* des mots suivants :
— « exaltation » (l. 25) ;
— « enveloppée » (l. 11) ;
— « l'amorce » (l. 14).

3. Expliquez la différence entre « un ordre de la **propulsion** » et « un ordre du **mouvement** » (l. 31).

Expression

À la manière de Roland Barthes, décrivez en une vingtaine de lignes un véhicule des années 80 en vous attachant à mettre en valeur les éléments qui en font non seulement un objet de consommation mais aussi **un symbole de civilisation**.

6. Génération 68

Personne n'avait prévu les « événements » qui allaient secouer la France pendant un mois au printemps 1968. Révolte réussie ou révolution manquée, les journées de Mai furent sans doute davantage un symptôme et un symbole que l'aboutissement de véritables conflits sociaux et politiques.

Le pays, remis debout, stable dans ses institutions, confortablement installé dans une prospérité économique sans équivalent depuis près d'un demi-siècle, se réveille brutalement fiévreux et insomniaque. Ni les problèmes liés à l'immigration, ni ceux des « exclus de la croissance », ni les difficultés de la condition étudiante, ni « l'usure du pouvoir » du général de Gaulle ne suffisent rétrospectivement à expliquer la brutale explosion que décrivait en ces termes l'écrivain Michel Leiris : « Pavés lancés, voitures culbutées, palissades brisées, gros tuyaux exhumés, arbres coupés, flammes, gaz à faire pleurer ou suffoquer, grenades tonnantes, matraquages policiers : phrase à grand spectacle qui au printemps dernier bafouait, à Paris, les syntaxes. »

Personne ne peut dire non plus avec précision dans quelle mesure les slogans facétieux ou tonitruants de cette « phrase à grand spectacle » ont changé en profondeur mentalités, comportements et structures de la société française. Mais, de « symptôme », le printemps de Mai est à l'évidence devenu définitivement un symbole : celui de l'extraordinaire pouvoir des mots et des idées lâchés en liberté.

Paris, Place des Vosges, 1988.

GEORGES PEREC

Les Choses
(1965)

Georges Perec (1936-1982) décrit, dans *Les Choses* (1956) comme dans *La Vie mode d'emploi* (1978) un univers glacé, insensible, caractéristique de la société de consommation. A cette veine réaliste, inspirée par l'analyse sociologique, s'opposent une tendance onirique (*La Boutique obscure,* 1973, recueil de 124 rêves) et un goût très prononcé pour le jeu littéraire, assez proche du surréalisme. Ainsi, dans son roman *La Disparition* (1969) c'est une lettre, la voyelle e, que Georges Perec s'est amusé à supprimer.

Une société passée au crible

Prolifération des objets, des signes et des symboles de la société de consommation… Dans son roman de 1965 banalement et judicieusement intitulé Les Choses, *Georges Perec s'amuse à en dresser l'inventaire étourdissant avec la fausse objectivité d'un romancier-sociologue. Ses héros : un jeune couple précisément employé par une organisation de sondages d'opinion. Avec eux nous sommes plongés au cœur d'un monde où « rien de ce qui était humain ne leur fut étranger… » Humain ou inhumain ?*

E t pendant quatre ans, peut-être plus, ils explorèrent, interviewèrent, analysèrent. Pourquoi les aspirateurs-traîneaux se vendent-ils si mal ? Que pense-t-on, dans les milieux de modeste extraction, de la chicorée ? Aime-t-on la purée toute faite, et pourquoi ? Parce qu'elle est
5 légère ? Parce qu'elle est onctueuse ? Parce qu'elle est si facile à faire : un geste et hop ? Trouve-t-on vraiment que les voitures d'enfants sont chères ? N'est-on pas toujours prêt à faire un sacrifice pour le confort des petits ? Comment votera la Française ? Aime-t-on le fromage en tube ? Est-on pour ou contre les transports en commun ? À quoi fait-on d'abord attention en mangeant un
10 yaourt : à la couleur ? à la consistance ? au goût ? au parfum naturel ? Lisez-vous beaucoup, un peu, pas du tout ? Allez-vous au restaurant ? Aimeriez-vous, Madame, donner en location votre chambre à un Noir ? Que pense-t-on, franchement, de la retraite des vieux ? Que pense la jeunesse ? Que pensent les cadres ? Que pense la femme de trente ans ? Que pensez-vous des
15 vacances ? Où passez-vous vos vacances ? Aimez-vous les plats surgelés ? Combien pensez-vous que ça coûte un briquet comme ça ? Quelles qualités demandez-vous à votre matelas ? Pouvez-vous me décrire un homme qui aime les pâtes ? Que pensez-vous de votre machine à laver ? Est-ce que vous en êtes satisfaite ? Est-ce qu'elle ne mousse pas trop ? Est-ce qu'elle lave bien ? Est-ce
20 qu'elle déchire le linge ? Est-ce qu'elle sèche le linge ? Est-ce que vous préféreriez une machine à laver qui sécherait votre linge aussi ? Et la sécurité à la mine, est-elle bien faite, ou pas assez selon vous ? (Faire parler le sujet : demandez-lui de raconter des exemples personnels ; des choses qu'il a vues ; est-ce
25 qu'il a déjà été blessé lui-même ? comment ça s'est passé ? Et son fils, est-ce qu'il sera mineur comme son père, ou bien quoi ?)
Il y eut la lessive, le linge qui sèche, le repassage. Le gaz, l'électricité, le téléphone. Les enfants. Les
30 vêtements et les sous-vêtements. La moutarde. Les soupes en sachets, les soupes en boîtes. Les cheveux : comment les laver, comment les teindre, comment les faire tenir, comment les faire briller. Les étudiants, les ongles, les sirops pour la toux, les machines à écrire, les
35 engrais, les tracteurs, les loisirs, les cadeaux, la papeterie, le blanc, la politique, les autoroutes, les boissons alcoolisées, les eaux minérales, les fromages et les conserves, les lampes et les rideaux, les assurances, le jardinage.
40 Rien de ce qui était humain ne leur fut étranger.

GEORGES PEREC, *Les Choses,* © éd. Julliard, 1965.

Le Soleil dans son écrin, *Y. Tanguy.*

Débandade et effondrement

RENÉ-VICTOR
PILHES

L'Imprécateur
(1974)

Paru en 1974, année où il obtint le prix Goncourt et un immense succès, le roman de René-Victor Pilhes, L'Imprécateur, *peut être lu comme une sorte de fable, d'allégorie de la faillite de la société des années 60-70. Le siège de la « multinationale » Rosserys et Mitchell est menacé par une inquiétante lézarde qui ne cesse de s'élargir. Malfaçon d'architecte ou sabotage organisé par des cadres comploteurs de l'entreprise ? Le narrateur du livre, « directeur des relations humaines » de la société, et auteur de tracts dénonçant les dessous obscurs de la firme, vivra, de l'intérieur, l'aventure mystérieuse jusqu'à la catastrophe finale.*

C e fut la débandade. Je vis des torches s'agiter dans tous les sens, j'entendis des appels au secours. Quel effroyable souvenir ! Et puis un bruit sourd qui venait de dessus nos têtes. Un bruit qui devint bientôt comme un roulement de tonnerre, une avalanche.

5 — Ça s'effondre en haut ! cria quelqu'un.

Je me laissai glisser à toute vitesse dans le puits et j'atterris sans encombre, les mains un peu écorchées, sur un sol sec. Alors les grondements se répétèrent autour de moi et se transformèrent en vacarme. Des paquets de terre et de roches tombèrent autour de moi. Je me mis à plat ventre, les mains

10 sur la nuque, et fermai les yeux. Je restai longtemps dans cette position. Puis le silence revint. Je me tâtai pour m'assurer que mes os n'étaient pas brisés. Où était ma torche ? Par bonheur, je la sentis à côté de moi. Elle fonctionnait. J'étais au fond de ce puits et, devant moi, s'ouvrait un souterrain. J'étais vivant. Je pensai à Fournier[1]. Il n'était donc pas mort. Nous l'avions cru

15 assassiné par Le Rantec[1] ou étouffé par la boue, ou les deux à la fois. Il était sans doute revenu à lui tout seul.

Je marchai longtemps sous la terre. J'eus à ramper souvent. Parfois, je dus déblayer avec les mains le boyau que le grand tassement avait obstrué. J'entendis leurs plaintes, leurs insultes et leurs blasphèmes, qui venaient de

20 quelque part de l'autre côté de la paroi. Eux aussi étaient vivants. La plate-forme sur laquelle siégeait leur tribunal indigne et dément avait dû s'effondrer, et ils avaient probablement été jetés au pied du monticule. Et là, ils avaient dû essayer de se frayer passage à travers les éboulis. C'est pourquoi, de mon boyau, me parvinrent leurs sanglots et, mais oui, leurs imprécations[2].

25 J'eus même un moment la possibilité de communiquer avec eux. [...]

Et je me remis en marche. Le souterrain s'était élargi et j'arrivai enfin devant une ouverture. À l'aide de ma torche, j'explorai le lieu où je me trouvais. C'était bien le fameux caveau. Son plancher de béton avait été troué au chalumeau. Par cette voie, Saint-Ramé[3] avait pu s'introduire dans les sous-

30 sols et de là dans l'entreprise. Tout un attirail encombrait ce caveau : des imprécations[4] non distribuées, une carte des sous-sols, une machine à imprimer, une paire de bottes, plusieurs rouleaux de corde. Une grosse enveloppe requit mon attention. Je l'ouvris. Elle contenait la preuve que Roustev avait accru les troubles en sciant les piliers. Saint-Ramé avait relevé

35 ses empreintes sur les bonbonnes d'oxygène et le chalumeau. J'avais écouté très attentivement les explications d'Henri Saint-Ramé et elles m'avaient convaincu. L'homme était intelligent et orgueilleux. Jouer au chat et à la souris, mystifier ses collaborateurs, tout cela était bien dans sa manière et son tempérament. Mais il avait suscité beaucoup de haine et de rancœur. En

40 transformant son entreprise en scène de théâtre, il avait surestimé ses pouvoirs. Il reste qu'au fond ses idées me paraissaient justes. Il faudrait

1. *Collègues du narrateur.*

2. *Malédictions.*

3. *Le P.-D.G. de l'entreprise.*

4. *Ces messages circulaient dans l'entreprise sous forme de tracts anonymes.*

désormais se préoccuper sérieusement des nerfs des entreprises géantes, américaines et multinationales et, plus généralement, de la mentalité qui présidait à la prospérité économique de l'Occident.

45 Mais comment sortir de ce caveau ? Je cherchai en vain un mécanisme. Je n'eus alors d'autre ressource que celle d'appeler au secours. Ce n'est qu'au milieu de la matinée qu'une voix stupéfaite me répondit :

— Qui donc parle dans ce caveau ?

— C'est moi, dis-je, ouvrez-moi, dépêchez-vous.

50 — Qui êtes-vous ?

— Je suis le directeur des Relations humaines de la société Rosserys & Mitchell-France, dont l'immeuble de verre et d'acier se dresse au coin de l'avenue de la République et de la rue Oberkampf, non loin du cimetière de l'Est.

55 — Vous voulez dire qu'il s'y dressait naguère, ricana l'homme, sans égards pour mon malheur.

— Ah, dis-je, il s'est effondré ?

— Et comment ! s'exclama l'homme ; heureusement, les gardiens avaient été renvoyés ; d'ailleurs, ça surprend tout le monde, vous pourrez

60 peut-être nous expliquer tout ça, vous !

— Je vous expliquerai, dis-je d'un ton las, c'est une longue histoire.

Et je m'allongeai, épuisé, dans ce caveau, en attendant qu'on veuille bien l'ouvrir.

RENÉ-VICTOR PILHES, *L'Imprécateur*, © éd. du Seuil, 1974.

Une fissure symbolique, désignée par Jean Yanne, « directeur des relations humaines » dans le film tiré de L'Imprécateur.

Guide de lecture : de la satire à l'imprécation

Une société passée au crible

1. Le texte de Georges Perec est à la fois **une satire** de la société de consommation et des instituts de sondage qui l'analysent et l'exploitent. À quoi le voit-on ?

2. L'humour du romancier. Il se combine ici avec réalisme et « objectivité ». Montrez-le.

3. La dernière formule : « Rien de ce qui était *humain*... » Vérité, boutade ou « humour noir » ?

Débandade et effondrement

1. L'envers d'une multinationale. Quelle image « infernale » en donne R.-V. Pilhes ?

2. Là aussi l'*humain* rejoint l'*inhumain*. À quels signes ou symboles du texte romanesque le voit-on ?

CLAIRE
ETCHERELLI

*Élise
ou la Vraie Vie*
(1967)

« D'inquiétantes espèces
mal nourries »

Indispensable au développement d'une économie française qui manque de main-d'œuvre, la forte immigration, principalement d'ouvriers maghrébins, dans les années 1960-1970, ne va pas sans créer des tensions nouvelles. Dans un roman de 1967 qui connut un très grand succès, Élise ou la vraie vie, *Claire Etcherelli, s'appuyant sur son expérience personnelle, témoignait des difficiles rapports à l'usine entre hommes et femmes, mais aussi entre ouvriers français et manœuvres nord-africains.*

Bernier fit venir un Algérien pour remplacer le Magyar[1]. Le régleur se déplaça plusieurs fois pour surveiller Mustapha et les pavillons.

J'avais depuis longtemps découvert l'hostilité souterraine des ouvriers entre eux. Les Français n'aimaient guère les Algériens, ni les
5 étrangers en général. Ils les accusaient de leur voler leur travail et de ne pas savoir le faire. La peine commune, la sueur commune, les revendications communes, c'était, comme disait Lucien, « de la frime », des slogans. La vérité, c'était le « chacun pour soi ». La plupart apportaient à l'usine leurs rancunes et leurs méfiances. On ne pouvait être pour les ratonnades[2] au-
10 dehors, et pour la fraternité ouvrière quand on rentrait dans la cage. Cela éclatait parfois, et chacun se retranchait derrière sa race et sa nationalité pour attaquer ou se défendre. Le délégué syndical s'interposait sans conviction. Un jour qu'il m'avait apporté le timbre et la carte, je lui avais avoué mes étonnements et mes désillusions.

15 — Il y a eu tant de barbarie entre eux, m'avait-il répondu sans se mouiller.

Lui-même parlait des « crouillats », des « bicots », et leur en voulait de n'avoir pas participé à la grève pour les cinq francs d'augmentation.

La chaîne stoppa et la sonnerie retentit. Mustapha m'avait apporté le
20 tampon d'essence qu'Arezki lui avait confié. C'était un signe. Il ne voulait pas me parler.

Je pris mon manteau et je partis vers la Porte d'Italie. J'éprouvais le besoin de marcher et de parler tout haut. Il y avait des bourrasques violentes qui hérissaient les cheveux et cinglaient la peau du visage ; de belles filles en
25 chaud manteau, que, comble d'injustice, le froid et leurs vêtements d'hiver rendaient plus jolies, des Algériens qui marchaient les pieds en canard, vêtus de vestons printaniers dont ils avaient relevé le col ; il y avait des flics aux bouches du métro qui vérifiaient les identités, et les vitrines, du Prisunic à la mercerie décrépite, avaient attrapé une fièvre de guirlandes et d'enluminures.
30 Toute une foule heureuse, bien nourrie, qui prenait en novembre les souliers fourrés et les manteaux doublés, en août les vacances à la mer, et à Pâques les habits de printemps, une foule qui gagnait ses loisirs à la sueur de son front, marchait, s'attablait au café et baissait très fort les paupières quand, dans ses eaux territoriales, se glissaient d'inquiétantes espèces mal nourries, qui
35 gardaient en novembre les habits de Pâques et qui, malgré la sueur de leurs fronts, ne gagnaient que leur pain.

1. *Hongrois.*

2. *Agressions racistes.*

CLAIRE ETCHERELLI, *Élise ou la Vraie Vie,* © éd. Denoël, 1967.

Le temps des « manifs »

FRANÇOISE
MALLET-JORIS

*Les Signes
et les Prodiges*
(1966)

Née à Anvers en 1930, **Françoise
Mallet-Joris** n'a que dix-neuf ans
lorsqu'elle écrit *Le Rempart des
béguines,* roman d'apprentissage de la vie et de la passion
qui la rendra d'emblée célèbre.
Membre de l'Académie Gon-
court depuis 1970, elle publie la
même année *La Maison de
papier,* et obtiendra le prix
Fémina pour l'*Empire céleste.*
Elle a consacré plusieurs ouvrages à la biographie de femmes
célèbres, et est également paro-
lière des chansons de Marie-
Paule Belle.

*Autour des années 60, la question de l'immigration est rendue plus aiguë encore
en raison des événements d'Algérie et de leurs répercussions dans la vie politique
française. Autre femme romancière, Françoise Mallet-Joris évoque dans un livre
de 1966,* Les Signes et les Prodiges, *les grandes manifestations organisées à Paris au
début de la décennie par les partis et organisations hostiles à la prolongation de ce qu'ils
considéraient comme une guerre coloniale.*

L' avenue plantée de marronniers grouillait d'une foule si dense qu'elle
en était entièrement remplie, qu'elle paraissait un membre du grand
corps qui s'agitait vaguement au soleil, là-bas, sur la place de la
Bastille. Il régnait une atmosphère de vacances, plus fiévreuse seulement, et
5   comme si l'on était parti vraiment en vacances, ou en pique-nique, des
hommes à brassard disaient d'un air soucieux : « Pourvu qu'il ne pleuve pas ! »
Car le succès d'une manifestation peut tenir à cela. On se souriait, les
mâchoires un peu serrées. Les habituées donnaient aux novices quelques
conseils brefs et décidés. Des errants se frayaient avec peine un passage,
10 cherchaient leur « groupe », s'agglutinaient ici et là en désespoir de cause. On
sentait les autres avenues, autour du centre névralgique de la Bastille, aussi
pleines, aussi houleuses. Une sorte de grande rumeur légère se déplaçait,
flottait au-dessus des cortèges. Les calicots¹ s'élevaient. Ça manquait un peu
de fanfare, mais tant qu'il y aurait ces quelques rayons d'un soleil incertain…
15 C'était le refrain général : « Pourvu qu'il ne pleuve pas… »
   Des visages se montraient aux fenêtres, curieux et inexpressifs ; des
bruits couraient : « L'interdiction a été rapportée… » « Il y a des policiers qui
sont pour… » Le piétinement s'accentuait, s'exaspérait. Il fallait démarrer,
avancer, car était-ce le nombre des manifestants qui croissait, ou la nervosité
20 qui se faisait tangible, mais le volume de la foule semblait grossir, les rumeurs
s'amplifier, une respiration plus ample et plus unie soulever le corps
gigantesque couché là, sur la chaussée.
   Cela avait commencé dans un certain ordre, on se groupait par
fédérations, par sections, par clubs, on formait des semblants de cortèges qui
25 avaient encore chacun leur individualité, puis d'autres arrivants s'agglutinaient à la cellule mère, et finalement on ne s'y retrouvait plus, on se résignait
à marcher aux côtés d'inconnus, sous des calicots différents de ceux qu'on
avait peints soi-même pour la section, et finalement on se trouvait soudé, bon
gré mal gré, à cet ensemble mouvant, respirant, murmurant, et on n'avait plus
30 qu'une hâte : que *cela* commençât.
   Les cars de police s'étaient massés au centre et aux angles de la place, le
heurt était inévitable et nécessaire ; c'était même assez incroyable que d'avoir
pris, individuellement, le métro ou l'autobus, comme pour aller au bureau ou
au cinéma, d'être descendu à Sully² ou à Pont-Marie², d'avoir retrouvé son
35 groupe ou ses amis, ou de les avoir en vain cherchés, d'avoir été canalisé par
un homme à brassard (un *responsable*) et puis d'être tout à coup comme aspiré
par un courant, porté par un lent et puissant mouvement de marée,
transformé en cellule d'un corps vivant, agissant, démesuré.. Et sans doute
chacun de ces hommes avait eu des raisons individuelles, vagues ou précises,
40 de se trouver là, chacun de ces hommes, chacune de ces femmes avait ou non
réfléchi, hésité à la façon dont on hésite individuellement, les plus minces
raisons pesant autant que les plus profondes (On y va ? Allons-y, il fait soleil),
mais tout cela ne formait plus qu'une machine, qu'une seule décision, qu'un

---

1. *Banderoles de couleur
portant des inscriptions.*

2. *Stations de métro.*

seul aveugle mouvement vers l'avant que personne ne pouvait plus arrêter,
45 qu'un seul désir : que *cela* commençât.

Oh ! avant, bien sûr, on avait su que ce n'était pas bien terrible, une simple manifestation, pas la guerre, ni la révolution, ni rien qui fût autre chose que de la routine, comme de donner sa signature, d'aller passer deux ou trois heures dans une salle enfumée à discuter des futures réformes d'un 50 gouvernement futur qui peut-être ne serait jamais. Mais là, côte à côte, mais dans cette foule serrée (demain on discuterait âprement, on dirait deux cent mille, ou cinq cent mille, ou trois cent mille personnes), mais pour l'instant c'était simplement beaucoup, beaucoup de monde, une entité, un nombre vivant, et c'était tout autre chose qu'on ressentait, qu'on désirait, qui allait 55 arriver.

FRANÇOISE MALLET-JORRIS, *Les Signes et les Prodiges*, © éd. Grasset, 1966.

Une manifestation contre la guerre d'Algérie, à Paris.

POUR LE BREVET DES COLLÈGES

(À partir du texte de Françoise Mallet-Joris)

Compréhension

Précisez le sens des mots ou expressions suivants :
— « une atmosphère fiévreuse » (l. 4)
— « le centre névralgique » (l. 11)
— « une entité » (l. 53)

Grammaire

1. Donnez la nature et la fonction des mots en italique dans la phrase suivante :
« L'avenue *plantée* de *marronniers* grouillait d'une foule si dense *qu'*elle *en* était *entièrement* remplie... »

2. Transformez cette séquence composée de 2 propositions indépendantes juxtaposées en une séquence de même sens comportant une principale et une subordonnée conjonctive :
« Les cars de police s'étaient massés aux angles de la place, le heurt était inévitable... » (2 solutions sont possibles).

3. Recherchez dans le texte trois formes verbales différentes pour l'expression d'un ordre ou d'un souhait et identifiez-les.

Expression

1. Imaginez une suite d'une vingtaine de lignes au texte de la romancière, en respectant le ton et l'esprit de la page citée.

2. Racontez une scène ou un événement dont vous avez été le témoin dans lesquels la *foule* joue le rôle principal.

JACQUES
PRÉVERT

Choses et autres
(1972)

« Mai 1968 »

« Les Événements ! »

Même si les journées d'émeute de Mai 68 n'ont pas donné lieu véritablement à de grandes œuvres littéraires, elles forment la toile de fond de certains chapitres de romans de l'époque ou ont inspiré telles pièces de recueils de chansons et de poèmes. On ne s'étonnera pas ainsi qu'un des textes de Jacques Prévert (1900-1977), dans son recueil Choses et autres *(1959-1972), mi-vers, mi-prose, se soit nourri des cris et des slogans de ces mêmes étudiants que le romancier René Barjavel met en scène au début de ses* Chemins de Katmandou *(1969). Chez le vieux poète « libertaire » comme chez le romancier, ici journaliste et témoin, c'est toute l'impatience d'une génération, à la fois facétieuse et provocatrice, qui est donnée à lire.*

I

On ferme !
Cri du cœur des gardiens du musée homme usé
Cri du cœur à greffer
à rafistoler
05 Cri d'un cœur exténué
On ferme !
On ferme la Cinémathèque et la Sorbonne avec
On ferme !
On verrouille l'espoir
10 On cloître les idées
On ferme !
O.R.T.F.[1] bouclée
Vérités séquestrées
Jeunesse bâillonnée
15 On ferme !
Et si la jeunesse ouvre la bouche
par la force des choses
par les forces de l'ordre
on la lui fait fermer
20 On ferme !
Mais la jeunesse à terre
matraquée piétinée
gazée et aveuglée
se relève pour forcer les grandes portes ouvertes
25 les portes d'un passé mensonger
périmé
On ouvre !
On ouvre sur la vie
la solidarité
30 et sur la liberté de la lucidité.

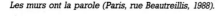

Les murs ont la parole (Paris, rue Beautreillis, 1988).

1. *Office de la radio et de la télévision françaises.*

2. *Le théâtre de l'Odéon, dans le Vᵉ arrondissement de Paris.*

3. *Jeu de mot. « Chanter une antienne » signifie « répéter toujours la même chose ».*

II

Des gens s'indignent que l'Odéon[2] soit occupé alors qu'ils trouvent encore tout naturel qu'un acteur occupe, tout seul, la Tragi-Comédie-Française depuis de longues années afin de jouer, en matinée, nuit et soirée, et à bureaux fermés, le rôle de sa vie, l'Homme providentiel, héros d'un très 35 vieux drame du répertoire universel : l'Histoire antienne[3].

JACQUES PRÉVERT, *Choses et autres*, © éd. Gallimard, 1972.

« Le lundi rouge »

RENÉ BARJAVEL

*Les Chemins
de Katmandou*
(1969)

C'était le lundi 6 mai 1968, celui que les journaux du lendemain allaient nommer « le lundi rouge » parce qu'ils ignoraient que d'autres jours, plus rouges encore, allaient lui succéder. Les étudiants qui depuis des semaines démolissaient les structures de la Faculté de Nanterre avaient
5 annoncé le samedi précédent qu'ils viendraient manifester aujourd'hui devant la Sorbonne. C'était comme s'ils avaient annoncé qu'ils allaient allumer un feu de camp dans un grenier à foin. Toute la maison risquait de flamber. Ils le savaient. C'était sans doute ce qu'ils désiraient. Brûler la baraque. Les cendres, paraît-il, sont un bon engrais pour les récoltes nouvelles.
10   On a rarement l'occasion d'apprendre par la presse, la radio et la télévision, qu'une révolution commencera lundi à deux heures de l'après-midi, entre la place Maubert et Saint-Germain-des-Prés.
   Je suis dévoré par une curiosité qui ne sera jamais satisfaite, je voudrais tout savoir et tout voir. Et par une anxiété perpétuelle concernant le sort de
15 ceux et de ce que j'aime. Et j'aime tout. Je ne pouvais pas ne pas être là ce lundi après-midi. J'avais laissé ma voiture aux Invalides et pris le métro. La station Odéon était ouverte. Je sortis.
   Je surgis de terre dans l'insolite. Le boulevard Saint-Germain était vide. Le flot des voitures avait totalement disparu, laissant à nu le fond du fleuve.
20 Quelques garçons et filles s'agitaient, se déplaçaient rapidement sur le bitume, comme des poissons à la recherche d'une flaque. À l'ouest, une foule assez clairsemée d'étudiants qui étaient, eux aussi, « venus voir » occupait le carrefour Mabillon et celui de la rue de Seine. Ils parlaient par petits groupes, ils bougeaient à peine. Ils ne s'étaient pas encore engagés dans l'événement.
25 À l'est, un mince cordon de policiers casqués barraient la chaussée un peu avant le carrefour Saint-Michel et semblaient attendre que l'événement se précisât. À mi-chemin entre eux et la foule, le boulevard était occupé par une esquisse dérisoire de barricade, composée de quelques panneaux de bois posés à plat sur la chaussée, de cageots, de poubelles et de deux ou trois caisses. Une
30 centaine d'étudiants s'agitaient autour d'elle comme des fourmis qui viennent de découvrir le mince cadavre d'une libellule et veulent le faire savoir à la fourmilière entière. Sur la plus haute caisse, Olivier[1] était debout.
   En sortant du métro, je sentis que je pénétrais dans un instant fragile, bref et tendu, comme lorsque le percuteur a frappé l'amorce et que le coup
35 n'est pas parti. On ne sait pas si la cartouche est mauvaise ou si le fusil va éclater. On le regarde et on attend, en silence.
   C'était un grand silence, malgré les explosions sourdes qu'on entendait du côté de la place Maubert, et les traînées de cris qui se déchiraient le long du boulevard et s'enflaient parfois en clameurs ou en slogans scandés. Rien
40 de cela ne parvenait à emplir le vide laissé par l'énorme absence du flot et du bruit des voitures. C'était comme la disparition soudaine de la mer au ras du rivage. Quelque chose allait venir et s'installer dans ce vide. C'était inévitable, physique, cosmique. Il y avait un trou dans l'univers des habitudes, quelque chose allait le combler, personne encore ne savait quoi.
45   Autour du schéma de la barricade, l'agitation croissait. Les étudiants arrachaient à la chaussée des fragments de bitume et les lançaient aux policiers qui les leur renvoyaient. Quelques garçons parfois franchissaient la barricade, couraient pour donner de l'élan à leur projectile et sautaient en le lançant accompagné d'injures. C'était une sorte de danse vive et légère, ces garçons
50 étaient jeunes et sans poids, tout en mouvements vifs, en grands gestes de tout

1. *Le héros du roman de Barjavel.*

leur corps vers le haut. La foule du carrefour de la rue de Seine s'épaississait rapidement et se mettait à bouger. Des groupes rejoignaient en courant la barricade et la dépassaient ; lançant des morceaux de bois, des fragments d'asphalte, et poussant de plus en plus fort leurs cris de défi. [...]

55 En face d'eux, le cordon de police était devenu un bouchon compact. Coude à coude, dos contre poitrine, sur vingt mètres d'épaisseur, casqués, vêtus de cirés qui brillaient comme sous la pluie, les policiers constituaient une masse effrayante de silence et d'immobilité. Derrière eux se rangeaient lentement des cars aux fenêtres grillagées, roue dans roue, côte à côte, d'un 60 trottoir à l'autre et sur plusieurs épaisseurs. Quand tout fut prêt, cela se mit en mouvement avec une lenteur écrasante, comme un de ces monstrueux reptiles du secondaire dont les déplacements nivelaient le sol et faisaient déborder les étangs. La bête projetait devant elle de lourdes trombes d'eau, qui nettoyaient les trottoirs, renversaient et catapultaient les panneaux, les 65 poubelles et les hommes, faisaient éclater les fenêtres, noyaient les appartements. Les grenades lacrymogènes roulaient et explosaient partout. Dans le crépuscule qui venait, leurs rubans de fumée paraissaient plus blancs. Les étudiants avaient fui rapidement dans toutes les petites rues. Des groupes de policiers les poursuivaient. Rue des Quatre-Vents, un clochard qui dormait 70 sur le tas de sable d'un chantier se réveilla brusquement. C'était un ancien légionnaire, encore costaud, perdu de nostalgie et de vin. Il se leva et vit des uniformes monter à l'assaut, il se mit au garde-à-vous et salua.

Au coin de la rue de Seine, une pluie de pavés arrêta les policiers qui arrivaient. Ils noyèrent la rue sous un flot de grenades. Un brouillard blanc 75 monta jusqu'aux étages. De grands nuages gris roulaient au-dessus des toits. Une motocyclette pétaradait, portant deux journalistes masqués de blanc, coiffés d'énormes casques jaunes imprimés du nom de leur agence. Celui qui conduisait reçut un pavé dans les côtes, tandis qu'une grenade éclatait sous sa roue avant. La moto s'écrasa sur le trottoir devant la devanture d'un 80 chemisier. Celui-ci avait déjà tiré sa grille. Hagard, il essayait de distinguer à travers la vitre ce qui arrivait dans la fumée. C'était le commencement de la fin de son monde. Il s'efforçait de sauver ses chemises. Il les ôtait rapidement de la vitrine, il les passait à sa femme, qui les cachait dans des tiroirs.

RENÉ BARJAVEL, *Les Chemins de Katmandou*, © éd. Presses de la cité, 1969.

Guide de lecture : la barricade

1. La présence du *narrateur-témoin*. Comment est-elle expliquée et rendue vraisemblable dans les deux premiers paragraphes ?

2. *« L'Insolite »* (ligne 18). Justifiez ce mot-clé de la description du Quartier Latin dans les trois paragraphes suivants.

3. *« Le Silence »* et *« Le vide »*. Étudiez leur évocation dans les paragraphes 5 à 7. Quel effet cherche ainsi à provoquer le narrateur ?

4. À quel autre type d'*attente* peut-on comparer celle qui est ici décrite ? Le mot de *danse* (ligne 49) renvoie également au même univers. Lequel ?

5. Par quelle *image* est évoquée la réplique des policiers ? Analysez les figures et expressions de son *développement* au fil du paragraphe.

6. Deux *portraits* en forme de *clins d'œil* (le clochard et le chemisier) clôturent les deux derniers paragraphes. Pourquoi sont-ils très réussis ? Quel contraste cocasse permettent-ils avec le reste de la scène ?

LE RÉSUMÉ D'UN TEXTE

1. LA MÉTHODE

1. Éliminez les difficultés de vocabulaire

Après une première lecture attentive, relevez les mots difficiles et cherchez-en le sens en vous aidant d'abord du texte, puis d'un dictionnaire.

2. Dégagez le thème général, les idées directrices

De quoi parle-t-on ? Que cherche-t-on à nous démontrer ou que veut-on nous faire comprendre ?

Une seconde lecture attentive vous aidera à dégager le sujet du texte et l'essentiel de son argumentation (si c'est un texte d'idées).

3. Soulignez les points principaux dans le texte

Utilisez pour ce travail de repérage un crayon de manière à pouvoir rectifier en cas d'erreur (gomme). Il arrive en effet fréquemment que l'on prenne une idée secondaire pour une idée principale.

Ne vous fiez pas totalement à la disposition en paragraphes, car les idées ne suivent pas nécessairement ce découpage.

4. Repérez les articulations logiques

L'articulation du raisonnement est fréquemment indiquée par des liaisons logiques que vous devez repérer (en les encadrant, par exemple) : *de plus, mais, néanmoins, par conséquent, donc,* etc. Ces mots de liaison indiquent les relations de cause, de conséquence, d'opposition, de restriction, etc.

5. Dégagez le plan détaillé du texte

Reprenez les idées principales (soulignées dans le texte). Ordonnez votre plan en hiérarchisant les parties et les sous-parties : **I** idées principales, **1** arguments appuyant ces idées, **a** exemples illustrant les arguments.

6. La rédaction du résumé

Vous êtes maintenant en mesure de composer votre résumé. Attention !

a. Ne présentez pas le texte et n'utilisez donc pas de formules telles que « l'auteur déclare que... démontre que... »

b. Ne prenez pas de « distance » avec le texte : vous devez produire dans le même ordre une version condensée, mais fidèle.

c. Ne reprenez pas les citations du texte. Mais les mots clés sont permis, et à la rigueur une formule significative (notée entre guillemets).

Votre effort consistera à éliminer sans hésitation tout ce qui est d'un intérêt secondaire (illustrations d'une idée, exemples d'appui, chiffres et pourcentages superflus...).

7. Vérification et relecture

Cette étape est indispensable. Relisez une première fois pour vérifier la cohérence de vos propos, leur enchaînement.

Comptez vos mots (faites figurer le nombre de mots utilisés à la fin du résumé). Vous devez réduire le texte de l'auteur au quart de sa longueur environ (marge de 10 % en plus ou en moins admise).

Si vous constatez une trop grande différence, relisez une seconde fois plus attentivement, afin de retrancher des mots (phrases à contracter davantage) ou d'en ajouter (éléments à reprendre dans le plan).

2. TEXTE À RÉSUMER

SAVOIR S'ALIMENTER

Les experts du monde entier — médecins, biologistes, nutritionnistes, diététiciens — sont formels : il existe des relations irréfutables entre la plupart des grandes maladies du monde industriel et la surconsommation ou le déséquilibre alimentaire. Maladies cardiaques, attaques, hypertension, obésité, diabète, dégradation de la qualité de la vie du 3e âge, tel est le lourd tribut que nous devons payer pour trop aimer la viande, les graisses ou le sucre. Jour après jour, année après année, nous préparons le terrain aux maladies qui nous emporteront prématurément.

Le tiers monde meurt de sous-alimentation... et nous de trop manger. Pléthore ou carence : les maladies de la malnutrition ou de la sous-alimentation tuent probablement dans le monde d'aujourd'hui plus que les microbes et les épidémies. Et pourtant sauf dans le tiers monde, on s'est peu intéressé jusqu'ici à la nutrition. Surtout en France. C'est bien connu : nous avons tous, ici, la faiblesse de croire que ce qui touche aux plaisirs de la table est comme notre seconde nature. On n'a rien à nous apprendre en ce domaine. D'ailleurs, quoi de plus triste qu'un « régime », « une diète », le « jeûne » ou l' « abstinence ». Il faut bien, à la rigueur, y recourir pour traiter des maladies, mais pas pour préserver sa santé, ou plus simplement pour vivre mieux et plus longtemps.

Les biologistes vont plus loin : ce que nous mangeons influencerait notre manière de penser et d'agir. Comme le disent si bien les Anglais : « You are what you eat », vous êtes ce que vous mangez. Et les Français d'ajouter : « On creuse sa tombe avec ses dents. » Il ne s'agit donc plus aujourdhui de perdre quelques kilos superflus mais tout bonnement de survivre. D'inventer une diététique de survie. Nous avons la mort aux dents. Il est grand temps de réagir.

Mais comment? Pendant des millénaires les hommes ont cherché à manger *plus*. Faut-il aujourd'hui leur demander de manger *moins*? Peut-on aller contre des habitudes aussi enracinées? Beaucoup estiment que toute ingérence dans leur mode d'alimentation est une véritable atteinte à leur vie privée. Manger est devenu si banal et si évident qu'on n'y prête plus guère attention. La plus grande diversité règne en matière d'alimentation. Il en va de même des hommes. Les besoins sont très différents selon les individus. Inégaux dans notre façon d'assimiler une nourriture riche, nous le sommes aussi devant les aliments : certains adaptent à leurs besoins ce qu'ils mangent et boivent. D'autres ne peuvent résister à la tentation. Certains grossissent facilement, d'autres ne prennent jamais de poids. D'autres encore ne parviennent pas à grossir, même s'ils le souhaitent. Les facteurs héréditaires viennent ajouter à la complexité des phénomènes et des tendances. L'environnement ou le terrain moduleront à leur tour ces influences. C'est pourquoi il apparaît bien difficile sinon impossible de communiquer des règles de vie ou d'équilibre adaptées à chaque cas.

STELLA et JOËL DE ROSNAY, *La Mal Bouffe*, éd. Olivier Orban.

3. PRÉPARATION ET RÉDACTION DU RÉSUMÉ

1. Difficultés de vocabulaire
a. Vérifiez le sens de :
nutrition; biologistes; nutritionnistes; diététiciens; irréfutable; dégradation de la qualité de la vie; ingérence.
b. Distinguez
surconsommation et *déséquilibre alimentaire; sous-alimentation* et *malnutrition; pléthore* et *carence; diète/abstinence/jeûne.*

2. Le thème
Savoir s'alimenter : une urgence du monde moderne difficile à résoudre.

3. Le plan
I. Idée majeure : selon les spécialistes, il existe une relation entre les déséquilibres alimentaires (surconsommation ou carences) et les maladies du monde moderne.
1. Illustration : exemples de maladies et d'altérations de la qualité de la vie, dues à notre négligence quotidienne.

2. Précisions : diversité des causes. Il faut distinguer entre la sous-alimentation qui touche le tiers monde et la pléthore de nourriture qui nous concerne.
II. Un paradoxe : « Et pourtant... »
1. Énonciation : l'opinion publique en général (surtout française) se désintéresse de ce problème.
2. Les raisons de ce « refus » :
a. Tradition nationale ou seconde nature : les Français aiment les plaisirs de la table.
b. Répugnance instinctive pour toute forme de privation (tristesse des « régimes »).
c. Une seule exception : on accepte l'effort de la privation pour traiter une maladie, non pour prévenir ou préserver sa santé.
III. Une réflexion complémentaire à l'appui de l'idée principale
Du régime alimentaire dépend non seulement la santé du corps, mais aussi l'état mental et intellectuel.
IV. Une interrogation sur les solutions possibles
Comment régler au mieux l'alimentation?
Les problèmes surgissent, de deux sortes :
1. moraux : résistance des habitudes, souci de protéger sa vie privée;
2. psychologiques et scientifiques (diététiques) : liés à une grande diversité de cas particuliers (différences entre les besoins, entre les facteurs héréditaires, entre les environnements).
V. Conclusion : la difficulté d'un réglage universel du régime alimentaire.

4. RÉDACTION DU RÉSUMÉ

En matière de nutrition et de médecine, les plus grands spécialistes s'accordent pour reconnaître une indéniable relation entre les mauvaises habitudes alimentaires (suralimentation ou malnutrition) et les maladies spécifiques du monde moderne, sur le plan physique et sur le plan psychique.

Or, paradoxalement, on constate un désintérêt des populations pour les problèmes de la nutrition.

Il est donc urgent de remédier à cette situation. Mais on se heurte alors à des problèmes multiples et complexes : notamment la résistance au changement d'habitudes alimentaires ancestrales et la diversité des facteurs impliqués dans le phénomène de la nutrition (facultés d'assimilation, volonté individuelle, causes héréditaires, ou encore influences de l'environnement).

C'est pourquoi les solutions générales sont très difficiles, sinon impossibles à établir. (Nombre de mots utilisés : 125, pour un texte de 492 mots.)

8
Cinéma, cinémas

Photogramme extrait du film de Jean-Luc Godard : *Passion*.

La passion du cinéma mène un cinéaste comme Godard à s'interroger toujours plus sur l'outil qu'il utilise : en témoignent, du Mépris *jusqu'à* Passion *(voir ci-dessus), ces images sans cesse reprises du film dans le film... D'autres réalisateurs, comme Tony Richardson pour* La Solitude du coureur de fond, *pp. 298 et 299, préféreront se servir de la caméra pour rendre compte le plus exactement possible, un peu à la manière d'un reporter, du monde dans lequel ils vivent.*

Les westerns et les films policiers paraissent au premier abord bien éloignés de ces préoccupations. On a vu longtemps dans ces séries B des œuvres de pur divertissement. Leur ambition est pourtant plus haute : à travers les règles précises d'un genre populaire, par l'intermédiaire de héros typés (le cavalier solitaire de Johnny Guitar, *pp. 300 et 301, le détective privé du* Grand Sommeil, *pp. 302 et 303), ces films des*

années 40 et 50 ont jeté les bases d'une moderne mythologie.

Chercher à divertir, de toute manière, n'a rien de méprisable. On le voit d'autant mieux quand au rire se mêle le sourire nostalgique (c'est Woody Allen et La Rose pourpre du Caire, *pp. 304 et 305) ou, plus brutal, l'élan d'émotion fraternelle qui soulève le spectateur et le range d'emblée du côté de Charlot face aux soldats bornés du* Dictateur, *pp. 306 et 307.*

C'est l'émotion encore qui unit les deux films qui vont clore ce chapitre, pp. 308 à 311. Rien de commun, apparemment, entre l'aristocrate vénitienne de Senso *et le héros de* L'Enfant sauvage, *surgi de nulle part.*

Tous deux pourtant auront à suivre le même cheminement douloureux : apprentissage de la passion, chez Visconti ; apprentissage, chez Truffaut, du regard de l'autre, de la vie en société — de la vie.

La Solitude du coureur de fond
(Tony Richardson, 1962)

Tony Richardson fait partie de ces *angry young men*, de cette génération de jeunes cinéastes en colère qui ont été dans l'Angleterre du début des années 60 le pendant de notre Nouvelle Vague...

La Solitude du coureur de fond s'inscrit dans cette contestation d'un cinéma et d'une société figés dans la valorisation du bon goût, du bon ton. Richardson, par exemple, ne cherche pas à nous faire découvrir dans son film les beautés du sport.

Colin Smith, son héros, est né et a grandi dans la grisaille de l'Angleterre ouvrière. Des chapardages l'ont mené dans un centre de redressement dont le directeur croit aux vertus de l'exercice physique, seul moyen, selon lui, de canaliser l'agressivité des jeunes gens dont il a la charge.

Dès son entrée au centre, Colin a montré ses qualités de sprinter à l'occasion d'un match de football. La course de fond de notre séquence va lui permettre de découvrir (et d'abord pour lui-même) une nouvelle capacité d'effort.

La suite du film nous fera vivre l'entraînement du héros jusqu'au cross final, réunissant les meilleurs athlètes des écoles de la province, où tout le monde s'attend à sa victoire... Mais cette dernière et longue séquence, traversée de flash-back, s'achèvera sur une défaite volontaire, à quelques dizaines de mètres du but, quand notre coureur de fond décide d'arrêter son effort, refuse de jouer plus longtemps le jeu qu'on lui demande, et transforme cet échec assumé et proclamé en victoire sur l'ordre établi.

Colin Smith (Tom Courtenay) découvre la solitude du coureur de fond...

1. *Musique (c'est la reprise du thème sonore du film).*

2. *Musique.*

3. *Musique.*

4. *Musique.*
Voix de l'entraîneur : Ne traînez pas !

5. *Musique.*
L'entraîneur : C'est toujours ici que Stacy les lâche, Monsieur le directeur.

6. *Musique.*

7. *La musique s'arrête définitivement, remplacée par les halètements et le bruit de la course sur le sol.*

8. *Halètements, bruit des pas.*

9. *Halètements, bruit des pas.*

10. *Halètements, bruit des pas.*

11. *Halètements, bruit des pas.*

12. *Même fond sonore.*
Stacy : Derrière moi, Smith ! Ralentis, salopard !

13. *Halètements, bruit des pas.*

14. *Halètements, bruit des pas.*

15. *Halètements, bruit des pas.*

16. *Halètements, bruit des pas.*

17. *Même fond sonore.*
Rire du directeur.

18. *Le vainqueur reprend bruyamment son souffle.*
Le directeur : Belle course, Smith, belle course ! Vous voyez, j'avais cru que vous étiez un sprinter quand vous avez marqué ce but, mais vous êtes un coureur de fond.

Les forces en présence

● Les représentants de l'institution
— Comment vous apparaissent-ils à travers leur physique, leur costume, leurs paroles ? Montrez à la fois leur diversité personnelle et l'unité du groupe qu'ils constituent.
— Commentez cette phrase du directeur, prononcée un instant plus tard en forme de conclusion à l'adresse de Stacy et de Colin Smith : *On n'obtient rien sans effort, mon garçon.*

● Les sportifs
— Efforcez-vous d'identifier Stacy et Colin Smith dans les images 1 à 8 (gros plans et plans d'ensemble).
— Comment expliquez-vous la conduite de Stacy dans l'image 14 ?

— À votre avis, qu'est-ce qui fait courir Colin ?
— Expliquez et commentez le titre du film, à partir notamment de cette scène.

Un cinéma sans concession

— Que pensez-vous de la manière dont on filme ici les visages, le paysage ? Interrogez-vous en particulier sur les cadrages.
— Comment comprenez-vous l'image 8 : qui voit-on ? qui le voit ? pourquoi la ligne d'horizon est-elle inclinée ?
— Le noir et blanc vous paraît-il dans ce film plus intéressant que la couleur ?

Johnny Guitar
(Nicholas Ray, 1953)

Ce western est d'abord une histoire d'amour : la rencontre, ou plutôt les retrouvailles, entre un ancien tueur, repris de justice, qui essaie d'oublier son passé (c'est le cavalier de notre séquence initiale, page de droite) et la femme qu'il a connue et aimée autrefois, Vienna, qui règne à présent d'une main de fer sur la salle de jeux d'une ville de l'Ouest.

Leurs deux solitudes vont se rencontrer à nouveau et, cette fois, de façon définitive. Mais ce ne sera qu'après des épisodes sanglants où l'amour, la jalousie, l'argent se mêlent dans un lacis inextricable. Car nous sommes au moment où le romantisme de la conquête de l'Ouest est en train de céder la place aux intérêts de l'industrie et du commerce : le chemin de fer s'apprête à rejoindre ce bout du monde et à l'ouvrir sur l'extérieur.

En même temps que l'histoire personnelle de deux êtres, on le voit, c'est l'histoire symbolique d'un continent, d'une civilisation, qui s'écrit sous nos yeux.

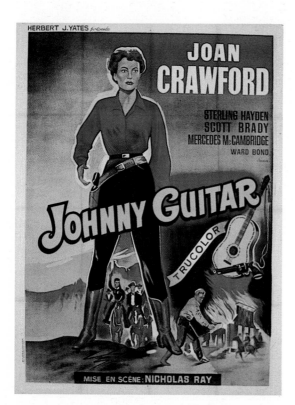

Quelles réflexions vous inspire cette affiche, par rapport à ce que vous savez du film et des deux principaux personnages ?

Analyse d'une séquence initiale

● La mise en place des éléments narratifs
Les thèmes croisés de l'amour, de l'argent, de la mort apparaissent dès ce début, montrés ou suggérés.
— La puissance de l'argent se traduit ici de deux façons différentes. Lesquelles ? Quel rapport avec la vie, la mort ?
— À quoi voit-on que notre héros est capable d'émotion ?

● La présentation du héros
— Mettez-le en rapport avec le titre du film (et avec la bande son).
— Dans quelle mesure ce personnage se distingue-t-il du héros classique de western ?

Prestiges et mensonges du cinéma

— En quoi la couleur est-elle nécessaire ici ?
— Étudiez le rapport entre le héros et le paysage, entre l'homme et l'espace. Analysez de ce point de vue cette séquence, image par image, en distinguant :
les échelles de plans (ensemble, demi-ensemble, plan rapproché).
les angles de prises de vue (plongée, contre-plongée).
— Interrogez-vous sur le fonctionnement du montage ; comparez notamment les photogrammes 3, 9 et 11.

Sterling Hayden dans la séquence initiale de Johnny Guitar

(Venant de la droite, un cavalier apparaît derrière le bouquet d'arbres du premier plan.)

1. *Musique dramatique.*

2. *Musique.*
Deux explosions coup sur coup.

3. *Musique.*

4. *Musique.*
Cri de l'homme au drapeau : C'est dégagé !

5. *Musique.*
Vacarme des cavaliers et des chariots.

6. *Musique.*
Premiers coups de feu.

7. *Musique.*
Coups de feu.

8. *Musique.*
Coups de feu dont on découvre la cause : c'est une diligence poursuivie par des bandits.

9. *Musique.*

10. *Musique.*
Nouvelle série de coups de feu.

11. *Musique.*

12. *La musique change : on y reconnaît le thème mélodique de la chanson Johnny Guitar introduit l'instant d'avant dans le générique.*

Le Grand Sommeil
(Howard Hawks, 1946)

Un film noir de la grande époque du cinéma américain ne vaut pas tant par son intrigue, toujours complexe, volontiers obscure et à la limite impossible à raconter, que par son atmosphère.

C'est d'abord une affaire de lumière et d'ombre. Et l'on ne s'étonnera pas que la charge émotive du film noir ne s'exprime jamais mieux que dans l'univers brutalement contrasté du noir et blanc.

C'est aussi une affaire de rythme, c'est-à-dire une combinaison de temps forts et de temps faibles, de pauses et d'accélérations, un jeu subtil tout entier construit sur la rupture. On est bien loin de ce plat déferlement de violence qui caractérise aujourd'hui les séries télévisées américaines produites à la chaîne.

Humphrey Bogart — le détective privé Philip Marlowe que nous voyons ici dans une des scènes de The Big Sleep, Le Grand Sommeil, adapté d'un des romans les plus célèbres de Raymond Chandler — incarne à merveille cette alliance nécessaire de l'humour, de la nonchalance, et de l'esprit de décision.

Humphrey Bogart dans une séquence d'action du Grand Sommeil

1. Dialogue seul (c'est le maître-chanteur qui parle ; face à lui, à gauche, sa maîtresse).

2. Coups de sonnette à la porte.

3. Deux coups de feu.

4. Avec le cri de la jeune femme s'installe une musique dramatique qui va rythmer l'action jusqu'à l'image 17.

5. Musique seule.

6. Musique seule.

7. Musique seule.

8. Musique seule.

9. Sur la musique se détachent les deux coups de feu du tueur qui s'est retourné, et le sifflement des balles.

10. *Musique seule.*

11. *Même musique, à laquelle se mêle le bruit du moteur de la voiture qui démarre.*

12. *Musique seule.*

13. *Musique seule.*

14. *La musique continue, mais un ton plus bas (elle conservera ce même niveau jusqu'à l'image 17) ; bruit des voitures en surimpression.*

15. *Musique seule.*

16. *Musique et bruit des pas qui se rapprochent.*

17. *Musique et bref avertissement du détective à l'adresse du tueur.*

18. *La musique disparaît, remplacée par la sirène des voitures de police.*

Les personnages

● Le couple des maîtres-chanteurs
— Essayez de les situer socialement à travers leur apparence physique, leurs vêtements.
— Ces malfaiteurs ont-ils, à votre avis, « la tête de l'emploi » ?

● Le tueur
— Il appartient à un autre monde : montrez-le.
— Comment expliquez-vous sa réaction, image 9 ?

● Le détective privé
— Correspond-il à l'image que vous en attendiez ?
— Pourquoi ne livre-t-il pas le tueur à la police ?

Le langage cinématographique

— Quel est l'effet des ombres dans l'escalier, images 5 et 6 ?
— Commentez l'utilisation de gros plans en 12 et en 15.
— Analysez les informations fournies par l'image 13.

Le cinéma et son public

— Qu'est-ce qui rend la version originale particulièrement intéressante pour les films de série B, policiers ou westerns ?
— Que pensez-vous, en général, de la présentation des films étrangers en v. o. ? Faut-il les réserver aux cinéphiles ?
— Votre avis sur le ciné-club à la télévision : êtes-vous pour ou contre ? Pourquoi ?

La Rose pourpre du Caire
(Woody Allen, 1985)

Avec La Rose pourpre du Caire, *l'humour de Woody Allen, nourri de nostalgie et de tendresse, saute d'un coup dans le merveilleux.*

Nous sommes dans l'Amérique des années 30. Cécilia, embarrassée d'un mari sans passion et sans travail, obligée de gagner sa vie comme serveuse dans un restaurant, a trouvé un moyen d'oublier la grisaille quotidienne : c'est de passer tout son temps libre au cinéma du quartier, où elle vit par procuration les succès, les plaisirs, le bonheur des héroïnes élégantes et des héros romantiques qui défilent sur l'écran.

Un jour enfin le miracle a lieu. Le héros quitte le film et vient vers elle. Beau tumulte ! On se doute que le public, les producteurs, l'acteur même (qui voit son personnage lui échapper) vont se hâter de remettre de l'ordre dans tout cela.

A. L'acteur et son personnage.

B. Une invitée imprévue au Copacabana.

Entre deux mondes

- L'écran
— Étudiez attentivement le décor dans lequel évoluent les personnages du film : quels sont les indices de leur niveau social ?
— Que pensez-vous de leur apparence physique, de leurs vêtements ?
— Comparez avec Cécilia dans le document B.

- La salle
— Interrogez-vous sur la composition du public.
— La salle de cinéma vous paraît-elle accueillante, luxueuse, confortable ?

- D'un monde à l'autre
— Quels sont les signes (visuels, en particulier) qui annoncent la décision de Tom Baxter ?
— En entrant dans la réalité, Tom cesse-t-il d'être un héros de cinéma ? Commentez l'image finale.
— Comparez point par point (document A) le personnage à l'acteur qui lui a donné vie.

Histoire et sociologie du cinéma

- L'évolution technique
— Cherchez les dates d'apparition du parlant, de la couleur.
— Trouvez des exemples de films actuels en noir et blanc ; essayez d'expliquer ce choix.

- Le cinéma et son public
— On définissait autrefois Hollywood comme une *usine à rêves...* Pensez-vous que la télévision ait pris aujourd'hui cette place et cette fonction ?
— Dans quels domaines précis le cinéma parvient-il à maintenir aujourd'hui encore sa spécificité, à être *irremplaçable* ? Donnez des exemples.

Du rêve à la réalité :
la rencontre entre Tom (Jeff Daniels) et Cécilia (Mia Farrow)

1. *La musique du film emplit la salle de cinéma.*
Elle va accompagner toute la scène — mais en sourdine seulement — jusqu'à l'image 12, où elle retrouve son niveau sonore initial.

2. Henry : Eh bien, mes enfants, ne perdons pas de temps ! Le spectacle du Copacabana commence dans dix minutes, et nous devons y rencontrer la Comtesse et Larry Wilde.

3. Tom : Vous savez, je n'arrive pas à me faire à l'idée qu'il y a vingt-quatre heures j'étais dans un tombeau d'Égypte et je ne connaissais personne d'entre vous.

4. Voix de Tom : ... Et voilà que maintenant... je m'apprête à passer un week-end absolument fou... avec vous... à Manhattan...

5. Tom : Mon Dieu ! Comme vous devez l'aimer, ce film !

6. Cécilia : Moi ! Vous parlez de moi ?

7. Tom : Oui, vous. Vous avez passé ici toute la journée. C'est la cinquième fois que vous voyez ce film.

8. Rita : Henry, venez vite !

9. Tom : Il faut que je vous parle...

10. Une spectatrice : Oh ! Mon Dieu !
Cris dans la salle.

11. Henry : Tom, revenez ! Nous sommes en plein milieu du film !
Tom : J'ai envie de changer d'air. Continuez sans moi.

12. Tom, *se penchant vers Cécilia :* Comment vous appelez-vous ?
La musique du film reprend, plus forte, comme on l'entendait à l'image 1.

Le Dictateur
(Charles Chaplin, 1940)

Quand Charles Chaplin tourne Le Dictateur, *le fascisme hitlérien est à son apogée. Rien ni personne ne lui résiste, à l'intérieur comme à l'extérieur. L'Amérique de Roosevelt, par exemple, se cantonne dans une attitude de prudence et d'attente. En ce sens, le* Dictateur *est d'abord une œuvre de combat.*

Mais Chaplin connaît ses armes et n'oublie pas Charlot. Il n'a garde d'oublier non plus, à l'époque du parlant, son expérience du cinéma muet : un cinéma sans paroles, certes, mais fondamentalement musical, où le défilement des images était accompagné de bout en bout par les improvisations d'un pianiste…

C'est sous cet angle, de cet œil et de cette oreille, que l'on étudiera la séquence ci-contre. Rescapé de la Guerre de 14 mais amnésique, Charlot revient tout naïvement chez lui, dans son quartier, dans sa boutique de coiffeur. Des brutes en uniformes, copies fidèles des sections d'assaut hitlériennes, vont se charger de rappeler à cet amnésique qu'il est juif.

A. Le dictateur Hynkel, copie sinistre de Charlot.

B. Le *Penseur* de Rodin revu et corrigé par Hynkel.

Dénoncer par le rire

● Le mécanisme du gag
— Des marionnettes brutales
Distinguez bien les deux S.A. : l'un plutôt maigre (1, 2, 7 et la suite), l'autre gros (3, 4, 6).
Restituez le dialogue correspondant à l'image 3.
Considérez l'image 4, imaginez la suite : sur le visage de qui va s'écraser le coup de poing de l'homme au premier plan ? La réponse est dans l'image 6.
— Armement offensif et défensif
Expliquez la disparition successive des deux casques.
Quel rapport avec l'utilisation de la poêle ?

● Une mécanique sonore
Voici les trois éléments musicaux essentiels de cette séquence : des coups de cymbale ; une valse populaire ; une valse viennoise.
À quelles images, ou à quels groupes d'images correspondent-ils ici, selon vous ?

Un message universel

● Allemagne et Tomainia
— Dans ce pays de fantaisie, on parle une langue imaginaire : que vous évoquent les mots inscrits sur les boutiques ? Comment expliquez-vous le *JEW* de la 1re image ?
— À quoi reconnaît-on, cependant, dans la Tomainia l'Allemagne de Hitler ? Étudiez-en les indices visuels, y compris dans les documents A et B.

● Hynkel et Charlot
La ressemblance entre le dictateur et le coiffeur juif aidera ce dernier à s'enfuir : le film est optimiste.
— Que pensez-vous de l'idée de faire jouer deux personnages si dissemblables par le même acteur ?
— Commentez la dernière image de notre séquence.

*Les habitants du ghetto (Paulette Goddard, Charles Chaplin)
aux prises avec leurs persécuteurs*

1

2

3

4

5

6

7

8

9

10

11

12

13

14

15

Senso
(Luchino Visconti, 1953)

Senso, comme son titre l'indique, se présente à la fois comme une réflexion sur le pouvoir des sens, de la sensualité, et comme une interrogation sur le sens de l'Histoire. C'est une tragédie de l'amour, qui réunit des êtres dissemblables : une femme dans l'éclat de sa maturité et un homme nettement plus jeune qu'elle ; une aristocrate sensible à l'honneur et un séducteur sans principes. C'est aussi une tragédie historique qui rapproche, sur le fond d'une guerre imminente, une Italienne qui lutte pour l'unité de son pays et un officier autrichien, membre de l'armée d'occupation.

Le rideau se lève au printemps 1866, à Venise. Une représentation à l'Opéra se transforme en une manifestation patriotique dans laquelle le cousin de la comtesse Serpieri provoque en duel le lieutenant Mahler. Inquiète pour son cousin, la Comtesse invite le lieutenant dans sa loge et feint pour lui de l'intérêt. Civilités inutiles : le rebelle sera condamné à l'exil.

La comtesse Serpieri se retrouve peu après en présence du lieutenant Mahler sur une place de la ville. Rencontre brève : elle repousse fort sèchement ses avances. Tout va basculer pourtant, l'instant d'après. Un concours de circonstances — voir notre séquence, page de droite — et peut-être aussi le consentement secret dont elle n'avait pas encore pris conscience vont la pousser dans les bras du beau lieutenant. La voici prise au piège que lui tendent le destin et l'amour... Tout cela finira fort mal.

Cette affiche vous paraît-elle rendre compte de ce que vous savez de *Senso* ?

Venise

— Dans la version originale du film, la comtesse et le lieutenant s'expriment tous deux en italien : cela vous paraît-il étrange de la part du lieutenant ? Repérez sur une carte la frontière autrichienne, aujourd'hui, par rapport à la Vénétie.

— Reconnaissez-vous ici le décor habituel de Venise ? Étudiez attentivement, de ce point de vue, les 12 images de la séquence.

Ombres et lumières

— La scène se passe à la nuit tombante : qu'est-ce qui le montre ?

— Comparez les photogrammes 2 et 3 : le visage de la comtesse seul visible en 2, une silhouette seulement en 3. Expliquez ces obscurités volontaires, commentez-en les effets successifs.

— Que pensez-vous du manteau blanc du lieutenant : réalité historique, fonction symbolique ?

— Rapprochez le dialogue de l'image 3 (*Considérez-moi comme votre ombre*) du photogramme n° 10.

La comtesse (Alida Valli) et le lieutenant (Farley Granger) ou la mise en place du piège amoureux

1. *Une musique s'élève, forte, aux accents romantiques...*
Elle disparaîtra tout à fait au moment où le dialogue s'engage, pour renaître à l'image finale, juste après le « Merci » de la comtesse.

2. — Je vous ai demandé de ne pas me suivre.
— Mais je ne vous suis pas.

3. — Ainsi donc, vous ne me suivez pas ?
— Considérez-moi comme votre ombre.
— Merci ! La mienne me suffit.

4. — Mais elle ne vous protège pas...
— Laissez-moi, vous dis-je !

5. — Oh !

6. ...

7. — Mais... il est mort ?

8. *On entend le bruit d'une patrouille.*
— Chut !

9. *Le martèlement des pas se fait plus proche.*
— Venez vite !

10. *Les soldats sont tout près.*

11. *Des jurons, des ordres en allemand.*
La patrouille s'éloigne en emportant le cadavre.

12. — Merci.
De nouveau, la musique...

L'Enfant sauvage
(François Truffaut, 1970)

Le petit d'homme abandonné par ses parents et recueilli par la Mère Nature est un mythe littéraire bien connu depuis Le Livre de la jungle.

C'est aussi une réalité historique, comme le montre l'histoire du Sauvage de l'Aveyron capturé dans ce département à la fin de l'année 1800, amené à Paris, présenté au plus illustre des psychiatres de l'époque (qui ne voit en lui qu'un idiot congénital, incapable de toute espèce de progrès) et finalement confié au docteur Itard, jeune médecin-chef de l'Institution Impériale des Sourds-Muets...

Face à ce « sauvage » d'une douzaine d'années agité de mouvements convulsifs, sujet à des accès de colère imprévisibles, Itard va s'efforcer d'éveiller progressivement son attention au monde extérieur, de le socialiser.

Quand Victor s'enfuit au bout de neuf mois (c'est le temps qu'il faut à un enfant pour arriver au monde) et qu'il reste absent si longuement qu'on le croit définitivement perdu, Itard, navré, s'apprête à rendre compte de son échec dans une lettre qu'il adresse au Ministre de l'Intérieur. C'est le début de notre scène, page de droite, qui est aussi la séquence finale du film de Truffaut.

A. L'enfant sauvage surpris dans les bois de l'Aveyron.

B. L'initiation à la vie sociale : apprendre à formuler sa demande.

Éducation et affection

● Le langage du corps
— Montrez comment Madame Guérin établit avec l'enfant un contact d'ordre corporel.
— L'enfant lui répond de la même manière : où le voit-on ?
— Dans quelle mesure le docteur Itard recourt-il au même type de contact ? Pensez-vous que ce soit chez lui une méthode ou une réaction spontanée ?

● Le langage des yeux
— Commentez l'expression du visage de Madame Guérin vis-à-vis de l'enfant, vis-à-vis du docteur.
— Que voyez-vous dans le regard de Victor, en 2, en 8, en 12 ?

● Le langage des mots
— Montrez que Madame Guérin parle le langage d'une mère.
— Distinguez, dans les paroles que le docteur Itard adresse à Victor, ce qui ressemble à un langage de père et ce qui appartient au pédagogue.

● Le langage cinématographique
— Les cadrages ont-ils ici pour objet de faire naître l'émotion ?
— François Truffaut, réalisateur du film, incarne en même temps le docteur Itard. Que pensez-vous de ce choix ?

C. La découverte de l'identité : que pensez-vous de ce prénom ?

François Truffaut dans la séquence finale de L'Enfant sauvage

1. — Je puis affirmer à Son Excellence qu'il était arrivé à posséder le libre exercice de tous ses sens. Il donnait des preuves continuelles d'attention, de réminiscence, de mémoire. Il pouvait comparer, discerner, et juger...

2. ... Cet enfant de la forêt avait réussi à supporter le séjour de nos appartements et tous ces changements heureux étaient survenus dans le court espace de neuf mois.
Bruit contre la vitre.

3. *(Le docteur Itard vient de s'élancer au dehors en appelant son protégé).*

4. — Madame Guérin, regardez : Victor est revenu.
— Qui l'a ramené ?
— Personne. Il est revenu de lui-même.

5. — Mon garçon... mon garçon, qui es revenu tout seul...

6. ... Tu es tout déchiré, mais enfin tu es là.
Sur ce mot commence la musique (le largo du concerto en do majeur de Vivaldi pour piccolo et orchestre) qu'on entendra jusqu'à la fin de la scène et du film.

7. *Musique.*

8. *Musique.*

9. — Je suis content, Victor. Tu es revenu chez toi. Tu comprends ? Tu es chez toi. Tu n'es plus un sauvage, même si tu n'es pas encore un homme... Victor... tu es un jeune homme extraordinaire, un jeune homme aux grandes espérances...

10. — Madame Guérin, emmenez-le se reposer.

11. — Tantôt, nous recommençons les exercices.
Le mouvement musical du concerto de Vivaldi a paru s'achever au moment où le docteur Itard commençait sa phrase. Il repart, plus fort, dès qu'elle est terminée.

12. *Même musique, plus forte.*

Repères d'Histoire littéraire

On trouvera dans cette chronologie non seulement les œuvres dont des extraits figurent dans l'ouvrage (accompagnées d'indications de pages), mais également celles qui nous ont semblé les plus représentatives de leur temps.

ANTIQUITÉ

IXᵉ s. av. J.-C.	*L'Iliade*, Homère (p. 63)
Vᵉ s. av. J.-C.	Bible de Jérusalem (p. 6)
415 av. J.-C.	*Les Troyennes*, Euripide (p. 65)
28 av. J.-C.	*Les Géorgiques*, Virgile (p. 9)

MOYEN ÂGE

XIIᵉ s.	
	Chansons de toile (pp. 224 et 225)
v. 1180	*Le Chevalier à la charrette*, Chrétien de Troyes (pp. 211, 213 et 215)
XIIᵉ-XIIIᵉ s.	Chansons de croisade
XIIIᵉ s.	
	Ami et Amile, chanson de geste (p. 202)
	Rondeau (p. 226)
	Lai de Tristan et Iseut (p. 221)
v. 1207	*La Conquête de Constantinople*, G. de Villehardouin (p. 207)
v. 1210	*La Chanson des Nibelungen* (p. 228)
1224	*Œuvres*, Saint François d'Assise (p. 204)
v. 1250	*Le Jeu de Robin et de Marion*, Adam de la Halle (p. 217)
1261	*La Complainte de Rutebeuf*, Rutebeuf (p. 106)
v. 1275	*Le Roman de la Rose*, Jean de Meung (p. 219)
1298	*Le Devisement du monde*, Marco Polo (p. 231)
XIVᵉ s.	
v. 1350	*Le Décaméron*, J. Boccace (p. 241)
	Les Contes de Canterbury, G. Chaucer (p. 229)
XVᵉ s.	
1405	*Le Livre de la cité des dames*, Christine de Pisan (p. 235)
v. 1450	*Poésies diverses*, F. Villon (pp. 108 et 110)
1451-1505	*Journal*, Ch. Colomb (p. 233)

XVIᵉ SIÈCLE

1516	*L'Utopie*, Th. More (p. 242)
1532	*Épîtres*, C. Marot
1534	*Gargantua*, F. Rabelais (pp. 236 et 238)
1542	*L'Enfer*, C. Marot
1552	*Les Amours*, P. de Ronsard (p. 116)
1558	*Les Regrets*, J. du Bellay (p. 115)
1559	*Heptaméron*, Marguerite de Navarre
1572-92	*Essais*, Montaigne (p. 239)

XVIIᵉ SIÈCLE

1616	*Les Tragiques*, A. d'Aubigné
1626	*Histoire universelle*, A. d'Aubigné
1632	*Discours de la méthode*, R. Descartes
1636	*Le Cid*, P. Corneille
1659	*Les Précieuses ridicules*, Molière (p. 78)
1662	*L'École des femmes*, Molière (p. 82)
1665	*George Dandin*, Molière (p. 84)
1668-93	*Fables*, J. de La Fontaine (p. 166)
1670	*Pensées*, Pascal
1672	*Les Femmes savantes*, Molière (p. 80)
1677	*Andromaque*, J. Racine (p. 70)
1678	*La Princesse de Clèves*, Mme de La Fayette
1688	*Caractères*, La Bruyère (p. 142)
1696	*Histoires ou Contes du temps passé*, Ch. Perrault (p. 22)

XVIIIᵉ SIÈCLE

1721	*Lettres persanes*, Montesquieu (p. 143)
1731	*Manon Lescaut*, Prévost
1737	*Les Fausses Confidences*, Marivaux (p. 161)
1749-85	*Histoire naturelle*, Buffon
1759	*Candide*, Voltaire
1762	*Le Contrat social*, J.-J. Rousseau
1762	*Jacques le fataliste*, D. Diderot
1779	*La Vie de mon père*, Rétif de la Bretonne (p. 48)
1784	*Le Mariage de Figaro*, Beaumarchais

Mots à connaître pour l'Étude des Textes

ABSTRAIT : se dit d'un texte qui développe des idées, sans référence au monde sensible, ou d'une œuvre d'art qui utilise la matière, la forme ou la couleur pour elles-mêmes. Ant. : CONCRET.

ACTE : division principale d'une pièce de théâtre (dans une pièce classique, cinq actes). L'acte est lui-même découpé en scènes.

ACTION : succession des faits et des actes qui constituent la trame d'un récit. Voir INTRIGUE.

ALEXANDRIN : vers de 12 syllabes.

ALLÉGORIE : représentation d'une idée abstraite ou d'un sentiment par un personnage. Par exemple, une femme armée d'une faux pour représenter la mort. Voir SYMBOLE.

ALLITÉRATION : répétition de plusieurs consonnes identiques dans le même vers ou la même strophe.

ANAGRAMME *(n.f.)* : mot obtenu en changeant l'ordre des lettres d'un autre mot. Ex. : *aimer,* anagramme de *Marie.*

ANAPHORE : répétition d'un mot en tête de plusieurs membres de phrases, afin de renforcer le sens.

ANTITHÈSE : opposition de deux idées ou de deux expressions que l'on rapproche pour mieux en faire ressortir le contraste. Ex. : *Merveille de la guerre,* p. 256.

ANTONYME : mot de sens opposé. (Contraire de *synonyme.*)

APARTÉ : au théâtre, paroles qu'un personnage prononce pour lui-même, et que seul le spectateur est censé entendre.

ASSONANCE : répétition de plusieurs sons vocaliques dans le même vers ou la même strophe.

AUTOBIOGRAPHIE : récit qu'un narrateur fait de sa propre vie. Voir aussi MÉMOIRES.

AUXILIAIRE : celui qui vient en aide au héros. Syn. : ADJUVANT. Ant. : ADVERSAIRE, OPPOSANT.

CALLIGRAMME : poème dont les vers ou les lignes sont disposés de manière à figurer le dessin d'un être ou d'un objet.

CÉSURE : coupe qui délimite les deux moitiés d'un alexandrin, ou HÉMISTICHES.

CHAMP LEXICAL : ensemble de mots apparentés par une ou plusieurs notions qui leur sont communes.

CLICHÉ : expression ou idée toute faite. Syn. : STÉRÉOTYPE.

COMIQUE *(n. et adj.)* : qui fait rire. Le comique peut être fondé sur les **mots** (calembours, coq-à-l'âne), sur les **situations** (ex. : Géronte enfermé dans un sac par Scapin), sur les **caractères** (ridicule d'un personnage, satire de ses travers) ou sur les **idées** (comique fondé sur l'humour ou sur l'ironie).

COMPARAISON : rapprochement explicite entre deux êtres ou deux objets, qui repose sur une ou plusieurs caractéristiques communes. Voir MÉTAPHORE, IMAGE.

CONCRET : qui peut être appréhendé par les sens, qui existe dans la réalité matérielle. Ant. : ABSTRAIT.

CONTE : récit court mettant en scène des personnages disposant de qualités ou de pouvoirs surnaturels (fées, magiciens).

COUPE : silence marqué à l'intérieur d'un vers dit à haute voix.

DÉCOR : ensemble des objets entourant une action, des personnages.

DÉNOUEMENT : épisode final d'un récit ou d'une pièce de théâtre. Syn. : ÉPILOGUE.

DESCRIPTION : énoncé qui dépeint les traits caractéristiques d'un personnage (portrait) ou d'un décor, d'un paysage.

DIALOGUE : échange de paroles entre deux ou plusieurs personnes. Voir MONOLOGUE.

DIDASCALIE : dans un texte dramaturgique, indication concernant la mise en scène, le décor, les gestes et déplacements des personnages, ou leur diction.

DIÉRÈSE : en poésie, dédoublement d'une syllabe, pour les besoins de la mesure. Ex. : *na-ti-on* au lieu de *nation.* Ant. : SYNÉRÈSE.

DISCOURS : paroles tenues par les personnages eux-mêmes, par opposition au *récit,* qui est pris en charge par le narrateur. Voir ce mot.

DISTIQUE : groupe de 2 vers formant un tout pour la grammaire et pour le sens.

DIZAIN : strophe de 10 vers.

DRAMATIQUE : qui concerne le théâtre, la scène (du grec *drama :* « action »).

ÉLÉGIE : poème lyrique exprimant une plainte douloureuse, des sentiments mélancoliques. Voir LYRIQUE.

ÉLISION : absence de valeur métrique d'une syllabe, dans la mesure d'un vers. Ex. : l'élision de la syllabe terminée par un *e* muet, devant une voyelle.

ENJAMBEMENT : débordement grammatical d'un vers sur le vers suivant, sans coupe marquée à la fin du premier. Voir REJET.

ÉPILOGUE : épisode par lequel se conclut un récit. Ant. : PROLOGUE. Syn. : DÉNOUEMENT.

ÉPIQUE : qui raconte les aventures et les combats de héros surhumains dont la destinée symbolise un aspect essentiel de l'histoire de l'humanité.

ÉPREUVE : situation difficile à laquelle se heurte le héros et qu'il doit surmonter avant de poursuivre sa mission.

ESSAI : texte développant une réflexion originale sur un sujet de philosophie, de littérature, etc.

ÉTYMOLOGIE : origine ou filiation d'un mot.

EXOTISME : goût pour ce qui vient d'ailleurs, des pays lointains.

EXPOSITION : au début d'une pièce, scène qui a pour fonction d'informer les spectateurs des circonstances (lieu, époque) dans lesquelles s'engage l'action, et de présenter les personnages qui vont y prendre part.

FANTASTIQUE : qui paraît imaginaire ou surnaturel. Le *fantastique* consiste à introduire des éléments insolites ou surnaturels dans un contexte réaliste. Voir MERVEILLEUX.

GENRE (littéraire) : catégorie d'œuvres littéraires, définie par la tradition, le sujet, le ton, le style, etc... Ex. : le **roman,** la **comédie,** l'**essai,** la **nouvelle.**

GROTESQUE : comique de caricature poussé jusqu'à l'irréel ou au fantastique.

HARMONIE : en poésie, rapport de sonorités identiques ou proches, produisant un effet agréable, en relation avec le sens.

HÉMISTICHE : moitié d'un alexandrin.

HÉROS : principal personnage d'un récit, celui qui conduit l'action.

HOMOPHONE : se dit de deux mots dont la prononciation est identique, mais dont le sens et l'orthographe sont différents.

HUMOUR : forme d'esprit qui consiste à présenter la réalité sous un jour plaisant, et à faire sourire de ce qui est habituellement considéré comme sérieux. Voir IRONIE.

IDÉOLOGIE : ensemble d'idées et de valeurs — morales, philosophiques ou politiques — qui sont propres à une époque, une société ou une classe sociales.

IMAGE : figure de style qui repose sur une comparaison, explicite ou implicite. Voir COMPARAISON, MÉTAPHORE.

IMPLICITE : qui n'est pas directement exprimé, mais qui se laisse supposer. Ant. : EXPLICITE.

INTIMISME : style qui relève de la confidence, évoquant des faits de la vie personnelle et intime.

INTRIGUE : agencement des épisodes, des situations et des péripéties qui constituent une action. Voir ACTION.

IRONIE : mode d'expression qui permet de se moquer en disant le contraire de ce que l'on veut faire entendre. Syn. : ANTIPHRASE.

LYRIQUE : à l'origine, se dit d'une poésie destinée à être chantée avec accompagnement de musique (*lyre,* flûte) et de danse. De nos jours, se dit d'une poésie dont le rythme et les images communiquent au lecteur l'émotion et les sentiments intimes de l'auteur.

MERVEILLEUX : qui fait appel au surnaturel. Ex. : le merveilleux chrétien dans *La Chanson de Roland.* Mais, contrairement au FANTASTIQUE (voir ce mot), le merveilleux repose sur des croyances généralement admises par l'époque.

MÉMOIRES : récit qu'un narrateur fait des événements auxquels il a participé ou dont il a été témoin dans sa vie. Ex. : *Les Mémoires d'outre-tombe* de Chateaubriand. Alors que l'AUTO-BIOGRAPHIE (voir ce mot) relève du récit intime, les Mémoires font plutôt revivre une période de l'histoire.

MESURE : nombre de syllabes qui caractérise un type de vers donné, et règles qui déterminent le compte des syllabes à retenir.

MÉTAPHORE : terme substitué à un autre pour désigner, par comparaison implicite, un être ou un objet. Voir COMPARAISON, IMAGE.

MÉTONYMIE : désignation d'un être ou d'un objet par une de ses parties ou par une réalité qui lui est contiguë. Ex. : Boire un verre.

MONOLOGUE : dans une pièce de théâtre, scène à un seul personnage qui pense et parle tout haut. Voir SOLILOQUE. Dans un roman, le **monologue intérieur** retranscrit à la première personne les états de conscience d'un personnage. Ant. : DIALOGUE.

MORALITÉ : conclusion de la fable, qui en dégage le sens moral ou philosophique.

MOT-VALISE : mot constitué par la fusion de deux autres mots, dont naît un sens nouveau, souvent amusant. Ex. : *orthogaffe* = « perche munie d'un crochet qui permet de repérer les fautes d'orthographe dans un texte. »

MYTHE : récit fabuleux, souvent d'origine populaire, dont les héros, dieux ou demi-dieux, représentent symboliquement des forces de la nature, ou des aspects de la condition humaine. Ex. : *le mythe d'Orphée, le mythe de Sisyphe.*

NARRATEUR : celui qui, dans un récit, prend en charge la relation des événements. N.B. : Dans un récit à la 1re personne (ex. : *L'Étranger,* de Camus), le narrateur (être de fiction) ne doit pas être confondu avec l'auteur (personne réelle).

NÉOLOGISME : création d'un mot nouveau (obtenu par déformation, composition, emprunt...) ou emploi d'un mot déjà existant dans un sens nouveau. Ex. : *néopathe,* par analogie avec *névropathe* : « atteint par la manie de la nouveauté ».

NOEUD : situation essentielle dans une intrigue, d'où le destin des personnages sortira définitivement transformé.

NOUVELLE : récit court, avec des personnages peu nombreux, présentés comme réels.

ORATOIRE : qui caractérise l'éloquence, l'art de bien parler en public.

PANTOUM : poème composé de quatrains à rimes croisées, dont les 2e et 4e vers sont repris aux 1er et 3e vers de la strophe suivante. Ex. : *Harmonie du soir,* de Baudelaire.

PARADOXE : énoncé qui contredit, ou semble contredire, les idées admises.

PARODIE : imitation comique d'un texte, ou d'un genre.

PASTICHE : œuvre dans laquelle l'auteur imite le style d'un maître, soit pour s'en approprier les qualités (plagiat), soit par exercice de style, soit avec une intention parodique.

PATHÉTIQUE : qui fait naître l'émotion.

PÉJORATIF : qui diminue la valeur de quelqu'un ou de quelque chose.

PÉRIPÉTIE : changement soudain de situation, dans un récit.

PÉRIPHRASE : figure qui consiste à exprimer par un groupe de mots une notion qui pourrait être désignée par un seul mot, afin d'atténuer une réalité difficilement soutenable, ou de donner plus d'ampleur au style.

PERSONNIFICATION : représentation d'un animal, d'un objet, ou d'une idée sous les traits d'un être humain.

PITTORESQUE : qui retient le regard, qui mérite d'être peint ou relève de l'art du peintre.

PLAN : 1. Organisation des parties successives d'un texte, d'une œuvre. — 2. Au cinéma, espace couvert par l'image. On distingue le plan large, le plan moyen, le plan rapproché.

POLÉMIQUE(*n. f. et adj.*) : se dit d'un discours agressif, qui cherche à emporter la conviction en prenant à partie l'adversaire.

PORTRAIT : description d'un personnage, au physique et/ou au moral.

PRÉCIEUX : affecté, qui cultive le goût du brillant, du rare, afin de donner du *prix* à sa personne ou à son langage.

PROLOGUE : début d'un récit, présentant les personnages et leurs actions antérieures.

PSYCHOLOGIE : art d'observer et d'analyser les sentiments et les caractères.

QUATRAIN : strophe de 4 vers.

RÉCIT : relation des faits prise en charge par un narrateur, par opposition aux propos tenus par les personnages eux-mêmes. Voir DISCOURS.

REJET : enjambement de faible étendue, d'un vers sur le suivant.

RÉPLIQUE : brève intervention d'un personnage, au théâtre ou dans le récit, en réponse à un autre. Voir TIRADE.

RIME : répétition d'un même son ou d'une même suite de sons à la fin de deux ou plusieurs vers.
Rimes suivies : aa bb. — Rimes croisées : ab ab. — Rimes embrassées : ab ba.
Rimes pauvres : répétition d'un seul son. — Rimes suffisantes : répétition d'une suite de deux sons. — Rimes riches : répétition d'une suite de trois sons ou davantage.

RÔLE : conduite d'un personnage par rapport aux autres, dans une intrigue, et fonction dont il est investi.

RYTHME : répétition régulière d'un même phénomène, notamment d'un accent en poésie, ou d'un groupe de syllabes déterminé, en prose. Rythme bref, coupé, pressé, ou au contraire ample, lent. Syn. : CADENCE.

SATIRE : texte qui ridiculise les travers d'une personne ou d'un groupe.

SENSATION : perception physique, par les organes des sens.

SENTIMENT : état particulier de la sensibilité psychologique (amour, inquiétude, enthousiasme, colère, etc.).

SÉQUENCE : au cinéma, suite de plans comportant les mêmes personnages et le même décor.

SOLILOQUE : discours d'une personne qui, en compagnie, est seule à parler, ou semble ne parler que pour elle. Voir MONOLOGUE.

SONNET : poème de quatorze vers, groupés en deux quatrains et deux tercets.

SONORITÉ : perception acoustique des sons, des syllabes et des mots.

STROPHE : suite de vers en nombre déterminé.

SYMBOLE : image concrète servant à représenter, de manière constante, une idée abstraite ou une institution. Ex. : la croix.

SYNÉRÈSE : prononciation en une seule syllabe de deux voyelles contiguës. Ex. : *lion,* au lieu de *li-on.* Voir DIÉRÈSE.

TERCET : strophe de trois vers.

THÈME : unité de contenu, dans un texte. Ex. : le thème de l'eau, du voyage, etc.

TIRADE : intervention développée d'un personnage, au théâtre. Voir RÉPLIQUE.

TRAGÉDIE : pièce de théâtre dominée par le malheur et la mort, dans laquelle les personnages se heurtent à une fatalité.

VERS : en poésie, suite de mots caractérisée par un nombre de syllabes donné et par la rime (vers régulier). Le vers libre a un nombre de syllabes variable et se passe de la rime : il joue essentiellement des accents, des sonorités et du rythme.

Table des Matières

7 Littérature et histoire : le XXe siècle

Édition : Annie Chouard, Bertrand Dreyfuss.
Iconographie : Bernadette de Beaupuis, Nathalie Piquart, Gisèle Namur.
Couverture : Annie-Claude Martin.
Mise en page : Noémi Adda, Christine Chenot.
Photogrammes : Sylvie Pliskin.
Photocomposition : Coupé S.A.
Photogravure : Euresys.

◆ Imprimerie Tardy Quercy S.A. à Bourges - Nº d'éditeur : 10000686-V-(130) (PF.VII) C - Imprimé en France - Juillet 1990 - Nº 16111